LA RENAISSANCE

I

1480-1548

Des mêmes auteurs

Yves Giraud :

LA FLEUR DES CHANSONS RUSTIQUES DE LA RENAISSANCE FRANÇAISE. Presses d'Ile de France, 1965.
VINGT CHANSONS DE LA RENAISSANCE FRANÇAISE. Les Contamines, 1966.
LA FABLE DE DAPHNÉ. ESSAI SUR UN TYPE DE MÉTAMORPHOSE VÉGÉTALE DANS LA LITTÉRATURE ET DANS LES ARTS JUSQU'A LA FIN DU XVIIe SIÈCLE. Droz, 1969.
CHARLES DASSOUCY, LES AMOURS D'APOLLON ET DE DAPHNÉ. Comédie en musique. Droz, 1969 (Textes littéraires français).
THOMAS CORNEILLE, TIMOCRATE. TRAGÉDIE. Droz, 1970 (Textes littéraires français).
CLÉMENT MAROT, POÉSIES. Garnier-Flammarion, 1972 (sous presse).

Marc-René Jung :

HERCULE DANS LA LITTÉRATURE FRANÇAISE DU XVIe SIÈCLE. DE L'HERCULE COURTOIS A L'HERCULE BAROQUE. Genève, Droz, 1966.
ÉTUDES SUR LE POÈME ALLÉGORIQUE EN FRANCE AU MOYEN AGE. Berne, Francke, 1971.

LITTÉRATURE FRANÇAISE

Collection dirigée par Claude Pichois
Professeur à l'Université Vanderbilt

3

Yves Giraud

Professeur
à l'Université de Fribourg

Marc-René Jung

Professeur
à l'Université de Zurich

LA RENAISSANCE

I

1480-1548

72 HÉLIOGRAVURES

ARTHAUD

1 LOUISE LABÉ

CLÉMENT MAROT 2

MARGUERITE DE NAVARRE 3

4 RABELAIS

Franç. Rabel.

5 CALVIN

LEFÈVRE D'ÉTAPLES 6

ÉRASME 7

·ORY·EN·FRANCE·DEPVIS·LAN·1500·IVSQVES·A·PRESENT·

| de Bourbon / de France | Odet de Foix / Sr de Lautrec | Loys de Lorraine / Comte de Vaudemont | Theodore Trivulce / Mareschal de France | Philippe de Villiers / Grand Mr de Rhodes | Franc de France / Dauphin | Guillaume du Bellay / Sr de Langey | Philippe Chabot / Admiral de France | Charles de France / Duc d'Orleans |

| Montmorency / de France | Iean de Valette / Grand Mr de Malte | Timoleon de Cosse / Sr de Brissac | Francois de Coligny / Colonel de l'Infanterie | Loys de Biraque | Gaspar de Coligny / Admiral de France | Blaise de Monluc / Mareschal de France | Philippe Strozzi / Colonel de l'Infanterie | Iacques de Savoye / Duc de Nemours |

| d'Espinay / Sainct Luc | Robert Gaguin | Georges d'Amboise / Cardinal | Charl de Lorraine / Cardinal | Charles de Bourbon / Cardinal | Odet de Coligny / Carde de Chastillon | René de Biraque / Carde et Chancelier de Fra | Pierre de Pinac / Archev de Lyon | Francois de Faucon / Euesq de Gardien |

| e Hurault / r de France | Fran. de Montholon / garde les Sceaux | Gilles le Maistre / Premier President | Christofle de Thou / Premier President | Christofle de Harlay / Premier President | Pierre Seguier / President | Guy du Faur / Sr de Pibrac | Iean de la Guesle / President | Barnabe Brisson / President |

| illiat | Francois Duaren | Eguinaire Baron | Francois Baldouin | Iacques Cuias | Anthoine le Conte | Francois Hottoman | Hugues Doneau | Iean Robert |

| Rondelet | Iean de Gorris | Louys Ioubert | Iacq d'Alechamps | André Vezale | Ambroise Paré | Clement Marot | Mellin de S. Gelais | Iean d'Auton |

| me de Poterle | Christof de Longueil | Francois Vatable | Iacques Tusan | Guillaume Postel | Oronce Fine | Iacques le Febure | I. Cesar Scaliger | Pierre Ramus |

| dré Thevet | Blaise de Vigenere | Robert Estienne | Christof Plantin | Claude Garamond | Francois Clouet / dit Ianet | Anthoine Caron | Germain Pilon | Anthoni |

Le nouueau Te=
stament,/auquel est demonstre nostre
Salut estre faict par Jesu Christ : annonce de
Dieu a noz Peres anciens des le commencement
du monde/q en plusieurs lieux predict par les
Prophetes : Auec la declaration des oeu=
ures/par lesquelles lhome peult estre
congneu /et en sorz q des autres
approuue fidele ou
infidele.

Au fueillet suyuant commence la Table
des parties de la Saincte escripture
recitees en leglise au long
de lannee.

Première partie

L'HOMME ET LA SOCIÉTÉ DE LA PREMIÈRE RENAISSANCE

9. PAGE DE TITRE DU « NOUVEAU TES-
TAMENT » TRADUIT PAR LEFÈVRE
D'ÉTAPLES, PUBLIÉ A ANVERS EN 1530.

Ego franciscus Rabelesus diocesis
Turonen. suscepi gradum doctoratus sub. D.
Antonio. Gryphio in preclara medicine facultate
die Vigesima secunda mensis Maij. Anno domini
millesimo quingentesimo trigesimo septimo.

Rabelesus

INSCRIPTION AUTOGRAPHE DU DOCTORAT DE RABELAIS (22 MAI 1537).
REGISTRE DES ACTES DE L'UNIVERSITÉ DE MONTPELLIER.

CHAPITRE I

Littérature et civilisation

1480 : un roi vieilli, inquiet, s'enferme dans la triste solitude d'une forteresse médiévale. 1548 : un souverain de vingt-neuf ans voit une cour brillante se presser autour de lui, dans le palais de Fontainebleau. Entre ces deux dates, une longue période de mutations, d'espoirs et de progrès, que nous voudrions nommer *première Renaissance* et que nous tenterons, pour la première fois, d'embrasser, entre 1480 et 1548, dans sa complexe diversité. Le terme, avouons-le d'emblée, est arbitraire et imparfait puisque, à côté d'un apport considérable, à côté de l'éclosion de nouvelles formes de pensée et d'art, la part doit être faite aux persistances médiévales. Si l'on a pu dire de Louis XI qu'il était un roi bourgeois, Henri II mourra dans un tournoi chevaleresque digne de l'ère précédente : l'un et l'autre sont dévots et taciturnes, d'humeur sombre. Mais à la devise de défensive méfiance du premier ne correspond plus l'ambitieux programme du second : *Donec totum impleat orbem!*

Il est difficile de donner d'une époque aussi changeante et souvent aussi contradictoire une vision globale. Mais, là où ils peuvent être définis, les changements caractéristiques valent d'être soulignés : ils accompagnent et parfois déterminent le progrès des lettres. Le premier, l'un des plus importants, a trait à la réalité politique : un peu partout en Europe, on assiste à la constitution de grands états unitaires, Espagne, France, Angleterre... qui se substituent peu à peu à la mosaïque hétéroclite des domaines dynastiques; parmi ces grandes puissances, le royaume de France, constamment agrandi et affermi au cours des quatre règnes que nous retenons, occupe une position-clef. Son unification, poursuivie avec application par les souverains, est un facteur décisif : l'administration, les institutions progressivement centralisées entre les mains du roi à la faveur des guerres (guerre de Cent Ans, guerre bourguignonne) permettent une politique concertée et une expansion dynamique

que la paix retrouvée, les échanges rétablis (1475) vont rendre rapidement bénéfiques. Comme chez la plupart des peuples européens, le sentiment national est devenu en France une réalité, acquise au détriment du système féodal graduellement effacé, renforcée par une série de guerres nationales et par la communauté linguistique. L'éclatement de la chrétienté médiévale, avant même les bouleversements de la Réforme, a ses conséquences dans le domaine religieux, où le chauvinisme national apparaît souvent dans la lutte contre les prérogatives romaines, où la pensée cléricale se voit mise en question, pendant que persistent les superstitions, la sorcellerie, les croyances occultes. Si la féodalité militaire et économique a perdu sa place prépondérante au profit du pouvoir central et des cités, un autre type de structure (Marx l'avait justement noté) doit apparaître, l'économie de marché doit remplacer l'économie de subsistance. Le nouveau mode de production sera capitaliste : les échanges vont favoriser le développement du commerce et d'un système bancaire moderne, dont bénéficiera aussi l'économie rurale. En même temps, le monde s'ouvre devant l'homme, grâce aux voyages de découverte et aux lointaines relations commerciales ; le progrès industriel et technique — mines, textiles, imprimerie — transforme profondément la vie matérielle comme les mentalités.

Vouée à une nouvelle forme de vie, il est normal que la société de la première Renaissance ait manifesté un changement d'esprit nettement marqué. La découverte, puis le besoin de nouveauté ont conduit à la rupture avec les traditions intellectuelles et esthétiques du Moyen Age, rupture qui est d'ailleurs loin d'être brutale et complète. L'étouffement de la scolastique permet l'union des forces novatrices ; le culte, la passion de la liberté, de l'art et de la science détermine les nouveaux modes de pensée et de création ; l'ascension de l'esprit bourgeois, dont l'humanisme sera l'une des plus brillantes conquêtes, oriente les réalisations vers une thématique renouvelée. Le jour où l'écriture humanistique remplace la gothique, la page est bien près d'être tournée. La production littéraire est particulièrement abondante au cours de ces soixante-dix années, et ce serait un tort que de juger l'époque d'après les trop rares œuvres qui ont survécu jusqu'à nous dans le grand public : le témoignage que portent les écrivains mineurs est souvent plus riche d'enseignements, et seule une appréhension globale de la période permettra d'en saisir les lignes de force comme aussi les véritables originalités.

Si, à la fin du XVᵉ siècle, l'homme semblait livré à des alternances de violence et de piété, de passion et de tendresse, de découragement et d'avidité, de mélancolie et de facétie, ces contradictions n'auront pas disparu en 1550. Mais l'amour de la vie, le naturalisme exubérant ou réfléchi l'aura emporté ; la lutte « contre Ignorance et sa troupe insensée » (Marot) aura porté ses fruits, même si les deux dernières décennies correspondent à une déception passagère, à un repli, au cours duquel cependant les conquêtes de l'esprit seront mieux assurées. B. Latomas, dans sa leçon inaugurale au Collège des Lecteurs royaux en 1534, traduisait l'attente des esprits et leurs rêves généreux :

> Tous, nous espérons voir à bref délai une métamorphose
> générale, un âge nouveau, la concorde entre les nations,
> l'ordre dans les états, l'apaisement religieux, en un mot,
> la félicité d'une vie heureuse et l'afflux de toutes les pros-
> pérités.

Sans doute, l'âge d'or dont on se croyait proche est demeuré un mythe, et les conflits n'ont pas tous été résolus ; du moins avait-on entrevu et désiré l'avenir meilleur d'une humanité rénovée par l'esprit. Et l'on avait renoué avec les visions de l'Antiquité : bien plus, celle-ci, enfin restaurée, ne servait plus de prétexte à la moralisation allégorique mais à l'exercice du jugement critique.

> Or je vous vois, France, que Dieu vous gard !
> Depuis le temps que je ne vous ay veue,
> Vous me semblez bien amendée et creue,

disait Marot en 1537 ; mais si, en l'espace de deux ans, les progrès étaient nets, que dire de plus d'un demi-siècle ? Le renouveau, pour la première fois sans doute, n'était pas seulement culturel, mais aussi politique, économique et social, et les lettres avaient la belle mission de le magnifier.

Moyen Age et Renaissance

Tout finit et renaît à la fois en cette fin du xve siècle. A l'interminable guerre de Cent Ans succèdent, de Charles VIII à Henri II, les innombrables campagnes d'Italie (1494, 1499, 1515, 1522, 1527, etc.), mais si la première n'a causé que des ravages — en France plus qu'en Angleterre —, les secondes seront à bien des égards bénéfiques. Au repli de la chrétienté à l'Est, sous la poussée des Turcs, font suite la reconquête de Grenade sur l'Islam et, cette même année 1492, l'expansion compensatrice de l'Europe à l'Ouest, après le voyage de découverte de Colomb. Aux croisades cosmopolites en Terre Sainte, succède la croisade espagnole au Mexique. Tout se répète et tout change. Changement et continuité : vers 1450 Gutenberg invente la typographie métallique à Mayence, mais cette mutation qui va bouleverser l'imprimerie et la culture occidentale a été préparée au siècle précédent par la gravure et la xylotypie. La Réforme — ou plutôt les deux réformes, car la contre-réforme est réforme elle aussi — vont régénérer la vieille Eglise médiévale, tout en la divisant, mais l'humanisme naissant du Trecento, puis de la cour de Charles V, l'essor de la bourgeoisie, précoce en Italie, amorcé dès Philippe le Bel en France, auront sans doute favorisé son avènement. Bénéfiques ou non, et ils le seront dans beaucoup de cas — l'histoire-progrès commence à poindre —, les changements sont aussi à mettre au compte du dernier Moyen Age plus qu'à celui d'une Renaissance-miracle. Huizinga le reconnaîtra au terme de ses mélancoliques méditations sur l'automne médiéval (XIVe-XVe siècles). Mais ce qui frappe et qui compte surtout, c'est le fait que tous les changements prennent allure de mutations en quelques années, justifiant ainsi la périodisation choisie pour cette étude, et que, loin d'être particuliers aux arts et à la littérature, ils affectent l'ensemble de la civilisation.

La campagne et la ville

Ils ne l'affectent pas également, chez tous les hommes, à tous les niveaux de la société : la prospérité retrouvée après Charles VII et Louis XI est très relative (contrastant avec les misères de la peste et de la guerre) pour les ruraux, c'est-à-dire pour l'immense majorité des Français. Sur 15 à 18 millions d'habitants que compte vers 1515 la France, dans ses limites actuelles, 80 à 90 % vivent de la terre. Une suite de bonnes récoltes, des épidémies plus localisées contre lesquelles, mieux nourri, on se défend mieux, la fin surtout des pillages et des dévastations des gens de guerre, ont favorisé la croissance rapide de la population, après la réoccupation du sol. Souvent aussi les vides ont été comblés par des immigrants, venus nombreux des provinces épargnées, voire de l'étranger, vers les plaines fertiles. Les villages se sont reconstruits, pas tous ni aux mêmes endroits, les terres abandonnées ont été défrichées, cultivées à nouveau... Mais dans ces campagnes restaurées, le changement n'est guère notable par rapport à la situation médiévale, sinon peut-être parce que la mort recule un peu plus souvent et plus longtemps, passé l'âge critique de l'enfance. Les seigneurs, revenus auprès des paysans, ont continué d'exiger corvées et redevances. Avec plus d'âpreté parfois, car la guerre ne les a pas enrichis, leurs châteaux sont à reconstruire, et trop de bourgeois les supplantent désormais dans les conseils et l'administration du roi. Ils ont perdu une part de leur prestige, avec le déclin de leur puissance militaire et de leur indépendance politique, leur rôle traditionnel de protecteurs et de défenseurs n'a plus guère à s'exercer, du moins sur place, et ils ont dû céder des terres, consentir des avantages, négocier leurs droits pour redorer leur blason. La puissance de l'Etat, les interventions de la justice royale, les opérations des receveurs et collecteurs d'impôts royaux, sont autant de limitations de leurs avantages et

prérogatives. Les grands domaines sont rares : ils sont la propriété de grands
seigneurs, de monastères, plus nombreux dans les riches terroirs voisins des
villes, comme la Beauce et la Brie (Paris), ou le Lauragais (Toulouse), où ils
vont souvent passer, au cours du XVIᵉ siècle, entre les mains des marchands et
des industriels. Le morcellement général des terres freine le progrès des techniques, le paysan manque d'argent pour remplacer par les nouveaux outils de
métal les instruments en bois traditionnels que continuent de lui fournir la
forêt et le petit artisan voisins. Il vit sobrement de pain, de choux, de vesces,
de fruits à l'automne, belle aubaine responsable de graves dysenteries. Il vit sur
son exploitation, boit son vin, son poiré ou son cidre, vend peu, garde dans ses
greniers et sa cave ce qui lui reste après le passage des décimateurs et des
régisseurs seigneuriaux. Les plantes nouvelles, le maïs et la pomme de terre,
sont lentes à s'imposer. L'élevage qui se développe dans certaines régions —
celui du mouton en montagne ou dans les bocages de l'Ouest — profite surtout
aux marchands et aux artisans des villes, et il en est de même du pastel dans le
Toulousain.

Comment s'étonner que se prolonge dans ces campagnes un Moyen Age
qui durera, au vrai, jusqu'au XVIIIᵉ siècle ? L'inconfort de la maison, l'absence
d'argent qui interdit le voyage et cloue au sol une petite paysannerie pourtant
libérée du servage, la crainte persistante des disettes en cas de mauvaise récolte
— une seule gelée suffit à vider bien des greniers —, le retour possible des
épidémies (la peste reviendra à plusieurs reprises), l'insuffisante instruction
dispensée par les petites écoles et les curés, autant de facteurs conjugués pour
faire obstacle à une évolution qui dans les villes va, au contraire, se précipiter.
Le prêche dominical à l'église, les fêtes religieuses, heureusement fréquentes au
calendrier, le passage d'un missionnaire franciscain, l'arrivée d'un personnage
important ou d'un groupe de colporteurs, les chants et les danses de la belle
saison, les veillées — plus courtes et moins fréquentes qu'on a voulu le faire
croire —, telles sont les occasions de se réjouir, de s'instruire, de s'ouvrir au
monde. Mais si ce monde s'agrandit pour d'autres, marchands, voyageurs,
aventuriers des mers, il reste ici un monde étroit, une frange dominée par
l'âpre combat pour la vie, la foi naïve dans les saints et les miracles, les terreurs
irrationnelles aussi, mais qui ne sont pas l'apanage des ruraux en ce siècle
hanté par la sorcellerie.

Il ne faut pas s'exagérer cependant l'opposition entre villes et campagnes.
En dépit des murailles qui les entourent — et qui seront toutes relevées après
la guerre de Cent Ans — les maisons de ville aux pignons serrés, jointifs sur la
rue, s'ouvrent à l'arrière sur des jardins, des vergers, de petits vignobles. Des
chiens mais aussi des porcs errent fréquemment dans les ruelles, et François Iᵉʳ,
qui interdira l'élevage du bétail dans les villes, y tolérera, note Pierre Lavedan,

clapiers et poulaillers. Boutiques et maisons restent le plus souvent en bois et à un seul étage comme les chaumières paysannes. Il en est ainsi à Rouen, à Troyes, en Bretagne... Déjà pourtant, la pierre domine dans le Midi, sert d'assises aux colombages à Rouen, où la fortune bourgeoise se mesure à la hauteur de ces soubassements (les solins). A Lyon, le nombre des étages s'élève jusqu'à cinq ou six, les plus hauts étant réservés aux ateliers de soyeux avides de lumière. La peinture à l'huile, invention des Flandres, et pratiquée par des peintres minutieux, montre dans les portraits commandés par les bourgeois, des visages hâlés, des nuques rouges. Le marchand accompagne sur les chemins la mule qui transporte son argent. Lui non plus ne se distingue guère du paysan.

Urbanisation, concentration, a-t-on pu dire pour caractériser cette période. Mais l'industrie qui se développe, qui se mécanise (le bâtiment avec la grue tournante, la mine avec les pompes, les treuils, les chariots sur rails, le textile avec le rouet à pédale et à ailette, les métiers à la barre), ne se concentre pas toujours dans les villes, loin de là. Pour se défendre de la concurrence anglaise, les drapiers flamands confient leurs métiers aux campagnards : ils échappent ainsi aux réglementations corporatives, réduisent le coût de la main-d'œuvre, et ce sont ces manufactures dispersées qui serviront de banc d'essai aux premiers capitalistes; le marchand assure outillage et argent, le paysan-ouvrier vend son travail : « C'est chose notoire, se plaint la corporation des cloutiers rouennais en 1531, que la plus grande part du clou vendu en la dite ville [Rouen] est fabriqué hors de la dite ville [...] aux forges de fer en forêt, boys ou landes, esquelles n'y a loy ni ordonnance autre que le vouloir des forgerons » (Archives communales de Rouen citées par M. Mollat.) Mineurs, verriers, charbonniers demeurent souvent des ruraux. Leur séjour, c'est la forêt, cette forêt dont on use et abuse et que les hauts fourneaux des maîtres de forges font maintenant reculer, plus encore que les déprédations du bétail, ces « bêtes folles » que le sieur de Gouberville, en Cotentin, récupère non sans peine, au cours de battues qui ressemblent à des chasses à courre.

Cependant, une évolution qui ne fera que s'accélérer, qui s'accélère déjà au cours du XVIe siècle, transforme les sociétés urbaines, y concentre les forces de l'avenir. Leur croissance, par rapport à l'accroissement démographique global, accuse une nette avance. Paris passe dans le cours du XVIe siècle (1480-1575), de 200 à 300 000 habitants, Lyon et Rouen de 40 ou 50 000 à une centaine de mille, suivis par Marseille avec 80 000 habitants. Il en est de même, toutes proportions gardées, à Dijon, à Nantes, à Montpellier, à Toulouse, à Bordeaux. A partir d'un certain seuil, les agglomérations urbaines, souvent reliées entre elles par les fleuves ou les mers, plus rarement par les routes terrestres, attirent vers elles pour les concentrer, et finalement les régir, toutes les activités du pays. Ce rayonnement, bien sûr, cette espèce d'impérialisme urbain ne s'impose pas dans tous les cas à la même échelle : si Paris, Lyon, Rouen, « les trois capitales » du royaume, règnent sur un territoire plus vaste que Troyes ou Dijon, ces dernières sont des centres plus importants que Reims ou Bourges. Mais partout la ville étend son empire. Le déclin de la féodalité, la nouvelle puissance de l'Etat y ont accru la concentration administrative. L'industrie naissante et surtout le commerce y accumulent argent et richesses. Et là est la nouveauté : ce pouvoir grandissant de l'argent et des hommes d'affaires, qui déclenche un mouvement économique et social dont les effets vont retentir dans tous les domaines, celui des mœurs, comme de la science, voire de l'art.

Ce mouvement a été trop souvent analysé pour qu'on y revienne longuement ici. Qu'il suffise de rappeler le progrès de ce qu'il convient de nommer la technique des affaires, l'extension des circuits commerciaux, qui donne à la reprise des années 1470-1480 une ampleur sans précédent, les progrès des techniques maritimes, l'usage de la prime d'assurance, de la comptabilité en partie double — qui permet le contrôle constant et complet des transactions, — l'usage journalier de la lettre de change, le développement du crédit et de la banque... Des horizons nouveaux, mais des techniques déjà anciennes. La Méditerranée tend à se fermer à l'Orient où le commerce musulman arrête l'expansion occidentale ; aussi les navires font-ils maintenant cap vers l'ouest. Gênes concurrence avec succès Venise et regarde vers Gibraltar, vers l'Espagne, vers cette Méditerranée du nord qui s'étire de la Manche à la Baltique et où s'intensifie de décennie en décennie le trafic. Malgré l'opposition de l'Eglise les contrats d'assurance se sont multipliés dès le xve siècle : les changeurs, « assis sur les *bancs* » des marchés italiens, ont consenti des prêts à leurs clients ou accepté des dépôts, les ont fait fructifier et ont ainsi créé la Banque. L'Italie, il faut bien l'admettre, a été, en ce domaine comme en tant d'autres, trop souvent cités, la grande initiatrice. On ne s'étonnera pas de la voir dépêcher ses banquiers et ses marchands, au xvie siècle, à l'apogée de ses moyens techniques, à Lyon, et à Rouen, où des Rucellai feront souche sous le nom francisé de Rousselet. Mais le fait majeur, la clef de la nouvelle expansion, c'est l'afflux du numéraire, l'argent abondant des mines allemandes, l'or surabondant d'Amérique. L'Espagne, qui a découvert un trésor, achète plus qu'elle ne travaille, et finance ainsi l'expansion européenne. Cette abondance soudaine d'argent fait monter les prix, favorise les échanges, grossit les capitaux des négociants. Tandis que la campagne produit et vend sur place ses maigres surplus, recourt encore au troc, la ville importe et exporte sans cesse et de plus en plus loin, augmentant d'autant plus ses bénéfices qu'elle fait voyager plus loin argent et marchandises, et tire meilleur parti des écarts entre les différents marchés.

Tous les citadins ne bénéficient pas au même titre de cette activité. Les

artisans, à plus forte raison les salariés (manœuvres venus des campagnes
surpeuplées, petits artisans ruinés par la concurrence des industriels), les
membres des corporations figées dans leurs traditions et mieux contrôlées par
le fisc, boutiquiers et regrattiers, perdent à ce nouveau jeu plus qu'ils ne
gagnent. Le vrai gagnant, c'est le marchand, le capitaliste, le bailleur de fonds.
Et, dans son sillage, les hommes de justice, procureurs, avocats, qui pullulent
avec le progrès des affaires et des procès, et bientôt, on le verra, l'Etat et le Roi,
qui ne laissent faire tous ces agités que pour mieux tirer profit de leur réussite.

Entre les marchands eux-mêmes existent de grands écarts. Robert
Mandrou a évoqué (dans son *Introduction à la France moderne*) quelques-unes
de leurs variétés : le petit marchand-négociant qui va d'une foire à l'autre,
comme ce Philippe de Vigneulles qui en 1515 fait un long détour, « revenant
du Lendit à Metz pour éviter les brigands » ; le marchand-industriel, tels ces
entrepreneurs du textile qu'on trouve à Lyon, Beauvais ou Rouen ; enfin le
marchand au long cours, armateur, banquier. Ces différences, d'ailleurs,
correspondent à la hiérarchie des villes : villes-marchés de bailliages et de
sénéchaussées, chefs-lieux de généralités et capitales provinciales, métropoles
nationales en relation avec les grandes places du marché international :
Rouen en rapport avec Anvers, Londres et Lisbonne, Lyon avec Gênes,
Venise ou Milan, Paris, gros marché de consommation plus encore que de
production et d'échanges. Lyon occupe un rang exceptionnel, grâce à ses
banquiers — Français et Italiens —, ses soyeux, bientôt ses imprimeurs, enfin
grâce à sa célèbre foire : c'est, dit-on, la deuxième capitale de la France.
L'industrie de la soie, née en Touraine sous l'impulsion de Louis XI, introduite
à Lyon par des Italiens, y occupe vers 1550 quelque 5 000 ouvriers. L'organisation de ses banques, les opérations de clearing qui suivent les transactions
effectuées lors des quatre foires annuelles, la juridiction appelée à régler les
conflits serviront de modèles à Rouen, qui réclamera à son tour la création
d'une Bourse, d'un Parloir, pour faciliter réunions et échanges. La carrière
exceptionnelle du normand Ango (sa vie recouvre exactement notre période :
1480-1551), armateur, corsaire, ami de Marguerite de Navarre, familier de
l'amiral Chabot et du cardinal d'Amboise, créancier de François Ier, mécène
à ses heures, montre le rôle complexe joué par ces très grands hommes d'affaires. Ango mettra un moment en échec la politique de Jean III de Portugal.
Des banquiers italiens de Lyon financeront les expéditions de Charles VIII
et de François Ier en Italie. Relations presque fatales de la finance et de la
politique, en un temps où le roi doit emprunter pour vivre, faire la guerre et
entretenir la cour, où le grand marchand est meilleur expert financier que le
ministre, mais relations qui parfois mènent de la réussite la plus insolente à
l'humiliation et au supplice : de Jacques Cœur, à Marigny, à Semblançay, à
Ango, le même destin se répète, brillant et dramatique. Mais à côté de ces

cas extrêmes, voici l'exemple d'une ascension plus courante, impressionnante pourtant et qui illustre la promotion générale des villes et du négoce : « Ce fut une grosse fortune que celle des Dufour, paroissiens généreux de l'église Saint-Maclou, objet de leurs dons multiples. Drapiers puissants, ils trafiquent non seulement de leurs draps, mais de toutes les matières premières qui leur sont nécessaires, laine, alun, produits tinctoriaux. Guillaume est à Genève en 1452 ; il y achète cent trente livres de graine d'écarlate et les fait venir par Paris. Jean a des relations à Rome ; il se charge en 1466 ou 1467 de faire parvenir quinze cents écus d'or à l'Archevêque, alors en voyage *ad limina*. Trente ans plus tard, le Conseil de Ville de Rouen consulte les Dufour sur les usages de la justice des foires de Lyon dont ils sont les habitués. La garance s'achète pour eux à Berg-op-Zoom (1486) et le pastel leur vient de Bordeaux (1514). Comme leurs contemporains, les Dufour spéculent sur les rentes, ce qui leur permet de nombreuses acquisitions d'immeubles (et de terres) » (M. Mollat).

La ville, foyer de culture

Le mécénat dont on verra quel rôle il a joué dans le mouvement des lettres et des arts, fut-il exclusivement le fait du roi et des princes, ne le fut-il pas aussi des riches bourgeois ? Maint exemple, à Rouen, à Lyon, à Toulouse, l'attesterait. La bourgeoisie, celle des marchands et des « officiers », a fourni à la littérature la grande majorité de ses écrivains, de Marot à Rabelais, à Calvin, à Louise Labé. Il n'est pas dans le jardin des lettres que la Marguerite, et Lyon capitale de la banque a été aussi celle, ou l'une de celles, de la poésie. Il serait vain de vouloir tirer de ces exemples une loi qui établirait une relation étroite et rigoureuse entre la ville, la bourgeoisie et la culture, à ce niveau. Mais il est certain que la promotion des villes n'a pas été seulement économique, qu'il y a eu un rapport direct entre l'ascension de la bourgeoisie et le développement de l'instruction générale. La ville suscita et entretint un esprit nouveau, fait de curiosité, d'appétit de savoir, d'ouverture qu'expliquent en partie l'activité et l'influence de la bourgeoisie. L'ampleur accrue de ses activités, la technicité sans cesse poussée des affaires, la nécessité où elle était de s'informer à tout moment de ce qui se passait et se faisait alentour et au loin, l'obligation de prévoir, de calculer, la tentation de spéculer, l'ambition de réussir, le goût de risquer, développaient chez elle les facultés d'intelligence et de raisonnement, le sens des réalités, le sens aussi, par le voyage, de la relativité de toutes choses. Elle voulut savoir par elle-même, surpasser en connaissances et en expériences les pères et les concurrents. Bref, elle crut à l'instruction, puis à la culture, étant riche et capable d'ajouter le luxe et le beau à l'utile.

Ces ambitions intellectuelles puis culturelles, ambitions singulièrement modernes, furent propagées de haut par les plus fortunés, et partagées comme par contagion jusque par les couches les plus humbles. Emmanuel Le Roy Ladurie, se fondant sur l'étude des archives notariales en Languedoc, apporte la preuve de l'avance, à cet égard, des villes sur la campagne : soixante-douze pour cent des laboureurs venus solliciter des prêts chez un notaire ne savent pas signer. Mais soixante-trois pour cent des artisans signent intégralement. A Béziers et à Narbonne, les baux conclus avec les chapitres révèlent quatre-vingt-dix pour cent d'illettrés parmi les ouvriers agricoles. Mais sur cent artisans narbonnais, trente-quatre signent de leur nom, trente-trois de leurs initiales.

Deux facteurs principaux sont intervenus en faveur de cette promotion urbaine : le développement des collèges et l'apport du livre. L'enseignement médiéval dispensé par les clercs — curés des paroisses rurales, écolâtres des écoles capitulaires, maîtres des facultés — était œuvre charitable et missionnaire. Il s'agissait en définitive de diffuser le message chrétien tel que l'avait interprété et complété l'expérience des théologiens, des juristes et des médecins, ces trois personnages fondamentaux de la cité. Il s'y était ajouté une quatrième faculté, celle des « arts » où s'enseignaient des sciences de second ordre : grammaire, rhétorique, géométrie, musique, etc. C'est cet enseignement, encore très formaliste, que les besoins pratiques des citadins de toutes professions finirent par développer, par étoffer, et finalement laïciser en le soustrayant insensiblement au contrôle direct des grandes facultés. Les besoins croissant, l'appétit de savoir grandissant, il fallut loger les étudiants venus à la grande ville de plus en plus nombreux. On créa des collèges, sortes d'internats où de riches donateurs, souvent la communauté urbaine, hébergeaient tous ceux qui désiraient s'instruire. On accorda des bourses aux plus pauvres. Les plus riches payent, pour l'instruction de leurs fils, les nouveaux maîtres qui allaient bientôt loger sous le même toit que leurs élèves. Ces collèges firent éclater la vieille faculté des arts, se multiplièrent avec l'expansion des villes. Ils devaient peu à peu constituer, en marge des universités, un enseignement d'un caractère plus libéral et qui joua au sein des villes le rôle de multiplicateur des connaissances et de diffuseur de l'humanisme.

Le second multiplicateur fut le livre. L'imprimerie qui exigeait de grosses mises de fonds, un matériel coûteux et une main-d'œuvre experte sous des maîtres instruits, s'installa d'abord dans les grands centres : Paris, Lyon, Rouen. Elle y créa une industrie puissante, bien organisée, mais aussi turbulente — les grèves des typographes firent sensation — du fait des exigences d'un personnel conscient de sa valeur et de ses droits. Le livre, mis d'abord au service des universités — la première presse fut installée en 1470 par Guillaume Fichet à la Sorbonne — facilita la tâche des pédagogues et des élèves puis commença de répandre dans le peuple la masse énorme et hétéroclite de tout ce que lui avaient transmis jusqu'alors les flots mêlés de la tradition orale.

De cette « littérature sauvage » des foires et du colportage, on n'a pas fini de faire l'inventaire. Sans doute ne se substitua-t-elle que lentement, dans les villes et plus encore à travers les campagnes, aux images. Elle eut une influence décisive sur la diffusion du français : la substitution progressive de la langue nationale au latin comme langue vivante.

Ainsi survécut, à côté d'une littérature humaniste vouée à l'étude et à l'imitation des textes antiques, une littérature populaire de tradition médiévale. Le livre reflétait dès son apparition l'extrême diversité d'une civilisation en pleine évolution et qui de ce fait associait pour un temps de multiples aspects du passé et de l'avenir qui se préparait. Il importe en effet, une fois souligné le rôle moteur joué par la bourgeoisie dans l'évolution de la société, de ne pas tomber dans l'erreur d'une histoire prospective. Ce serait schématiser la réalité, fausser le tableau de cette société que d'en réduire la spécificité à l'avènement du premier capitalisme. Aussi bien le changement s'était-il amorcé dès après la mort de saint Louis et reflété alors jusque dans l'art et la littérature.

Mais les structures traditionnelles, le vieil ordre théocratique et féodal devaient avoir la vie dure : le peuple immense des campagnes ne fut guère touché avant le xviiie siècle; seule la ville, surtout la grande ville, fut affectée à l'époque qui nous occupe. Encore sa bourgeoisie ne cessait-elle de « se trahir » elle-même, pour reprendre le mot de Fernand Braudel, fascinée par les prestiges longtemps enviés de la noblesse. Il commençait à s'implanter dans son sein une nouvelle aristocratie, plus insolente encore que l'ancienne, plus avide et surtout plus capable de domination sur ceux que pouvait asservir son argent. Les vieilles corporations menacées se défendaient contre les nouveaux parvenus. Société en mouvement, la société de la première Renaissance n'échappe pas aux contradictions.

Dans cette espèce de désordre de la mutation, alors que tant de choses, de conditions, de mœurs menacent d'altérer le visage du monde, qu'allait-il advenir de la puissance, à la fois temporelle et spirituelle, qui durant de longs siècles avait maintenu l'ordre et doté la civilisation occidentale d'une si remarquable unité : l'Eglise ? Comment allait-elle réagir à la situation nouvelle et comment celle-ci allait-elle retentir sur le destin de l'Eglise ?

Religion et société

L'unité de l'Eglise était en fait ébranlée depuis longtemps. Le schisme surtout avait porté un coup décisif à la symbiose du temporel et du spirituel et les conciles s'étaient montrés incapables de procéder à une réforme par la tête. A une époque où le peuple veut croire, l'Eglise officielle, dans son dédain du vulgaire, se renferme dans une scolastique formaliste et ne se soucie guère d'offrir aux fidèles la nourriture spirituelle qu'ils réclament. Les tentatives de réforme ne manquent pas néanmoins, mais elles se situent à la « périphérie », dans certains couvents, dans certains collèges, dans certains diocèses, et souvent elles prennent fin dès que leurs promoteurs disparaissent.

Dès le XIVe siècle, la pensée religieuse subit une profonde mutation. A un temps où les fidèles, sûrs de leur salut dans l'au-delà, s'étaient surtout préoccupés de leur vie, de ce qui précédait la mort, succède une époque où, lentement, l'assurance fait place au doute et où le sentiment du péché, individuel ou collectif (provoqué par le schisme, les guerres fratricides, l'avance du Turc, les épidémies ?), érige la mort en une barrière terrifiante, derrière laquelle s'ouvre un gouffre. *Memento mori* : à la fin du XVe siècle, les âmes sont hantées par l'idée d'une fin, toujours imminente, et elles demeurent attentives à ce qui se fane, se décompose et disparaît dans l'horreur. La mort n'est pas une libération, mais une menace, derrière laquelle se dresse le spectre de la damnation éternelle.

Le cumul des bénéfices, la non-résidence, le déclin monastique, le marché de reliques et d'indulgences, tous ces abus sont le signe de l'incompréhension totale que la hiérarchie ecclésiastique manifestait devant les aspirations profondes du peuple, qui se trouvait désemparé face aux graves questions qui le tourmentaient. L'ignorance scandaleuse du bas clergé réduisait la religion aux pratiques extérieures et mécaniques. Au lieu de l'instruction, les fidèles trouvaient tout au plus de l'édification. « La Réforme est probablement née de ce profond décalage entre la médiocrité de l'offre et la véhémence nouvelle de la demande » (Delumeau). Cette demande prend le chemin qui lui reste, celui de l'élimination de l'intermédiaire, du prêtre ignorant et du théologien dédaigneux, pour s'adresser directement aux textes ou pour courir après les prédicateurs, surtout franciscains. Le mouvement vers une réforme est d'abord et surtout un mouvement religieux.

Dans les villes se constitue un public de plus en plus nombreux de gens qui savent lire. Or, les trois quarts de la production du premier demi-siècle de l'imprimerie sont réservés aux livres religieux. On édite des textes à destination pratique : pour le bas clergé, un *Manipulus curatorum* ou une *Instructio sacerdotum*, ou les sermons latins d'un saint Bernard (première édition en 1481 ;

15 éditions), d'un saint Vincent Ferrier (1475, 24 éditions), ou d'un contemporain comme Olivier Maillard. Il est vrai que la majorité des textes est en latin, la *Vita Christi* de Ludolphe le Chartreux, les *Meditationes* du pseudo-Augustin (Jean de Fécamp), un des livres de piété les plus répandus à l'époque, les traités de saint Bonaventure, de Gerson, de Denys le Chartreux. Mais la *Vita Christi* est traduite en français dès 1490 et l'on possède des éditions françaises des *Sept Degrés de l'échelle de pénitence* de Pierre d'Ailly (première édition en 1483), de l'*Aiguillon d'amour divin* de saint Bonaventure (1489), et surtout les innombrables éditions de l'*Imitation de Jésus-Christ*, dont une traduction française, l'*Internelle consolacion*, est publiée dès 1486.

Ce mouvement de spiritualité, qui prolonge la *devotio moderna* et la mystique rhénane ou française, se situe en dehors de la liturgie et, sans le vouloir, en dehors de l'Eglise catholique, dès que l'on donne à ce terme son plein sens, celui d'Eglise universelle. L'expérience mystique étant en dernière analyse une expérience personnelle, on en arrive à la propagation d'une vie religieuse individuelle, pour laquelle la liturgie et les institutions de l'Eglise, si elles ne l'entravent pas, sont du moins indifférentes.

La piété populaire se tourne vers le Christ de la Passion et vers la Vierge du Rosaire. Clercs et laïcs collaborent dans les Confréries pour offrir au peuple le spectacle de miracles et surtout celui de la *Passion*, tandis que les *puys* des villes du Nord cultivent la poésie d'inspiration mariale.

Le christocentrisme de la *devotio moderna*, la *Vita Christi* de Ludolphe, les mystères de la *Passion* se situent cependant en marge du texte biblique authentique, tout comme les recueils de bois gravés de la *Passion*, de l'*Apocalypse*, des *artes moriendi*, de la *Biblia pauperum*, les abrégés de la Bible en français, voire les versions françaises plus ou moins complètes (on en compte une bonne vingtaine entre 1466 et 1520). Le mysticisme pouvait-il convenir à la nouvelle couche citadine entreprenante des hommes d'affaires ? Ces textes non authentiques sauraient-ils satisfaire les nouveaux intellectuels humanistes ? N'y a-t-il pas des groupes tout prêts à préférer l'action à la méditation, et le Texte à l'anecdote ?

Voici, dans le groupe des humanistes, un nom, celui d'Erasme, qui, aussi longtemps qu'une réforme semble possible de l'intérieur, fait figure de maître. Dès l'*Enchiridion militis christiani* (1504), l'humaniste définit sa religion. Se détournant des subtilités théologiques, il propage le spiritualisme de la « philosophie du Christ » et affirme l'importance de la foi : *la foi est la seule porte qui nous mène à Jésus-Christ*. Erasme n'organise cependant jamais ses idées en système ; sans dogme, irénique autant qu'hésitant, il est un modéré par tempérament et par conviction. Tout en déclarant qu'il faut mettre les Ecritures à la portée du peuple, il ne s'exprime qu'en latin et demeure ainsi un aristocrate des lettres. Mais l'humaniste chrétien qu'il est procure l'édition princeps du *Nouveau Testament* en grec (1516) et de nombreuses éditions des Pères ; il dote ainsi les réformistes et les réformateurs des textes qui seront à la base de toutes les controverses religieuses. On a pu dire avec raison que les préfaces de ses éditions sont comme le « discours de la méthode » des réformes protestantes : la portée du travail d'Erasme dépasse de loin les intentions de l'auteur, et dès que, dans le deuxième quart du siècle, l'époque des éditions, exégèses et commentaires fait place aux discussions de doctrines, Erasme fait figure de tiède, de « Nicodémite », comme dira Calvin.

Ce fut une illusion de croire que l'appel érasmien à l'amour pût accorder les antagonismes ; illusion aussi de penser que la réforme du clergé fût une mesure suffisante pour rétablir l'unité. Si la justification par la foi et la Bible en vulgaire furent les deux forces qui contribuèrent le plus au succès de la Réforme, c'est qu'elles permirent d'articuler les aspirations profondes d'une large partie de la population. L'angoisse, concrétisée dans l'image de la mort, put être vaincue par la foi qui remplaça l'image du Dieu justicier par celle du Dieu père et par celle du Christ qui, à la croix, s'est chargé de tous nos péchés. D'où un optimisme et une assurance qui se traduisent en dynamisme. Et la Bible dans la langue du peuple fournit à chacun la preuve que cette assurance est justifiée. Dieu s'adresse directement à chacun et chacun peut lire l'espoir de sa grâce directement, sans intermédiaire.

Dans le premier tiers du XVIᵉ siècle, ceux qui prêchèrent le retour au Texte des Ecritures, les évangéliques ou bibliens, accomplirent un labeur considérable. Loin de constituer un dogme, l'évangélisme embrassa les nombreuses tendances qui prônèrent, par opposition aux pratiques extérieures et mécaniques, le retour à la simplicité des Evangiles, retour qui devrait entraîner une sorte de restauration de l'Eglise primitive. Ces idées sont anciennes et, n'ayant en principe rien d'hétérodoxe, elles ne devraient pas nécessairement conduire au schisme.

En France, Jacques Lefèvre d'Etaples fut le premier à commenter l'Ecriture d'après les méthodes nouvelles. Le retour à l'Evangile incluant toutefois chez Lefèvre une dimension mystique qui fait complètement défaut à Erasme, l'évangélisme fabriste fut aussi une réaction contre l'intellectualisme. Pendant quelques brèves années les aspirations évangéliques semblèrent pouvoir se réaliser, et ceci grâce à Guillaume Briçonnet. Dans une vaste entreprise pastorale et, de ce fait, populaire, l'évêque de Meaux lutta activement contre les abus et fustigea l'absentéisme des prêtres. Il appela Lefèvre à Meaux (1521) et attira des prédicateurs susceptibles de répandre le nouvel esprit parmi les fidèles. Corollaire de la nouvelle prédication : la traduction en français des textes. Lefèvre publia la traduction du *Psautier* et du *Nouveau Testament* (1523), puis des *Epistres et Evangiles pour les cinquante et deux semaines de l'an* (1525) et il procura la première traduction complète de la Bible en langue française en 1530. Lefèvre résuma les espoirs du groupe de Meaux dans une citation d'un passage de saint Paul : *ecce nunc tempus acceptabile, ecce nunc dies salutis*. Espoirs illusoires ; devant les progrès des idées de Luther, toute entreprise quelque peu réformatrice devint, aux yeux des rigoristes, du « luthéranisme » ; les cordeliers se plaignirent des nouveaux prédicateurs, la Sorbonne publia une *determinatio* contre les erreurs de Meaux et condamna les traductions de Lefèvre ; le groupe se dispersa.

Mais les vieilles traductions des Ecritures sont désormais remplacées par de nouvelles versions, plus fidèles et plus complètes, et rapidement diffusées par l'imprimerie : après le *Nouveau Testament* et la *Bible* de Lefèvre d'Etaples, c'est la *Bible* d'Olivetan (1535), qui deviendra la Bible protestante. Réformistes et réformateurs utilisent en outre la langue maternelle pour des commentaires ou des traités exégétiques. Par réaction, les catholiques se mettent aussi à écrire en français, mais c'est encore en vieux style ; citons cet infatigable Pierre Doré, qui aligne des ouvrages comme *Les Allumettes du feu divin, avec les Voies de Paradis* (1538), *Le Dialogue instructoire des chrestiens en la foy, espérance et amour de Dieu* (1538), *Le Collège de Sapience* (1539), etc. Enfin, c'est avec Calvin et son *Institution* (1541) que la langue française trouve pour la première fois un style parfaitement adapté à la discussion d'idées et à l'exposition d'une doctrine. Ainsi, les mouvements religieux conquièrent à la langue française de nouveaux et importants domaines et forgent un instrument de culture.

Dès qu'un mouvement religieux dépasse le stade d'une attitude personnelle au sein de l'Eglise universelle, dès qu'il se donne des institutions, l'adhésion à cette nouvelle Eglise implique une option politique. Au XVIᵉ siècle, on ne peut pas séparer la religion de l'Etat. Le principe *cujus regio, ejus religio*, qui apparaît peut-être aujourd'hui comme l'expression d'une intolérance foncière, montre combien, à l'époque, l'autorité politique conserve un aspect sacré. En 1516, le gallicanisme triomphe dans le concordat qui met le temporel de l'Eglise de France dans les mains du roi. Mais gallicanisme n'est pas Réforme. Aussi le roi sévit-il, lorsque, dans la nuit du 17 au 18 octobre 1534, des imprudents, à Paris, Orléans et Amboise, affichent des placards contre la messe, car il considère cet acte concerté comme un complot non seulement contre l'Eglise mais aussi contre l'Etat.

La question religieuse devient de plus en plus une question politique. Un Louis de Berquin est finalement brûlé (1529) parce que le désastre de Naples et la mort de Lautrec demandent qu'on ménage la susceptibilité du pape. La captivité du roi François Iᵉʳ permet à la Sorbonne, toujours fidèlement soutenue par le Parlement, de réprimer l'hérésie, et si, à son retour, le roi fait preuve d'une certaine tolérance, c'est que la politique extérieure influe sur la politique intérieure. Ainsi, après l'affaire des placards, le roi s'empresse-t-il de calmer l'émotion de ses alliés, les princes protestants d'Allemagne. Et souvent ce sont des causes relevant de la politique intérieure ou extérieure qui ont déterminé une grande partie de la noblesse française à passer du côté de la Réforme.

Dans les dernières années du règne de François Ier, les positions se durcissent; le clivage religieux se précise et se renforce en se combinant aux préoccupations politiques, sociales ou économiques : le temps d'espoir, qu'avait été la « première Renaissance » paraît bien révolu. Du côté des réformés comme de l'autre, institutions et dogmes dressent des barrages, attisant les conflits et, finalement, c'est l'image de la mort et de la décomposition qui, au lendemain des guerres de religion, hantera les esprits au seuil de l'âge baroque.

Dans tous ces mouvements, religieux et politique, artistique, intellectuel et économique, le souverain demeure une figure centrale. Bien que soumis à de nombreux impératifs, le roi dispose d'une certaine liberté et sa personnalité marque encore son époque. Dans le domaine des lettres surtout, la Renaissance indique un tournant, car au Moyen Age, les cours seigneuriales ont presque toujours été des centres littéraires plus importants que la cour du roi.

Le Roi et l'Etat

L'Etat, c'est le Roi : aux yeux du peuple, toute la nation s'incarne et se résume en sa personne. Deux changements dynastiques en moins de vingt ans, des règnes d'esprit fort différent ne font guère varier l'image du souverain. Ici, l'on représentera « notre petit Roy », Charles VIII, sous les traits du glorieux aventurier *Jehan de Paris;* là, les Etats de Tours décernent à Louis XII le beau titre de Père du peuple, pendant que Jean d'Auton le compare à Hector; plus loin, François Ier, le Roi chevalier, passera pour le dernier preux. C'est autour de la personne du roi que cristallise la conscience politique liée à la réalité de l'Etat. Les grands voyages entrepris à travers le royaume par Louis XII et François Ier s'accompagnent de cérémonies importantes, qui revêtent la valeur d'actes politiques, les entrées, cérémonies d'allégeance et témoignages de fidélité, fêtes populaires et célébrations tout ensemble. « La fleur de lis, fleur de hault pris », c'est-à-dire le roi lui-même, devient l'objet d'un culte de la part de son peuple.

Mais l'unité politique et administrative de l'état reste encore à parachever, et ce sera le sens des efforts les plus constants de la monarchie. La suppression progressive des droits féodaux (ce n'est qu'en 1527 que Henri VIII renonce à porter le titre de roi de France !), l'accroissement du domaine royal et l'extension territoriale assoient la puissance et la cohésion françaises. En même temps se marquent les débuts d'une pensée politique visant à définir la notion d'Etat et la nature des liens entre les pouvoirs et les individus : dès 1484,

Philippe Pot insiste sur le rôle du peuple dans l'Etat ; plus tard, *La Grand Monarchie de France*, de Claude de Seyssel, représente un effort remarquable de systématisation politique. Les bases juridiques sont lentement établies (1514 : *Le Grant Coustumier de France*), et de nombreux édits transforment peu à peu une jurisprudence orale en un *corpus* de textes où puiseront les légistes.

Le gouvernement se centralise : François Ier institue les gouverneurs provinciaux pour contrôler tout le territoire. Les Etats, derniers vestiges d'un pouvoir populaire, ne seront plus réunis après 1506. La direction des affaires du royaume est tout entière entre les mains du roi et de son conseil où siège d'une part (grand conseil) la haute noblesse, et de l'autre (conseil privé) l'équipe de roturiers qui contrôle les rouages. L'administration, grâce aux efforts des Beaujeu, d'Amboise, puis de Duprat, va être plus efficacement réglementée et surtout mieux encadrée. Dès 1484, la réforme de l'impôt est entreprise, poursuivie en 1502 ; mais il faudra ruiner la puissance des trésoriers et gens de finance trop avides (procès de Semblançay) et instituer (28 décembre 1523) le Trésor de l'Epargne pour centraliser les revenus de l'état et en assurer la perception comme la gestion. Le même effort se réalise en matière judiciaire : dès 1504, les offices de judicature sont réservés à des candidats qualifiés, les abus procéduriers et les « dépenses frustratoires » sont punis. « La fin principale à quoi il [le Roi] tend, c'est que par tout son royaulme y ait bon ordre et police, et principalement de ce qu'il doit à ses sujets à cause de sa dignité royale, qui est Justice » (Saint-Gelais). Mais les sept Parlements, jaloux de leurs prérogatives, et la multiplicité des juridictions (royales, seigneuriales, officiales, municipales) constituent un frein et entretiennent la confusion, jusqu'à la réforme entreprise en 1536 par le chancelier Olivier et jusqu'à la fameuse ordonnance de Villers-Cotterets, due à Poyet, qui instaure la prééminence de la justice royale. Le souverain cherche enfin à tenir le clergé (c'est le sens du concordat de 1516) et l'Université, la terrible Sorbonne, qui mettra longtemps avant de se soumettre.

Mais surtout l'Etat eut, dès la fin du xve siècle, une politique commerciale et économique, qui le poussa à intervenir pour réglementer les échanges, en accordant des privilèges aux villes marchandes et aux ports, en donnant des garanties monétaires, en contrôlant la circulation des marchandises par le système des péages, en soutenant le marché par des créations d'industries, des commandes et des barrières douanières. L'organisation des foires est capitale pour l'économie du temps, et c'est au roi qu'il appartient de les réglementer. En matière agricole, on assiste même, autour de 1497, à une tentative de remembrement. Enfin le système monétaire fut assaini, l'aloi et le poids des pièces précisés par édit, tout comme le cours des monnaies d'échange. Et, dans cet état déjà si nettement capitaliste, le banquier devait devenir un homme important.

En 1547, la France était ainsi dotée d'un système politique, administratif et commercial beaucoup plus complet que dans nul autre pays d'Europe. Son unité avait encore été favorisée par les progrès de la langue vulgaire au détriment du latin, par une lutte incessante contre les prérogatives papales et par un ensemble de guerres créant un vaste mouvement d'opinion en faveur d'un pouvoir central fort autant que prestigieux.

Le Roi et la guerre

Pendant un demi-siècle (1494-1544), l'Italie est l'enjeu d'incessantes opérations militaires et diplomatiques, la guerre est une réalité toujours proche, aux fortunes variables, mais aux répercussions profondes. Voulues par le roi et une bonne partie de la noblesse, bien acceptée par le peuple, la guerre de conquête (ou de reconquête) repose encore sur des idées médiévales d'hégémonie universelle, voire de pré-croisade. La noblesse la considère comme un passe-temps et une mise à l'épreuve des vertus aristocratiques. Le code de l'honneur guerrier reste en vigueur : c'est lui qui donne un sens aux exploits de Bayard ou au duel que François Ier propose à l'Empereur. Le goût des hasards guerriers et l'esprit de ces expéditions se résume bien dans la devise de Genouillac : « J'ayme Fortune ».

Les armées engagées disposent de bons effectifs (25 000 hommes à Marignan, 32 000 à Pavie), dont les mercenaires représentent la plus grande part. L'ordonnance de 1534 sera le premier essai de constitution d'une armée nationale. Ces gens d'armes vivent de la guerre et ne demandent qu'à la voir durer ; le peuple, sauf dans les marches du royaume, n'a pas à se plaindre de leurs exactions, mais il redoute les bandes d'aventuriers licenciés. Il vibre à chaque victoire, s'inquiète des revers ; dans l'imagination populaire, certains grands capitaines seront rapidement idéalisés jusqu'à devenir des types : Gaston de Foix, Chaumont d'Amboise, Trivulce, La Palice et surtout Bayard.

Des guerres, le roi ne rapporte le plus souvent que « de la gloire et des fumées » (Commynes) : les avantages politiques durables sont minces, les répercussions économiques inquiétantes, les sorties d'argent deviennent vite un gouffre. Il faut emprunter, à des taux ruineux, augmenter les tailles, mettre à contribution villes et provinces ; en 1522 sera lancé le premier emprunt d'État. Et aucun souverain ne laissera à son successeur autre chose qu'un trésor à sec. Mais « pour obtenir Milan, le Français renoncerait à l'amitié de tous les princes, de son père et de sa mère, et jusqu'à celle de Dieu même » (Cavalli). Étonnante fascination de la terre italienne : Charles VIII puis Louis XII vont conquérir Naples, qu'ils ne peuvent conserver ; les troupes s'épuisent à défendre les places-fortes du Milanais quand elles ne fondent pas dans les pénibles retraites. Mais l'amertume de chaque défaite ravive le désir de revanche.

« Nescis quod vesper vehat » : Louis XII arborait cette devise sur son armure. Plus dangereux encore que le sort des batailles, le mouvement de coalition qu'une France trop puissante ne peut manquer de susciter parmi les états menacés. D'où le rôle capital des tractations diplomatiques visant à démanteler les alliances adverses, à ouvrir de nouveaux fronts (jusqu'à la Turquie) : toute la politique européenne, dans laquelle la Papauté tient une part essentielle, consiste en un jeu de bascule entre l'Empire et la France, au fil de toutes les Saintes Ligues.

Cependant ces guerres ruineuses et sans cesse inachevées ont été utiles au progrès économique et social, et surtout au développement culturel de la nation. Elles ont favorisé l'ascension de la bourgeoisie, ouvrant de nouveaux marchés, provoquant une circulation rapide du numéraire, permettant l'établissement de liens commerciaux (telles les Capitulations de 1536 avec Soliman). Dans le domaine artistique, les traces seront encore plus visibles, même si elles ne datent pas des premières campagnes. Car tout d'abord les Français ont impressionné les Italiens bien davantage qu'ils ne l'ont été par ceux-ci. Assez rares sont les seigneurs qui, comme Amboise ou Genouillac, se font les propagateurs de l'art italien en France. Mais grâce aux guerres, les deux peuples entrent en contact et les ferments de renouveau issus du fonds national sont rendus plus actifs et plus efficients par cet apport extérieur. Et surtout grâce au roi, les premiers artistes d'outre-monts apparaissent en France, les humanistes viennent professer à Paris, les livres se répandent. Le mouvement culturel n'échappe pas à l'emprise du souverain.

Le Roi et la Cour : la condition de l'homme de lettres

La place que l'artiste ou le poète prennent dans la société de la première Renaissance est l'un des faits les plus marquants de cette période. Plusieurs facteurs expliquent les nouvelles conditions de la création artistique et littéraire, et tout d'abord l'apparition de la Cour. C'est Anne de Bretagne qui, la première, a voulu grouper autour d'elle non seulement la fleur de la noblesse, et les conseillers avisés, mais aussi les panégyristes, les traducteurs, les poètes, peintres et décorateurs. Politique de prestige autant qu'amour sincère des arts, volonté de paraître et de donner du souverain une image exemplaire et brillante : « ce fut la première qui commença à dresser la grande court des dames. Sa court estoit une fort belle escole pour les dames » (Brantôme) ; dès le début, elle est un creuset de civilité.

Les rois ont toujours utilisé les services des historiographes et des chroniqueurs, capables de se transformer au besoin en pamphlétaires ou en publicistes. Un érudit comme Gaguin peut devenir diplomate, un poète comme La Vigne ou Saint-Gelais se transformer en apologiste. C'est que la condition du lettré ne peut encore être sans dépendance : pour subsister, il doit choisir un état qui lui assure un revenu, bénéfice ecclésiastique, pension ou office dans la maison royale. Son spirituel, comme le dit plaisamment Marot, c'est son talent, et son temporel, la faveur du prince :

> Pour tous tresors il a
> Non revenu, banque ne grand praticque,
> Mais seullement sa plume poetique.

Toutefois, ce ne sont point nos modernes droits d'auteur qui lui fournissent pécune ; il vise donc d'abord la gratification, en présentant au prince le manuscrit soigneusement calligraphié et orné de l'œuvre qu'il lui dédie en une solennelle et louangeuse apostrophe : c'est Jean Marot offrant à la reine son *Voyage de Gênes* ou son fils présentant à Montmorency un recueil manuscrit de ses œuvres. On ne saurait se contenter de ces aubaines occasionnelles, et les charges honorifiques assurent dans de meilleures conditions une pension annuelle. Pourtant, un tel état manque de stabilité, et l'écrivain doit « toujours craindre et toujours espérer », car la mort de son protecteur peut le ruiner ; il n'hésitera donc pas à abandonner un « emploi » pour un autre plus intéressant. Notre époque doit donc être celle des mécènes, du prince ou du grand, soucieux de l'apparat et de sa réputation ; le milieu intellectuel se caractérise par la formation de foyers, petits ou grands, et par la mobilité des individus : la carrière d'un Lemaire est à cet égard exemplaire.

Si de nombreux seigneurs ont eu leurs protégés (Beaujeu, Orléans, Luxembourg-Ligny, Lorraine, Amboise, Robertet, Graville), ce sont surtout les souverains qui attirent, Anne de Bretagne, Marguerite d'Autriche. François Ier fit davantage encore que ses prédécesseurs. Non seulement il retint à sa cour les compagnons d'armes et les grands capitaines, les dames d'honneur, « fleur et élite de toute noblesse », mais il voulut aussi détruire la fâcheuse réputation dont Castiglione se faisait l'écho : « Les Français ne reconnaissent que la noblesse des armes et estiment pour rien tout le reste. » C'est à ce même Castiglione qu'il s'adressa pour obtenir un manuel de civilité à l'usage de la cour, et ce *Libro del Cortegiano*, traduit sur la demande du roi par Jacques Colin (1537), devint le livre d'or de la noblesse, au point que « savoir le Courtisan » était passé en proverbe. Cet effort d'éducation mondaine s'accompagna d'un rôle stimulateur du « Père des Lettres ». Avec sa sœur Marguerite, il suscita les traducteurs, accueillit favorablement les poètes et favorisa les humanistes. La centralisation de la vie culturelle est manifeste autour de la personne royale. Du même coup, cela entraîne quelques servitudes. L'attachement des écrivains au prince détermine une part importante de leur production : œuvres de commande ou de circonstance, étroitement liées à l'actualité, et qui sont la

rançon inévitable des largesses royales ; contribution à cette poésie aristocratique dont Charles d'Orléans fut l'initiateur ; participation aux fêtes et cérémonies en même temps que musiciens et décorateurs ; et une interdépendance
réciproque des goûts de l'artiste et de ceux de la cour.

L'esprit d'une époque

Traditions et mutations : toute la première Renaissance semble enfermée
dans un réseau de contradictions et de disparates, contraires qu'il ne faut point
chercher à concilier. Comme les autres époques de progrès accentué, elle se voit
tiraillée entre des impulsions et des impératifs divers. La mentalité bourgeoise
prédomine, et elle est faite à la fois de conservatisme prudent et d'audace
réaliste, conjonction qui se révèle bénéfique. La préoccupation première de
l'homme porte sur les réalités matérielles de son existence, sa sécurité, son
bien-être et son profit ; en même temps, il se laisse séduire, plus facilement
même que dans le passé, par le côté héroïque et idéaliste des aventures nationales : Jeanne d'Arc se transforme dans l'imagination populaire, Du Guesclin
devient l'un des dix preux. Si la féodalité décline, on ne peut dire que l'idéal
chevaleresque ait totalement disparu : la vogue du roman d'aventure médiéval
atteste le contraire. L'homme est livré à des alternances soudaines de violence
et de mansuétude, de passion et de tendresse, de découragement et d'avidité.
Tantôt, c'est la couleur sombre qui domine, la tristesse, la propension au désespoir ou à la mélancolie : et l'art insiste alors sur le sentiment de la mort, sur la
Passion, la Crucifixion, le Jugement dernier, la danse macabre ; tantôt l'alacrité et la gaîté drue l'emportent : et l'on se lance dans les fêtes étourdissantes,
les jeux et les festins libérateurs. Ici, la froide cruauté et la curiosité sadique
pour la souffrance d'autrui ; et là toute la délicatesse galante et réservée des
alliances de pensée. Louis XII offre à Thomassine Spinola un amour tout
platonique ; François Ier, traversant l'église d'un couvent pour aller retrouver
une nonne légère, ne manque jamais d'y réciter une oraison dévote. De telles
attitudes opposées traduiraient-elles un grand désarroi moral ? Plaidons plutôt
en faveur de la spontanéité, de la primarité et de la sensibilité passionnée de
l'homme du temps.

Sous le règne de François Ier, les progrès de la pensée ne feront que raviver
ces contradictions en des hommes qui tendent vers le rationnel, mais restent
séduits par l'imaginaire, qui ne résistent pas aux mirages des projets les plus
chimériques, tout en se montrant terre-à-terre dans l'immédiat, qui tendent
vers la connaissance scientifique sans pouvoir échapper aux tentations de
l'occultisme ou de la magie. Il y a en eux un peu de Pichrocole et un peu de
Panurge. En matière religieuse, on trouve d'un côté la fidélité à une tradition
ancestrale, traduite par les dévotions, les rituels et les manifestations solen-

nelles ; de l'autre, un besoin de simplicité, d'épuration de la spiritualité, au sein de milieux polis qui se défient du formalisme et retournent avec ferveur au texte biblique. La théologie philosophique est peu à peu remplacée par une théologie biblique et humaniste, et l'imprimerie contribue à la « laïciser ». Naturalisme et christianisme parviendront même à coexister quelque temps. Si la passion ou la galanterie n'entrent que très rarement en conflit avec la religion ou la morale, il n'y faut pas voir une hypocrisie majeure. La découverte de la sensualité et de l'érotisme est récente encore, et l'on s'y abandonne sans grand scrupule, avec une fièvre juvénile qui préserve la naïveté.

L'humanisme laïc, de tonalité païenne, exalte l'individu et place l'éthique de la gloire, de la richesse ou du génie au-dessus des valeurs communes de la morale. Cet extraordinaire appétit de connaissance dont fait preuve ce temps introduit une masse de nouveautés et d'idées qu'il est difficile parfois d'intégrer, d'où la confusion qui règne en plus d'un domaine, et les efforts désordonnés de l'esprit critique. Il s'applique aux textes, à la philosophie, à la politique, à la religion, mais ne parvient guère à introduire une hiérarchie : tout, ou presque, a la même valeur. Explosion et défaillances n'ont rien d'anormal, alors que l'homme se considère comme le centre de la création, *homo homini deus*. Et cet effort de libération entrepris par les humanistes, comme les découvertes scientifiques et géographiques, favorisent une réflexion sur l'être humain, son corps et sa pensée, et sur la place qui lui est assignée dans un univers dont on commence à soupçonner l'organisation. Dès 1383, Pierre d'Ailly, dans son *Ymago mundi*, avait lancé l'idée de la sphéricité de la terre ; après 1492, les portulans et les cartes marines permettent à l'esprit curieux comme à l'audacieux commerçant de se représenter la terre et font naître en l'homme le désir de se l'asservir. En 1539, Jacques Signot donnera à ses contemporains la première *Description du Monde*. Portant plus loin son imagination, Léonard de Vinci développera une intuition géniale, celle de l'univers-organisme soumis à des lois dans son existence, ses fonctions, ses rapports et son harmonie. En 1543, Copernic en esquissera la théorie dans *De revolutionibus orbium celestium*. Cependant, le macrocosme intéresse moins que le microcosme humain, sur lequel on se penche avec passion. La médecine progresse vite. Dès 1521, Paracelse brûle Galien et Avicenne mais c'est pour donner dans l'alchimie magique et mystique à laquelle se vouera le docteur Faust († vers 1540) ; plus précises seront les études d'anatomie menées par Léonard entre 1489 et 1515, et surtout la méthode inaugurée par André Vésale (*De corporis humani fabrica*, 1543), qui se fonde sur une observation rigoureuse et l'analogie pressentie entre l'organisme animal et le corps humain. Relier le raisonnement à l'expérience, telle était déjà l'idée de Fernel, exposée dans *De naturali parte medicinae* (1542), reprise et enrichie dans la *Medicina* de 1554. L'honneur de l'application pratique reviendra à Ambroise Paré, qui dès 1545 a mis au point une nouvelle méthode curative ; mais avant lui Rabelais avait pratiqué la dissection en 1537 et, plus tôt encore, Michel Servet avait conçu l'idée de la circulation sanguine. Ainsi, l'homme physique commençait à devenir objet de connaissance scientifique.

Lorsqu'en 1545 Jean Fernel veut saluer le triomphe de l'âge nouveau *(De abditis rerum causis)*, il énumère les grandes conquêtes de deux générations : le savoir restauré, le monde exploré, l'imprimerie révélant les anciens livres et permettant de suivre la marche des idées contemporaines. Par-delà les inévitables continuités, qui affectent en premier lieu les méthodes et les démarches intellectuelles, l'homme de la première Renaissance a pris conscience des changements intervenus dans la civilisation et dans la culture, de « l'historicité du savoir » (E. Garin), et de la perfectibilité du goût. Ce passionné, à la luxuriante vitalité, tant physique qu'intellectuelle, est épris de connaissance, de jouissance et de création.

Deuxième partie

LE MILIEU CULTUREL

10-11. LES « TRIONFI » DE PÉ-
TRARQUE, *manuscrit italien rapporté
de Florence après les guerres d'Italie.
La miniature du folio 1 v⁰ représente
le poète faisant naufrage au cours
d'un voyage sur le Rhône et sauvé
par les branches d'un laurier de la
rive. La miniature du folio 29 v⁰
(11) illustre le Triomphe de la mort.
(Manuscrit italien 548.)*

12-13. « PALINOD » DE ROUEN
*(chants royaux du Puy de Rouen).
« La création de l'homme » (12) et un
atelier d'imprimerie (13). On retrouve souvent la représentation de
l'atelier d'imprimerie dans l'icono-
graphie des manuscrits et des premières éditions de l'époque. Ainsi la*

marque typographique de l'imprimeur
*Josse Bade reproduite ci-dessous,
frontispice de l'ouvrage de Guillaume Budé :* Commentaires de
la langue grecque...
(Manuscrit français 1587.)

14-15. PIERRE GRINGORE. « LE
CHASTEAU DE LABOUR. » *Gravures
allégoriques illustrant l'édition en
caractères gothiques publiée par Philippe Pigouchet pour Simon Vostre
en 1500.*

16-17. CUBA. « LE JARDIN DE
SANTÉ. » *Bois illustrant l'édition
en caractères gothiques publiée par
J. Prüss à Strasbourg vers 1498 et
repris dans les éditions de A. Vérard
(vers 1502) et Ph. Le Noir en 1529.*

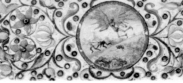

12

14

13

16

18

15

19

17

❡Amor Uincit mondum.

20 21

Comme le cheualier a la

Verde espée partit de Constantinople, pour satisfaire la promesse, qu'il auoit faicte à la belle Grasin
de, & de ce qu'il luy aduint,
Chapitre. XII.

FLORIDO VERI S.

Et laltra gesta
uno Trophæo d
alcuni germuli &
uiridanti surculi
connexi &instru
menti ruestri sal
tando cum anti-
co rito & plauso,
solennemente gy
rando, & ad una sa
cra Ara quadran-
gula circinanti,
Nel medio del co
moso & florigero,
& de chiarissimi
fonti irriguo pra-
to, religiosamen
te constituta. La
quale cum tuti gli
exquisiti liniamē
ti de excellentissi
ma factura, era ex
scalpta egregiamē
te, in cándido & lu
culeo marmoro.
In qualūque fron

te dellaquale uno
incredibile expresso duna elegante imagine promineua, quasi exacta. La
prima era una pulcherrima Dea cum uolante trece cincte de rose & daltri
fiori, cum tenuissimo supparo æmulante gli uenustissimi membri subie-
cti, Cum la dextra sopra uno sacrificulo de uno antiquario Chytropode
flammula prossiliente, fiori & rose diuotaméte spargeua, Et nelaltra teniua
uno ramulo de olente & baccato Myrtho. Par alci uno alisero & spe
ciosissimo puerulo, cum gli uulnerabondi insignii ri-
dente extaua, & due columbine similmē-
te, Sotto gli pedi della quale figura
era inscripto. fiori

22 23

18. JEAN LEMAIRE DE BELGES. « LES ILLUSTRATIONS DE GAULE ET SINGULARITEZ DE TROYE... » *Edition en caractères gothiques publiée par Et. Balland pour J. Maillet, en 1510 à Lyon. La gravure sur bois du folio* BIIII *représentant Hercule, sa femme Galata et la sirène Araxa est attribuée à Jean Perréal. L'image fait allusion à Hercule roi des Gaulois.*

19. GÉRARD D'EUPHRATE. « HISTOIRE ET ANCIENNE CHRONIQUE DE GÉRARD D'EUPHRATE, DUC DE BOURGOGNE... » *Edition en caractères romains parue chez Et. Groulleau, J. Longis et V. Sertenas en 1549. La gravure, attribuée à Jean Goujon, représente le combat des démons et le dieu des enfers.*

20. PÉTRARQUE. « LES TRIUMPHES MESSIRE FRANÇOIS PETRACQUE... » *Traduction publiée, en caractères gothiques, par Antoine Vérard en 1514.*

La planche du « fueillet ii » représente le poète endormi sous une tonnelle. La silhouette noire est le symbole traditionnel de l'âme (ou du songe ?) du dormeur. Au fond, à gauche, le Triomphe de l'amour.

21. AMADIS DE GAULE. « LE PREMIER LIVRE DE AMADIS DE GAULE... TRADUIT... PAR... NICOLAS DE HERBERAY... » *Paris, D. Janot, J. de Marnef, V. Sertenas, pour J. Longis et Et. Groulleau, 1540... Ouvrage orné d'une très belle suite d'illustrations, dont celle-ci, de grand format, représentant « Les aventures du chevalier de la Verde Espée ».*

22-23. FRANCESCO COLONNA. « HYPNEROTOMACHIE, OU DISCOURS DU SONGE DE POLIPHILE... » *Edition publiée par J. Kerver en 1546 à Paris. (22) L'illustration interprète librement celle d'Alde Manuce publiée en 1499 (23).*

CHAPITRE I

La langue

LE premier demi-siècle de l'imprimerie est, autant qu'un âge de création, un âge de consommation. Les éditions de textes contemporains sont en effet infiniment moins nombreuses que celles de textes plus anciens (voir notre chapitre sur l'*Héritage médiéval*) ou que les traductions. Or pour présenter au public les œuvres du XIVe, voire du XIIIe siècle, les éditeurs en ont rajeuni la langue, soit en prose, soit en vers. Jamais auparavant ce mouvement de rajeunissement n'avait pris une telle ampleur. Grâce à lui se généralise une prise de conscience, puisqu'un public de plus en plus large devient sensible aux transformations de la langue, qui sont rapides à l'époque. Un sentiment d'historicité prend ainsi naissance ; les hommes s'aperçoivent que leur langue comporte une dimension historique. Dès lors, on peut être sensible aux transformations des autres langues, considérées, elles aussi, sous l'aspect de leur contingence historique. Naissance, apogée, déclin : dans cette vue cyclique des choses, il faut choisir. Le latin ne pourra plus simplement rester le latin tout court.

Le latin, la seule langue qu'on apprît à l'école, est le grand rival de la langue maternelle. A l'époque, avoir des lettres signifie avoir appris le latin. Or dès qu'on introduit la dimension historique dans le latin, les oppositions éclatent. Au latin « usuel » des clercs s'oppose ainsi le latin des humanistes, eux-mêmes divisés, puisque les uns (les cicéroniens), tel Dolet, préconisent l'usage d'un latin pur et classique, tandis que les autres, les Erasme et Budé, tout en s'élevant contre les barbarismes de ceux qui n'avaient étudié que les *Auctores octo*, prônent un latin classique moins figé, partant plus vivant. Mais dans tous les cas, le latin demeure la langue de la culture.

Sur ce plan de la culture, cependant, la langue française doit compter avec un autre rival, à savoir l'italien. Les Italiens s'imaginèrent en effet être les seuls héritiers de l'antique Rome. Or ce sentiment de supériorité s'étendait non seulement à la langue, mais à la culture tout entière. Les chevaliers français des guerres d'Italie n'étaient, aux yeux des *donne e cavalier,* que de grosses brutes sportives.

Cette situation explique pourquoi les défenseurs du français eurent recours aux arguments les plus divers. Contre l'école, rien à faire ; contre l'Eglise, oui, mais au prix du schisme. A l'humaniste latin, donc international, on pouvait riposter par des arguments d'ordre pratique (politique, juridique, scientifique). L'Italien méprisant, lui, devait provoquer une réplique nationaliste. Dans cette perspective, défendre le français, c'était défendre la France. Voilà pourquoi l'*illustration* de la langue française était souvent aussi une *défense.*

Il y eut, dans cette défense du français, deux moments historiques particulièrement importants : les dernières années du règne de Louis XII et la deuxième partie du règne de François Iᵉʳ.

A Poitiers, en 1508 ou 1509, l'humaniste Christophe de Longueil, dans un panégyrique de saint Louis, soutient que la France peut se mesurer à l'Italie sous tout rapport. Longueil fait défiler tous les grands noms de l'humanisme français, de Budé à Seyssel, des frères Fernand à Lefèvre d'Etaples, de Gaguin à Josse Bade, de Champier à Bovelles et, une fois lancé, le cicéronien qu'il est, va jusqu'à affirmer que le Cicéron du Nord, c'est Octovien de Saint-Gelais et qu'au fond, toutes les langues se valent ! Ainsi, on peut être un parfait orateur dans sa langue maternelle. Quelques années plus tard, Jean Bouchet, poitevin, dira les mêmes choses en français. Dans son *Temple de bonne renommee* (1516), il présente au lecteur la longue et glorieuse tradition française qui avait forgé un *langage, allans de bien en mieulx.* Pour Bouchet, c'est Guillaume Cretin qui, parmi les modernes, a *le françois aussi beau que latin.*

Dans le prologue de la traduction de Justin que présente Claude de Seyssel à Louis XII en 1510, l'humaniste propose d'*enrichir, magnifier et publier* la langue française par des traductions. Tout en se félicitant des progrès du latin, Seyssel rompt une lance en faveur du français, et ceci dans un but pédagogique et politique, car outre la vulgarisation de la culture, l'usage du français est un puissant appui de la politique extérieure. En effet, l'empire romain a été *conservé* par l'autorité du latin, la puissance des Normands en Angleterre par celle du français, et, à l'époque où écrit Seyssel, le même phénomène se produit dans la province d'Asti et au Piémont, « *là où les Italiens reputoyent jadis les François Barbares tant en meurs qu'en langage* ». L'emploi du français doit ainsi servir des ambitions impérialistes.

Que le français ait été un instrument politique, l'ordonnance de Villers-Cotterets (1539) l'atteste suffisamment. A la différence des ordonnances de 1490, 1510 et 1535, qui stipulent seulement que les procès seront faits *en vulgaire du pays*, l'ordonnance de 1539, moins libérale, n'autorise que le français. Il a donc fallu trente ans avant que l'autorité royale réalise le vœu de Claude de Seyssel.

Du côté bourguignon, citons les « Illustrations de Gaule et Singularités de Troye » de Jean Lemaire (1511) : « ce langage François, que les Italiens par leur mesprisance acoustumee appellent Barbare (mais non est) ». A la même époque, Lemaire, dans *La Concorde des deux langages*, essaie de prouver que la langue française égale l'italienne. Rappelons encore que l'éloge de la France, autrement dit la défense de la France contre le mépris des Italiens, revient chez les humanistes, les Gaguin, Champier, Budé. Ainsi, dans toute cette polémique du temps de Louis XII, les Français tentent de prouver leur supériorité, les uns encore dans le domaine latin, les autres cependant déjà dans le domaine français, et là aussi bien à l'égard du latin qu'à l'égard de l'italien.

Pour importants qu'ils soient, ces premiers sursauts d'une conscience à la fois linguistique et nationale n'ont pas encore su prendre de l'ampleur. Ce n'est qu'à partir des années trente que l'*illustration* du français devient une sorte de leitmotiv qu'on relève dans de nombreux textes. Tout aura été dit lorsque, en 1549, Joachim Du Bellay publiera la *Deffence et illustration de la langue françoise*. Ce qui distingue ce texte des autres, c'est son ton, qui est celui d'un pamphlet, car ce qu'il énonce fait partie depuis longtemps, des deux côtés des Alpes, de la « question de la langue ».

En 1529, Geoffroy Tory publie son *Champfleury*, auquel il a travaillé pendant plusieurs années. L'imprimeur Tory fait précéder son plaidoyer en faveur des caractères romains en typographie, par des considérations sur la langue française. Malgré certains essais antérieurs (pour l'arithmétique, la géométrie, la médecine), le français n'est utilisé qu'exceptionnellement pour des traités techniques. Tory doit donc justifier son entreprise et, ce faisant, il déclare tout haut qu'il entend *décorer* la langue française. Les difficultés, estime Tory, ne devraient pas être trop grandes, puisque les Français sont *beaux parleurs de leur nature*. Pour prouver l'objectivité d'une telle assertion, il cite les témoignages d'auteurs étrangers et antiques. Le plus important de ces témoignages est un texte de Lucien, selon lequel les anciens Gaulois vénéraient en Hercule non pas le dieu de la force physique, mais celui de l'éloquence et de la persuasion. Tory, qui donne la première traduction française imprimée du texte de Lucien, offre aussi au lecteur une gravure de cet Hercule Gaulois, tirant après lui une foule nombreuse, par des chaînes qui partent de sa langue et se lient aux oreilles des assistants. Il est donc prouvé que le français est, de toute antiquité, supérieur au latin et au grec : « Les Latins et les Grecs se confessent quand ilz disent que cestuy Hercules estoit Gallicus, non pas Hercules Latinus, ne Hercules Graecus ». Deux ans plus tard, en 1531, l'image de l'Hercule Gaulois est vulgarisée par les *Emblèmes* d'Alciat, un des grands succès du XVIe siècle, et à la fin de l'époque qui nous intéresse ici, en 1549, l'excellence de la langue française et ses anciens titres de noblesse, qui prouvent en même temps l'ancienneté de la civilisation française, sont encore illustrés par cet Hercule Gaulois, qui figure sur un des arcs lors de l'entrée d'Henri II à Paris et qui est cité dans la dernière phrase de la *Deffence et Illustration de la langue françoise* de Du Bellay.

Or si la dignité du français ne fait pas de doute — « nostre langue est une des plus belles et gracieuses de toutes les langues humaines » —, Tory se rend bien compte que « le langage d'aujourd'hui est changé en mille façons du langage d'il y a cinquante ans ». Il en déduit deux idées importantes. La première, c'est qu'il faudrait recueillir les vieux mots dans un *grand et juste volume*, autrement dit dans un dictionnaire ; la seconde, c'est la nécessité d'*ordonner par règle* cette langue mouvante, donc de la fixer dans une grammaire normative.

Reconnaître qu'une langue est susceptible d'être « réglée » par une grammaire, c'est l'ériger en langue classique ; préconiser un dictionnaire historique de la langue, c'est juger positivement une longue tradition ; proclamer la dignité du français, c'est le considérer comme adulte dans tous les domaines, arts et lettres, droit et théologie, technique et science. Les Tory et Dolet savent ce qu'un pareil programme a d'ambitieux, mais ils sont persuadés qu'un jour, il sera réalisé.

Il faudra du temps pour que le français triomphe dans toutes les « disciplines », mais c'est dans cette première moitié du XVIe siècle que s'amorce le mouvement. Deux facteurs sont déterminants : les considérations d'ordre pratique et les traductions. Si, dans les écoles, la position du latin n'est pas ébranlée, le français est de plus en plus utilisé dans le domaine religieux, d'abord par les réformistes, puis par les réformateurs. Dès 1515, un Erasme, prince des humanistes, demande que le peuple puisse lire l'Evangile dans sa langue. Clément Marot traduit les *Psaumes*, Gringore, les *Heures*, Lefèvre d'Etaples, le *Nouveau Testament* (1523), Olivetan, la *Bible* entière (1535) et Calvin donne une version française de son *Institution* (1541). Dans le domaine juridique, où l'enseignement reste latin, la pratique des procès demande l'utilisation du français. Chez les médecins, les considérations pratiques conduisent tôt déjà, du moins à Montpellier et à Lyon, à l'enseignement en français et à la publication de traités en français, soit originaux (comme la vieille *Chirurgie* de Guy de Chauliac), soit en traduction. Un des grands noms est celui de Symphorien Champier qui, bien que publiant surtout en latin, ne dédaigne point le français et réussit même à faire passer docteur en médecine un praticien qui ignore le latin. Autre nom à retenir, celui de Jean Canappe, lui aussi médecin à Lyon, grand vulgarisateur de traités médicaux en français, qui cite fort à propos une phrase de Celse, à savoir « que les maladies ne sont gueries par eloquence, mais par remedes ». En tête de son livre *Du mou-*

vement des muscles (1541), il place même une sorte de manifeste, où il établit, en latin cette fois, qu'il n'y a rien que le français ne puisse exprimer avec propriété, netteté et élégance. Du côté des mathématiques, on compte aussi un certain nombre de traités pratiques en français, des *Géométries* et des *Arithmétiques* pour les gens du métier et les marchands. C'est encore à Lyon, ville de foires, que sont publiés la plupart de ces traités français.

Quant aux traductions, leur seul nombre et la variété des sujets prouvent que le français s'installe dans tous les domaines. Certaines de ces traductions comportent des prologues où le traducteur croit bon de « défendre » le français. En 1537 par exemple, Pierre Saliat déclare avoir entrepris une traduction pour « ennoblir et enrichir notre langue Françoyse, en la faisant contendre et la mettant au parangon avec la Grecque et la Latine ». En 1541, dans la préface à sa traduction de l'*Art poétique* d'Horace, Jacques Pelletier demande à ses contemporains de cultiver le français et de ne pas perdre tout leur temps à l'étude des langues anciennes. En 1546, Jean Le Blond reprend le mythe de l'Hercule Gaulois pour prouver qu'il faut préférer le français au latin et au grec. Le projet le plus ambitieux — il ne sera malheureusement réalisé qu'en partie — est celui d'Etienne Dolet qui, de fervent latiniste, devient un défenseur du français et se propose d'écrire un *Orateur françoys*, devant comprendre grammaire et orthographe, des règles pour les accents, la ponctuation et la prononciation, une partie étymologique pour les « dictons », un traité sur la traduction, enfin un art oratoire et un art poétique. Il ne publiera que l'opuscule sur la *Manière de bien traduire d'une langue en aultre* (1540). Mais dans une épître à Guillaume Du Bellay, Dolet donne au moins les raisons qui le poussent à s'occuper du français : « mon affection est telle envers l'honneur de mon païs, que je veulx trouver tout moyen de l'illustrer. Et ne le puis myeulx faire que de celebrer sa langue, comme ont faict Grecs et Rommains la leur ». Les anciens, d'ailleurs, ont aussi écrit dans leur langue maternelle.

Toujours, donc, il y va de la gloire nationale, et toujours, cette gloire se mesure à celle des Grecs, des Romains — ou des Italiens. Et si, en pratique, l'usage du français se généralise de plus en plus, les déclarations théoriques gravitent toutes encore autour de la masse imposante de la tradition latine. A la Renaissance, la langue, et avec elle toute la littérature (à l'exception des genres populaires), se trouve dans un perpétuel dialogue, visible ou invisible, avec cette tradition latine.

Concluons par quelques vers tirés de l'ode (publiée en 1547) que Jacques Pelletier adresse *à un poète qui n'escrivoit qu'en latin* :

> J'escri en langue maternelle,
> Et tasche à la mettre en valeur :
> Affin de la rendre eternelle,

Comme les vieux ont fait la leur :
Et soutien que c'est grand malheur
Que son propre bien mespriser
Pour l'autruy tant favoriser.

Si les Grecz sont si fort fameux,
Si les Latins sont aussi telz,
Pourquoy ne faisons nous comme eux,
Pour estre comme eux immortelz ?

VIGNETTE ILLUSTRANT UN LIVRE HERMÉTIQUE :
« ORUS APOLLO DE AEGYPTE » TRADUIT PAR JEAN MARTIN,
ÉDITÉ PAR KERVER EN 1543.

CHAPITRE II

L'héritage médiéval

Pendant cette époque, bien des genres, bien des habitudes littéraires se ressentent de la tradition médiévale. Rien de plus naturel, d'ailleurs, puisque tout âge est redevable à l'âge qui le précède. L'imprécision de notre vocabulaire critique nous oblige néanmoins à souligner que par *héritage médiéval*, on ne saurait comprendre l'héritage de l'ensemble des cinq siècles de littérature française ou latine qui précèdent notre époque. Le Moyen Age qui se prolonge, en se transformant, c'est le XVe, et tout au plus le XIVe siècle ; les exceptions, comme la survie du *Roman de la Rose*, ne font que confirmer cette règle.

Le théâtre médiéval — mystères, moralités, farces et soties — demeure largement créateur ; aussi lui réservons-nous un chapitre à part. Cette remarque vaut également pour les rhétoriqueurs, qui continuent une certaine veine poétique du XVe siècle. Il reste, toutefois, d'autres domaines, où l'héritage des XIVe et XVe siècles se manifeste moins dans l'activité créatrice que dans la « consommation », dans la vulgarisation, et atteste par là une persistance de goûts et de curiosités traditionnels. Pour avoir répété tant de fois que la Renaissance a redécouvert l'antiquité, on a un peu oublié combien, à la fin du XVe et au début du XVIe siècle, les textes des XIVe et XVe siècles ont été appréciés. Cette curiosité pour le passé proche, nous la découvrons d'abord dans l'histoire de l'imprimerie. L'éditeur et l'imprimeur-éditeur sont avant tout des commerçants : désireux de vendre ce qu'ils produisent, ils misent forcément sur le goût du public. A côté de livres de piété ou de livres scolaires, voire scolastiques, tels les *Auctores octo* et le *De disciplina scolarium* du pseudo-Boèce (quelque trente éditions avant 1530), qui répondent à des besoins bien déterminés, on peut citer toute une série de textes du Moyen Age dont la faveur ne s'explique guère que par la ténacité de certaines institutions.

Le Moyen Age savant en langue vulgaire

Nous ne nous dissimulons pas qu'il faudrait également tenir compte de la littérature latine, car outre les œuvres des grands prosateurs savants, les Jean de Salisbury, Pierre de Blois, Pierre le Vénérable, certains textes proprement littéraires furent plusieurs fois imprimés. Si l'on cherche en vain une édition de l'*Anticlaudianus* d'Alain de Lille, on trouve en revanche l'*Alexandreis* de Gautier de Châtillon, imprimée à Rouen dès 1487, le *Speculum stultorum* de Nigellus Wireker, dont on connaît cinq éditions avant 1500, l'*Architrenius* de Jean de Hauville, édité par Josse Bade en 1517, l'*Elégie* d'Henri de Settimello, plusieurs fois imprimée à Lyon, en caractères gothiques, et à Paris, en caractères romains, et cela dès 1500. L'intérêt pour le Moyen Age littéraire latin s'étend donc jusqu'aux œuvres du xiie siècle.

Or il faut noter qu'on imprima souvent, à côté des textes latins du Moyen Age, des traductions anciennes, dont la plupart furent exécutées au xive siècle. Pour satisfaire la curiosité d'un public non savant, les éditeurs ne virent aucun inconvénient à recourir à des traductions déjà existantes. Celles-ci furent parfois remplacées dès le début du xvie siècle par des traductions plus modernes ; parfois cependant elles continuèrent à être rééditées jusque dans la deuxième moitié du siècle.

Antoine Vérard édite un Aristote français dans la traduction de Nicole Oresme : les *Ethiques* en 1498, les *Politiques* et les *Yconomiques* en 1489. On lit la *Cité de Dieu* dans des éditions illustrées de la traduction de Raoul de Presles (Abbeville, 1436 ; Paris, 1531), mais cette œuvre volumineuse est encore copiée à la main à la fin du xve, voire au xvie siècle. Des très nombreuses traductions médiévales de la célèbre *Consolation de la Philosophie* de Boèce, quelques-unes sont imprimées à Lyon, à Paris, à Genève. Des *Disticha Catonis*, qui font partie des *Auctores octo*, on publie la traduction de Jean Lefèvre, et jusqu'en 1552. La traduction par Laurent de Premierfait du *De senectute* de Cicéron est imprimée de 1506 à 1583. On publie *Les Gestes romaines* de Tite-Live, soit dans la traduction de Pierre Bersuire, soit dans le remaniement de Robert Gaguin. Du xive siècle encore, les traductions de Jean Vignay : le *Jeu des échecs moralisé* de Jacques de Cessoles, la *Légende dorée* de Jacques de Varazze (une trentaine d'éditions), le *Myroir historial* de Vincent de Beauvais. Sous le titre de *Livre de Mélibée*, on publie plusieurs fois la traduction que Renaud de Louhans fit du fameux traité d'Albertano de Brescia, *Liber de consolatione et consilio*. Le *De proprietatibus rerum* de Barthélemy l'Anglais dans la traduction de Jean Corbechon est édité plusieurs fois à Lyon, puis à Paris et à Rouen, sous le titre *Le Propriétaire des choses* (quatorze éditions de 1482 à 1556). Pour l'agriculture, on publie la traduction du xive siècle du *Rustican* de Pierre de Crescens (quatorze éditions de 1486 à 1540). Vincent de Beauvais, Barthélemy l'Anglais, Pierre de Crescens : dans le domaine des encyclopédies et des livres de référence, l'autorité des textes du Moyen Age ne se dément pas. Pour les amateurs de chasse, enfin, on imprime un texte du XIVᵉ siècle écrit en français, le *Roman des déduis* de Gace de la Buigne.

Quant aux traductions de certains textes antiques, de Cicéron, Tite-Live, Valère-Maxime à Boèce et saint Augustin, elles nous montrent que la culture moyenne, non latine, est longtemps alimentée par des textes du Moyen Age. Certes, en utilisant les traductions disponibles, les éditeurs firent de nécessité vertu. Il n'en reste pas moins que, pendant près de deux générations, bien des lecteurs avides d'instruction « antique » lisaient les mêmes textes et les mêmes commentaires que leurs ancêtres du XIVᵉ siècle. C'est dire que l'antiquité demeure, pour une large partie du public, une époque historiquement peu définie, une époque que l'on sent proche, peu différente, au fond, de l'époque contemporaine. Indirectement, ces traductions du XIVᵉ siècle lèguent à leurs nouveaux lecteurs un sentiment de continuité profondément médiéval.

Lectures françaises

L'œuvre la plus lue de tout le Moyen Age français fut sans aucun doute le *Roman de la Rose* de Guillaume de Lorris et de Jean de Meung. Son succès qui, dès la fin du XIIIᵉ siècle, ne se démentit pas jusque vers le milieu du XVIᵉ siècle et au delà, tient avant tout au fait qu'il est une sorte de *somme*, capable d'alimenter, à travers les âges et leurs différentes préoccupations, les curiosités les plus variées, et que cette *somme* est écrite dans un français à la fois souple et ferme, lyrique et sentencieux, allusif et affirmatif, transparent et martelé, bref : dans une langue qui utilise de très nombreux registres. Il faut bien le reconnaître (la critique l'oublie parfois), le succès du *Roman de la Rose* est celui d'une œuvre *littéraire*, admirée parce que ses idées, qui ne sont pas plus originales que celles qu'ont véhiculées les traités encyclopédiques, s'incarnent dans une langue admirable. Dans la deuxième moitié du XVIᵉ siècle, un auteur anonyme, dressant une *table de rithmes* d'environ quinze mille mots, emprunte ses exemples non seulement à Marot et à Ronsard, mais encore au *Roman de la Rose*.

Vingt-deux éditions du *Roman de la Rose*, de 1481 à 1538, à Lyon d'abord, puis à Paris, l'in-quarto relayant l'in-folio, témoignent du succès de cette œuvre maîtresse. En outre, à la fin du XVᵉ siècle, un anonyme mit le *Roman de la Rose* en prose. Si cette mise en prose, qui subsiste en deux manuscrits, ne fut jamais imprimée, un autre dérimage, dû à Jean Molinet, fut édité trois fois (en 1500, 1503 et 1521). L'œuvre de Molinet est intéressante à deux égards ; d'abord, elle nous montre un auteur parfaitement conscient de ce qu'il fait sur le plan de l'écriture : *ledit romant*, déclare Molinet dans le Prologue, « a esté ourdy tant soutilement et tissu de sy bonne main et est l'ouvraige tant incorporé en la memoire des hommes que de le couchier en aultre stile ne sera moindre nouvelleté que de forgier ung nouvel abc ». Cet *aultre stile* désigne aussi bien la prose que la langue modernisée, *noster langaige… fort mignon et renouvelé.* On peut affirmer que, d'une manière générale, les Français ont pris conscience de l'historicité de leur langue à travers les mises en prose de l'ancienne littérature médiévale. L'œuvre de Molinet est en deuxième lieu un *Roman de la Rose moralisé,* c'est-à-dire commenté dans un sens chrétien. La Rose, c'est le *precieux corps de nostre Createur;* l'Amant qui cueille cette rose, rappelle donc le *mystere que fit Joseph d'Arimathie quand il cueillit de la croix le corps de Jesus,* et ainsi de suite. Habitudes médiévales ? Certes, il y eut bien, vers le début du XIVᵉ siècle, l'*Ovide moralisé* et, un peu plus tard, l'*Ovidius moralizatus* de Pierre Bersuire (édité en 1509, 1511, 1515 et 1521). Donc habitude du XIVᵉ siècle parce que, alors, on essaya, en le christianisant, de « sauver » un auteur païen et classique ? Ce que fait Molinet est autrement plus important, car lui, il moralise une œuvre profane de la littérature française. Et chose curieuse, dans l'édition du *Roman de la Rose* en vers, édition attribuée à Clément Marot et qui parut pour la première fois en 1526, une *exposition morale* fournit, en guise de préface, des explications fort semblables :

> Bien peult estre que ledit aucteur ne gettoit pas seullement son penser et fantasie sus le sens littéral, ains plus tost attiroit son esprit au sens allegoric et moral comme l'ung disant et entendant l'autre.

Ainsi la rose peut signifier quatre choses : l'état de sapience, l'état de grâce, la Vierge et la gloire d'éternelle béatitude. Il ne s'agit que de percer l'écorce du sens littéral — mais lisons :

> Doncques qui ainsi vouldroit interpreter le *Rommant de la Rose,* je dis qu'il y trouveroit grant bien proffit et utilité cachez soubz l'escorce du texte qui pas n'est à despriser, car il y a double gaing, recreation d'esprit et plaisir delectable quant au sens litteral, et utilité quant à l'intelligence morale. Fables sont faictes et inventées pour les exposer au sens misticque, parquoy on ne les doit contemner.

Suit une fable tirée de la Bible… Il ne faudrait pas se laisser abuser par la terminologie. Au Moyen Age, les quatre sens de l'écriture s'appliquent justement à l'Ecriture, et jamais à une œuvre profane en langue vulgaire. Pour un théologien du Moyen Age, la *littera* des œuvres de l'imagination n'est que fable. Si notre « expositeur », que ce soit Clément Marot ou un autre, attribue à la récréation et au plaisir que fournit le sens littéral une autonomie que tout théologien doit refuser, il proclame en même temps l'autonomie de l'œuvre littéraire. Dans un vocabulaire qui est celui de l'exégèse médiévale, notre auteur exprime des idées qui ne sont pas médiévales du tout. Insistons : l'explication d'une œuvre littéraire française selon les quatre sens de l'écriture ne s'est pas produite au Moyen Age ; c'est une innovation de la fin du XVᵉ et du premier quart du XVIᵉ siècle.

Molinet, qui compare Guillaume de Lorris à Moïse, et Jean de Meung à saint Jean l'Evangéliste, fait du *Roman de la Rose* une sorte de Bible. Il est évident qu'une telle interprétation ne pouvait être celle de tout le monde. Cependant, en ôtant au mot « Bible » son sens strictement chrétien, on peut sans doute affirmer que le *Roman de la Rose* fut la « Bible des poètes » au même titre que les *Métamorphoses* d'Ovide. La variété des sujets abordés par le *Roman de la Rose* donne carrière aux emprunts les plus divers. Dans la querelle des femmes, ou mieux, dans les différentes querelles des femmes, Jean de Meung se voit convoquer comme témoin par les misogynes. Le même Jean de Meung devient un des patrons du naturalisme, voire de l'épicurisme. D'autres le citent comme expert en alchimie, d'autres encore recourent à lui comme au grand satirique qui a créé l'inoubliable personnage de *Faux Semblant*. Les poètes amoureux enfin reprennent, parfois en les multipliant, les personnifications de *Bel Accueil, Beau Semblant, Danger, Male Bouche*.

Toutefois, comme genre littéraire, c'est-à-dire comme allégorie encyclopédique centrée sur le problème de l'amour, le *Roman de la Rose* n'a jamais été repris. A cet égard, il est significatif que le *Livre du cueur d'amours espris* de René d'Anjou, longue allégorie amoureuse qui imite le *Roman de la Rose*, n'a été imprimé qu'une seule fois, en 1503. C'est que l'allégorie amoureuse, surtout celle de Guillaume de Lorris, exerce son influence sur les petits genres, du rondeau à l'épître et à l'élégie, et même sur les sonnets des poètes de la Pléiade.

L'estime dont jouit le *Roman de la Rose* tient ainsi à trois facteurs. La poésie amoureuse trouve en lui, du moins jusqu'au triomphe du pétrarquisme, un procédé littéraire pour représenter les passions de l'âme et pour ébaucher une analyse psychologique. En second lieu, le *Roman de la Rose* est admiré pour la *doctrine* qu'il renferme, doctrine riche s'il en fut, et qui se prête aux développements les plus variés. Enfin et surtout, le *Roman de la Rose* est considéré comme le premier chef-d'œuvre de la littérature française. Clément Marot compare Guillaume de Lorris à Ennius, et Jean Lemaire rapproche Jean de Meung de Dante : tout comme Ennius et Dante sont les « pères » des littératures latine et italienne, les auteurs du *Roman de la Rose* sont les « pères » de la littérature française. Dans les nombreuses galeries des poètes célèbres que nous offrent les rhétoriqueurs ou un Clément Marot, la série s'ouvre presque toujours par Jean de Meung. A la fin de notre période, l'*Art poétique* de Thomas Sébillet (1548) cite non seulement le *Roman de la Rose* à côté de l'*Iliade*, de l'*Enéide* et des *Métamorphoses*, mais réaffirme une fois de plus que la *Rose* est le modèle du *grand œuvre* de la littérature française :

> ...dés Poémes qui tombent soubz l'appellation de Grand œuvre, comme sont, en Homère, l'Iliade : en Vergile, l'Eneide : en Ovide, la Metamorphose, tu trouveras peu ou point entrepris ou mis a fin par lés Pöétes de nostre temps : Pource si tu desires exemple, te faudra recourir au Romant de la Rose, qui est un dés plus grans œuvres que nous lisons aujourd'huy en notre pöesie Françoise.

A l'exception du *Roman de la Rose*, pratiquement tous les textes littéraires français du Moyen Age diffusés par l'imprimerie appartiennent au xve siècle. D'une manière générale, ces textes sont édités jusque dans les années trente du xvie siècle. L'époque des rhétoriqueurs coïncide ainsi avec la survie des auteurs du xve siècle. Un des plus demandés a été Alain Chartier, dont les *Œuvres*, éditées à Paris en 1529, couronnent une longue série d'éditions d'œuvres particulières qui virent le jour dès les premières années de l'imprimerie : le *Quadrilogue* (1477), le *Breviaire des nobles* (1484, et encore en 1578), l'*Hospital d'amours* (1485), les *Fais et ditz* (nombreuses éditions de 1484 à 1526), la *Belle dame sans merci* (1490), etc. Les *Lunettes des princes* de Jean Meschinot furent publiées vingt-trois fois entre 1493 et 1539. Grand succès aussi que celui des *Arrests d'amour* de Martial d'Auvergne, traduits en latin et commentés par Benoist de Court dès 1533. On édita Martin le Franc en 1485 et en 1530 ; de Christine de Pisan, certaines œuvres comme l'*Epistre d'Othéa* et le *Chemin de longue estude* furent encore imprimées en 1549 ; Villon : le *Grand Testament* (nombreuses éditions de 1489 jusque vers 1520) et les *Œuvres* (dès 1532 ; l'édition de Marot de 1533 fut souvent réimprimée) ; *Pathelin* (dès 1490, nombreuses éditions), et, du côté des conteurs, les *Cent nouvelles nouvelles* (une douzaine d'éditions de 1486 à 1532). Fort curieusement, du grand Georges Chastellain, tant vénéré par les rhétoriqueurs, on ne publia que le *Temple de Boccace*. Le roi René, enfin, n'est représenté que par l'unique édition du *Livre du cueur d'amours espris* et par l'*Abuzé en cour* (s'il en est bien l'auteur), dont les trois éditions sont toutes du xve siècle ; Charles d'Orléans est absent.

Cette dernière remarque n'est vraie que lorsqu'on considère les ouvrages publiés sous un nom d'auteur. En effet, certaines œuvres du xve siècle sont imprimées dans des anthologies, dont la plus célèbre est sans doute *Le Jardin de plaisance et fleur de rethoricque* (vers 1501), ou dans des publications dont le titre ne mentionne pas tous les auteurs, comme par exemple *La Chasse et depart d'amour* d'Octovien de Saint-Gelais et de Blaise d'Auriol, ouvrage qui contient, bien que sous une forme rajeunie, la plupart des poésies de Charles d'Orléans.

Le lyrisme courtois

S'il n'en demeure pas moins vrai que la poésie lyrique courtoise est très faiblement représentée dans les ouvrages imprimés à la fin du xvᵉ et au début du xviᵉ siècle, on ne saurait pourtant affirmer qu'elle était peu pratiquée. C'est tout simplement que son caractère particulier ne la destinait pas aux grands tirages : littérature d'une élite, elle se cantonna dans les milieux aristocratiques. Voilà pourquoi elle resta manuscrite. Au début du xviᵉ siècle encore, on exécuta un magnifique manuscrit sur vélin, orné de splendides miniatures, pour rassembler un certain nombre de pièces de Charles d'Orléans. Le grand poète figure aussi dans des anthologies manuscrites de poésies du xvᵉ siècle, anthologies copiées à la fin du siècle. C'est que, malgré le triomphe de l'imprimerie, on continue à copier des textes à la main, et pour les contemporains, le terme de « livre » désigne pendant très longtemps aussi bien un manuscrit qu'un livre imprimé. Il serait souhaitable que la critique s'occupât un jour du rôle que joua le manuscrit pendant cette première Renaissance.

Ainsi, la littérature courtoise traditionnelle demeurait vivante, mais, passe-temps de courtisans ou de la noblesse oisive, elle jalonna une vie mondaine au gré des événements, des fêtes, des galanteries passagères. Il serait injuste de lui reprocher son manque d'originalité : la poésie de circonstance, vivant de cette circonstance même, a tout à perdre lorsqu'on la rassemble dans des recueils. Art raffiné, précieux, contemporain du dernier gothique flamboyant, ce lyrisme courtois est une école de subtilités formelles. Et quand nous feuilletons par exemple les magnifiques *albums poétiques* de Marguerite d'Autriche, nous comprenons peut-être que nombre de ces poésies ne retrouvaient leur véritable dimension que par l'accompagnement musical. Musique et poésie, leur symbiose est celle de l'élégance du moment.

> Fors seullement l'actente que je meure
> En mon las cueur nul espoir ne demeure,
> Car mon malheur sy tresfort me tormente
> Qu'il n'est doulleur que par vous je ne sente
> Pour ce que suis de vous perdre bien seure.

Voici le début d'un *rondel* conservé dans de très nombreux manuscrits. Ockeghem, Brumel, Pipelare, Obrecht, Agricola, Laval, Verbonnet, Leriche et de Sylva le mirent en musique : d'où lui vint donc son charme ? La musique, sera-t-elle l'ange qui ranimera, pour nous, les miroirs ternis ?

Toujours est-il que des anthologies plus tardives, telle la *Fleur de toutes joyeusetez*, dont la première édition est de 1530 environ, recueilleront encore des textes de Charles d'Orléans, de Villon et de Jean Molinet, pour les compléter par d'autres, plus modernes, de Clément Marot par exemple, et que cette *Fleur* sera même éditée dans le format in-16. Du grand manuscrit d'apparat des cours princières, nous voici arrivés au livre de poche. C'est dire que la vieille poésie continue à exercer son charme sur un public, en partie différent certes des milieux aristocratiques, mais peut-être plus nombreux.

Les romans d'aventure et de chevalerie

Quel engouement pour les romans d'aventure et de chevalerie ! Près d'une centaine d'œuvres éditées, rééditées, remaniées, mises à jour. Héritage du Moyen Age, à coup sûr, mais de nouveau, surtout, du xve siècle, car la majorité de ces beaux récits chevaleresques *d'armes et d'amours* reprend, parfois en les modernisant, les mises en prose de l'époque immédiatement antérieure. Les versions originales en vers, chansons de geste et romans, demeurent pratiquement inconnues. Evidemment, on imprime aussi les œuvres originales du xve siècle, le *Recueil des histoires de Troie*, *Hercule* et *Jason* de Raoul Le Fèvre, ou *Jehan de Saintré*, d'Antoine de La Sale, mais les sujets de ces romans remontent aux xiie et xiiie siècles, tandis que leur forme est celle que leur ont donnée des époques plus récentes.

On a pris l'habitude de classer ces romans d'après leur sujet. Tout en sachant bien qu'un tel classement extra-littéraire reste nécessairement superficiel, nous le reprenons ici, puisqu'on attend toujours une étude approfondie de ce phénomène littéraire.

Les *sujets féodaux, historiques et nationaux* sont ceux qui remontent aux vieux récits des chansons de geste. Constatons dès maintenant que la *Chanson de Roland*, un des chefs-d'œuvre du genre, demeure inconnue à l'époque. Le « cycle de Charlemagne » est représenté par la *Chronique du pseudo-Turpin*, donc par un récit pseudo-historique, et non point par les chansons poétiques. Charlemagne, il faut le chercher dans *Fierabras*, c'est-à-dire dans *La Conqueste du grand roy Charlemaine des Espaignes et les vaillances des douze Pers de France et aussi celles de Fierabras*. Ce *Fierabras*, amalgame de sources historiques, légendaires et poétiques, a non seulement l'honneur d'être le premier roman en prose imprimé (Genève, 1478), mais encore celui d'être un des « bestsellers » de l'époque, puisqu'on en compte vingt-six éditions jusqu'en 1588.

Autre succès, celui de *Galien rethoré* ou *Galien restoré*, qui existe en différentes versions, imprimées dix-neuf fois entre 1500 et 1589. Galien, le fils d'Olivier (qu'il retrouve à la bataille de Roncevaux), entre également dans la vaste compilation de *Garin de Montglane* (sept éditions). Les romans issus des chansons de geste se présentent en effet très souvent comme des combinaisons de plusieurs sources poétiques ou (pseudo-)historiques. Ce travail d'adaptation et d'arrangement n'est pas terminé au xvie siècle, car bien des éditions de cette époque cachent, sous des titres parfois identiques, des versions distinctes les unes des autres. C'est dire que ces textes vivent toujours. Témoin un des plus grands succès d'alors, *Renaut de Montauban* ou *Les Quatre fils Aymon*, dont on ne compte pas moins de vingt-sept éditions, et dont quelques-unes comportent des suites qui furent aussi éditées à part, comme *Maugis d'Aigremont* (huit éditions séparées) ou comme *Mabrian* (treize éditions séparées). Fait plus important encore, certains de ces textes n'ont été composés qu'à la fin du xve, voire au xvie siècle, comme ce *Mabrian* ou comme *La Conqueste de Trebisonde*, autre suite de *Renaut de Montauban* (cinq éditions). Ainsi, loin de se limiter à la seule vulgarisation de textes antérieurs, notre époque produit également des œuvres originales ou relativement originales. Le succès, par exemple, d'un *Ogier le Danois* (treize éditions) incita un anonyme à raconter les exploits du fils du héros, *Meurvin* (1539). Un autre anonyme s'avisa de composer un *Gerard d'Euphrate*, où le Girart de l'épopée est mêlé à des aventures amoureuses et féeriques. Dans un curieux prologue, l'auteur déclare que le succès de l'*Amadis* l'avait déterminé à publier son manuscrit, qui semble avoir sommeillé quelques années dans son tiroir. Attente sage, puisque l'édition, parue en 1549, sera ornée de gravures attribuées à Jean Goujon : « Le peu d'accueil que l'on faisoit adonq des traductions de M. Seissel et Illustrations de Jean le Maire me decouragea et me fit cacher et mettre en layette mes mignutes jusques à l'an 1539 que le gentilhomme Des Essars fit revivre et reflorir par son Amadis les vieux chevaliers de la Grant Bretagne. »

A la différence de la « matière féodale », la *matière de Bretagne* a pour elle une vénérable tradition de la prose qui, soit dans des remaniements d'œuvres en vers, soit dans des romans directement écrits en prose, remonte jusqu'au début du xiiie siècle. Cette prose, cependant, se présente aux lecteurs de la fin du xve et de la première moitié du xvie siècle dans une langue rajeunie, tout comme le contenu des romans s'est adapté au goût du jour. Si la fortune des romans de la Table Ronde est moins spectaculaire que celle des mises en prose des chansons de geste, elle est néanmoins considérable, et tout le *corpus* arthurien est disponible. D'abord, les épisodes centraux : dès 1488, on imprime le *Lancelot en prose (Lancelot propre, Quête du saint Graal, Mort du roi Arthur)*, qui aura huit éditions jusqu'en 1591 ; en 1489, le *Tristan* (huit éditions jusqu'en 1533) ; en 1498, *Merlin* (sept éditions jusqu'en 1528) ; en

1514-1516, l'*Hystoire du sainct Graal*, réimprimée en 1523 (contient l'*Estoire del Graal*, le *Perlesvaus* et la *Quête*) ; en 1530, *Perceval le Gallois*, qui est une mise en prose du roman de Chrétien de Troyes. Ensuite, le cycle des pères de tous ces héros : *Giron le Courtois* (trois éditions de 1501 à 1519), sa suite : *Meliadus* (sept éditions de 1528 à 1584), et la grande *somme* du monde pré-arthurien, *Perceforest*, qui, dans un dessein grandiose, rattache l'histoire de la Grande-Bretagne à celle d'Alexandre et brosse un tableau magnifique de l'évolution de la civilisation. Il a fallu du courage au libraire Galliot Du Pré pour publier, en 1528, cette encyclopédie chevaleresque en six gros volumes ; il y a eu une réédition en 1531-1533 et sept éditions partielles. Enfin, avec *Ysaïe le Triste* (quatre éditions de 1522 à 1550), ce sont les exploits des fils qui sont proposés au public (Ysaïe est le fils de Tristan et Iseut). Chose curieuse, le plus grand succès, soit quatorze éditions de 1493 à 1584, est remporté par un roman du XIVe siècle, le *Petit Artus de Bretaigne*, qui ne se rattache que d'une manière toute superficielle au cycle de la Table Ronde.

A noter aussi des créations originales, telle l'*Hystoire de Giglan, filz de messire Gauvain* (vers 1520, d'après *Le Bel inconnu* et *Jaufre*) de Claude Platin et les œuvres de Pierre Sala, dont nous parlerons ci-dessous.

Les romans de la Table Ronde ne furent jamais vraiment populaires. Leur code chevaleresque et leurs amants doucereux, experts en casuistique, prompts aux larmes, prêts (du moins pour un temps) au renoncement, enfin leur style prolixe et souvent soutenu, étaient faits pour une élite et pour les dames. Pourtant, le monde arthurien, évidemment dépourvu de tout senti-mentalisme, était connu du peuple — citons seulement le petit livret vendu aux foires de Lyon, en 1532, *Les grandes et inestimables Cronicques du grant et enorme geant Gargantua*. Et on ne s'étonnera pas qu'Epistémon, retour de l'enfer, puisse affirmer que « tous les chevaliers de la Table Ronde estoient pouvres gaingnedeniers » (*Pantagruel*, 1532, chap. xx).

Or pour cavalier que se montre Rabelais avec les chevaliers de la Table Ronde, il semble bien les connaître, et sa quête de la Dive Bouteille reprend la quête du saint Graal, sur le mode non plus mystique mais mythique. Influence, donc, en profondeur, sur la démarche de l'esprit. Influence plus mondaine, chez d'autres, liseurs plutôt que lecteurs, sur les mœurs. Prépa-ration, en somme, du succès des *Amadis*.

Un dernier point, littéraire celui-là. Nous avons vu qu'en 1548, lorsque Thomas Sébillet parle du *grand œuvre*, il cite, après l'*Iliade*, l'*Enéide* et les *Métamorphoses*, le *Roman de la Rose*. En 1549, Joachim Du Bellay, dans son chapitre sur le *long poëme Françoys*, met un Arioste (presque) sur le même pied qu'Homère et Virgile :

Comme luy [l'Arioste] donq', qui a bien voulu emprunter de nostre Langue les noms et l'hystoire de son poëme, choysi moy quelque un de ces beaux vieulx romans Françoys, comme un *Lancelot*, un *Tristan*, ou autres : et en fay renaitre au monde un admirable *Iliade* et laborieuse *Eneïde*. Je veux bien en passant dire un mot à ceulx qui ne s'employent qu'à orner et amplifier noz romans, et en font des livres, certainement en beau et fluide langaige, mais beaucoup plus propre à bien entretenir damoizelles qu'à doctement ecrire...

Ce qui, chez Sébillet, était encore le *grand œuvre*, devient chez Du Bellay le poème épique. Le problème est d'importance. En Italie, un Arioste, qui emprunte son sujet à la tradition française, égale les anciens. Pourquoi les Français ne feraient-ils pas de même ? On sait que les poètes de la Pléiade et leurs successeurs seront comme hantés par ce problème de l'épopée. S'il reste à déterminer en quoi la découverte de la *Poétique* d'Aristote a contribué à « lancer » l'idée du poème épique, il est du moins sûr que la situation en Italie et en France était suffisamment différente pour qu'un « Arioste français » dût demeurer une chimère. En effet, les romans en prose et les mises en prose ont privé la France d'une forme poétique héroïque. Au XIVe siècle encore, les vieilles chansons de geste en décasyllabes furent récrites en alexandrins. Cette tentative demeura sans lendemain. La France, dans le domaine épique, avait opté pour la prose. (Notons, en passant, que certains critiques aimeraient faire triompher la Renaissance poétique avec la redécouverte de l'alexandrin ; s'ils ont raison, on reste rêveur...) L'Italie en revanche avait élaboré, avec son *ottava rima*, une nouvelle forme poétique épique, un nouveau style soutenu. On peut se demander si la prédilection de certains rhétoriqueurs pour le huitain, par exemple dans le *Séjour d'Honneur*, le « grand œuvre » d'Octovien de Saint-Gelais, ne serait pas une tentative pour rivaliser avec les Italiens. Quoi qu'il en soit, les romans de chevalerie sont en prose, aussi épique que puisse paraître leur sujet. Il est du moins significatif que Luigi Alamanni, à qui François Ier proposa en 1546 de mettre en vers *Giron le Courtois* pour rendre leur éclat aux noms des chevaliers errants, choisit tout naturellement l'*ottava rima*. Ce *Girone il Cortese*, paru en 1548, n'est certes pas un chef-d'œuvre, mais il montre à merveille qu'une mise en vers d'un roman français ne pose à un Italien, quant à la forme, aucune difficulté. Le XVIe siècle français, lui, cherchera en vain une nouvelle forme épique en vers.

La thématique des romans de la Table Ronde, malgré les transformations qu'avait subies la matière au cours des siècles, demeura au fond courtoise, aristocratique : l'apanage d'une élite. Il en va autrement avec les *romans d'aventure*, dont la vogue va durer pendant tout le XVIᵉ siècle. Le monde breton est remplacé par un monde plus vaste, dans lequel l'Orient mystérieux, dangereux et merveilleux joue un rôle important. Mais le succès des romans d'aventure s'explique surtout, nous semble-t-il, par sa thématique, qui est populaire au sens fort du terme. Ces romans, en effet, mettent en œuvre une foule de thèmes et de motifs que nos folkloristes modernes n'ont pas manqué de signaler. Thématique du peuple, ou mieux, thématique des peuples, séculaire, traditionnelle et séduisante. Le plus typique de ces romans, et aussi le plus riche en thèmes et motifs folkloriques, est sans doute *Valentin et Orson*, édité dès 1489 et réédité quatorze fois jusqu'à la fin du XVIᵉ siècle. Le grand succès, cependant, ce fut *Pierre de Provence et la belle Maguelonne*, dont les différentes versions furent imprimées au moins vingt-six fois ; puis, *Robert le Diable*, avec vingt-trois éditions en deux versions ; l'histoire de la fée *Mélusine* et du château de Lusignan, dix-huit éditions ; *Paris et Vienne*, treize éditions ; *Huon de Bordeaux* et son immortel roi Obéron, onze éditions ; *Pontus et la belle Sidoine*, dix éditions ; *Cléomadès* et son cheval de bois, neuf éditions ; la *Belle Hélène de Constantinople*, six éditions, et d'autres encore. Comme nous l'avons signalé, ces rééditions datent aussi de la deuxième moitié du XVIᵉ siècle et certains textes, comme *Guillaume de Palerne* ou *Flores et Blanchefleur*, furent même publiés pour la première fois sous le règne d'Henri II.

Lorsque frère Claude Platin, vers 1520, édita son *Giglan*, dont une des sources est le roman provençal *Jaufre*, il affirma que son œuvre était traduite de *langaige espagnol*. Le bon frère Claude n'a-t-il vraiment pas su distinguer l'ancien provençal de l'ancien espagnol — ou a-t-il simplement voulu, par cette référence à une *rime espaignolle*, exploiter le succès que connurent alors les romans de chevalerie espagnols ? L'engouement pour ce genre de littérature, en effet, loin de se limiter à la France, s'empara de toute l'Europe, d'abord de l'Espagne et de l'Italie, et bien des « thèmes français » revinrent en France dans un travestissement espagnol ou italien. N'est-il pas révélateur que Charles VIII ait baptisé un de ses fils, non pas Roland, mais bien Orland ? Dès 1519, on publia *Morgant le Geant*, une imitation du *Morgante* de Pulci ; en 1530 parut *Guerin Mesquin*, traduction du poème italien *Guerino il Meschino*, et en 1543 seulement, la traduction en prose (!) du *Roland furieux* de l'Arioste. On lisait aussi, du moins dans certains milieux, ces romans espagnols ou ces poèmes italiens dans le texte ; rappelons Alamanni et son *Girone il Cortese*.

Avant l'*Amadis*, dont la première édition en douze volumes in-folio parut de 1540 à 1546, se produisit une sorte de revirement. Nicolas Herberay des Essarts, qui commença à traduire son modèle espagnol à partir de 1524, déclara en effet dans son prologue que son dessein était d'*exalter la Gaule*, la gloire nationale, parce qu'il était *tout certain* qu'*Amadis* avait d'abord été écrit en français, *estant Amadis Gaulois, et non Espaignol.* Et pour corroborer ses dires, le traducteur affirme qu'il avait trouvé de vieux fragments manuscrits écrits en picard, autrement dit : un original français. C'est là l'origine de la légende, tenace, d'un *Amadis* français. Il ne nous appartient pas d'entrer dans les détails de l'immense succès que remportèrent les différentes éditions des *Amadis* pendant la deuxième moitié du XVIᵉ siècle. Succès à la fois littéraire et mondain, comme l'époque d'Henri II le fera bien voir. Citons toutefois le début d'un dizain en tête de l'édition in-8° de 1548, dizain qui a pour auteur Jean Maugin, traducteur d'Apulée, de *Palmerin d'Olive* et auteur d'un *Nouveau Tristan* (1554) :

> Or avez vous, Dames de cueur humain,
> Vostre Amadis en si petit volume,
> Que le pourrez porter dedans la main
> Plus aysément beaucoup que de coutume.

Voici donc un *Amadis* portatif, *Amadis* pour les dames, *Amadis* pour la société polie.

Dans les prologues de maints de ces romans, les auteurs répètent à l'envi le même *topos*, à savoir qu'il faut éviter l'oisiveté et que les romans sont une récréation après des travaux plus ardus. Or, dès que l'on met dans la balance l'énorme prolifération de cette littérature romanesque, on doit constater que cette « récréation » a pris une singulière ampleur, qui atteste, bien mieux que les réflexions théoriques des préfaces, que le plaisir littéraire a pleinement su revendiquer ses droits.

Les romans proposent au public un dépaysement par le merveilleux, les sorciers et les fées, les forêts dangereuses, les objets enchantés. Tout ce monde, on l'a parfois opposé à l'esprit bourgeois, « réaliste », qui anime les mêmes œuvres. On a aussi insisté sur l'analyse psychologique, surtout des romans néo-arthuriens, qui annoncent l'*Astrée*. Il nous paraît évident que le merveilleux n'est pas seulement plaqué sur le « réalisme ». Au fond, il n'y a pas analyse des pensées et des passions (à l'exception de l'amour, et encore...), mais projection des zones sombres de l'âme humaine, dans des faits et événements extérieurs, les conjurateurs de forêts aventureuses et les mages des châteaux *faés*. On peut même se demander si la vogue de cette littérature ne tient pas aussi au fait que la poésie contemporaine, celle des rhétoriqueurs, étant toute morale, intellectuelle et formaliste, ne sut pas satisfaire ce besoin d'évasion dans un monde merveilleux et a-historique, dans un monde où, confusément, le lecteur d'alors pouvait retrouver des espaces infinis. La magie n'est pas dans la parole (comme, peut-être, chez les rhétoriqueurs) ; elle est dans une réalité imaginée, surnaturelle et merveilleuse.

Pierre Sala, un attardé ?

Lyon, qui fut, avant Paris, puis, concurremment avec Paris, un centre d'édition de livres de chevalerie, est la patrie d'un auteur fort attachant dont les œuvres, à l'époque, n'ont pas été éditées. Pierre Sala, qui fut au service de Charles VIII et de Louis XII, se retira, lors de l'avènement de François Ier, à Lyon, où il rédigea probablement la plupart de ses ouvrages. Sala fut d'abord un arthurisant et un lecteur, non seulement de romans en prose, mais encore de vieux poèmes en vers. C'est ainsi que, sur le modèle du texte de Chrétien de Troyes, il récrivit un *Chevalier au lion*, et, fait digne de remarque, en vers octosyllabiques. Le manuscrit, dédié à Charles VIII, *hault empereur*, est orné de miniatures. Dans son *Tristan*, dont il nous reste deux manuscrits, illustrés eux aussi, Pierre Sala utilise librement différentes sources arthuriennes françaises et italiennes. Le roman s'adresse visiblement à un public initié au monde « breton », car l'auteur ne semble pas voir la nécessité d'informer le lecteur sur les événements antérieurs et postérieurs à l'histoire qu'il raconte. Et puisque ce *Tristan* a été écrit entre 1525 et 1529 à la demande de François Ier, on doit supposer que de pareils arthurisants ne devaient pas manquer à la cour de France. *Les Hardiesses de plusieurs roys et empereurs* (deux manuscrits) sont vraiment une œuvre située à l'articulation de deux époques, car Pierre Sala, qui commence les récits des prouesses par le roi David pour les finir avec François Ier, se souvient à la fois de recueils du type des *Neuf Preux* et des galeries des hommes fameux, chères aux humanistes ; en outre, dans un cadre qui rappelle celui du *Décaméron*, la matière de certaines de ces *hardiesses* est tirée du fonds arthurien médiéval. Mais Pierre Sala peut être uniquement « moderne », comme dans ses *Enigmes*, série de quatrains illustrés chacun d'une miniature, et dans *Les Fables et emblèmes en vers*, écrits pour Louise de Savoie, où les fables sont, elles aussi, illustrées de miniatures. Ainsi Pierre Sala s'inscrit-il au premier rang de ceux qui, dans la littérature emblématique, ont essayé de fondre en un tout la *pictura* et la *poesis*. Lorsque nous aurons rappelé que Sala traduisit un traité latin contre la peste et qu'il est l'auteur d'un livre sur les *Antiquitez de Lyon*, on constatera que notre auteur appartient bien à son temps : un lettré, poète et prosateur, latiniste, italianisant, amateur des arts plastiques, historien et arthurisant. Culture hétéroclite ? N'est-il pas un digne contemporain de son roi François Ier, ce « père des lettres », qui fit ouvrir la tombe de Roland, emporta toujours avec lui le *Roman de la Rose*, commanda des livres arthuriens et assista à la représentation de mystères ?

CHAPITRE III

La redécouverte du passé

L'antiquité

LES efforts philologiques ont pour résultat une connaissance toujours plus précise de la civilisation antique. Nous verrons comment Budé, lorsqu'il essaiera de déterminer la valeur exacte des monnaies, sera amené à étudier la vie antique dans ses manifestations les plus variées. Autres recherches sur les *realia*, celles de Lazare de Baïf, qui publie un traité sur les vêtements des anciens (*De re vestiaria*, 1526), un traité sur la marine romaine (*De re navali*, 1536); Etienne Dolet, qui publie en 1536 ses *Commentarii linguae latinae*, s'occupe à la même époque des termes de marine. Cette curiosité archéologique est générale. Très vite, on ne se contente d'ailleurs plus des seuls textes, on va à la recherche d'autres documents. Lazare de Baïf écrit en 1532 : « Pour ce que ce me seroit grand ayde de avoir en paincture la diversité des Naux qui se treuvent es marbres et arcs trionfans de Rome. » Que ces nouvelles connaissances ne soient pas réservées à un cercle restreint d'érudits, le *De re vestiaria* nous le prouve suffisamment, puisque Charles Estienne en publie une édition abrégée pour la jeunesse, *addita vulgaris linguae interpretatione*, édition imprimée plus de dix fois entre 1535 et 1553.

Pourtant, la sûreté méthodique des enquêtes philologiques et archéologiques n'est qu'un aspect de ce réveil des curiosités. Nous avons fait remarquer que l'expérience du temps est d'abord celle d'une rupture avec la période immédiatement précédente, et que la « restitution » de l'antiquité passe par la destruction des gloses et commentaires du Moyen Age. Puisqu'on dispose maintenant de textes purs et « authentiques », les rapports avec le monde des grands-parents sont ceux d'une différence, d'une discontinuité. Mais le temps n'est pas encore ressenti dans sa véritable dimension historique, dans sa durée. Pour le public lettré, et parfois pour les meilleurs esprits, l'antiquité se présente en effet comme un tout. Les néo-platoniciens ne tiennent guère compte des siècles qui séparent Platon de Plotin et Proclus, et ceux qui croient retrouver, dans les livres hermétiques, une *prisca theologia*, ne se doutent pas que le syncrétisme de ces écrits date de l'ère chrétienne.

Il est en tout cas surprenant de voir combien cette première Renaissance reste attachée aux érudits, rhéteurs et satiriques de la basse antiquité : Lucien, Athénée, Plutarque, Macrobe. L'influence des grands classiques — l'épopée, la tragédie, la poésie lyrique — demeure en tout cas fort limitée.

Certes, le goût de l'histoire est constant, les nombreuses éditions et traductions des anciens historiens en font foi. Dès 1504, Claude de Seyssel, dans son prologue à la traduction de Xénophon (éditée en 1529), affirme tout haut la supériorité des œuvres « authentiques » sur « aucunes fables qui, sous couleur d'histoire ont été par gens oisifs composées, mêmement en langage français, comme sont les livres de la Table Ronde, de Tristan, de Lancelot, de Maguelonne, d'Olivier de Castille et autres semblables. » Goût de l'histoire « authentique », mais surtout goût des histoires. Le XVIᵉ siècle, et en ceci il ne se distingue guère du Moyen Age, est en effet friand d'anecdotes, de petits récits édifiants, de proverbes et dictons. D'où la vogue d'un Valère-Maxime, plus tard d'un Plutarque. Il ne faut pas non plus s'imaginer que les dernières éditions savantes d'Alde Manuce aient eu un très grand succès — au contraire, la mode est aux recueils, aux extraits, aux « fruits » de lecture, au *reader's digest* : toute la sagesse antique en un volume. Les grands succès de librairie sont les *Commentarii de honesta disciplina* de Petrus Crinitus, les *Lectiones antiquae* de Coelius Rhodiginus, les *Adagia* d'Erasme, le *De rerum inventoribus* de Polydore Virgile ; les *Disticha Catonis*, déjà fameux au Moyen Age, continuent à être édités et commentés. Cette préférence est encore en relation avec la tradition médiévale. Voilà pourquoi on a pu dire que cette première Renaissance représente d'abord la tradition « mimique » de l'antiquité, l'image « biologique », le dialogue, le banquet, la scène brève, l'anecdote, le proverbe. Tout cela est foncièrement anticlassique.

Le passé national

L'engouement pour l'histoire antique, ses anecdotes et ses exemples illustres, n'a pas interdit l'étude de l'histoire nationale. Au XVᵉ ou au début du XVIᵉ siècle, on édite les historiens récents, Froissart, Commynes, Monstrelet, Chastellain et son continuateur Molinet. Dans le sillage des *Grandes Chroniques*, Nicole Gilles compose ses *Annales et chroniques de France* (1492, nombreuses rééditions), avec tout ce qu'elles impliquent : descendance troyenne, duel de Roland et Ferragut, Roncevaux, voyage de Charlemagne à Jérusalem. De ces fables traditionnelles, plus rien (ou presque) dans le *Compendium de origine et gestis Francorum* (1495) de Robert Gaguin, à qui Erasme reconnaît *fides et eruditio*, la bonne foi et l'érudition. L'œuvre est en effet remarquable pour l'époque. Gaguin, à qui les historiens romains sont familiers, utilise des sources médiévales comme Aimon et Grégoire de Tours, mais aussi les écrits récents des humanistes italiens, Boccace, Pétrarque, Flavio Biondo, Filelfo. Le succès est durable : dix-neuf éditions jusqu'en 1586, et plusieurs traductions françaises.

La nouvelle manière de concevoir l'historiographie vient cependant d'Italie (Bruni, Biondo). Ce sont les Italiens qui l'introduisent à l'étranger, Lucio Marineo en Espagne, Polydore Virgile en Angleterre. L'humaniste véronais Paul Emile reçoit, vers 1499, l'ordre de Louis XII d'écrire l'histoire de la monarchie française. Les premiers livres du *De rebus gestis Francorum* paraissent en 1516 et en 1519. Certains contemporains ont salué en Emile le « Tite-Live gaulois » — à la vérité, plus Tite-Live que gaulois, car la couleur antique prévaut ; aussi l'œuvre, malgré ses mérites, ne réussit-elle pas à éclipser celle des historiens français. Tôt, on se met à imprimer les sources de l'histoire nationale. Guillaume Petit (ou Parvi), confesseur de Louis XII, puis de François Ier, bibliothécaire de la «librairie» royale à Blois et promoteur des études patristiques, donne toute une série d'éditions *principes* d'historiens du Moyen Age : Grégoire de Tours (1512), Sigebert de Gembloux (1513), Liutprand de Crémone (1514), Aimon de Fleury (1514), Paul Diacre (1514), etc. Budé, qui l'appelle *librorum reconditorum conquisitor* et *investigator sagacissimus ac bibliothecarum pene compilator*, est bien placé pour porter un jugement équitable, puisque lui-même, à la recherche de l'origine des institutions nationales, consulte les Archives du royaume, dont son frère Dreux a la garde. La plupart de ces textes historiques est éditée chez Josse Bade, qui donne encore un Geoffroy de Monmouth (1508) et un Saxo Grammaticus (1514). Ainsi, un grand nombre de sources de l'histoire nationale est disponible dès la fin du règne de Louis XII.

Au côté supranational de l'humanisme en tant qu'il représente une république des lettres latines, s'ajoute, assez curieusement, un côté national, voire nationaliste, corollaire de la centralisation politique des états. Le sentiment de l'individualité nationale, qu'accompagne un sentiment de supériorité, s'exprime, dans le contexte humaniste, en termes de culture. Il est vrai que les humanistes italiens, devant la faiblesse de leurs petits états, ont tout intérêt à mettre en avant la *translatio studii*, dans laquelle, naturellement, ils occupent la dernière station ; mais il est non moins vrai que les humanistes non italiens ont recours à des arguments analogues. La supériorité culturelle, hautement affichée par les Italiens, a été ressentie comme un véritable défi, et ceci dès l'époque de Nicolas de Clamanges et de Jean de Montreuil, qui ont vivement réagi contre le verdict de Pétrarque, selon lequel il n'y a ni poètes ni orateurs en dehors de l'Italie. Cette démarche dialectique conduit les Français à formuler leur sentiment national. Parmi les nombreux humanistes italiens qui visitent la France, certains ne pèchent point par excès de modestie. Dès 1488, une querelle oppose Guillaume Tardif au présomptueux Girolamo Balbi, mais le débat se situe évidemment au-dessus des querelles personnelles. Certains, comme François Tissard, qui explique (en 1507-1509) des textes grecs à Paris, reconnaissent que les Italiens ont raison de traiter de barbares les Français, qui ignorent le grec ; il estime cependant qu'il suffit d'éliminer cet unique prétexte pour faire disparaître la supériorité italienne.

Connaître le grec n'est qu'une des solutions envisagées par ceux qui ont à cœur de défendre la gloire de la patrie. Puisque les Italiens se vantent de représenter dignement la Rome antique, elle-même héritière d'Athènes, les Français se tournent aussi vers leur propre passé. Ainsi, les curiosités archéologiques se doublent d'une arrière-pensée polémique et nationaliste. Prouver la supériorité de la civilisation des ancêtres, c'est enlever tout fondement à la position italienne. Argumentation spécieuse, dira-t-on, mais argumentation non dépourvue d'imagination poétique. La légende de l'origine troyenne des Francs, qui continue à vivre, malgré les doutes formulés dès la fin du XVe siècle, comporte l'inconvénient de rattacher la « fondation » de la nation à une défaite (la destruction de Troie) et de rester muette sur la période antérieure. Or voici qu'en 1498, un dominicain de Viterbe, Giovanni Nanni (Annius), publie une série de textes prétendument anciens, Bérose, Manéthon et autres, qui fournissent une chronologie des âges primitifs de l'humanité, et mettent en parallèle la chronologie biblique avec la mythologie égyptienne et grecque et avec certains « ancêtres » des peuples européens. Ces écrits, auxquels Annius de Viterbe a ajouté des *Commentarii*, ont connu un succès étonnant dans l'Europe entière. Ils permettent en effet non seulement de combler les lacunes entre le déluge et la chute de Troie, mais encore d'établir solidement l'antériorité des civilisations chaldéenne et égyptienne par rapport à celle de la *Graecia mendax* et, par des généalogies habilement et fantastiquement arrangées, de « prouver » la *translatio* directe de ces civilisations à la Gaule ou à l'Espagne, sans passer par Athènes ni par Rome. Le signal est donné : par-delà le Moyen Age et les gestes de Francus, on se met à célébrer la civilisation des anciens Gaulois, des druides et de leurs rois, tous grands civilisateurs. Dès 1511, Jean Lemaire publie, en utilisant fidèlement les écrits d'Annius, les *Illustrations de Gaule et singularités de Troie*. Illustrer la Gaule, c'est à la fois illustrer la France et remettre à leur place les Italiens présomptueux ; les Gaulois et les Français, dira Jean Bouchet en 1527, « ont presque perdu la gloire par la suppression des historiographes Italiens et Romains, anciens emulateurs et envieulx de la prosperité des Gauloys et Françoys ».

C'est parler, cela. Les emprunteurs, ce sont les Romains. Dès lors, se dire Gaulois équivaut à un programme. Quelle aubaine aussi que la publication, au début du xvie siècle, d'un texte de Lucien, selon lequel, chez les Gaulois, Hercule ne fut pas le dieu de la force, mais celui de l'éloquence. L'Hercule gaulois prouve donc que les ancêtres, bien avant les Romains et les Grecs, vénéraient tout spécialement ce signe de haute civilisation qu'est l'art de bien dire. Lorsqu'on se rappelle l'importance que les humanistes accordent à l'éloquence, on doit convenir que l'argument a du poids.

Nous constatons une fois de plus que les bases, qu'elles soient solides ou non, des recherches sur les antiquités nationales sont jetées sous le règne de Louis XII. Il faudra attendre la seconde moitié du xvie siècle pour voir les premières études sérieuses consacrées à l'ancienne Gaule. En attendant, citons Jean des Courtils, qui imite Jean Lemaire dans *La Mer des histoires de Gaule et singularitez de Troye* (1517), Guillaume Du Bellay, qui travaille vers 1520-1530 à son traité sur l'*Antiquité des Gaules et de France* (dont l'*Epitomé* paraîtra en 1556), Jean Lefèvre de Dreux et ses *Fleurs et Antiquitez des Gaules* (1532), Guillaume Corrozet, auteur des *Antiques Erections des Gaules* (1535), Guillaume Le Rouillé, du *Recueil de l'antique preexcellence de Gaule et des Gauloys* (1546).

L'intérêt pour le passé national a aussi suscité toute une série de recherches sur les antiquités des provinces et des villes.

L'histoire de Bretagne est représentée par Pierre Le Baud et par Alain Bouchard, l'Anjou par Jean de Bourdigné, l'Aquitaine par Jean Bouchet, la Savoie par Jean Thénaud et Symphorien Champier, la Bourgogne par Guillaume Paradin, la Lorraine et Metz par Philippe de Vigneulles, Lyon par Pierre Sala, Paris par Gilles Corrozet. Au total, des efforts variés et multiples, de valeur inégale certes, mais fort appréciables à une époque où, l'histoire n'étant pas enseignée dans les universités, tout repose sur l'initiative individuelle.

Légende de l'illustration page suivante :
PREMIÈRE ÉDITION DU NOUVEAU TESTAMENT RÉVISÉ
PAR ÉRASME ET PUBLIÉ PAR FROBEN A BÂLE EN 1516.
A GAUCHE, LE TEXTE GREC CORRIGÉ, A DROITE
LA TRADUCTION LATINE D'ÉRASME.
Gemeentebibliotheek, Rotterdam.

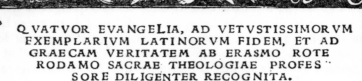

QVATVOR EVANGELIA, AD VETVSTISSIMORVM
EXEMPLARIVM LATINORVM FIDEM, ET AD
GRAECAM VERITATEM AB ERASMO ROTE
RODAMO SACRAE THEOLOGIAE PROFES
SORE DILIGENTER RECOGNITA.

ΕΥΑΓΓΕΛΙΟΝ ΚΑΤΑ
ΜΑΤΘΑΙΟΝ.

EVANGELIVM SECVNDVM
MATTHAEVM,

ΙΒΛΟΣ γινέ
σεως ΙΗΣΥ ΧΡΙ
ΣΤΟΥ,ἠοῦ Δα
βίδ,ἠοῦ ἀβραα
άμ. Αβραάμ ἐ
γ´ΰννσεμ τ̄ ἰσα
άκ.ἰσαάκ ἡ,ἐγ´ΰννσεμ τὸμ ἰακώβ.ἰακώβ
ἡ,ἐγ´ΰννσεμ τὸμ ἰούδαμ,καὶ τὺς ἀδελ
φοὺς ἀυτω.ἰούδας ἡ,ἐγ´ΰννσεμ τὸρ φα
ρὲς,ᾗ τὴμ ζαρὰ,ἐκ τῆ θάμας.φαρὲς ἡ,
ἐγ´ΰννσεμ τ̄ ἐσρώμ.ἐσρώμ ἡ,ἐγ´ΰννσεμ
τὸμ ἀράμ.ἀρὰμ ἡ ἐγ´ΰννσεμ τὸμ ἀμι
ναδάβ.ἀμιναδὰ ᾗ,ἐγ´ΰννσεμ τ̄ ναασ
σόμ.νααασόμ ἡ,ἐγ´ΰννσεμ τ̄ σαλμών.
σαλμώμ ἡ,ἐγ´ΰννσεμ τὸμ βοὸζ ἐκ τῆ ῥα
χάβ.βοὸζ ᾗ,ἐγ´ΰννσεμ τὸμ ὠβήδ,ἐκ τῆ
ῥ´θ.ὠβὴδ ᾗ,ἐγ´ΰννσεμ τὸμ ἰεσαί.ἰεσαὶ
ἡ,ἐγ´ΰννσεμ τὸμ δαβὶδ τὸμ βασιλέα.
δαβὶδ ᾗ ὁ βασιλεὺς ἐγέννσεμ τὸμ σο
λομῶνα ἐκ τῆ τω ὀυρίου.σολομῶμ ἡ,
ὑ´εννσεμ τ̄ ῥοβοάμ.ῥοβοὰμ ᾗ,ὑ´εννσεμ
τὸμ ἀβιά.ἀβιὰ ᾗ,ἐγ´εννσεμ τ̄ ἀσά.ἀσὰ
ᾗ,ἐγ´εννσεμ τὸμ ἰωσαφάτ.ἰωσαφὰτ ᾗ,
ἐγ´ένννσεμ τὸμ ἰωράμ.ἰωρὰμ ᾗ,ἐγ´ίν. η
σεμ τὸμ

Iber generatio
nis Iesu Christi
filij Dauid, Filij
Abrahã, Abra
ham genuit Isa
ac. Isaac aũt ge
nuit Iacob. Ia
cob aũt,genuit Iudã, & fratres eius.
Iudas aũt, genuit Phares, & Zarã,
e Thamar. Phares autẽ, genuit Es
rom. Esrom aũt,genuit Aram. Arã
autem,genuit Aminadab. Amina
dab aũt,genuit Naasson. Naasson
aũt,genuit Salmon. Salmon autẽ,
genuit Boos, e Rhachab. Boos aũt,
genuit Obed, e Ruth. Obed autẽ,
genuit Iesse. Iesse aũt, genuit Dauid
regem. Dauid autẽ rex,genuit So
lomonem,ex ea q̃ fuerat uxor Vrie.
Salomon autem,genuit Roboam.
Roboam aũt,genuit Abiam. Abia
autem, genuit Asa. Asa autem,ge
nuit Iosaphat. Iosaphat autem, ge
nuit Ioram. Ioram autem , genu
A   it Oziã.

IOANNES
FROBENI
VS SVIS
TYPIS
EXCV
DE
BAT

CHAPITRE IV

Le mouvement humaniste

Quel beau sujet que l'humanisme de la Renaissance, où le principe du retour à l'antiquité aboutit à un mouvement en avant ! En tant qu'il est amour des lettres de l'antiquité latine, l'humanisme a connu, au cours du Moyen Age, plusieurs « renaissances » ; en tant qu'effort philologique vers une latinité pure, il a eu ses premiers moments de ferveur autour de l'année 1400, mais c'est dans le dernier tiers du XVe siècle que naît, en France, ce nouveau sentiment qui, environ 1530, débouchera sur un véritable enthousiasme englobant aussi la renaissance du monde grec ; enthousiasme qui durera tout juste une génération, pour faire place, dans le dernier tiers du XVIe siècle, la guerre fratricide aidant, à une vision plus fataliste du monde : l'âge baroque sera placé sous le signe de la mutation.

Le problème n'est pas de savoir si les humanistes de la Renaissance ont connu beaucoup plus de textes antiques que les humanistes du Moyen Age. Si l'on excepte les textes grecs, une telle comparaison ne devrait d'ailleurs pas nécessairement tourner au désavantage des érudits du Moyen Age. Ce qui distingue l'humanisme des deux époques, c'est bien la qualité, non point la quantité, des connaissances. La philologie, ou la restitution des textes anciens dans leur pureté, conduit à l'archéologie. Les motifs et les thèmes classiques, pour lesquels le Moyen Age avait imaginé des significations et des formes non classiques, vont retrouver leur intégrité antique : le preux chevalier Herculès sera dépouillé de son armure pour redevenir l'athlète, modèle de *virtù*. Ce mouvement de réintégration de la « forme » et du « contenu » se généralisera, lui aussi, vers 1530. On redécouvre le contexte.

Ces préoccupations archéologiques conduisent, tout autant qu'à une restitution du monde antique, à un sentiment de différence qui influe, plus que sur la conception que l'on se fait de l'antiquité, sur celle qu'on a de sa propre époque vis-à-vis de l'époque précédente. Les méthodes du nouvel humanisme ont pour effet une prise de conscience, car, grâce au passé lointain, les valeurs du présent s'articulent en opposition avec le passé proche. La « rupture » entre le Moyen Age et la Renaissance doit ainsi être située au niveau de la conscience.

Dès 1470, de nombreux exemples prouvent que les humanistes se rendaient parfaitement compte que, par leur entreprise, ils se détachaient de l'époque précédente, considérée comme barbare, obscure et ignorante. Une métaphore qui revient souvent est celle qui oppose la lumière aux ténèbres. Le premier livre sorti des presses de la Sorbonne, les *Epistolae* (1470) de l'humaniste italien Gasparin de Barzizza, est comparé par Guillaume Fichet à la lumière chassant les ténèbres de l'ignorance. En 1471, le même Fichet écrit à Robert Gaguin que « les dieux et les déesses font renaître chez nous la science du bien dire », et Gaguin s'empresse de louer la *Rhetorica* (1471) de Fichet dans des termes analogues :

> Quae fuit obscura sterili ruditate loquendi,
> Fulgida nunc radiis arte polita micat.

La métaphore est fréquente sous la plume de Gaguin ; en 1475, par exemple, il affirme que les Parisiens ont voué à Fichet un véritable culte, parce qu'il a « fait briller le flambeau de l'éloquence parmi les ténèbres du discours ».

Autre expression : dans ses *Elegantiae linguae latinae*, Lorenzo Valla place une violente diatribe contre les glossateurs des textes juridiques et contre leur style plus *gothique* que latin ; le terme apparaît plusieurs fois comme synonyme de barbare. Guillaume Budé reprend l'expression dans ses *Annotations aux Pandectes* (1508), lorsqu'il qualifie la langue des Accursiens comme *gothica et barbara ;* un correspondant de Jean Lemaire se réjouit de voir reculer le *gothicum idioma* au profit de la latinité pure et, à la même époque, le juriste Christophe de Longueil lance son cri de guerre contre les « hiboux des ténèbres qui ont peur de la clarté du soleil ». Ailleurs, les humanistes se félicitent d'être sortis des *ténèbres cimmériennes*. En 1517, Budé souligne que c'est Erasme qui, en purifiant la littérature sacrée, a fait « sortir la vérité sacrée elle-même des ténèbres cimmériennes ». En 1530, Alciat compare les gloses juridiques du Moyen Age à ces mêmes ténèbres cimmériennes. Deux années plus tard, dans la lettre-préface au juriste André Tiraqueau en tête de son édition des *Lettres médicales* de Manardi, le médecin François Rabelais se demande comment, dans « un siècle si plein de lumière », certains « ne veulent ni ne peuvent se dégager du brouillard épais et presque cimmérien de l'époque gothique, ni lever leurs yeux vers le flambeau éclatant du soleil ».

Mais nous voici déjà à l'époque du triomphe, où les temps modernes sont aussi célébrés dans les textes écrits en français. Qui n'a présent à l'esprit la lettre que Gargantua écrit à son fils Pantagruel (*Pantagruel*, 1532) ?

Le temps estoit encores ténébreux et sentent l'infélicité et calamité des Gothz, qui avoient mis à destruction toute bonne litérature... Maintenant toutes disciplines sont restituées, les langues instaurées. Grecque, sans laquelle c'est honte que une personne se die sçavant. Hébraïcque, Caldaïcque, Latine. Les impressions tant élégantes et correctes en usance, qui ont esté inventées de mon aage par inspiration divnie, comme, à contrefil, l'artillerie par suggestion diabolicque. Tout le monde est plain de gens sçavans, de precepteurs tresdoctes, de librairies tresamples, qu'il m'est advis que, ny au temps de Platon, ny de Cicéron, ny de Papinian, n'y avoit point telle commodité d'estude qu'il y a maintenant.

Conscience d'une époque nouvelle, soit. Mais dès que l'on replace les témoignages dans leur contexte, on s'aperçoit que l'humanisme passe, du dernier tiers du xve au milieu du xvie siècle, par trois étapes ou trois « moments ». Au xve siècle, les lumières sont celles du style, du bien dire latin. Dès le début du xvie siècle, l'expérience philologique dépasse le niveau de la langue, et porte sur les « disciplines ». Les textes obscurcis auxquels on rend leur éclat sont cette fois les textes bibliques, juridiques et médicaux, et l'effort philologique conduit les gens du métier à bouleverser ce métier lui-même. La « restauration » (autre terme juridique) conduit fatalement à l'instauration d'une nouvelle conception des métiers respectifs. La troisième étape, enfin, est celle du triomphe, où les anciennes institutions sont définitivement ébranlées (mais non pas éliminées !) et où chaque « discipline », les lettres incluses, a renouvelé ses méthodes. Car tout le mouvement humaniste est comme un formidable « discours de la méthode » qui ne saurait être séparé d'une conception fondamentalement pédagogique. Les progrès marqués par cet effort étant indéniables, ils autorisent (pour un temps trop bref, hélas !) un optimisme euphorique.

Il faut également remarquer que la littérature en langue vulgaire demeure en dehors de la « bataille humaniste ». Cela pour deux raisons. D'une part, les humanistes, méprisant la langue maternelle, n'écrivent qu'en latin — et dès qu'ils se servent de leur langue maternelle, comme Rabelais et Calvin, ils s'écartent de l'humanisme ou s'y opposent même. S'il y a une coupure dans la littérature proprement dite, elle se produit dans la littérature néo-latine qui, délibérément, essaie de faire revivre les genres antiques. D'autre part, les auteurs écrivant en français, tels les rhétoriqueurs, se sentent parfaitement égaux à leurs confrères néo-latins, voire latins. Ajoutons que nombre de ces rhétoriqueurs s'expriment aussi bien en latin qu'en français, et continuent ainsi une vieille tradition bilingue qui n'a rien à voir avec l'humanisme de la Renaissance. Lorsque, vers le milieu du XVIᵉ siècle, certains auteurs crieront leur mépris aux anciennes formes poétiques françaises, cette « coupure » sera beaucoup plus affichée que réelle. Les genres traditionnels sont en effet soumis à une évolution somme toute organique. Il suffit de se rappeler le sort des genres chevaleresques et courtois pour se rendre compte qu'il n'y a pas eu de coupure. Si les modèles sont étrangers, tel le roman de chevalerie espagnol ou le poème héroïque italien, tel aussi le pétrarquisme, ils s'implantent sans heurt, parce qu'ils ne font que reprendre, en les transformant, de vieilles traditions autochtones.

L'époque rhétorique

L'époque de l'humanisme rhétorique coïncide plus ou moins avec la grande période des rhétoriqueurs français. Constatons le fait sans plus, car l'humanisme latin du XVᵉ siècle français est encore enveloppé de trop d'ombres pour qu'on puisse dès à présent saisir les rapports entre le mouvement latin et la rhétorique française.

Il n'est pas sans intérêt que les premiers efforts pour rendre au latin sa pureté aient été faits par des théologiens, à l'intérieur de la Sorbonne. En 1470, Guillaume Fichet et Jean Heynlin reçoivent l'autorisation d'installer dans ce collège un atelier typographique. Le premier volume qui sort de ces presses, c'est le recueil déjà cité des *Epistolae* de Barzizza où les étudiants peuvent trouver des modèles d'art épistolaire. Suit, également de Barzizza, une *Orthographia*, publiée visiblement dans un même esprit pédagogique. En 1471, Fichet, dont le goût pour les *studia humanitatis* remonte à ses années d'études en Avignon, publie sa *Rhetorica*, autre manuel destiné directement à l'enseignement. Deux années plus tard, paraît l'*Ars versificatoria* de Robert Gaguin. D'autres traités ont dû exister, comme cette *Rhetorica* du théologien Martin de Delft, connue seulement par la mention qu'en fait Gaguin dans ses lettres. Il faut encore citer le *Compendium eloquentiae benedicendique scientiae* de Guillaume Tardif, qui a composé d'autres manuels scolaires, mais qui sera aussi, en tant que *liseur* de Charles VIII, traducteur d'œuvres latines facétieuses et auteur d'un traité de chasse en français. Ces manuels modernes sont complétés par des éditions d'humanistes italiens, les *Rudimenta grammatices* et l'*Ars metrica* de Perotti ou les *Elegantiae* de Valla, ainsi que par les rhétoriques des anciens.

Tout ce mouvement grammatical et rhétorique a des buts pratiques. Pour les auteurs français de ces manuels, il ne s'agit pas de trouver quelque vérité antique, mais d'enseigner à orner la vérité, à la rendre plus belle. Les Fichet, Gaguin, Tardif, qui connaissent fort bien les humanistes du *quattro-*

cento italien, demeurent néanmoins tous enracinés dans la tradition de l'humanisme français. Ainsi, le rétablissement de la belle forme ne fera jamais oublier les préoccupations morales ; l'élégance, la *concinnitas*, ne sera donc jamais, en France, une fin en elle-même.

Il faut souligner ici les fortes attaches de l'humanisme parisien de la fin du xve siècle avec le monde germanique, surtout flamand, qui exerce, par ailleurs, une égale influence sur la musique et la peinture. De très nombreux correspondants de Gaguin sont originaires de Flandre. Ainsi, lorsque Gaguin écrit, en 1496 déjà, à Marsile Ficin que sa gloire est faite à Paris, surtout pour ses traductions de Platon et de Plotin, cette assertion doit être accueillie *cum grano salis*, car on ne saurait parler, à l'époque où nous sommes, d'une véritable influence de l'Académie néo-platonicienne de Caracci. Les humanistes italiens fournissent des modèles de style, le fond cependant reste français et, par là, plus proche de la tradition flamande. On citera Gilles et Martin de Delft, les frères Fernand et Pierre Burry de Bruges, ou encore Arnold de Bost, qui, lui, ne quitte pas son couvent de Gand, mais qui noue de très nombreux rapports épistolaires avec les humanistes, tel Barbaro ou Gaguin. Pierre Burry par exemple qui, tout comme son ami Gaguin, a séjourné en Italie, publie ses œuvres chez Josse Bade, à Paris, des *Moralia carmina* ou des *Paeanes quinque festorum divae V. Mariae*, et les œuvres de celui que ses amis proclament l'Horace de la France, sont éditées avec commentaires, et expliquées dans les écoles au même titre que les textes anciens. Ou encore Charles Fernand, qui, de musicien de la chapelle de Charles VIII, devient, en 1485, recteur de l'Université de Paris, et rédige un commentaire au poème pieux de Gaguin sur l'Immaculée Conception : *De mundissimo virginis Marie conceptu cum commento Caroli Fernandi*, Paris, 1489.

Cette année 1489 marque, théoriquement du moins, une date, car l'Université de Paris autorise l'explication de poètes, à raison d'une heure après le repas. Or ces « poètes » que l'on se met à expliquer, ne sont pas nécessairement, comme nous venons de le constater, des auteurs de l'antiquité classique. On publie des éditions commentées de textes d'époques très différentes et dont la valeur semble établie d'après des critères qui nous échappent. Virgile, Ovide, Térence, mais aussi le *Doctrinal* d'Alexandre de Villedieu et le *Pamphilus* sont édités *cum commento familiari ;* Guy Jouvenneaux commente les *Elegantiae* de Valla, Josse Bade le *Bucolicum carmen* de Pétrarque, et les contemporains se commentent réciproquement.

Ferveur, donc, que ces lectures antiques, médiévales, modernes, ferveur d'un cercle humaniste dont le goût n'est pas encore très sûr, mais qui semble sûr de lui-même puisque, apparemment, ces humanistes latins du dernier tiers du xve siècle, ne se sentent pas inférieurs aux anciens. Leurs confrères, les rhétoriqueurs, pensent de même.

Un Burry, un Gaguin recommandent, comme sujet de poésie, la vie des saints. Aussi la littérature pieuse et, d'une façon générale, toute la littérature morale forment-elles une part importante de la production de ces humanistes. Là encore, ils se rencontrent avec les rhétoriqueurs.

Enfin, tout ce monde constitue une véritable république des lettres latines. On converse familièrement avec des confrères des quatre coins de l'Europe. La mode est aux recueils épistolaires. On échange des opinions, on se pose des questions, on s'encense et se querelle. On se sent en famille, comme les rhétoriqueurs.

Philologie et « disciplines »

Jacques Lefèvre d'Etaples (v. 1450-1536) figure peut-être à tort dans ce chapitre qui voudrait souligner combien l'effort philologique des humanistes a contribué à réformer, voire à révolutionner les « disciplines ». Lefèvre n'a rien en effet d'un brillant latiniste, et ses connaissances de grec sont rudimentaires. Toutefois, s'il n'établit pas lui-même des textes selon les méthodes rigoureuses de la philologie, il en publie un nombre considérable et s'efforce toujours de se servir de bons manuscrits. Il contribue ainsi à répandre des idées qui, sans lui, n'auraient jamais rencontré un tel écho. Cet helléniste médiocre pénètre en outre plus avant dans la compréhension de la civilisation et de l'esprit de la philosophie grecque que ses contemporains les philologues. Lefèvre d'Etaples n'est pas un professeur, c'est un maître ; épris de clarté, de justice et de droiture, il sait communiquer son amour de la spéculation philosophique et religieuse à la génération suivante, celle de Marguerite de Navarre. Homme actif autant qu'esprit contemplatif, il n'hésite pas à prendre part à la réforme de l'Eglise. Il s'engage.

Son activité s'étend essentiellement à trois domaines, la philosophie aristotélicienne, le platonisme et la mystique, enfin les pères de l'Eglise et l'Evangile. Lefèvre, maître ès arts de l'Université de Paris, a séjourné en Italie. En 1486, à Pavie et à Padoue, il étudia la philosophie péripatéticienne ; ainsi, sa longue carrière d'éditeur et de commentateur s'ouvre par la publication des écrits d'Aristote, dans les traductions latines des humanistes italiens, donc d'un Aristote dépouillé des gloses médiévales (1492-1515), mais auquel il ajoute des centaines d'extraits de Platon. Lefèvre, également versé en mathématiques, en astronomie et en musique, se met à lire des œuvres « médiévales », Raymond Lulle et Nicolas de Cues, qui le conduit au Pseudo-Denis, et, lors d'un second voyage en Italie (1491-1492), Lefèvre rencontre Marsile Ficin, Pic de la Mirandole et le Politien, et se sent profondément attiré par les doctrines néo-platoniciennes, qui doivent tant à la tradition dionysienne. De nouveau, Lefèvre se communique à travers les auteurs qu'il édite, les

Livres Hermétiques (1494), le Pseudo-Denis (1499), Lulle (1505). En 1509, Lefèvre se rend en Allemagne, à la recherche de textes mystiques. Il publie le résultat de son voyage : les œuvres de Ruysbroeck (1512), Hildegard de Bingen et Mechthild de Magdeburg (1513), Nicolas de Cues (1514), Richard de Saint-Victor (1510). C'est une moisson bien neuve, qui se situe loin des textes classiques. L'intérêt de Lefèvre pour la spiritualité de ces auteurs relativement modernes se double cependant d'un intérêt pour des textes anciens. Seulement, ces anciens, ce ne sont plus les auteurs de l'antiquité païenne, mais les pères de l'Eglise. L'ancienneté est ici un garant de la pureté, moins de la pureté de la langue que de celle de la doctrine. Les pères de l'Eglise, les mystiques, voici une latinité très différente de la latinité classique : non plus style orné, élevé, mais style humble. Lefèvre est très loin de l'idéal d'éloquence des humanistes italiens. Sa défense du style humble et chrétien nous semble digne du plus haut intérêt (car elle est parfaitement anticlassique). Lefèvre admire la « divine rusticité » des œuvres latines de Raymond Lulle et il va jusqu'à se faire l'avocat de Ruysbroeck, qui avait d'abord écrit dans sa langue maternelle : Gerson, dit Lefèvre dans la lettre-préface à son édition du *De ornatu spiritualium nuptiarum* (1512), a jugé que Ruysbroeck était peu lettré, *parum literatum;* mais il faut distinguer : Gerson fut pieux et expert en lettres profanes *(multe secularis literature fuit),* tandis que Ruysbroeck fut pieux et expert en littérature spirituelle *(multe spiritualis literature).* Et tous deux ont leur raison d'être. Si Ruysbroeck a d'abord écrit son livre dans sa langue maternelle, ceci ne saurait être la preuve d'un manque de « lettres ». Au contraire, un homme versé dans les lettres *(literatissimus)* écrit de meilleurs livres en langue vulgaire qu'un ignorant *(illiteratus).* Et Lefèvre de conclure par un argument typiquement humaniste : Gerson, dit-il, a dû porter un jugement erroné parce qu'il avait à sa disposition un manuscrit détérioré... Du point de vue de la théorie de la littérature, cette défense du style humble pratiqué par un *literatus,* donc conscient de ce qu'il fait, donne à Lefèvre une place à part parmi les humanistes de sa génération.

Cette position doctrinale n'implique en aucune manière un mépris de l'éloquence, mais elle permet une réhabilitation de la simplicité, dont les Pères de l'Eglise fournissent les meilleurs exemples. Les Pères de l'Eglise, les Origène et Jérôme, ont lu les Ecritures dans le texte. Le retour aux sources peut ainsi être justifié par l'exemple des Pères. La compétence philologique de Lefèvre étant cependant insuffisante, il se contente, pour illustrer cette doctrine, de mettre côte à côte quatre versions latines des Psaumes *(Quincuplex psalterium,* 1509). N'a-t-il donc pas su ou n'a-t-il pas voulu se perfectionner en philologie ? Question oiseuse, probablement, car le tempérament de Lefèvre vise moins à *connaître* Dieu qu'à l'*aimer.* D'où sa passion pour les mystiques. D'où aussi son engagement dans le siècle, engagement dicté par la charité et qui demeure toujours en deçà de toute idée de rupture avec l'Eglise.

A Meaux, l'évêque Guillaume Briçonnet tente de réformer de l'intérieur son diocèse. C'est là que naîtra, avec Lefèvre, le *fabrisme* — troisième force à côté du luthéranisme, qui avait conduit à une rupture, et de l'érasmisme, hésitant et au fond élitaire. Dans son édition commentée des *Epîtres* de saint Paul (1512), Lefèvre déclare que l'Ecriture est la source unique du dogme et que la foi est plus importante que les œuvres. En 1521, Lefèvre est appelé à Meaux. Pour rétablir la foi dans sa pureté évangélique, il faut d'abord un texte biblique sûr : Erasme vient de le publier (1516). Il reste à le traduire et à le commenter. Lefèvre s'attelle à la besogne. Ses *Commentarii* aux Evangiles, dans lesquels il prêche le rétablissement de l'Eglise primitive, paraissent en 1522 ; une année plus tard, c'est la traduction des Evangiles et, en 1530, après d'autres textes religieux, la version de l'Ancien Testament d'après la Vulgate. Lefèvre d'Etaples a été inquiété, il a encore vécu l'affaire des placards, il a donc encore dû voir que l'humanisme et la réforme emprunteront désormais des voies divergentes. Mais son message, qui est celui d'une intériorisation de la vie religieuse, demeure.

Charles de Bovelles (Bovillus, v. 1480-1533) est peut-être l'humaniste le plus original de cette époque. Mais, tout comme son maître Lefèvre d'Etaples, Bovelles n'est pas un humaniste au sens traditionnel du terme, c'est-à-dire un philologue, qui à la lecture des anciens affine son style. Mathématicien comme Lefèvre, Bovelles, un des premiers à traiter des mathématiques en français (*Le Livre de l'art et science de géométrie*, Paris, 1511), est fasciné par les spéculations philosophiques de Nicolas de Cues et des néo-platoniciens de Florence. Sa pensée métaphysique et mystique, qu'il fixe dans de nombreux livres, s'efforce, à l'encontre de la logique aristotélicienne, de faire coïncider les contradictoires, le macrocosme et le microcosme *(ars oppositorum)*. Selon sa conception de la *divina ignorantia*, qui rappelle la *docta ignorantia* du Cusanus, Dieu ne saurait être connu et, à son égard, le silence est supérieur à la parole, « car le silence parle, et les mots se taisent ». L'homme en revanche est le miroir du monde, et il doit réunir le monde sensible au monde intelligible. Ainsi l'homme se crée un nouveau monde, celui de la mémoire ou, autrement dit, le monde n'existe pas en dehors de la pensée de l'homme, tout comme l'homme n'existerait pas sans le monde. Avant la création, le monde était la pensée de Dieu ; dans l'intellect de l'homme, il se fait de nouveau pensée. D'où une démarche circulaire et une pensée dynamique : l'esprit et l'âme humaines, avant de revenir à eux-mêmes, doivent d'abord mesurer l'étendue du monde. Le devenir du monde est lié au devenir de l'homme. L'infini, cependant, le Créateur, ne peut être saisi par l'homme. Dieu et l'homme, pour Bovelles, demeurent séparés, à l'opposé de ce qu'affirment Nicolas de Cues et les néo-platoniciens italiens. Charles de Bovelles, auteur métaphysique, théologique, scientifique, a aussi écrit des poésies et des proverbes en français et, d'une façon générale, il s'est intéressé aux questions de la langue (*Liber de differentia vulgarium linguarum et gallici sermonis varietate*, Paris, 1533).

Symphorien Champier (1471-1537 ?), médecin et polygraphe lyonnais, moins profond que les autres humanistes de la génération de 1470, est un vulgarisateur de toute première importance. Homme curieux, actif (il sera deux fois échevin de la ville de Lyon), quelque peu vaniteux, il sait se faire adorer par les belles Lyonnaises, et réussit à être armé chevalier sur le champ de bataille de Marignan. Il donnera libre cours à sa fantaisie chevaleresque dans sa biographie du *preulx chevalier Bayard* (Lyon, 1525). Son habileté lui permet de s'anoblir et de persuader le cardinal Laurent Campège, par des généalogies fantaisistes, qu'il appartient à sa famille. Cette recherche d'un passé glorieux, il l'étend à sa ville de Lyon, voire à toute la France, qu'il célèbre aussi bien en français qu'en latin. Champier s'érige en effet en défenseur de la gloire nationale, qui n'a, selon lui, rien à envier à l'Italie. Moraliste, il prend la défense des femmes dans *La Nef des dames vertueuses* (Lyon, 1503) où, une fois de plus, se manifeste l'influence rhénane et florentine, ici de Sébastien Brant et de Marsile Ficin. Les ouvrages les plus significatifs de Champier sont ses traités médicaux et philosophiques. Champier est sans doute avec Bovelles le propagateur le plus important des idées néo-platoniciennes. Plus superficiel que son confrère picard, il expose cependant ses idées syncrétistes dans des traités d'une lecture relativement facile. Citons le *De quadruplici vita* (Lyon, 1507) où, pillant et développant le *De triplici vita* de Ficin, il imagine une élévation de l'homme par quatre degrés, de la vie physiologique à travers l'astrologie vers la sphère chrétienne d'une *vita supercoelestis* spirituelle. L'idéal de Champier, à la fois mystique et stoïcien, est celui d'un *homo felix* et d'un *vir beatus*. Dans ses œuvres médicales, qu'il farcit de spéculations philosophiques et théologiques, il prône le retour à la médecine grecque, vraie source de l'art médical, à l'opposé des doctrines arabes. Les ténèbres médiévales qui, pour le juriste, sont les gloses des Bartole et Accurse, sont, chez le médecin, celles des Avicenne et Averroès. Il est vrai qu'au début de ce mouvement vers le grec, le *ipse dixit* reste inébranlé ; seuls ont changé les maîtres, Aristote et Galien ayant remplacé les Arabes. Les médecins de la Renaissance se trouvent à un carrefour ; leur désir de retourner aux sources grecques fait d'eux les promoteurs de l'hellénisme, d'autre part, cependant, leur contact quotidien avec le malade les invite non seulement à publier des traités techniques en français, mais aussi à admettre dans leur guilde des praticiens experts, de simples barbiers. Symphorien Champier est un des premiers à avoir senti ce double appel, mais il demeure plus un instigateur qu'un réalisateur. Rabelais, lui, sera le savant médecin helléniste : en 1532, il publiera, à Lyon évidemment, après les avoir commentés oralement à Montpellier, les *Aphorismes* d'Hippocrate d'après un manuscrit grec qui lui appartient.

Il nous reste un mot à dire du platonisme et du néo-platonisme dans le dernier tiers du xvᵉ et le premier tiers du xviᵉ siècle. Le cercle parisien des Fichet et Gaguin connaissait Bessarion, Ficin et Pic de la Mirandole ; toutefois, la doctrine platonicienne ne semble pas avoir agi en profondeur, à en juger, du moins, d'après les documents qui nous sont parvenus. Or avec Lefèvre, Bovelles et Champier s'ouvre une période extrêmement fertile en éditions, en discussions, en développements plus ou moins originaux. Tous ces écrits, ou presque (citons l'exception de *La Nef des dames* de Champier), sont en latin. Les textes français sont postérieurs et s'insèrent souvent dans une perspective mondaine ; ce sera, comme l'a fort bien dit un érudit, un *platonismo per le donne* : le platonisme dans la littérature française est, de toute façon, lié, dès Champier, à la question du féminisme. D'où cette question à nous modernes, qui avons fait de l'étude de la littérature française une « discipline » : peut-on se limiter au platonisme vulgarisé par la littérature écrite en français ou ne faut-il pas, dès qu'on a reconnu que l'essentiel a été dit en latin, considérer cette étape antérieure comme formant une partie intégrante, et importante, du mouvement platonicien ou néo-platonicien ? La langue, peut-elle fournir un critère pour la délimitation d'une « discipline », alors que, à l'époque, les grands esprits ont tous été (au moins) bilingues ?

Guillaume Budé (1468-1540) devient philologue par l'étude du droit. Fils d'un riche magistrat parisien, Jean Budé, qui possédait déjà une importante bibliothèque latine, Guillaume fait d'abord son droit à Orléans, comme d'autres jeunes gens de bonne famille. Il ne semble pas avoir pris goût à ce genre d'occupation, car, rentré à Paris, il s'adonne à la vie mondaine, à l'équitation, à la chasse. Mais voici que, à l'âge de vingt-trois ans, il renonce aux amusements pour se remettre à l'étude. Les mobiles de ce revirement nous demeurent inconnus. Désormais, entraîné par sa nouvelle vocation, Guillaume Budé ne vivra que pour ses études ; lui-même autodidacte, il ne sera jamais professeur, ce qui vaut peut-être mieux, car tous ses écrits, comme ceux de très nombreux humanistes de l'époque, se distinguent par le plus grand désordre.

Un des titres de gloire de Guillaume Budé, c'est d'être le premier grand helléniste français. Aussi les premiers ouvrages de Budé sont-ils des traductions latines de quelques opuscules de Plutarque et d'une lettre morale de saint Basile (1503 et 1505). Suivent, en 1508, remaniées en 1524 et 1535, les *Anno-*

tationes in quattuor et viginti Pandectarum libros. La routine juridique demanderait que ces *Annotationes* fussent des commentaires sur des commentaires. Mais Budé tourne le dos à la vieille méthode, et inaugure, à l'aide de critères philologiques, la méthode historique dans l'interprétation du droit. Budé s'attaque moins à Bartole et à Balde qu'à leurs successeurs qui ne jurent que par leurs maîtres, au lieu d'étudier le texte même. La vieille méthode a cependant ses mérites, car, soucieuse de former des praticiens, elle s'efforce de faire évoluer les codes selon les besoins et les transformations sociales. L'étude philologique du droit romain instaurée par Budé risque ainsi de s'éloigner de la vie pratique. Toutefois chez Budé, moraliste autant qu'historien, les *Pandectes* sont loin de constituer un musée stérile. Pour mieux comprendre le droit romain, Budé étudie l'ensemble de la civilisation antique, langue, littérature, archéologie, us et coutumes, institutions, les *realia* de la vie quotidienne. Non content des témoignages latins, Budé met largement à contribution les auteurs grecs et, comme en passant, il en vient à remarquer que tel passage de l'Evangile est mal traduit dans la Vulgate. Et, tout en préconisant l'étude des humanités, il ne cesse de s'intéresser à la France, à ses institutions, aux abus des magistrats, des ministres, du haut clergé, aux mœurs de l'époque, en trouvant des accents émouvants lorsqu'il évoque les misères du peuple.

Le souci des *realia* conduit Budé à étudier les monnaies antiques. En 1515 paraît *De Asse et partibus eius,* un livre mal construit, touffu, mais une mine de renseignements exacts et érudits, moins une histoire qu'une longue série de petits tableaux de la civilisation antique. Pour mieux comprendre les anciennes mesures de blé ou la valeur des pierres précieuses, Budé va s'informer auprès des boulangers et des joailliers de son époque, prouvant par là qu'il sait éviter les dangers qui guettent le savant dans son cabinet. Le *De Asse* est farci de digressions qui s'attaquent aux problèmes actuels. A l'Italie, estime Budé, ne revient aucune prééminence littéraire sur la France, mais il faudrait, pour l'essor tant souhaité des humanités, que les grands, le roi le premier, encouragent les savants. Dans son éloge de la France, Budé sait pourtant observer les réalités, l'avidité des gens au pouvoir et la détresse des campagnes. Les préoccupations morales, cette constante de l'humanisme français, empêchent Budé de tomber dans une admiration sans réserve de l'antiquité, dont la sagesse demeure pure folie au regard de la vérité chrétienne.

La valeur pédagogique de la philologie, le grec et l'humanisme chrétien vont désormais être les domaines préférés de Budé. *De studio litterarum recte et commode instituendo* (1527) et *De Philologia* (1530, le livre II est un traité de vénerie) tentent de prouver la valeur pédagogique et formatrice des lettres humaines antiques. Enfin le roi établit en 1530 les premiers lecteurs royaux, qui assureront un enseignement en dehors des structures figées de l'Université.

Budé voit réalisé un de ses vœux les plus chers. Son érudition d'helléniste se manifeste encore en 1529 dans ses *Commentarii linguae graecae*. En 1535, il essaie de montrer que la philologie conduit à la théologie, celle-ci étant comme le couronnement de ce que Budé appelle encyclopédie *(De transitu hellenismi ad christianismum)*. C'est là un rêve, qui illustre cependant dans quel désarroi l'attrait du monde antique a plongé le grand humaniste. A l'encontre de Lefèvre, qui avait proclamé la dignité du style humble, Budé défend l'éloquence ; ainsi la gloire littéraire et l'humilité, la philosophie antique et la vérité chrétienne demeurent les pôles entre lesquels l'humaniste est partagé et que, au fond, il ne réussit pas à concilier.

Par sa volumineuse correspondance en latin et en grec, Budé a été en relation avec les grands esprits de son époque. Le seul opuscule rédigé directement en français, les *Apophtegmes* offerts à François Ier (avant 1522), n'a pas été imprimé du vivant de l'auteur. Bien qu'il se préoccupe du petit peuple, Budé écrivain demeure fidèle aux langues de l'aristocratie intellectuelle d'alors.

Triomphe de l'humanisme

Le mouvement humaniste est d'abord celui des *studia humanitatis*, de l'éloquence, de la philologie érudite, de la philosophie morale. Puisqu'il se veut avant tout une méthode, les différents humanistes se ressemblent moins par la pensée que par une démarche commune. Appliquée à des domaines qui, à l'origine, n'entrent pas dans les préoccupations du philologue lettré, cette méthode commence à influencer de plus en plus l'ensemble des « disciplines ». Aristote et la Bible, le droit romain, la médecine grecque, enfin les arts du *quadrivium*, tous ont reçu de nouvelles impulsions, parfois décisives, de ce mouvement qui s'est développé en dehors des universités traditionnelles.

L'institution des lecteurs royaux, en 1530, marque ici une date. Il faut dire que la France arrive en retard, puisqu'à l'étranger (Alcalà, Rome, Louvain, Oxford) fonctionnent déjà des fondations similaires. Pendant quinze ans, François Ier a été sollicité (il a donc tardé, ce père des lettres, à se décider ?) par Guillaume Petit, son confesseur, Guillaume Cop, son médecin, Etienne Poncher, évêque de Paris, enfin par Budé, dont la préface (en grec) des *Commentarii linguae graecae*, de 1529, exhorte le roi à fournir une dot à la pauvre fille qu'est la philologie, et à ériger un temple des bonnes études, consacré à Minerve et aux Muses. Au début, point de temple, mais du moins cinq chaires : deux de grec pour Pierre Danès et Jacques Toussain, deux chaires d'hébreu pour Agathias Guidacerius et François Vatable, une chaire de mathématiques pour Oronce Finé. D'autres chaires suivront, notamment une de latin, une de langues orientales (1538, pour Guillaume Postel), une de médecine et une de philosophie grecque et latine (1542, pour François de Vico-mercato). Jusqu'au temps de Ramus, l'enseignement est exclusivement donné en latin, mais les cours sont gratuits et il n'y a plus de grades obligatoires ; le savoir se libère des contraintes. On constate que les lecteurs royaux représentent l'humanisme au sens large du terme, puisque les mathématiques et la médecine font partie du programme.

Désormais, les instruments de travail abondent ; on ne compte plus les dictionnaires bilingues ou polyglottes, bien que ces derniers soient moins nombreux en France qu'à l'étranger. Pour le grec, Budé vient de fournir une base solide avec ses *Commentarii* ; en 1536 et 1538, Etienne Dolet publie un ouvrage semblable pour le latin, les *Commentarii linguae latinae*, vaste répertoire analogique. Le premier grand dictionnaire français-latin, dû à Robert Estienne, n'apparaît cependant pas avant 1539-1540, époque de l'ordonnance de Villers-Cotterets.

A partir de 1530, les éditions de textes grecs se multiplient, mais bientôt les traductions françaises prendront la relève. La publication, en 1545, de la traduction des dix premiers chants de l'*Iliade* en vers décasyllabiques par Hugues Salel est un événement. Très nombreuses aussi, dans les années quarante, les traductions françaises des dialogues de Platon. On sait ce que la conception de l'artiste et de l'écrivain doit aux théories platoniciennes ou ficiniennes. Or l'exaltation de l'homme créateur, pour indéniable qu'elle soit, s'insère toujours, en France, dans un contexte chrétien, l'*homo faber* ne pouvant égaler Dieu créateur, puisque l'homme lui-même ne possède qu'un être emprunté. C'est le point de vue de la génération antérieure, qui s'exprime encore en latin. Un Josse Bade qui, dans les *Praenotamenta* à son édition de Térence de 1502, compose une sorte d'art poétique, christianise complètement les catégories platoniciennes lorsqu'il vient à parler, tout en s'inspirant du *Phèdre*, de la fureur poétique. Ainsi, en 1546, Richard Le Blanc peut-il écrire dans sa préface à la traduction française de l'*Ion :*

> Et tout ce que les poetes excellents soient grecz,
> latins ou françoys ont faict, dict et composé, il procede
> de la grace divine. Et veritablement, jouxte notre phi-
> losophie evangelique, nous croyons fidelement que nul
> bon œuvre peut estre faicte sans le Saint-Esprit qui est
> la grace de Dieu.

Un certain revirement se note cependant dans l'interprétation d'Aristote. Les tentatives de la génération antérieure pour harmoniser Aristote avec Platon ou avec la Bible, font place à des vues plus hardies, rationalistes, surtout à propos du problème de l'immortalité de l'âme. Un lecteur royal,

Vicomercato, se plaît à souligner combien Aristote s'éloigne des doctrines chrétiennes sur Dieu, la création et la providence. Voilà des thèses que nombre d'étudiants français ont déjà pu entendre à Padoue et qui, à partir de 1540, se répandent de plus en plus au Nord des Alpes. Certains, comme Ramus et Calvin, dénoncent avec force ce « libertinisme », sans pour autant réussir à l'endiguer. Une fois encore, des idées anciennes deviennent des idées nouvelles.

Plus s'approfondit la connaissance de l'antiquité, plus s'élargit la connaissance de la condition humaine. Le médecin est humaniste, le juriste aussi. Un des grands professeurs de droit de l'époque, Alciat, traducteur d'Aristophane, demande que la culture du juriste égale celle du théologien et du médecin (*Processus compendium*, 1537). Et le *quadrivium* demeure, au fond, une science humaine. Les mathématiques par exemple restent, comme au Moyen Age, la science des lois harmoniques qui régissent aussi bien le macrocosme que le microcosme. Quant aux naturalistes, ils combinent l'observation des faits avec l'érudition philologique, tel Pierre Gilles, helléniste, le « père de la zoologie française », tel Lazare de Baïf, autre helléniste.

Elément de fermentation, de curiosité, de labeur désintéressé, la méthode humaniste finit par s'imposer. Adoptée dans de très nombreux collèges, elle cesse d'être l'apanage de quelques hommes isolés et forme des générations entières d'élèves de plus en plus nombreux. Sur les bancs de ces collèges humanistes, un Ronsard et un Montaigne trouvent cet aliment qui leur permettra, dans la seconde moitié du XVIe siècle, d'épanouir librement leur génie, pourtant si différent.

CHAPITRE V

Religion et littérature

Quelle a été, pendant la « première Renaissance », époque de fermentation religieuse intense, la part de l'inspiration religieuse chez les écrivains ? Comment se reflète l'environnement religieux dans les lettres ? La réponse que nous donnerons ici à ces questions vise moins à dresser un bilan des réussites esthétiques qu'à présenter la façon dont les écrivains français ont réagi à cet environnement.

Sous le règne de Charles VIII et de Louis XII, époque où l'imprimerie répand d'innombrables ouvrages de piété, la production proprement littéraire aborde des sujets religieux dans deux domaines, celui du genre dramatique des miracles et des mystères, et celui de la poésie, d'inspiration surtout mariale, particulièrement cultivée dans les *puys*, deux domaines, donc, qui, se trouvant en rapports étroits avec des organisations citadines structurées, les confréries, s'inscrivent dans un cadre social bien défini. Si nous croyons pouvoir saisir les traits essentiels de la vie théâtrale florissante, en revanche nous manquons complètement d'études sur l'abondante poésie religieuse des rhétoriqueurs. Il ne fait cependant pas de doute qu'elle s'insère parfaitement dans le « climat » général de l'époque. Les rhétoriqueurs se font aussi l'écho des « pauvres pécheurs » hantés par la terrible image de la mort.

Il faudra se souvenir de ce climat lorsqu'on essayera d'apprécier la nouveauté de l'accent d'un Jean Lemaire de Belges, « disciple de Molinet » : Lemaire célébrera la vie et, à l'exception de quelques essais juvéniles, il ne composera pas de poésies religieuses.

Le début du règne de François Ier est remarquablement pauvre en œuvres littéraires religieuses qui se distingueraient des courants que nous venons d'évoquer. Ce n'est que dans les années vingt, lorsque l'évangélisme se répand de plus en plus, qu'une nouvelle orientation se manifeste dans la littérature. Il suffit de rappeler ici les noms de Marguerite de Navarre, de Clément Marot et de François Rabelais.

Marguerite, dont les poésies et le théâtre religieux sont moins le fruit d'une réflexion que d'une expérience intérieure très personnelle, reconnaît, dans son élan mystique, dans son désir de *dedens soy descendre*, l'insuffisance foncière de la langue pour articuler une pensée qui *tant de choses comprent* et elle dote ainsi la littérature française d'accents très neufs.

La « religion » de Clément Marot échappe à toute définition précise. Marot, qui compose encore des chants royaux en l'honneur de la Vierge, mais qui, dans la *Déploration de Florimont Robertet*, traite de la justification par la foi dans un esprit évangélique, est un des premiers poètes à être poursuivi pour ses idées religieuses. Emprisonné dès 1526 pour hérésie, il s'exile après l'affaire des placards, est condamné par contumace avec un grand nombre d'autres « luthériens » (1535), s'enfuit à Genève (1542) et meurt à l'étranger : voici bien une existence à la merci des édits de tolérance et des mesures de répression. Lorsque, en 1542, la Sorbonne met à l'index plusieurs éditions des psaumes traduits par Marot, elle condamne un des grands poètes religieux de l'époque. Toutefois, Marot n'est pas calviniste et reste attaché à l'idéal évangélique. S'il lui arrive d'exposer, incidemment, dans son œuvre ses convictions religieuses, sa véritable poésie religieuse est celle des psaumes, œuvre qui dépasse de loin, non seulement quant à sa portée, mais aussi pour sa qualité littéraire, tout ce que l'époque a produit en fait de littérature religieuse.

François Rabelais, ce colosse généreux, comment n'aurait-il pas buté contre toutes les autorités, contre la rigueur des Sorbonistes tout aussi bien que contre celle de Calvin ? Deux temps marquent la production littéraire de Rabelais : 1532-1534, avec *Pantagruel* et *Gargantua*, puis 1546-1548, avec le *Tiers Livre* et le *Quart Livre*, donc un premier temps plein d'espoir, et un deuxième, où les positions se sont durcies : les anathèmes sont jetés, les ruptures, consommées. On a pu montrer combien le premier Rabelais se fait le porte-parole des idées érasmiennes, mais nous aimerions souligner dès à présent qu'il s'agit bien d'idées et non pas de la forme qu'elles revêtent. Il suffit, en effet, de mettre côte à côte une page d'Erasme et une autre de Rabelais, pour se persuader que ce sont là deux mondes. Par sa conception d'une *foi formée en charité*, le franciscain Rabelais est plus proche de Bonaventure et recherche autant le bien que le vrai. Malgré la protection de personnages haut placés, les cardinaux Jean Du Bellay et Odet de Châtillon, Rabelais, dans sa satire formidable de tout ce qui est présomption, oppression et religiosité creuse, est contraint de se faire plus prudent ; ainsi, les « sorbonagres » de 1534 deviendront en 1542 de simples « sophistes ». Ce sont mots, car pour le fond, rien de changé, sinon cette petite chose qu'est la vision du monde.

Là, cependant, une rupture, éclatante, car sous l'impression de la situation, si différente en 1532 et en 1548, le monde grotesque se transforme en monde monstrueux et le monde, somme toute, encore cohérent du *Pantagruel* et du *Gargantua* se désagrège à tel point qu'il ne reste, dans le *Quart Livre*, que de bizarres îlots du cosmos de naguère. Vue de loin, la censure des livres de Rabelais par les autorités ecclésiastiques est bien plus qu'une simple mesure administrative pour réprimer l'hérésie, car elle accule un grand créateur à dire, dans des images puissantes, la cassure entre deux époques. Mais la conviction évangélique de Rabelais ne change guère, puisque la manne céleste est pour celui qui pratique la charité, que Rabelais continue à prodiguer à tous, excepté aux monstres.

Si l'œuvre de Rabelais vise la totalité du monde, d'autres œuvres, plus modestes, se rattachent plus directement à des faits divers et participent de cette littérature de combat qui se multipliera dans la seconde moitié du siècle. Les tréteaux se prêtent particulièrement bien à la polémique, politique et gallicane sous Louis XII, religieuse sous François Ier. Citons, en relation avec le procès qui conduit Louis de Berquin au bûcher (1529), la *Farce des Theologastres* ou la *Moralité de la maladie de chrestienté*, par le prédicateur réformé Mathieu Malingre (1533), ou encore une riposte des rigoristes, qui font jouer au collège de Navarre, en 1533, une pièce qui attaque directement Marguerite de Navarre.

Parmi les livres qui traitent de la vraie Parole, l'énigmatique *Cymbalum mundi*, attribué à Bonaventure des Périers, occupe une place à part. Paru en 1537, il est immédiatement censuré par la Faculté de théologie, non pour contenir des erreurs doctrinales, mais tout simplement parce qu'il est jugé pernicieux. Il se compose de quatre *dialogues poétiques*, c'est-à-dire allégoriques, tenus la veille des Bacchanales et des Saturnales, et qui fustigent, dans un style lucianesque, la sotte curiosité et l'insatiable désir de *nouveauté* des êtres humains. Dans le premier dialogue, l'auteur nous raconte comment les autorités ecclésiastiques dérobent à Mercure le livre de Jupiter contenant trois parties : *Chronica rerum memorabilium quas Jupiter gessit antequam esset ipse; Fatorum praescriptum : sive, eorum quae futura sunt, certae dispositiones; Catalogus Heroum immortalium, qui cum Jove vitam victuri sunt sempiternam.* Ces autorités croient donc détenir le secret aussi bien du passé que de l'avenir, et connaître les noms des élus. Le deuxième dialogue met en scène des *resveurs de philosophes*, Luther, Bucer et Erasme, des alchimistes qui estiment être chacun en possession de la vraie pierre philosophale, jadis brisée et dont les débris ont été dispersés. Mais que font-ils d'autre que « perdre ainsi leur temps en ce monde cy, sans faire autre chose que chercher ce que, à l'adventure, il n'est pas possible de trouver, et qui (peult-estre) n'y est pas ». Le troisième dialogue oppose à la vanité de l'amour terrestre jamais satisfait et toujours à la recherche de nouveaux plaisirs, les plaintes de *Célia*, qui appelle son ami céleste. Cette parabole de l'amour mystique est suivie, dans le dernier dialogue, de la fable des deux chiens qui mangèrent la langue d'Actéon. Comme dans certaines allégories médiévales, Actéon semble désigner le Christ, et si un des interlocuteurs déclare qu'il *n'ayme point la gloire de causer*, ne faut-il pas trouver là une apologie du silence ? Contre ceux qui croient savoir, catholiques, réformistes et réformateurs, l'auteur prône l'amour mystique et recommande d'éviter *le trop parler*.

Solution de prudence, peut-être, qui, jusqu'à présent, n'a pas encore permis aux érudits de formuler positivement la doctrine de l'auteur. Le titre aussi demeure énigmatique. Est-il paulinien ? Il représenterait alors le fameux passage sur la charité de la première épître aux Corinthiens, et se rattacherait une fois de plus à certaines explications allégoriques du Moyen Age, qui voient dans le *cymbalum* le *vitium loquacitatis*. Ou est-il érasmien ? Le *Cymbalum mundi* serait dans ce cas le bruit que font les hommes sur des cymbales recouvertes d'une peau d'âne : un ânonnement vain et ridicule. Quoi qu'il en soit, le *Cymbalum mundi* apporte un son neuf dans la littérature qui cherche, par la parole humaine, à représenter les mystères de la Parole divine.

Ce que doivent les lettres françaises à l'impulsion des mouvements religieux pendant la « première Renaissance », est à l'image de cette époque, si riche en contradictions et en promesses. Les nouvelles traductions des Ecritures marquent une rupture, certainement ressentie comme telle, avec l'époque précédente, et conquièrent à la langue de nouveaux et importants domaines. Conquête linguistique encore que ces commentaires et exégèses en langue vulgaire qui aboutissent à Calvin et à son *Institution* (1541), qui fournit à la langue française le premier modèle d'un style discursif, logique et clair. Dans le domaine strictement littéraire, à côté de ces exceptionnels « dialogues poétiques » du *Cymbalum mundi*, c'est l'œuvre monumentale de Rabelais qui reflète le mieux, par certains de ses aspects, les inquiétudes et les aspirations religieuses de l'époque. Quant au théâtre, farce et moralité continuent à jouer leur rôle polémique, adapté cependant à la controverse religieuse ; les « comédies » de Marguerite de Navarre font ici exception, car elles explorent la *terra incognita* d'une expérience intérieure. La poésie religieuse enfin, restée longtemps fidèle aux louanges de la Vierge, se renouvelle grâce aux œuvres teintées de mysticisme de Marguerite de Navarre et aux traductions des psaumes de Clément Marot.

CHAPITRE VI

Les littératures étrangères

L A curiosité pour les littératures étrangères reflète chaque fois un « moment »
précis de l'évolution d'une culture. Ainsi en France, de 1480 à 1550,
où prévalent pendant longtemps les préoccupations morales et de
contenu, une influence nettement littéraire des modèles étrangers ne peut
être constatée qu'à partir du deuxième quart du XVIᵉ siècle. Les seules nouveautés littéraires introduites de l'étranger sont, dans le domaine de la poésie,
le sonnet et surtout la conception d'un *canzoniere*, dont Maurice Scève nous
offre le premier exemple, et, dans le domaine du théâtre, la comédie et la
tragédie, représentées uniquement par des pièces latines ou traduites de
l'italien. Partout ailleurs, les emprunts faits aux littératures étrangères, surtout
à l'Italie et à l'Espagne, continuent de vieilles traditions françaises. L'important est que ces traditions se voient renouvelées grâce à des apports étrangers
qui semblent particulièrement bien répondre aux exigences d'une nouvelle
sensibilité. Les *concetti* de certains troubadours et trouvères reçoivent du
pétrarquisme une nouvelle vigueur ; à la littérature sur l'homme de cour,
littérature riche s'il en fut, du *Policraticus* de Jean de Salisbury au *Curial*
d'Alain Chartier et au *Séjour d'Honneur* d'Octovien de Saint-Gelais, des textes
étrangers ajoutent l'image du courtisan de la Renaissance, le *Courtisan* de
Baldassar Castiglione (traduit en 1537) et les traités de civilité d'Antonio
de Guevara. Dans les « querelles des femmes », un vieux sujet bien français,
les défenseurs du beau sexe sont heureux de trouver un appui dans des textes
qui viennent d'Italie, dans la *Grisélidis* médiévale ou dans le platonisme
moderne. Ce n'est certainement pas un hasard si un des premiers romans
traduits de l'italien est une œuvre avec songe et personnifications de notions
abstraites dans le goût du *Roman de la Rose*, à savoir le *Pérégrin* de Caviceo
(1528), une imitation du *Filocopo* de Boccace, qui est lui-même une imitation

lointaine du vieux roman médiéval français de *Floire et Blanchefleur* ; le *Filocopo* sera traduit en français en 1542, et, en 1554, paraîtra un *Flores et Blanchefleur*, traduit cette fois-ci de l'espagnol. L'histoire de l'adaptation des romans italiens et espagnols est en grande partie celle de la reviviscence des vieux thèmes français.

Et l'immense domaine de la littérature latine ? Fait-il partie de la littérature « étrangère » ? Le Flamand Ruysbroeck, le Hollandais Erasme, l'Allemand Nicolas de Cuse, le Catalan Lulle, l'Espagnol Vivès, les Italiens Pétrarque, Valla, Ficin et tous les autres qui écrivent en latin, sont-ils des étrangers ? Il faudrait, au fond, dégager pour chaque auteur en question ce qui appartient à l'internationalisme latin et ce qui relève des différentes traditions nationales. Dans le cadre d'une histoire de la littérature française, on peut se borner à faire remarquer que certaines œuvres étrangères pénètrent en France non pas dans leur texte « vulgaire », mais dans des traductions françaises faites sur des traductions latines. Ainsi la dernière nouvelle du *Décaméron*, la fameuse *Grisélidis*, d'abord traduite en latin par Pétrarque, et dont le texte, plusieurs fois traduit en français dès la fin du XIVe siècle, a été imprimé à partir de 1484. Ainsi la nouvelle IV, 1 du même *Décaméron*, traduite en latin par Leonardo Bruni, version traduite à son tour par Jean Fleury sous le titre *La piteuse et lamentable histoire de Gismonde* (1493). Ainsi le *Décaméron* tout entier, traduit par Laurent de Premierfait d'après la version latine d'Antoine d'Arezzo et plusieurs fois édité de 1485 à 1541. Ainsi encore le *Narrenschiff* de Sébastien Brant, traduit en latin par Locher (1497), imité (1500), puis traduit en latin (1505) par Josse Bade ; c'est sur ces versions latines que sont faites les nombreuses traductions, adaptations ou imitations françaises, en prose et en vers.

Préoccupations morales : lorsque Guillaume Tardif traduit les *Facecies* du Pogge (avant 1496), il a soin d'ajouter à chaque facétie une longue *moralité* ; dans des textes donc, où l'humaniste italien, qui soigne surtout l'expression concise et élégante, laisse parler le récit lui-même, l'humaniste français voit surtout l'*exemplum*, et croit nécessaire d'en souligner la portée, quitte à faire remarquer, le cas échéant, qu'il *n'y a pas grant sens reductif à moralité*. Significatif aussi le fait que Tardif prend la défense de la chasse, quand le Pogge se gausse de ce sport vain et frivole. Aussi bien Tardif est-il l'auteur d'un traité de fauconnerie. Cette traduction est riche en enseignements, puisqu'elle nous révèle non seulement en quoi les préoccupations des humanistes français de la fin du XVe siècle diffèrent de celles des humanistes italiens, mais aussi parce qu'elle nous montre qu'au fond ces humanistes français restent en accord avec la société courtoise, elle-même fort différente des cours italiennes.

A elle seule, la réception de Pétrarque fait comprendre l'évolution du goût. Pendant très longtemps, Pétrarque est le *philosophus moralis*, auteur de traités

écrits en latin. Du *De remediis utriusque fortunae,* dont la traduction française
de Jean Daudin (1378) est éditée en 1524, un anonyme donne, en 1503, une
nouvelle traduction restée manuscrite, mais diffusée dans l'entourage de
Louis XII et de Louise de Savoie. Pétrarque poète latin est représenté par
une édition du *Bucolicum carmen* (1502), avec un commentaire moral de Josse
Bade, à qui, autre fait significatif, un carmélite flamand avait procuré le
manuscrit. Il n'est donc pas surprenant que les *Trionfi* soient la première
œuvre italienne de Pétrarque imitée et traduite en France : on s'adresse encore,
plus qu'au poète lyrique, au poète philosophe. Jean Robertet écrit ainsi :

> J'ay regardé es Triumphes Petrarque,
> Qui d'hystoires reciter fut monarque.

On s'intéresse au contenu. Ceci est vrai pour les *Triomphes* que versifient
Jean et François Robertet et Jean Molinet, non pas sur le texte italien, mais
d'après des *argumenta* latins, répandus au XVe siècle. Ceci est encore vrai pour
les magnifiques manuscrits exécutés à Rouen, au début du XVIe siècle, sous
le mécénat du cardinal Georges d'Amboise, et destinés à la plus haute société
de l'époque ; manuscrits qui font accompagner le texte italien des *Trionfi*
d'une traduction française du commentaire de Bernard Lapini. Maintenant,
grâce aux guerres d'Italie, le texte original est entré et diffusé en France.
Dans la première traduction française du texte italien, due à Georges de
La Forge et éditée dès 1514, les aspects formels demeurent nécessairement
au second plan, puisque la traduction est en prose. La mutation décisive,
qui se situe, une fois de plus, dans la troisième décennie du XVIe siècle, est
illustrée par la traduction de Simon Bourgouyn. Auteur de moralités et traducteur de Lucien et de Plutarque, Bourgouyn est aussi rompu aux subtilités
de la versification des rhétoriqueurs. Par les explications qu'il donne du *sens
historique* et du *sens moral* du texte de Pétrarque, il se rattache encore à la vieille
école, tandis que la traduction elle-même, en vers alexandrins, témoigne de
recherches purement littéraires et artistiques. Que ses efforts de traducteur
n'égalent pas encore le modèle, Bourgouyn est probablement le premier à
s'en rendre compte, puisqu'il met en regard de son texte, celui de l'original italien. Ainsi l'émule, à la fois fier et humble, fait sa révérence à l'art
accompli du maître. Désormais, l'intérêt porte autant sur l'art que sur la
doctrine. D'autres traductions en vers des *Trionfi* suivront : celle de Jean
Meynier, qui reverra soigneusement son texte avant de l'éditer (1538), celle,
enfin, qu'inclura Vasquin Philieul en 1555 dans *Toutes les œuvres vulgaires de
François Petrarque.* Quant au pétrarquisme, doctrine de l'amour en relation
avec le platonisme autant que conception d'un art empreint de préciosité et
de raffinement, il est la conséquence de l'admiration qu'on porte au chantre

de Laure et à ses continuateurs modernes, Cariteo, Tebaldeo et Serafino dell'Aquila, relayés, au début du xvie siècle, par Bembo. Les Octovien de Saint-Gelais, Jean Lemaire, Clément Marot, Mellin de Saint-Gelais, Jacques Peletier, Scève aussi, qui citent et imitent les pétrarquistes italiens, ne font que suivre une mode étrangère. Pétrarque seul agit en profondeur sur la poésie. En effet, la constitution d'un *canzoniere*, c'est-à-dire d'un recueil organique de brèves poésies lyriques à forme identique, est une tentative pour intégrer la célébration de l'instant lyrique dans le devenir soumis au temps. Avant la Pléiade, la *Délie* de Maurice Scève demeure l'unique tentative de ce genre.

Pétrarque, *philosophus moralis* dans ses traités et poèmes latins, puis poète philosophe dans un poème italien, enfin poète lyrique italien : voici une courbe qui reflète à souhait l'évolution des lettres en France.

Seule la fortune de Boccace peut être comparée à celle de Pétrarque. Outre le conteur incomparable *(Décaméron, Griselidis)*, le xve siècle admire l'érudit latin ; tôt, on édite et réédite les traductions de ces mines de renseignements que constituent *Du cas des nobles hommes et femmes* (première édition en 1476), *Des cleres et nobles femmes*, traduit pour Anne de Bretagne (première édition en 1493), la *Généalogie des dieux* (1498). Ces éditions sont lues pendant toute la période qui nous intéresse, car ce n'est que vers le milieu du xvie siècle qu'elles sont en partie remplacées par de nouvelles traductions, celles que font du *Décaméron* Antoine Le Maçon, sur l'ordre de Marguerite de Navarre (1545), puis Antoine Du Moulin (1551), celle des *Dames de renom*, par Denis Sauvage (1551). Et lorsque, dans la deuxième partie du règne de François Ier, se répand de plus en plus le goût pour le roman sentimental, Boccace fournit encore des modèles. Si, dans *Le beau romant des deux amans Palamon et Arcita*, adaptation en vers de la *Teseida*, Anne de Graville s'appuie sur une traduction en prose du xve siècle, des traductions plus fidèles ne tardent pas à être publiées, la *Flamette* en 1532, le *Filocope* en 1542.

A partir du deuxième tiers du xvie siècle, les traductions d'œuvres italiennes se multiplient. C'est l'époque où tout l'éventail de la littérature italienne, avec un retard d'une génération, devient accessible au public français, du poème héroïque au traité politique, de la nouvelle Arcadie au *Courtisan*, des œuvres sur la philosophie de l'amour au voyage allégorique de Polyphile, du recueil pétrarquiste à la comédie : L. B. Alberti (*Hécatomphile*, 1534, *Deifira*, 1547), Castiglione (1537), l'Arioste (*Roland furieux*, 1543, *Les Supposés*, 1545), Machiavel (*Discours [...] sur la première Décade de Tite-Live*, 1544, *Art de la guerre*, 1546), Sannazar (*Arcadie*, 1544), Bembo (*Asolains*, 1545), Colonna (*Songe de Poliphile*, 1546), Boiardo (*Roland amoureux*, 1549-1550).

Ce mouvement de vulgarisation, corollaire d'un italianisme de plus en plus marqué dans les mœurs, la mode, les arts et le langage, ne doit pas faire oublier que, dès 1512, un Jean Lemaire pouvait déclarer dans sa *Concorde des deux langages* : « plusieurs nobles hommes de France, frequentans les Ytalles, se delectent et exercitent oudict langaige Toscan ». Nombreux étaient, en effet, les Français italianisants, les contacts ininterrompus entre la France et l'Italie ne pouvant que favoriser les connaissances de la langue. Mais ce sont moins les guerres que les séjours d'études ou les voyages en Italie, ainsi que les centres à demi italianisés comme Lyon et, plus tard, la cour de Catherine de Médicis, qui entretiennent ces contacts directs avec la civilisation d'outre-monts. Et si un Jean Lemaire (pour rester dans le domaine littéraire) essaie d'écrire en rime tierce, si un Jean Marot ou un Jean Picart composent des rondeaux dans le style de Serafino dell'Aquila, ces tentatives « italiennes » demeurent au fond assez isolées. Le sonnet, le *canzoniere*, le roman sentimental, la comédie, tout ce qui, dans le monde des lettres, a laissé des traces profondes, s'épanouit à partir des années trente, et parallèlement à la vulgarisation des œuvres italiennes par les traductions et à l'influence italienne toujours plus prononcée sur les mœurs. Pétrarque et Boccace, seuls, échappent à cette règle.

Quant à la littérature espagnole, il est curieux de noter qu'elle n'est guère connue avant que François Ier revienne de sa captivité. C'est, une fois de plus, pendant la deuxième partie du règne du « père des lettres » que se fait jour cette nouvelle curiosité pour les choses d'outre-Pyrénées. Mise à part la poésie, où l'Italie, seule, influence les lettres françaises, l'intérêt va aux mêmes genres, aux romans d'amour et de chevalerie, aux traités de morale et de civilité, à des ouvrages d'inspiration « gauloise », bref, à tout ce qui peut compléter, enrichir, et par là aussi modifier, la tradition nationale. Dans le domaine du roman sentimental, la version espagnole offre aux Français des aspects déjà « baroques » de l'amour, où dominent la tristesse, la mélancolie, la douleur. Si dans la France du XIVe siècle, un Oton de Grandson avait présenté l'image d'un amant *vesti de noir et tout nu de leesse*, c'est à travers l'Espagne que le XVIe siècle français réintroduit le beau ténébreux et la fatalité de l'*amor hispanus*. En 1526 paraît la traduction de la *Prison d'Amour* de Diego de San Pedro ; en 1530, le *Jugement d'Amour* de Juan de Flores, traduit de l'italien, devient un succès (dix-huit éditions dont six avant 1550) ; en 1535, Maurice Scève fait publier la traduction d'une suite romanesque à la *Fiammetta* de Boccace, *La deplorable fin de Flamecte, elegante invention de Jehan de Flores espaignol;* Nicolas Herberay des Essarts traduit le *Tratado de Arnaldo y Lucenda* (*L'Amant mal traicté de s'amye,* 1539, réédité cinq fois avant 1550), et en 1541, on publie une traduction anonyme du *Debat de deux gentilshommes espagnols sur le fait d'amour.* Ces romans espagnols ajoutent aux langueurs des romans italiens une couleur sombre et un ton grave dont l'écho se retrouvera dans certaines nouvelles de l'*Heptaméron.*

Nicolas Herberay des Essarts est aussi le traducteur des *Amadis de Gaule* (huit livres, 1540-1548), qui ne tarderont pas à supplanter, du moins dans la société polie, les grands succès des romans de chevalerie français. Si un *Palmerin d'Olive*, traduit par Jean Maugin (1546), ne s'écarte pas de la moyenne de la littérature de ce genre, les *Amadis* deviendront, grâce à leurs qualités littéraires, le prototype des romans d'aventure et d'amour.

Les traités d'Antonio de Guevara, qui représentent le côté moraliste de la littérature espagnole, font connaître aux lecteurs français la gravité du *hidalgo*. Dès 1531, René Bertaut traduit le *Livre doré de Marc Aurèle*, réédité et augmenté en 1540, sous le titre de *L'Orloge des princes*. Cet ouvrage est, pour la société mondaine ou bourgeoise, ce qu'ont été les recueils d'apophtegmes pour les humanistes des générations antérieures : un réservoir de sentences, d'apologues, de conseils moraux et politiques. Quant au traité *Du mespris de Court et de la louange de vie rustique*, dont une première traduction, due à Antoine Allègre, paraît en 1542, son succès doit être rattaché à la « querelle des amies » et à la littérature qui, précisément à cette époque, s'inscrit en faux contre la doctrine du *Courtisan* de Castiglione.

La *Célestine* enfin, dont une traduction anonyme, faite sur l'original et sur une version italienne, paraît en 1527 (rééditions en 1529 et 1542), aura assez de succès pour que le personnage de Célestine devienne le type même de l'entremetteuse.

Ainsi, dès le deuxième tiers du XVIe siècle, les influences italiennes et espagnoles se complètent réciproquement : à Boccace « romancier » et à Caviceo s'ajoutent Diego de San Pedro et Juan de Flores ; les *Amadis* appartiennent au domaine représenté par Pulci et l'Arioste, qu'on lit d'abord en prose ; Guevara est le pendant de Castiglione, et la *Célestine* peut être rattachée, quant à son esprit, au courant des nouvellistes italiens.

CHAPITRE VII

L'évolution artistique

S I notre période ne témoigne pas d'une unité artistique bien marquée, c'est que l'évolution du goût en ce domaine a été nette et rapide, sans cassure mais par une série de bonds en avant qui conduisent du flamboyant aux formes classicisantes, d'un triptyque du Maître de Moulins aux toiles symboliques d'un Caron, d'une miniature de Jean Fouquet aux gravures de René Boyvin. Le sens artistique se développe de façon assez étonnante, en même temps que l'œuvre d'art connaît une diffusion de plus en plus large, en se sécularisant, en trouvant un nouveau public, en pénétrant dans le décor de la vie quotidienne.

L'inquiétude et la nervosité du XVe siècle finissant se traduisent dans des formes artistiques complexes, mouvementées, agitées par un jaillissement d'éléments décoratifs. La dernière étape du gothique flamboyant a tout le raffinement de la décadence : alors que les formes monumentales vont se simplifiant, leur décor devient exubérant, envahissant. La sensibilité apparaît dans les œuvres d'art, leur conférant une nouvelle dynamique, un nouveau relief. A cette étape intermédiaire succède une période « italianisante », où l'héritage national demeure cependant vivace : les structures s'ordonnent et se clarifient pendant qu'apparaissent de nouveaux éléments décoratifs. La recherche de la grâce élégante éloigne des tendances réalistes, le besoin de régularité se satisfait d'emprunts à l'Antiquité retrouvée ou dans un effort de stylisation ; la découverte de la mythologie païenne offre une moisson de thèmes nouveaux. La réaction « classique » ira encore plus loin, donnant à la Renaissance française son vrai visage : art de synthèse, on y décèle le goût de l'eurythmie, de la symétrie harmonieuse, la tendance à la simplification qui réagit contre les abus ornemanistes. Vitruve et Serlio donnent le ton.

L'architecture religieuse marque le pas pendant toute la Renaissance : on construit peu d'édifices nouveaux, préférant remanier la décoration intérieure ou les éléments accessoires de la structure (c'est là qu'apparaissent les traces d'italianisme, comme dans la lanterne du clocher de Tours, 1507). En général, les bâtisseurs d'églises respectent les principes traditionnels : le flamboyant, aux nefs larges et lumineuses, durera jusqu'au début du XVIᵉ siècle (Palais de Justice de Rouen, 1499-1509) ; à Sens ou à Beauvais, Chambiges est le maître d'œuvre d'un « gothique moderne » ; l'église-cénotaphe de Brou (1507 *sq.*) ne contient guère d'innovation, malgré la grande virtuosité de la réalisation, à laquelle ont manqué un plan et une conduite d'ensemble. Seules les églises parisiennes de Saint-Etienne-du-Mont (1525 *sq.*) et Saint-Eustache (1532 *sq.*) avec Saint-Michel de Dijon et l'abside de Saint-Pierre de Caen (Sohier) correspondent aux tendances nouvelles de l'architecture civile.

Quelle profusion de chefs-d'œuvre en ce domaine ! Autour de la Loire, fleuve royal, et bien au delà, les résidences seigneuriales éclosent en une incomparable floraison. D'Italie, les Français ont ramené le goût de la demeure d'apparat, aux salles spacieuses et au décor festif, où la disposition « fonctionnelle » des pièces augmentera le plaisir de la résidence, tout comme le jardin, traité en élément ordonné. A peine rentré en France, Charles VIII, qui « avoit amené de Naples plusieurs ouvriers excellens en plusieurs ouvrages, comme tailleurs et peintres » (Commynes), fait aménager Amboise, sa résidence favorite (1495) ; la fresque apparaît dans la décoration intérieure, les formes classiques sont introduites par Fra Giocondo, secondé par Dom. Bernabei de Cortone (il Boccadoro), qui construira ensuite l'Hôtel de Ville de Paris. Mais au château de Blois, comme à Meillant (1503), on voit que la construction reste de type traditionnel, alors que l'ornement est d'inspiration italienne : « le style Renaissance n'a été d'abord qu'un décor, parfois simplement plaqué sur des architectures gothiques » (J. Delumeau). Aux ouvertures, la croisée remplace l'arc ogival, l'accolade et l'anse de panier viennent alléger des lignes un peu strictes ; aux murs, pilastres et linteaux s'ornent d'arabesques sculptées. Puis se répand la polychromie de la brique et de la pierre alternées, comme dans le Blois de Louis XII. Lucarnes, cheminées et escaliers sont désormais traités en éléments importants de la décoration, alors que les toits, la façade et les ouvertures (souvent disposées sans régularité) en demeurent les pièces maîtresses. Les sculpteurs et ornemanistes prennent même le pas sur les architectes : Gaillon vaut plus par les apports de Michel Colombe ou de Jean Juste, ou par les fresques d'Andrea Solario (1507-1509) que par son plan à la française dû à Pierre Fain (1502). Ces artistes sont fréquemment des Italiens, mais concurrencés par les Français, dont le plus grand, M. Colombe, représente une tendance de compromis (tombeau de Bretagne, 1507).

Inaugurant la lignée des Valois-Angoulême, François Iᵉʳ voulut être un grand bâtisseur avant tout pour être chez lui : à côté de Blois et d'Amboise, fiefs de sa femme, où les travaux se poursuivent, d'autres édifices viendront témoigner de sa volonté de création. A Blois, où la pierre blanche remplace la brique, les agrandissements de 1515-1526 mettent en valeur de nouveaux éléments décoratifs aux pilastres, dans les moulures : les rubans, les rinceaux de feuillage, les chapiteaux aux motifs inédits, les candélabres. Le grand escalier de Pierre Trinqueau (1526) complète la nouvelle façade. Les desseins royaux se réalisent à Chambord dès 1519, en un ensemble homogène conçu par les Français Trinqueau et Sourdeau dans l'intention de rivaliser au moins partiellement avec les Italiens. Même s'il n'est pas très habitable, le château révèle un génie imaginatif qui ne craint pas l'audace : combles et toitures sont pleins d'une fantaisie quasi gothique ; la terrasse et les ouvertures respectent les canons italiens. La pierre et l'ardoise s'associent dans l'harmonie de leurs teintes douces. C'est l'époque où les grands commis du roi font édifier leurs demeures : Th. Bohier à Chenonceaux, Gilles Berthelot à Azay, Duprat à Nantouillet, où la manière italienne vient toujours compléter une structure conventionnelle.

Le vieux Louvre lui-même prend une allure nouvelle : la grosse tour abattue en 1528, de nouveaux corps de bâtiment, conçus par P. Lescot et J. Goujon, font leur apparition, et l'intérieur est rénové presque entièrement : dans l'aile ouest, les décors corinthiens (pilastres, colonnes, entablements) encadrent fenêtres et niches à l'italienne ; en 1534, la cour peut s'y installer. Mais le roi est déjà occupé à de nouvelles constructions : en 1528, P. Godin a commencé Madrid (Boulogne) où apparaît pour la première fois en France le décor de céramique colorée, spécialité de Jérôme della Robbia ; en 1532, c'est Villers-Cotterets, qui s'élabore ; en 1539, Saint-Germain, avec sa grande terrasse à l'italienne. Et surtout Fontainebleau traduit à la fois les rêves royaux et l'élan d'une équipe exceptionnelle d'artistes qui constitueront une école ; dès 1528, Gilles Le Breton entreprend le gros œuvre, en grès, sur un plan encore traditionnel, mais qui sera bouleversé par les caprices du roi, d'où ce caractère surprenant d'irrégularité de l'ensemble, compensé par la netteté de chaque bloc. En 1531 arrivent les Italiens, le Rosso en tête, qui vont imaginer ce décor étonnant où le stuc et la moulure complètent la peinture à fresque, où le naturalisme et le fantasque mythologique voisinent avec les guirlandes de fleurs ou de fruits et les cartouches au dessin complexe. Pendant huit ans, toute une équipe d'artistes travaille à cet ensemble imposant sous la direction du Rosso, donnant à chaque élément du décor la force et l'élégance, la majesté et le mouvement, l'accentuation du trait et le fondu des couleurs. Puis c'est Serlio qui est chargé de la direction des travaux (1541). Mais c'est surtout le Primatice qui attachera son nom à l'achèvement de Fontainebleau. Il y avait travaillé sous le Rosso, au Pavillon de Pomone et au Pavillon des Poêles notamment. En 1542, il prenait la tête du chantier, décorant la chambre de la duchesse d'Etampes, la galerie d'Ulysse, puis la salle de bal, sous Henri II. Elève de Jules Romain, le Primatice avait un talent beaucoup plus souple et poétique que celui du Rosso, un charme et une grâce plus en accord avec le goût français. Il avait fait appel à N. dell'Abbate pour le seconder dans la décoration de la galerie d'Ulysse (après 1552). Avec le Primatice, les sujets mythologiques sont traités dans un style plus sensuel, les formes s'allongent avec une gracilité particulière, les motifs du décor tendent à se simplifier.

Cependant l'architecture a vu apparaître les talents hors pair de deux grands créateurs, Pierre Lescot et Philibert Delorme. Le premier a trouvé en Jean Goujon un remarquable sculpteur pour le seconder : tous deux réalisent la fontaine du Louvre, la fontaine des Innocents en 1548, après avoir édifié le jubé de Saint-Germain-l'Auxerrois (1543). Le Lyonnais Delorme, devenu architecte du roi en 1545, bâtit Anet, aboutissement de toute la période, continue Chenonceaux et Fontainebleau, entreprend les Tuileries, après avoir dressé le tombeau de François Ier à Saint-Denis.

La sculpture a elle aussi parcouru un chemin considérable depuis la gothique Mise au tombeau de Solesmes (1496) ; aux lourds drapés, aux poses statiques et aux visages fortement soulignés succèdent la gracilité des silhouettes, le fondu des coulés vestimentaires, le modelé tout en courbes et l'expression caressante. Le Rouennais Goujon, à Paris depuis 1541, le Parisien Germain Pilon, le Lorrain Ligier Richier (auteur du fameux monument funéraire de René de Châtillon, 1545) savent aussi trouver la majesté et l'équilibre, la force expressive des attitudes et le relief saisissant. A côté d'eux, Benvenuto Cellini, génial déséquilibré, laisse à François Ier quelques pièces étonnantes de perfection et une fâcheuse impression de hâbleur et d'escroc.

A la « maniera alquanto dura e crudetta » de la peinture quinziémiste va succéder la « maniera grande » propre aux nouveaux talents, en une évolution beaucoup moins heurtée qu'en d'autres domaines artistiques, éclectiquement ouverte à toutes les influences. Après Jean Fouquet, on remarque toute une série de changements dans la peinture de chevalet, dans le portrait ou dans la peinture religieuse et votive. Le peintre recherche l'intensité de la vie et la représentation objective du corps, qu'il traite un thème nouveau (la mythologie, le nu ou l'autoportrait), ou conventionnel (le portrait, art bourgeois, sans lyrisme, sans complaisance, fondé sur une observation minutieuse, parfois ironique, du détail révélateur). Le caractère savant du dessin s'accentue, autant dans le fondu des draperies que dans le modelé des contours ; la linéarité est moins accusée, moins dure, la couleur plus profonde ; traitant l'espace suivant les lois de la perspective, l'artiste cherche à organiser les plans, à les différencier subtilement au moyen du dégradé ; le « sfumato » cher à Léonard est déjà pratiqué, encore que timidement, insistant sur la valeur des ombres et des reflets. Quelques grands noms dominent cette période (jusque vers 1520-

1530) : le Maître de Moulins, Perréal, Bourdichon et Léonard de Vinci.

Jean Perréal, dit Jean de Paris, poète, architecte, décorateur, peintre et esprit cultivé, mit son talent au service de trois rois de France, de la ville de Lyon où il résida souvent, de la reine Anne et de Marguerite d'Autriche ; son activité s'étend de 1483 à 1530 environ. Mais son œuvre ne nous est pas parvenue, à l'exception de quelques toiles d'attribution plus ou moins certaine, de gravures du *Champfleury* d'après ses dessins, ou de monuments exécutés d'après ses maquettes, comme le tombeau des ducs de Bretagne, sculpté par Colombe. On peut déceler son influence dans les dernières œuvres du Maître de Moulins, en particulier dans le triptyque de Pierre de Beaujeu (1501 ou 1502). Jean Bourdichon prolonge quant à lui la tradition française de l'enluminure et du portrait : il est l'auteur du fameux *Livre d'Heures* d'Anne de Bretagne (1508).

François Ier, grand amateur de peinture (il passa commande dans toute l'Europe, à Raphaël comme à Josse van Cleve), rencontra Léonard à Pavie en 1515 et le ramena en France. Léonard avait déjà peint en 1501 une Madone pour Robertet ; il resta trois ans en France, suscitant une grande admiration pour ses œuvres, mais sans fonder une école. Andrea del Sarto, venu peu après lui, n'eut aucune influence. Seuls le Rosso et le Primatice surent attirer à eux les disciples : l' « école de Fontainebleau » les reconnaît pour ses maîtres. La plupart de ces peintres sont restés anonymes; d'autres, les plus originaux sans doute, ont un nom : Germain Lemannier, Lagneau, Quesnel, le Maître de Flore et surtout Antoine Caron, artiste ésotérique et érudit, dont les Triomphes sont riches en symboles complexes. Les peintres de Fontainebleau choisissent volontiers les thèmes mythologiques (Diane, les nymphes) ou allégoriques (la Nuit, La Paix), les scènes d'apparat ou familières (le *tepidarium*). La précision du trait est compensée par une couleur profonde et douce, où le « sfumato » joue un grand rôle, par la souplesse des formes allongées chères au Primatice.

La forte personnalité de Jean Cousin le vieux, établi à Paris vers 1540, marquera le milieu du siècle, à la fois par les divers aspects de son activité et par ses vues de théoricien (*Livre de Perspective*, 1560). Cousin a donné de nombreux cartons de tapisseries et des modèles de vitraux ; sculpteur et architecte, il a participé à la décoration pour les entrées de Charles-Quint en 1540 et de Henri II en 1549. Peintre, seule l'*Eva Prima Pandora* atteste de son talent énergique et détendu tout ensemble, maniériste dans son mélange de profane et de sacré, de sécheresse et de chaleur.

Certains aspects de la création artistique ne doivent pas être mésestimés, car leur importance fut grande dans le domaine de l'art privé. La tapisserie était sans doute la forme la plus répandue, étant donnée sa double fonction utilitaire et esthétique ; mais la médaille, le camée, l'intaille viennent compléter l'art du bijoutier. A Limoges, Léonard Limosin exécute sur émail portraits et scènes religieuses, ou divers objets de décoration.

Le vitrail voit lui aussi apparaître les nouveaux thèmes décoratifs et une ampleur de dessin jusque-là peu répandue.

Mais l'art du portrait domine tout le reste : portrait peint ou dessiné, son rôle est multiple, apparat, souvenir, identification ou immortalisation. La conception gothique était nettement réaliste ; la Renaissance, à partir de Perréal, ira vers une stylisation ennoblissante. La pose ne se modifie guère : monumentalité du buste, mains croisées, visage au regard fixe et à la bouche soulignée, importance du vêtement et des bijoux. L'art renaissant du portrait s'incarne en la famille Clouet, qui éclipse un peu les autres peintres du roi, Barthélemy Guelti, dit Guyot (1522-1532), ou Nicolas Belin. Jean Clouet (v. 1475-1485-1540 ou 1551) était déjà le peintre officiel de Louis XII, avec Bourdichon et Perréal ; à la cour de François Ier il se hissa au premier rang. De très nombreux dessins (près de 500 pour la période 1510-1550) nous sont parvenus : il s'agissait sans doute d'esquisses préparatoires pour des portraits peints. Le portrait au crayon devint alors une spécialité française : œuvre de commande, on y relève une grande spontanéité, une netteté objective du trait, la force expressive et le modelé doux. La peinture du premier « Janet » (ce fut le surnom du père et du fils Clouet), où se remarque l'héritage de la technique miniaturiste, y ajoutait le contraste des couleurs et des éclairages, tout en préservant l'éloquente simplicité et la finesse du dessin. Son fils François obtint en 1541 la survivance de sa charge et resta le peintre d'Henri II : avec lui devient plus nettement perceptible cette tendance à la stylisation maniériste, visant au charme, à la « dolcezza » *(Le Bain de Diane)*. Un autre portraitiste mérite d'être placé au premier rang : Corneille de Lyon, flamand francisé, qui fut dès 1540 peintre du dauphin ; ses portraits, de petites dimensions, sont d'une pénétration remarquable, malgré la convention des attitudes, et d'un coloris chaud et fouillé. Il est l'équivalent en France de l'art d'un Bernard van Orley, peintre de Charles-Quint.

Toutefois la grande révolution dans le domaine artistique fut l'apparition et l'extraordinaire diffusion de la gravure. Ce procédé technique nouveau, économique, populaire et mobile, tuera la miniature. Art de répétition, il permet de répandre l'image des monuments, des statues et des grandes peintures : ainsi René Boyvin grave les masques et les cartouches du Rosso pour Fontainebleau (1540), Léon Davent et Claude Baudouyn reproduisent les toiles et fresques de l'école du Primatice, et un peu plus tard Androuet Du Cerceau transmettra l'image des bâtiments royaux.

C'est dans le livre qu'apparaîtront les gravures originales, d'abord dans une taille assez fruste puis de plus en plus fouillée. Le premier livre illustré, l'*Abuzé en court* (1476), sera suivi de maints autres : livres d'heures populaires *(Biblia Pauperum)* de Simon Vostre, Vérard ou Hardouyn ; premières éditions humanistes de Bade et Vidoue ; puis grands ouvrages de Geoffroy Tory

(*Heures de la Vierge*, 1525 ; *Champ fleury*, 1529), de Corrozet, Groulleau et Janot. Même si elles ne sont pas originales, les planches (gravées par Cousin, Goujon ou Pilon ?) du fameux *Songe de Polyphile* (Kerver, 1546) représentent l'aboutissement de toute cette période. On a pu estimer que vers 1515 vingt millions de livres imprimés environ étaient en circulation : un quart à peu près contenait des gravures, et l'on voit ainsi à quel point l'art de l'estampe pouvait favoriser le progrès artistique. Encore négligeons-nous la typographie proprement dite, lentement dégagée de l'imitation du manuscrit pour acquérir vers 1525 une valeur esthétique propre, avec Tory notamment.

Il arrive aussi que l'art descende dans la rue et que tout un peuple soit en contact direct avec un type de décoration occasionnelle et éphémère où peintres, sculpteurs, architectes et poètes collaborent. Les fêtes et cérémonies royales, les entrées émaillent l'époque de jours brillants et solennels. La signification du cortège et de son accueil garde sa pleine valeur d'hommage et de manifestation de fidélité ; le décor, où le bois et la toile voisinent avec la pierre ou le végétal, emprunte ses motifs à la Bible, à la mythologie, au symbolisme médiéval ; arcs de triomphe, colonnes, fontaines et grottes servent de cadre à des intermèdes déclamés ou chantés. Les plus grands artistes s'empressent de participer à ces manifestations pour lesquelles les municipalités cherchent à s'assurer leur concours : Perréal organise les entrées royales à Lyon ; plus tard, Jean Goujon, Bernard Salomon se consacreront à de nouvelles cérémonies. Ces entrées représentent, avec les fêtes de cour, mômeries, bals, mascarades, tournois ou naumachies, avec la plus fameuse de ces solennités, le Camp du Drap d'Or, l'aspect le plus concret et le plus vivant de la vie artistique de la Renaissance.

La vie quotidienne elle-même trahit un souci de beauté jusque dans la parure vestimentaire ou le mobilier. Le costume se couvre de pierres et de bijoux, s'orne de broderie et de passementerie d'or ou d'argent ; fourrures et dentelles s'ajoutent aux pourpoints de taffetas ou de satin. Les armures s'ornent elles aussi de motifs emblématiques ou héraldiques. L'ébénisterie française se hisse au niveau d'un art, dans ses longues tables à rallonges à l'italienne, ses chaises d'apparat avec accoudoirs, ses crédences et dressoirs, ses coffres à tiroirs et ses grands lits à courtines. Le tour ou la gouge sculptent arabesques et cannelures, motifs végétaux ou figures mythologiques. Ainsi, l'art s'ajoutant à la technique vient donner au décor de l'existence un luxe nouveau.

Tout ce monde artistique est loin d'être coupé du milieu littéraire : les contacts, les échanges sont nombreux, dès l'époque des rhétoriqueurs. On voit Henri Baude composer peu avant 1480 ses *Dicts moraux pour faire tapisserie* et, un demi-siècle plus tard, Saint-Gelais, Chappuys et Héroët collaborer à *Trente huictains pour la tapisserie de Cupido et Psyché* : mais ces arguments versifiés précédaient-ils ou non la confection des cartons ? De tous les poètes de notre époque, c'est Lemaire qui fut le plus vivement attiré par la peinture. Ami de Perréal, il introduit un long discours de Peinture dans sa *Plainte du Désiré* et il y étale son admiration pour les anciens maîtres français (Fouquet, Jean Hay, S. Marmion ou J. Poyet), pour les grands Italiens (Vinci, Bellini, Pérugin) et les Flamands (van Eyck, van der Weyden) : connaissances rares pour son temps. Jean Bouchet consacre un « chapitre » de sa dixième *Epistre morale* (1545) *Aux Painctres*. Clément Marot n'a qu'éloges pour Perréal et pour Clouet, qu'il égale à Michel-Ange. Beaulieu compose un rondeau *A la louange d'ung painctre de Flandre*, qui est Corneille de Lyon. Saint-Gelais est lié avec les peintres de la cour. Enfin apparaît la curieuse figure de Nicolas Denisot, peintre et poète, qui portraiture Marguerite de Navarre, la Cassandre de Ronsard et la Francine de Baïf. Et l'on sait aussi combien étroits furent les liens entre Ronsard et l'entourage du Primatice, sans parler de collaborations exemplaires pour les entrées royales, comme celle qui réunit Scève et Bernard Salomon pour l'entrée d'Henri II à Lyon en 1548.

CHAPITRE VIII

L'âge d'or de la chanson française

« Aujourd'huy les Musiciens et Chantres font de tout ce qu'ilz trouvent, voient et oient Musique et Chanson » : cette remarque de Sébillet met l'accent sur l'un des phénomènes culturels les plus importants de la Renaissance, l'extraordinaire essor de la chanson, la magnifique floraison de chefs-d'œuvre, la diffusion de textes poétiques dans toutes les couches de la société grâce à la musique, et aussi les liens très étroits qui rattachent l'art vocal au mouvement des lettres. Pendant toute notre période, musique et poésie marchent volontiers côte à côte, et la compréhension de la vie littéraire serait bien incomplète si elle négligeait cette alliance. Depuis Machaut, qui incarnait encore le musicien-poète, une dissociation s'était opérée, faisant du compositeur et du versificateur deux hommes différents, qui collaboraient de façon fortuite, ayant perdu la notion d'une unité organique du genre lyrique. Or la tendance générale, dès la fin du xve siècle, va vers un rapprochement, dont les étapes se marquent dans les tentatives de rhétoriqueurs tels que Molinet ou Lemaire, d'un Marot et plus tard d'un Ronsard ou d'un Baïf, fondateur d'une ambitieuse mais éphémère *Académie de Poésie et de Musique*.

La profession de musicien, exercée dans les grands centres culturels (cours princières ou chapelles de chapitres), nécessitant un bagage technique et culturel appréciable, favorise les contacts avec les écrivains ; la condition errante du compositeur ou du chantre permet d'incessants échanges entre les pays et les écoles : c'est par exemple l'abondance de musiciens français en Italie qui explique la grande réceptivité de ce pays aux formes musicales des Franco-flamands. Le monde de la musique est très largement ouvert sur l'extérieur : entre Flandre et Italie, France et Empire, il ignore les frontières.

La vie musicale avait atteint à la fin du xve siècle un premier sommet, grâce surtout aux Bourguignons, princes-mécènes particulièrement attirés par la polyphonie, qu'ils savaient intégrer aux fastes de leur cour ; les grands créateurs de cette génération (Dufay, Binchois, Busnois, Obrecht) sont tous passés par les chapelles de Cambrai, Tournai, Laon ou Malines. A la cour de France entre 1452 et 1496 brille d'un éclat incomparable (*Sol lucens super omnes*, disait Molinet, *Aurea vox*, selon Erasme) la forte personnalité, un peu austère et méditative, d'Ockeghem, créateur d'une sensibilité musicale faite de mélancolie et de mysticisme, dont les successeurs auront nom Brumel, Févin, Mouton et Josquin des Prés (en France de 1505 à 1515). Héritiers des Bourguignons, Maximilien puis Marguerite d'Autriche se font eux aussi les protecteurs d'une pléiade de talents éminents, Isaac, Obrecht, La Rue et à nouveau Josquin. Parler d' « école franco-flamande » n'est qu'une approximation commode pour embrasser une réalité territoriale opposée à l'Italie, mais aux aspects fort divers : cependant, la dominante des œuvres, en majorité religieuses datant d'entre 1470 et 1510 semble être la gravité des accents, l'effort hyper-conscient de structuration quasi mathématique du contrepoint dense et fouillé, l'atmosphère plutôt intellectuelle de ces musiques tendues et désincarnées. L'idéal du temps est l'*ars perfecta*, où s'allieraient la cérébralité et une affectivité contenue, dans la recherche d'une « vérité » harmonique sensible à travers la rigueur de l'exposition et de la construction.

Le sentiment, émotion, mélancolie ou sourire, apparaît pourtant dans la veine plus libre de la chanson, qui rencontre déjà un succès considérable. Pour la période 1480-1520, plus de soixante chansonniers manuscrits nous sont parvenus ; il y en avait trois fois moins entre 1450 et 1480. Le contrepoint s'y assouplit, l'harmonie renonce aux dissonances trop rudes, la ligne mélodique, parfois préexistante à l'œuvre qui l'emprunte au répertoire populaire, l'emporte sur la construction verticale des accords. Les textes sont fournis par l'inspiration aristocratique et courtoise (rondeaux et virelais) ou proviennent aussi du fonds populaire (*La Belle se siet, Margot labourés les vignes, L'Amour de moy*). Il arrive plus rarement que les musiciens demandent leurs textes aux rhétoriqueurs : seules quelques poésies de Meschinot ou de Lemaire (*Epitaphe de l'Amant Verd*) sont ainsi traitées, et il faudra attendre la génération suivante pour voir utilisés les textes de H. Baude, de P. Danche ou de Jean Marot.

Cependant, les rapports des rhétoriqueurs avec les musiciens sont nombreux et étroits, allant du compliment officiel à l'amitié la plus ferme. Cretin connaît de nom tous les musiciens de quelque importance et se lie avec Ockeghem ; Molinet, musicien lui-même, fournit à Loyset Compère ou à Busnois des textes et entretient avec eux une correspondance suivie. Lemaire revient à mainte reprise sur l'alliance des deux formes artistiques :

> Poetes bons et bons musiciens
> Doibvent icy, par bonne et meure audace,
> Prester du sucre ung chascun de sa casse [...].

Or meslez doncq telle armonie ensemble,
Que tout ainsi que maint chesne et maint tremble
Orphie esmeut à le suivre et l'ouyr,
Ainsi vous tous faictes tant qu'il nous semble
Que tout le monde en sa machine tremble,
Et que maint fleuve et maint rochier s'assemble
Pour de voz chantz en grant pitié jouyr.

La Plainte du Désiré et la *Concorde des deux langages* seront l'occasion de louanges adressées à Ockeghem, Josquin, Compère ou à d'obscurs *minores*. Et de solennelles déplorations seront consacrées à la mémoire des musiciens illustres.

D'un autre côté, la théorie musicale va tenter les humanistes. Jean Tinctoris avait rédigé en 1476 son *Liber de arte contrapuncti*, où se reflète la technique des anciens maîtres Dufay ou Binchois. Les idées d'Erasme sur la musique font la matière d'un volume de quelque importance ; c'est son disciple bâlois Glaréan qui codifiera dans l'*Isagoge in musicen* (1516) et surtout dans le *Dodecachordon* (1519-1539, publié en 1547) la pratique « josquinienne », assortie de commentaires érudits et de pertinentes analyses musicales. Mais on en reste généralement au niveau de l'ouvrage de pure technique, et plus nombreux sont les brefs traités pratiques sur la lecture (somisation) et l'interprétation (ornementation) de l'écriture musicale. Quant à certains compositeurs savants, à tendance hermétiste, ils se tourneront vers une « Musica reservata » d'accès ardu, qui illustre volontiers les vers d'Horace ou de Virgile.

Mais nous nous attacherons plutôt à relever les traces de la pénétration musicale dans la société la plus étendue et dans les activités les plus diverses. Le riche domaine de la musique religieuse, si brillamment représentée jusqu'à la fin du règne de Louis XII, perdra ensuite de son importance ; les messes et les motets deviennent de simples exercices d'écriture en réponse aux commandes officielles. Ce n'est qu'avec la chanson spirituelle des réformés qu'elle prendra un nouvel essor : on sait l'importance considérable du *Psautier* de Clément Marot, mis en musique dès 1539 sous forme de monodies vigoureuses et amples, propres au chant des fidèles, avant de servir de base aux grands psautiers polyphoniques de Mornable, Goudimel ou Champion. D'autres paraphrases de psaumes (par G. d'Aurigny) ou des textes originaux (comme les poésies spirituelles de G. Guéroult), mis en musique par Didier Lupi, connaîtront également une grande diffusion. Alors que la musique sacrée des catholiques reste l'apanage des chapelles et des maîtrises, le cantique réformé, écrit en langue vulgaire, est sur les lèvres de toute une assemblée.

Il est un autre aspect musical qui touche lui aussi toutes les conditions : comme la chanson ou le cantique, la danse est l'affaire de chacun. Aux basses-danses du XVe siècle, commentées par M. Toulouse (*L'Art et Instruction de bien dancer*), succèdent dans la faveur populaire ou aristocratique les branles (danse favorite sous François Ier), gaillardes et tourdions, les pavanes et les saltarelles. Antoine d'Arena en traite longuement dans son poème macaronique *De arte dansandi*, et Rabelais dressera dans le *Cinquième Livre* une impressionnante liste de cent soixante-dix-sept airs à danser. En cinq ans, le premier imprimeur de musique français, P. Attaingnant, publie onze recueils de musique instrumentale, la plupart consacrés à la musique de danse. La pratique du luth, instrument aristocratique cher aux poètes, se répand après 1525, alors que la musique populaire a plus volontiers recours aux instruments à vent.

Dans la vie quotidienne, la chanson se rencontre partout : non seulement elle inspire les airs à danser, d'ordinaire bâtis sur les timbres les plus connus, non seulement elle sert de point de départ thématique aux compositions sacrées (messes-parodies, souvent sur des textes fort peu recommandables), mais on la voit aussi accompagner les gestes du travail (chansons de métiers : *Je fille quant Dieu me donne de quoy*, *Pilons l'orge*) et les solennités des fêtes publiques. Elle commente la marche de l'histoire, dans les chansons d'aventuriers, de guerre ou de satire politique, si nombreuses à l'occasion des expéditions d'Italie ; elle assaisonne les représentations des moralités, farces, soties ou mystères (chansons du cycle de Robin et Marion) auxquels elle emprunte à son tour les types populaires dont elle contera les joyeux exploits ou les ridicules.

Josquin et ses disciples choisissaient parfois leurs textes dans la chanson populaire : lamentations des maumariées, ou rêves d'amour des jeunes pucelles, caroles de mai et rencontres dans les bocages. Les beaux chansonniers de Françoise de Foix ou de Charles de Bourbon, et surtout les premiers recueils de musique imprimée (par Petrucci, l'*Odhecaton*, de 1501 et ses suites) permettent de fixer le premier maillon d'une chaîne. Il est plus malaisé de cerner l'évolution du genre entre 1500 et 1520, où s'épanouissent des talents mineurs : aux complications rythmiques de l'ancienne école répond un effort de simplification et de naturel. Mais c'est avec les débuts de l'imprimerie musicale française (1528) que se marquera le grand épanouissement de cette forme nationale que l'on n'a pu nommer autrement que chanson française ou encore chanson parisienne. Un premier groupe de musiciens, où brillent les Parisiens Jannequin et Sermisy et les Lyonnais Lupi et Phinot, s'exerce aussi bien dans le domaine de la chanson savante, volontiers ouverte aux motifs pétrarquisants, que dans celui de la chanson « rurale », à la thématique plus traditionnelle et où les anciennes formes fixes se maintiennent mieux (rondeaux et virelais), ou dans la branche voisine de la chanson narrative « avec propos ». N'oublions pas les grandes fresques descriptives dont Jannequin s'est fait une spécialité et qui ont souvent une verve rabelaisienne (*La Bataille de Marignan*, *Le Chant de l'Alouette*, etc.). La musique s'efforce déjà de suivre le texte par une déclamation syllabique fondée sur les lignes mélodiques de la phrase, mais elle hésite encore entre le contrepoint en imitation et l'homophonie verticale. Avec l'apparition d'une nouvelle génération (Certon, Arcadelt, Costeley), on notera une évolution très sensible du genre vers une structure harmonique simplifiée, où s'amorce la tendance vers l'air de cour homophonique. Le vaudeville ou la chanson « en forme d'air » en vogue avant 1550 sont des formes allégées, qui vont dans le sens des exigences formulées par les poètes de la nouvelle école, soucieux de redonner au texte toute sa valeur, car le contrepoint ne favorisait guère la compréhension suivie des paroles diversement réparties entre les voix.

Les imprimeurs de musique, Attaingnant, Moderne ou Du Chemin, ont joué un rôle capital, en suscitant les compositions, en faisant exécuter les arrangements, en établissant des liens entre les musiciens et en diffusant leur production. D'autres libraires, spécialisés dans les productions « populaires », impriment en abondance les « paroliers » reproduisant les succès du jour (Lotrian, Bonfons, Rigaud). Deux mille cinq cents poésies environ ont été mises en musique pendant la première moitié du siècle, souvent à plusieurs reprises : soit une masse d'environ quatre à cinq mille chansons. L'ensemble constitue un *corpus* de textes poétiques dont on ne devrait pas négliger la valeur. Les textes signés proviennent des poètes marotiques, de Saint-Gelais, de Scève. Marot lui-même a été sollicité plus de deux cent soixante fois : les meilleurs musiciens du temps se sont attachés à traduire épigrammes ou rondeaux, et surtout les chansons, chacun selon sa manière. Sermisy se cantonne dans le registre élégiaque et délicatement langoureux, alors que Jannequin passe avec la même aisance de la satire humoristique aux plaintes amoureuses, de la truculence hardiment suggestive à la tendresse caressante. Ce dernier compositeur se singularise par l'éclectisme de son choix poétique, qui va des anciens poètes du xve siècle à Baïf et Ronsard ; on le sent perpétuellement à l'affût de textes neufs, intéressants : ainsi, il est le premier à avoir mis en musique un sonnet.

Les quarante-deux chansons de Marot sont parmi les textes les plus répandus du siècle : le poète les avait écrites sans souci du compositeur, consacrant un développement libre, souvent strophique, à l'expression variée du sentiment amoureux. La polyphonie les répandra à travers toute l'Europe, et nombreuses seront les imitations. On ira jusqu'à démarquer ces textes pour leur donner un contenu moral ou apologétique : *Vous perdez temps de me dire mal d'elle* devient *Vous perdez temps de mespriser l'Eglise*, et Beaulieu parodie lourdement :

> Tant que vivray en aage florissant,
> Je serviray le Seigneur tout puissant,
> En faictz, en dictz, en chansons et accors.
> Le vieil serpent m'a tenu languissant,

> Mais Jhesuschrist m'a faict rejouissant
> En exposant pour moy son sang et corps.

C'est précisément parce que ces chansons étaient partout chantées qu'on s'est ainsi attaché à les défigurer, à une fin édifiante.

Les goûts poétiques des musiciens sont étonnamment variés : ils témoignent en tout cas de leur information en matière littéraire. Certaines poésies de Marot sont imprimées pour la première fois dans des recueils collectifs de chansons ; mais, à l'inverse, le recueil de *Vaudevilles* de Jehan Chardavoine (1576) emprunte encore ses textes à Saint-Gelais, Forcadel, Des Périers, La Tour d'Albénas ou d'Aurigny. Friands de nouveauté ou amateurs d'ancienne poésie, les compositeurs fournissent ainsi un témoignage appréciable sur la réceptivité du public aux diverses tendances poétiques.

En outre, les deux tiers des textes de chansons sont anonymes, et il n'est pas interdit de penser que plus d'une fois ils sont issus de la plume même du musicien. Ils s'étendent rarement au delà du dizain et, lorsqu'ils ne sont pas d'inspiration populaire, ils trahissent souvent l'influence marotique. Leur thématique est toute conventionnelle ; l'amour est le principal sujet, traité soit dans la note égrillarde et taquine, soit à la manière courtoise, soit enfin selon les grands clichés élégiaques du pétrarquisme. La valeur intrinsèque de ces poésies est loin d'être négligeable : une anthologie des meilleures ne déparerait pas une collection de chefs-d'œuvre littéraires. Contentons-nous de cette épigramme du songe séduisant :

> Toutes les nuictz tu m'es presente
> Par songe doulx et gratieux,
> Mais tous les jours tu m'es absente,
> Qui m'est regret fort ennuyeux.
> Puis donc que la nuict me vault mieulx,
> Et que je n'ay bien que par songe,
> Dormez de jour, ô pauvres yeulx,
> Affin que sans cesse je songe.

Les échanges constants entre la poésie et la musique, la diffusion de l'une aidant au rayonnement de l'autre, s'expliquent en dernière analyse par cet amour du chant qui s'affirme dans toutes les conditions sociales. Improvisation ou polyphonie, la musique jaillit à chaque minute de la vie : «après se esbaudissoient à chanter musicallement à iv. et v. parties ou sus un theme à plaisir de gorge », dit Rabelais de ses personnages, et Noël Du Fail montre lui aussi les villageois bretons entonnant après boire force chansons à plusieurs voix. Ils ne sont pas les seuls à nous donner l'image d'une France où l'on chante beaucoup et où l'on prête attention à ce que l'on chante.

Troisième partie

LE MOUVEMENT DES LETTRES

24-25-26. MARGUERITE DE NA-
VARRE. « SUITE DES MARGUERITES
DE LA MARGUERITE DES PRIN-
CESSES... » *Lyon, J. de Tournes,
1547.* L'Histoire des satyres et
nymphes de Dyane *est illustrée
par une vignette de B. Salomon (25)
qui en grave dix pour le conte :* La
Coche *(26).*

27. ORONCE FINÉ. « DE MUNDI
SPHAERA, SIVE COSMOGRAPHIA... »
*Paris, Simon de Colines, 1542.
in-fol. Cette illustration déjà parue
dans le* Protomathesis [...] *du même
auteur, publiée en 1532, représente
Uranie apparaissant à l'auteur. La
gravure est d'Oronce Finé lui-même,
ainsi que toutes les figures destinées
à la compréhension du traité de
l'auteur.*

28. BONAVENTURE DES PÉRIERS.
« CYMBALUM MUNDI... » *Lyon,
B. Bonnyn, 1538, in-8°. Exemplaire portant une inscription autographe à l'encre rouge pâle :* « l'auteur Bonaventure des Périers, homme
méchant et athée comme il appert par
ce détestable livre ». *Au-dessous, on
lit une autre mention* manuscrite *d'une
écriture antérieure à 1623 :* « telle
vie, telle fin. Avéré par la mort de
ce misérable indigne de porter le
nom d'homme. » *Le mot* Poeta *ne
désigne pas le poète lyrique, malgré
la* « lyre », *mais celui qui sait la
vérité sous le voile de la fiction, en*
« Dialogues Poétiques. »

*On a reproduit page 101 la page
de titre de l'ouvrage du même auteur :*
« Les Nouvelles récréations... » *imprimé en caractères Granjon.*

29 et 33. GILLES CORROZET.
« HÉCATOMGRAPHIE. C'EST-A-DIRE
LES DESCRIPTIONS DE CENT FI-
GURES ET HYSTOIRES CONTE-
NANTES PLUS APPOPHTEGMES... »
*Paris, D. Janot, 1540, in-8°. Les
mêmes encadrements de feuillages
avaient déjà été employés pour l'illus-
tration du* Théâtre des bons engins
de G. de La Perrière.

30 et 32. ANDRÉ ALCIAT. « EM-
BLEMATUM LIBELLUS. » *Edition en
latin et en caractères italiques publiée
par Ch. Wechel en 1534 à Paris.
L'édition en français des* Emblèmes
*paraît en 1536 et en 1548 chez
J. de Tournes à Lyon (31). On
notera l'utilisation des différents caractères.*

34, 35, 36. MAURICE SCÈVE. « DE-
LIE. OBJECT DE PLUS HAUTE
VERTU. » *Lyon, S. Sabon, pour
A. Constantin, 1544, in-8°. Suite
de 50 emblèmes intimement liés aux
sonnets.*

37. MAURICE SCÈVE. « SAULSAYE.
EGLOGUE, DE LA VIE SOLITAIRE. »
*Lyon, J. de Tournes, 1547, in-8°.
Vignette de B. Salomon montrant
des bergers au bord du Rhône, de-
vant la colline de Fourvières.*

SVYTE DES
ARGVERITES
E LA MARGVERITE
DES PRINCESSES,
TRESILLVSTRE
ROYNE
DE
NAVARRE.

A LYON,
AR IEAN DE TOVRNES.
M. D. XLVII.

Auec Priuilege pour six ans.

ET NYMPHES DE DYANE.

VN iour trescler, que le Soleil luysoit,
Et sa clarté vn chacun induysoit
Chercher les boys, haults, fueilluz, & espais,
Pour reposer à la frescheur, en paix.
Faunes des boys, Satyres, Demydieux,
Sceurent pour eux tresbien choisir les lieux
Si bien couuers, que le chault en rien nuire
Ne leur pouuoit, tant sceust le Soleil luyre.
Sur le lict mol, d'herbette, espesse & verte,
Se sont couchez, ayans pour leur couuerte,
Vne espesseur de branchettes, yssues
Des arbres verds, iointes comme tyssues,
Et aupres d'eux (pour leur soif estancher)
Sailloit dehors d'vn cristallin rocher,
Douce & claire eau, tresagreable à voir,

24   25

LA COCHE.   3

Ainsi pourrez, par ce tresseur refuge
Auoir le Roy que desirez, pour iuge.
Qui sans refus d'vn cœur doux & humain
Regardera venant de telle main
Tout ce discours; qui est digne de luy,
Et l'Escriture aura pour son appuy
Celle qui peult la defendre de blasme,
Et l'excuser comme vne œuure de femme.
Ainsi pourra couurir sa charité
Deuant les yeux de la seuerité
Du Roy qui fait à tous iugement droit,
Ce que i'ay trop failly en chasque endroit.

Lors d'vn accord, sur le poinct, nous trouuasmes
Dedens la Coche au logis arriuasmes.

26

27

CYMBALVM
MVNDI EN FRANCOYS
CONTENANT QVATRE
Dialogues Poetiques, fort antiques,
ioeux, & facetieux.

POETA.

Probitas laudatur, & alget.
M. D. XXXVIII.

28

29

Ex arduis perpetuum nomen.

Crediderat platani ramis sua pignora passer,
Et bene ni sæuo uisa dracone forent.
Glutijt hic pullos omnes, miseramq́ parentem

30

34

37

...mor-

...t hault son
...oisson,
...assé,
...au dressé.
...onde,
...ut le monde,
...ience, & pro-
...t æternité, la
...les choses est
...'eloquence.

L 2

31

Ex literarum ſtudijs immortalita=
tem acquiri.

Neptuni tubicen,cuius pars ultima cetum,
Aequoreum facies indicat eſſe Deum.
Serpentis medio Triton comprænditur orbe,

32

Beaulté compaigne de bonté.

Comme la pierre precieuſe
Eſt à l'anneau d'or bien conioincte,
Ainſi la beaulté gracieuſe
Doibt eſtre auecq la bonté ioincte.

33

35

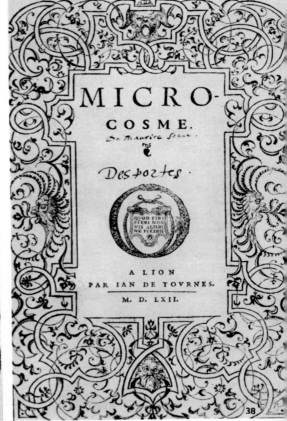

MICRO-
COSME.
De Maurice Scève.

Des portes.

A LION
PAR IAN DE TOVRNES.
M. D. LXII.

38

DE MORT A VIE.

36

Du liĉt fus lequel as monté
Ne defcendras a ton plaifir.
Car Mort t'aura tantoſt dompté,
Et en brief te uiendra faifir.
                              G ñ

Amour qui unyz nous faiĉt uiure,
En foy nez cueurs preparera,
Qui long temps ne nous pourra fuyure,
Car la Mort nous feparera.
                              •

Væ væ habitantibus in terra.
APOCALYPSIS   VIII.
Cunĉta in quibus ſpiraculum vitæ eſt, mortua ſ
GENESIS   VII

Malheureux qui uiuez au monde
Touſiours remplis d'aduerſitez,
Pour quelque bien qui uous abonde
Serez tous de Mort uiſitez.

De la proportion des lettres

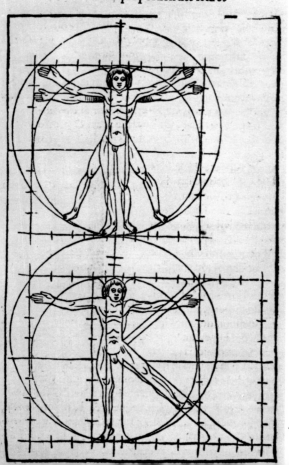

b
BACCHVS
CERES ET
VENVS
SONT ICY
MENEZ CA
PTIFZ.

VEla donques comme ſay dit, commant le I,
eſt le modele & proportion aux lettres At=
tiques, Ceſt a ſcauoir, a celles qui ont ſambes dro=
ittes. Nous verrons de le O. ou nous ferons le B.
qui eſt de le I. & de le O. entendu quil a ſambe &
panſe qui denote briſeure.

EN ceſt endroit louuant noſtre ſeigneur Dieu,
Ie feray fin a noſtre Segond liure, au quel
auons ſelon noſtre petit entendement demon=
ſtre lorigie des lettres Attiques & auõs voulu ſua=
der & prier, la quelle choſe encores prions, que
quelques bons eſperits ſeuertuaſſent a mettre no=
ſtre langue francoiſe par reigle, afin quen peuſ=
ſions vſer honneſtement & ſeurement a coucher
par eſcript les bonnes Sciences, quil nous fault
mendier des Hebreux, des Grecs, & des Latins,
& que ne pouuons auoir ſans grans couſts / fraiz/
& deſpens de temps & dargent.

LA FIN DV SEGOND
LIVRE.

38. MAURICE SCÈVE. « MICRO-
COSME. » *Lyon, Jean de Tournes,
1542. Page de titre avec la signa-
ture de Desportes.*

39, 40, 41. HOLBEIN. « LES SIMU-
LACHRES ET HISTORIÉES FACES DE
LA MORT. » *Compositions gravées
d'après les dessins de Holbein et
publiées dans l'édition de M. et
G. Trechsel à Lyon en 1538.
Les trois vignettes reproduites ici,
seront reprises dans une édition de
la Bible :* Historium veteris ins-
trumenti icones... *de N. Buffet,*

*accompagnées de quatrains attribués
à Gilles Corrozet.*

42-43. GEOFFROY TORY. « CHAMP-
FLEURY. AUQUEL EST CONTENU
L'ART ET SCIENCE DE LA DEUE ET
VRAYE PROPORTION DES LETTRES
ATTIQUES... » *Paris, Gilles de Gour-
mont, pour G. Tory, 1529. L'illustration, entièrement de la main de Tory,
montre la construction des lettres capitales. Elle comporte 11 planches d'al-
phabets et de modèles de chiffres et
de lettres entrelacées. La vignette
reproduite ici (43) représente le
Triomphe de Cérès et de Bacchus.*

CHAPITRE I

La poésie néo-latine

Trop longtemps négligée, la poésie latine de la Renaissance représente cependant un domaine considérable, dont il convient de mesurer et l'extension et l'importance pour apprécier avec exactitude la poésie de langue française. N'oublions pas que quelque sept cents poètes ont écrit en latin pendant le siècle, soit une production à peu près équivalente en quantité aux œuvres françaises. La poésie latine est en fait une sorte d' « internationale » des belles-lettres, grâce à l'universalité de son idiome et grâce aux relations qui unissent les écrivains à travers toute l'Europe. Son épanouissement ne saurait se séparer des progrès de l'humanisme, qu'elle accompagne fidèlement et dont elle est comme une conséquence. Les rhétoriqueurs avaient choisi la langue nationale pour moyen d'expression ; les humanistes seront naturellement amenés à utiliser le latin. On réapprend à aimer les œuvres de l'Antiquité, surtout Virgile, Ovide, Horace, Martial et les grands élégiaques. Convaincus de la valeur exemplaire de ces textes, les poètes humanistes s'efforcent de modeler sur eux leur production, tant pour les formes que pour les thèmes d'inspiration.

Il est vrai que ces poésies nouvelles illustrent d'abord un art du pastiche, où le centon règne en maître, où le fin de la création consiste à faire du faux Catulle, à démarquer scrupuleusement Virgile. Certains y réussissent si bien qu'on les prendra pour des Anciens : témoin Marulle, au patronyme providentiel. Mais ce sont tout de même des hommes de 1500 qui écrivent, et ils ne sont pas insensibles aux progrès de la connaissance ou aux problèmes de la conscience de leur temps : ils ont foi dans cette ère nouvelle qu'ils vont vivre et où tout changera pour le bien de l'humanité ; ils saluent avec enthousiasme les découvertes qui leur paraissent autant de jalons dans la conquête de l'esprit et du monde ; avec les penseurs, ils prennent part aux débats qui bouleversent l'ordre médiéval. S'ajoute à cet écho du monde la simplicité, la sincérité d'une poésie du quotidien, vivante et vibrante des multiples joies ou soucis de la vie domestique, sans cesse ravivée par une ingéniosité étonnante. Enfin nos poètes témoignent d'un sens esthétique affiné par ce contact étroit avec les chefs-d'œuvre du passé : pleins d'une finesse délicate, ils sont attentifs aux rythmes, aux mètres, aux genres, ils ont le culte de la forme. Il serait donc très injuste de ne voir dans leurs écrits qu'exercices d'école ou poésie de magisters : le tempérament, l'existence et le goût y ont leur grande part.

Florence fut le creuset de l'humanisme érudit : c'est Naples qui sera le berceau d'une renaissance de la poésie latine dès le milieu du xve siècle. Sous Alphonse d'Aragon, Laurent Valla et Beccadelli montrent le chemin, le second donnant avec son *Hermaphrodite* (v. 1430) le modèle de ces recueils « fourre-tout » dans lesquels les piécettes se répartissent entre trois centres d'inspiration : la religion, les circonstances et l'amour. Sous Ferdinand II apparaîtra la grande triade, formée par Pontanus, Sannazar et Chariteo, complétée par de nombreux *minores*. J. J. Pontanus, humaniste, poète et diplomate, joua dans sa cité un rôle éminent, notamment au sein d'une petite académie qu'il avait fondée. Sa production abondante et variée (*Amores*, *Eclogae*, *Tumuli*, *Eridanus*, etc.) reste constamment liée à la personne même de l'auteur. A côté de lui, Sannazar, son protégé, jouit d'une réputation au moins aussi grande et fut même plus connu en France. On sait le succès de son *Arcadie*, églogue italienne, traduite en 1544 ; il faut y ajouter l'écho rencontré par ses *Eclogae piscatoriae* (1499) ou par son grand poème épique et chrétien, *De Partu Virginis* (1526).

Dans toutes les villes, dans toutes les petites cours d'Italie, de nombreux poètes continuent, avec des fortunes diverses, les élégiaques et les épiques latins. A Rome, les deux Strozzi ; à Milan, dès le milieu du xve siècle, le grand humaniste Fr. Filelfo ; et d'autres grands noms, dont l'influence en France sera parfois considérable : à Mantoue, Baptiste Spagnoli, auteur de poésies chrétiennes ; à Vérone, Fracastor ; à Venise, le grand Bembo qui, à côté de ses œuvres italiennes, donna en 1526 un poème latin, *Benacus*, ou le fameux Navagero (Naugerius), auteur d'*Eclogae* et d'*Epigrammata* publiés en 1546 ; enfin à Florence, à côté de l'humaniste C. Landini, qui fut l'un des grands platonisants, deux étoiles : Ange Politien, renommé pour ses *Silvae* et ses *Epigrammata*, aux sujets insignifiants parfois mais d'une facture impeccable ; et Michel Marulle, grec de naissance, dont les *Epigrammata* (1497 et 1515) seront l'une des grandes sources de Ronsard. Auteur original, plein de tendresse et de passion, Marulle enchâsse un langage direct et simple dans un style à la frappe ferme et élégante. On lui doit aussi des *Neniae*, des *Hymni naturali*, consacrés à décrire la nature sous une fabulation mythologique et dans une langue inspirée.

D'autres poètes latins originaires d'Italie vinrent en France dès la fin du xve siècle, la plupart pour enseigner, comme Béroalde et Balbi. Fausto Andrelini restera une trentaine d'années (1488-1525) : cet élève de Filelfo, pétulant et malin, écrit des poésies religieuses ou érotiques, des *Elegiae* et un *Carmen de Virtutibus*, de propos philosophique. Jérôme Aléandre, professeur puis recteur à Paris jusqu'en 1514, écrira la préface de la *Chordigera* de Brice. J. Fr. Quintianus Stoa sera couronné *poeta laureatus* par Louis XII en 1509 ; il compose un poème à la louange de Paris *(Cleopolis)* et dédie au roi une grande élégie *(Paraclesis)* ; H. Angeriano rassemble ses poésies à Coelia dans l'*Erotopaegnion* ; un peu plus tard, le juriste André Alciat, professeur à Bourges, donnera avec ses *Emblemata* (1534) le chef-d'œuvre d'un genre de poésie sentencieuse appelé à un large succès. Enfin, Benedetto Tagliacarne (Theocrenus), précepteur des enfants de France, publiera ses *Poemata* en 1536.

Mais les poètes de France n'étaient pas demeurés en reste, depuis Robert Gaguin, auteur d'un *De arte metrificandi* où s'affirme la réflexion théorique. Ce furent d'abord des humanistes, car, ici encore, le réveil de la poésie latine est inséparable de la renaissance des lettres. Cela explique le solide fond d'érudition sur lequel s'édifie cette poésie, qui a tendance à négliger tout l'acquis des générations précédentes. Le travail d'imitation des Anciens s'accompagne d'une volonté de rénovation et d'exaltation de la poésie en France (comme si les rhétoriqueurs n'avaient rien apporté) ; Salmon Macrin se félicitera des résultats obtenus en disant à ses confrères :

> Vestra namque opera et labore factum,
> Insigni simul eruditione,
> Haec ut natio Gallicana, nullo
> Ante humaniter instituta cultu ;
> Et quae barbara diceretur olim,
> Jam agrestem exuat expolita morem
> Ipsam jam Attida Graeciamque totam
> Doctes provocet, ac Remi nepotes
> Nec sese Italia putet minorem.

> *(Ad poetas gallicos,* 1537.)

Ce serait d'ailleurs faire grand tort à ces poètes que de les considérer comme des hommes uniquement attachés au passé et à la tradition : bien souvent, loin d'être des adorateurs béats de l'Antiquité, ils ont été du parti de l'audace, autant en matière religieuse que dans le combat pour l'esprit. Ils ont combattu pour la création du Collège Royal ; ils ont pris parti pour leur pays face à Rome ou face aux ennemis du souverain. Ils ont repris et publié les thèmes humanistes, la glorification du savoir et de l'étude, l'exaltation du temps présent, appelé à une brillante mission éducatrice. Si l'apogée de la poésie latine en France se place vers 1535, ce n'est pas un hasard : cela correspond à la fois aux débuts prometteurs du Collège Royal et aux succès de Marot et de ses émules. Car le rôle de nos poètes est en somme parallèle à celui que joue Marot. Il n'y eut d'ailleurs jamais de coupure entre la poésie française et la latine : les relations sont nombreuses et cordiales, on échange des thèmes ou des poésies de louange, on traduit même dans un sens comme dans l'autre. Jamais on n'a le sentiment d'une séparation entre les deux domaines, et l'on verra même plus d'un néo-latin convaincu rompre des lances en faveur de la langue française.

Il semble possible de distinguer, dans l'évolution de la poésie latine en France, trois moments. Le premier (jusqu'en 1525 environ) est à la croisée de la tradition latine médiévale et de l'humanisme ; les œuvres appartiennent souvent au domaine religieux ou moral. Cet esprit persistera d'ailleurs pendant tout le siècle : les poètes diront souvent, avec Bourbon, « Faciam Musas Christo servire ». Toutefois la tendance est plus nette au début de notre période, avec les œuvres de Gaguin (*De puritate conceptionis Virginis Mariae*), de Pierre de Bur (*Moralium Carmina*, 1503), de Guillaume Du Bellay, de Diophilax (*Christomachia*, 1527) ou de Pierre Antravane (*Aurea Summa de fuga vitiorum nuncupata*, 1521).

Appartiennent également à cette première époque les auteurs de poésies patriotiques exaltant les campagnes en Italie, comme le *Bellum Ravennae* (1513) d'Humbert de Montmoret (auteur en outre d'une *Herveis*) ou les gloires historiques, tel le *De Gestis Joanne Virginis* (1516) de Valerand de la Varanne, où, aux côtés de l'héroïne, apparaît Charlemagne, devenu le symbole du courage français. L'œuvre est attirante, malgré le défaut d'unité épique, par la frappe énergique et concise du vers et le souffle qui anime certains épisodes.

Les auteurs les plus marquants de cette génération cultivent tous les genres : Remacle donne des *Amores* (1513), des *Epigrammata* (1507) et une pièce de théâtre, *Palamedes* (1507) ; Nicolas Barthélemy, bénédictin, ami de Budé, exploite surtout la veine religieuse ou moralisante (*Momiae*, 1514 ; *De vita activa et contemplativa*, 1523, etc.), comme Pierre Rosset, *poeta laureatus;* enfin Germain de Brie (Brice ou Brixius), le plus important du groupe, publie en 1513 sa fameuse *Chordigerae navis conflagratio*, l'une des œuvres les plus intéressantes dans son genre, qui relate l'incendie et le naufrage du vaisseau français *La Cordière*, lors d'un combat contre la flotte anglaise ; il y a quelque chose d'hallucinant dans la description de ces bateaux transformés en brûlots, puis de la mer promptement rassérénée après le naufrage et n'en conservant nulle trace. En 1510, Brice fera paraître un recueil de poésies diverses d'une inspiration très variée ; il donnera enfin un petit écrit satirique, l'*Anti Morus*, contre l'humaniste anglais qui s'était moqué de son grand poème.

Le deuxième moment de cette brève histoire correspond à l'époque des luttes pour le Collège Royal, à la « génération des poètes enthousiastes » (Murarasu). Leurs attaques contre la Sorbonne et Béda, leurs encouragements réciproques se coulent dans l'épigramme nerveuse et alerte ou dans la souple épître. Pourtant l'inspiration religieuse persiste, avec Barthélemy (*Ode dicolos de natali Jesu Christi*, 1532, et sa meilleure œuvre, la tragédie *Christus Xylonicus*, 1529), Jean de Dampierre ou Hubert Sussanneau, excellent humaniste, lui aussi partagé entre la veine religieuse et profane (*Ludorum Libri*, 1538). L'essentiel de la production de ce temps appartient à un petit groupe de poètes lyonnais, Bourbon, Visagier, Dolet, Ducher et les Scève. Nicolas Bourbon, poète précoce, fut en relation avec tout ce que la France comptait d'esprits audacieux ou cultivés. Personnalité complexe, agitée, changeante, il chanta sa Rubella en des vers parfois très ardents ; il se livra à des jeux poétiques ingénieux et plaisants ; il échangea de nombreuses pièces avec ses amis et gratifia ses protecteurs des louanges les plus solennelles. Il imita les anciens avec bonheur et nota, çà et là, quelques idées sur l'art poétique ; enfin, il confia à ses vers les menus faits de son existence, dans le mode spirituel et détendu. « Lire Bourbon n'est jamais perdre son temps. On y trouve, disséminée à chaque page, toute une vie d'homme » (Murarasu).

A côté de lui, Jean Visagier (Vulteius, Voulté, Faciot) représente un talent somme toute assez analogue, ce qui n'empêcha pas les deux poètes de se disputer âprement. Sa poésie amoureuse est vouée à une Clinia, d'autres pièces sont pleines d'une audace humaniste singulière. Dans ses *Epigrammata* (1536 et 1537) et dans ses *Hendecasyllabon* (1538) s'étale son amour pour les lettres et sa confiance en la mission dévolue à sa génération ; il célèbre François Ier, restaurateur des bonnes lettres, et il exalte la langue française.

Quant à Etienne Dolet, homme d'une culture prodigieuse, âme passionnée aux dons éclatants et fermement trempée d'un courage parfois imprudent, il n'a jamais écrit de poésies amoureuses, tout entier pénétré de l'amour de l'étude, épris d'un immense désir de savoir. Dans ses *Carmina* (1538) d'esprit marotique, souvent alertes et de belle facture, il montre à la fois un esprit patriotique, la foi en son époque et la passion des lettres, sur lesquelles il aura de belles pages dans ses *Commentarii linguae latinae*. S'y ajoutent d'assez tristes pensées sur l'existence terrestre et un appel aux âges futurs. Son *Genethliacum* (1539, « avant-naissance » de son fils) est une poésie pleine de noblesse et d'élévation, à la fois tendre et mélancolique. Cependant, la poésie latine n'est pour Dolet qu'un des aspects de son intarissable activité.

Un peu en retrait, voici la cohorte des talents mineurs : Gilbert Ducher, bon épigrammatiste, Guillaume et Maurice Scève, dispensateur de pièces liminaires ou chantre funèbre du dauphin, ou Geoffroy Tory, lui aussi poète d'occasion, mais d'aventure bien inspiré (*Aediloquium*, 1530, distiques sur des sujets domestiques ; *Epitaphia* pour sa fille morte toute jeune, qui est sa meilleure œuvre).

A ce moment d'exaltation, de luttes et finalement de succès, succède un dernier groupe, qui correspond à la bonace et où ce n'est ni l'enthousiasme ni la révolte qui dominent, mais la satisfaction et la quiétude. Un homme se trouve à la charnière de ces deux générations : précisément, c'est le néo-latin qui connaîtra la plus grande renommée, Salmon Macrin. Il a donné une douzaine de recueils entre 1528 et 1548 où voisinent l'inspiration religieuse et la veine érotique (il a, phénomène assez rare, chanté Gélonis, son épouse légitime). Il était assez doué pour tempérer un épicurisme bon vivant de méditations morales plus profondes ; il s'affirme heureux de connaître cette époque de renouveau et, conscient du progrès des lettres, il va jusqu'à critiquer certains traits de la poésie antique. Lui non plus ne méprise pas le français, qu'il voudrait voir illustrer autant que l'idiome ancien dont il a fait choix. Macrin fut un humaniste, mais on le considéra surtout comme l'un des plus grands poètes, peut-être le plus grand de son temps, « l'Horace français » : Sainte-Marthe, L. de Baïf, Dorat, Du Bellay, Ronsard n'ont qu'éloges pour lui.

Les autres poètes sont un peu éclipsés par Macrin, mais Jean Olivier, évêque d'Angers, mérite une mention, moins pour ses œuvres religieuses, estimables pourtant, que pour sa *Pandora*, œuvre à succès, traduite par G. Michel en 1542 et par P. Bouchet en 1548, et souvent imitée. Le prussien Eustathe de Knobelsdorf, installé à Paris, chanta sa ville d'adoption dans une *Lutetiae Parisiorum descriptio* (1543) et consacra lui aussi un poème à Jeanne d'Arc. Jules-César Scaliger, impétueux et irascible, outrecuidant et intransigeant, n'a pas donné dans ses vers latins le meilleur de son œuvre ; il a cependant des épigrammes d'une rare férocité et d'une accablante concision (1533). Georges Buchanan lui est bien supérieur, même dans l'épigramme ; mais on ne sait quand furent écrits ses poèmes, publiés tardivement en 1628, où l'on remarque des *Silvae*, des élégies et un *De Sphaera*, qui souffrent un peu de l'attention portée aux tragédies latines de Buchanan. Enfin, Théodore de Bèze, qui recueille en 1548 ses *Juvenilia*, est lui aussi un épigrammatiste de talent, habile à brocarder ses ennemis, en même temps qu'il est bon poète érotique *(Amatoria)* et à l'occasion auteur de vers religieux fort graves ou de silves élégamment tournées.

Il reste à parler d'un auteur, le plus attachant peut-être de ce temps, dont on ne voit pas bien quelle histoire littéraire nationale pourrait réclamer l'annexion. Jean Everaerts, dit Second, était né à La Haye, il fit ses études à Bourges, séjourna longtemps en Espagne, avant de retourner dans les Pays-Bas, où il mourut encore fort jeune. Ses contemporains ont vanté ses dons de peintre, de sculpteur, d'orateur, de poète et de juriste.

Toute son œuvre est posthume : c'est en 1539 que parurent les dix-neuf pièces sur lesquelles se fonde presque la totalité de sa réputation, qui fut considérable : les *Basia*. Cette poésie érotique, subtile, ardente, voluptueuse, langoureuse, est faite de variations lascives sur un thème unique, jusqu'à l'exaspération de la fièvre amoureuse. Elle suscita d'innombrables imitateurs ou adaptateurs, parmi lesquels tous les poètes de la Pléiade et leurs successeurs. Plus que d'un anacréontisme facile, ces *Basia* témoignent d'un tempérament d'amoureux passionné et d'un raffinement esthétique très habilement diversifié.

Mais l'œuvre de Second dépasse ce registre assez limité, et elle offre encore bien d'autres accents dans les trois livres d'élégies, dans les épigrammes, les odes, les tombeaux, les silves ou les épîtres. Les élégies sont le journal de la vie affective du poète, où il relate d'abord son amour pour Julie, jeune flamande indifférente qui le tourmenta de sa cruauté, puis sa liaison toute sensuelle avec une courtisane espagnole, Néère, accompagnée de quelques passades pour Vénérille, Lydie, Lycoris et Glycère. Ici, Second se fait le chantre de la poésie « instinctive » directement issue de la réalité : à côté de trois hymnes à Cupidon se trouve un *Patriae desiderium* qui annonce Du Bellay. Ses odes sont essentiellement des poésies de circonstance, adressées à Charles-Quint ou à ses amis, relatant de menus événements. Grand poète de l'amour, puisant son inspiration dans une spontanéité émotive que l'on sent vibrante, Second fut aussi un esthète conscient des ressources de son art, qu'il traite avec une variété métrique et strophique peu commune. On trouve en lui « un esprit jeune et gai, des fâcheries qui sont peut-être des taquineries, et surtout un arrière-plan de mélancolie, un pressentiment de mort prochaine, impressionnant chez ce jeune amant » (Van Tieghem).

Certes, tous les poètes latins de la Renaissance française ont subi, à des degrés divers, l'influence des grands Italiens, Politien, Pontanus ou Marulle, ceux dont Macrin disait :

> Quos treis nostra adeo probavit aetas
> Priscis deieret ut paret poetis

voire d'un Naugerius, venu mourir à la cour de François Ier. Mais les Français ne se contentent pas d'être des épigones : leur poésie est beaucoup plus proche de leur temps que celle des Italiens, soucieux avant tout de réussite esthétique ; elle marche de pair avec les troupes de l'humanisme militant et témoigne d'une conscience religieuse prompte à exalter la dignité de la vie chrétienne. Poésie de lieux communs, soit : mais alors, leur poésie amoureuse l'est aussi, ce domaine où nous les sentons pourtant si étonnamment proches et vibrants. Le latin qu'ils emploient dans ces genres renaissants que sont l'églogue, l'épigramme, l'ode ou l'élégie est d'ailleurs une langue souple, suggestive ou d'une minutieuse précision, amplement étalée ou d'une frappe lapidaire ; plusieurs de ces poètes furent des cicéroniens et tous aimèrent cette langue autant que leur français maternel. S'ils choisirent le latin, ce fut moins pour soustraire leur production au peuple ignorant, moins par volonté d'hermétisme, que parce qu'ils trouvaient un instrument tout prêt à traduire leurs idées, parce qu'ils reprenaient la trace des grands ancêtres, et parce qu'ils assuraient à leurs poésies une diffusion très large dans tous les milieux lettrés d'Europe.

Par un juste retour des choses, leur influence fut elle aussi considérable. La Pléiade a vécu de leurs dépouilles et, jusqu'à Desportes, ils demeurèrent une source intarissable d'inspiration. En 1609, l'Allemand Gruter (Ranutius Ghero) donnait, dans ses *Deliciae Poetarum Gallorum*, une anthologie qui comprenait plus de cent noms : parmi eux, il y avait des rivaux de Marot, des précurseurs de Ronsard, des modèles pour tout le siècle, d'authentiques poètes, enfin, à valeur exemplaire.

CHAPITRE II

La théorie des genres poétiques

Les traités

Lᴀ réflexion théorique sur les genres littéraires et la codification des préceptes touchant à l'art d'écrire ou de versifier sont apparues de bonne heure dans la littérature française : en 1392, Eustache Deschamps donnait, dans son *Art de Dictier*, le grand recueil de conseils techniques du Moyen Age. Le xve siècle en connut d'autres, avant l'âge des rhétoriqueurs; notre époque prolonge cet effort en vue de réglementer les diverses branches de la versification.

A nos yeux, ces essais paraissent creux et secs : jamais ils ne se hissent au niveau d'arts poétiques, jamais ils ne s'interrogent sur la nature même de la poésie, sa dimension et sa fonction. Ils restent terre à terre, sur le plan des remarques formelles et formalistes, ils enregistrent des distinctions ou des réglementations, ils constatent telle construction ou telle disposition. C'est que leur dessein est bien là : rédigés à l'intention des protecteurs, des puys ou des disciples novices, ils n'ont d'autre ambition que de donner des rudiments de versification, d'être autant de manuels techniques. Mais presque toujours, une remarque lâchée en passant, au détour d'une phrase, indique que leurs auteurs savent bien que la poésie dépasse largement ces cadres; pour eux, ils n'entendent servir que de guides dans l'apprentissage d'un métier.

Un vieux texte traduit bien ce que l'on entendait, jusqu'à l'époque de Marot, lorsque l'on parlait de poésie. Jacques Legrand écrivait, au début de son *Archiloge Sophie* (avant 1405) :

> Poetrie est science qui aprent a faindre et a fere
> ficcions fondées en raison et en la semblance des choses
> desquelles on veut parler, et est ceste science moult

necessaire a ceulx qui veulent beau parler, et pour tant poetrie, a mon advis, est subalterne de rethorique. Bien est vray que aucuns dient l'opposite, comme Alpharabe en son livre de la division des sciences, lequel dit que poetrie est la derreniere partie de logicque, et dit oultre plus que poetrie est science qui aprent a versifier et a ordonner ses motz et ses parolles par certaines mesures ; mais a mon advis, ceste oppinion n'est pas raisonnable, car poetrie ne aprent point a arguer, laquelle chose fait logicque, poetrie aussi ne monstre point la science de versifier, car telle science apartient en partie a grammaire et en partie a rethorique ; et pour tant, a mon advis, la fin et l'entencion de poetrie si est de faindre hystoires ou aultres choses selon le propos duquel on veult parler, et de fait son nom se demonstre, car poetrie n'est aultre chose a dire ne mais science qui apprent a faindre.

A l'époque qui nous intéresse, la poésie (ou plutôt l'art de rimer) est encore considérée comme l'une des deux branches de la Rhétorique, distincte de l'art oratoire et possédant ses règles propres. Alors que « Poétrie » désigne plutôt l'invention, le choix des sujets et leur disposition, « Rhétorique » ne s'applique donc qu'aux aspects formels de l'expression. Ce terme est généralement précisé, soit sous la forme « Seconde Rhétorique », soit sous la forme « Rhétorique vulgaire », mais on trouve aussi la forme « Grande Rhétorique », qui explique le nom donné aux poètes du temps. Ceux-ci ne manquent jamais de personnifier leur art sous les traits de « Dame Rhétorique », « la precieuse perle mondaine » (Lemaire), à laquelle ils ont voué un culte exigeant et respectueux.

Le plus ancien *Art de Rhetorique* est l'œuvre de Jean Molinet ; on l'avait longtemps attribué à Henri de Croy sur la foi de la première édition (Vérard, 1493), dédiée à Charles VIII. Le texte, écrit entre 1482 et 1492, accumule les remarques d'ordre technique (sur la rime, les strophes, certains mètres, divers genres) sans grand souci de précision, préférant citer des exemples à l'appui des rapides définitions. Il lui arrive pourtant d'offrir quelque heureuse formule, telle cette conception liminaire de la poésie : « Rethorique vulgaire est une espece de musique appelee rithmique, laquelle contient certain nombre de sillabes avec aucune suavité de équisonance ». Mais, en général, Molinet se contente d'une remarque introductive, d'une généralité insignifiante, suivie d'un exemple à partir duquel le lecteur doit retrouver les règles ; il n'y a guère que la ballade à être analysée avec un peu de précision. Molinet semble avoir choisi ses remarques sans grand ordre ; s'il consacre un paragraphe à l'alexandrin, il traite de genres tels que la riqueraque ou la baguenaude, et il omet la césure féminine. Néanmoins ce recueil d'indications pratiques est un témoignage important : il montre quels genres étaient volontiers employés vers 1490, quels mètres et quelles dispositions de rimes étaient préférés. Tous les traités postérieurs s'inspireront directement de Molinet, qu'ils se contenteront souvent de démarquer. Ainsi, un petit écrit anonyme (vers 1500) qui donne, en vers de mirliton, une espèce de catéchisme élémentaire, dans le goût de cette définition naïve :

> Aulcuns piét sont masculinins,
> Comme en ceste ligne premiere ;
> Les aultres sont fémininins,
> Comme on voit en la derrainiere.

Au même moment, l'Infortuné insérait son *Instructif de la seconde Rhetorique* en tête du *Jardin de Plaisance* (1501). L'obscur compilateur du recueil, qui est aussi l'auteur méritoire de cet *Instructif*, est parfois identifié avec Regnaud Le Queux ; il a peut-être composé son traité dès 1480 et lui a donné, de bout en bout, une forme versifiée. Malgré les contraintes de cette présentation, l'ouvrage est précis et méthodique, indiscutablement l'un des plus complets et des plus révélateurs du temps. Il ajoute à ses remarques sur les genres et les rimes des règles ayant trait au style et, tout en usant d'une langue parfois lourde, il fait preuve d'une excellente connaissance du métier poétique.

Il faut attendre 1521 pour voir paraître un nouveau traité : ce sera l'œuvre de Pierre Fabri. *Le Grand et Vray Art de pleine Rhetorique* s'inspire aussi bien de l'Infortuné que de Molinet et reflète une conception poétique très voisine. Rien n'a changé depuis une quarantaine d'années : il s'agit toujours de rendre service aux apprentis poéteraux en leur offrant une collection de préceptes formels. Fabri propose encore Alain Chartier en exemple « et conseille à tous facteurs qu'ils ensuivent sa doctrine ». Après avoir donné les règles de la « Rhétorique prosaïque », l'auteur en vient à la « Rhétorique de rithme » : « Rithme, dit-il, n'est autre chose que langage mesuré par longueur de sillabes en conveniente termination, proporcionnallement accentué ». Là-dessus, il distingue divers degrés de richesse des rimes, il énumère complaisamment les acrobaties les plus gratuites, puis il définit les principaux genres, auxquels il adjoint bergerette et pastourelle, chapelet et palinod.

Pour ce qui est de la langue, Fabri voudrait la purifier des picardismes et des latinismes abusifs : ne croit-on pas entendre l'écolier limousin de Rabelais dans ces quelques vers ?

En prohibant le berengaudiser
N'escumez point vocabules latines,
Ne putez point tel vocabuliser
Vous diriger en perpulchres termines ;
Mais cogitez les vies et termines
Pour dulcorer vostre tres alme eloque.

Le principal mérite de Fabri est d'avoir, le premier, donné des indications précises sur le compte des syllabes (règles de l'élision), sur la césure et ses diverses possibilités, sur l'accentuation et sur les genres poétiques. Même s'il se contente de préceptes formels, le livre de Fabri est le plus important écrit théorique de l'école des rhétoriqueurs; il sera d'ailleurs sept fois réédité jusqu'en 1544.

Un autre traité anonyme, *L'Art et Science de Rhétorique vulgaire*, composé entre 1524 et 1525, est resté manuscrit. Bien qu'il soit dans sa plus grande part une paraphrase glosée de Molinet, il est assez précieux par les additions encore timides qu'il apporte et qui rendent compte d'une évolution poétique due à Jean Lemaire ou à Guillaume Cretin. Les principales règles sur lesquelles il insiste sont celles de l'alternance des rimes, qu'Octovien, Jean Bouchet et Cretin avaient déjà pratiquée, et celle de la césure féminine, épique ou lyrique.

En 1534, Guillaume Télin avait rédigé un *Brief Sommaire* des sept vertus, sept arts libéraux, sept arts de poésie, etc. ; de facture toute médiévale, ce survol très rapide passe en revue les genres élégiaque, lyrique, satirique, héroïque, ainsi que comédie et tragédie. Télin avait rencontré une formule heureuse, encore que l'idée ne fût pas neuve, en définissant la poésie : « divine manière d'infusion de grâce ».

Le dernier code de la poésie des rhétoriqueurs date de 1539 : à cette date, seuls quelques ermites provinciaux continuent cette esthétique détrônée par Marot ; Gratien Du Pont, sieur de Drusac, auteur de cet *Art et Science de Rhetorique metrifiée*, est un lourd compilateur qui ne voit en la poésie rien d'autre qu'une complication perpétuelle et un jeu de rimes gratuit et alambiqué.

Il est probable que d'autres traités de la même espèce n'ont pas été conservés ; mais on trouve encore des remarques parsemant les écrits d'auteurs tels que Lemaire (en particulier dans sa *Concorde des deux langages*, 1511) ou Jean Bouchet. La 13e *Epistre morale* de ce dernier, composée vers 1532, contient quelques développements consacrés à divers genres de poésie, et, dans ses *Epistres familieres*, Bouchet revient à plusieurs reprises (épîtres 47, 72 et 107) sur les « règles de rime » ou sur l'alternance. Enfin il consacre l'*Epistre familiere* 23 « à la louange de rhetorique vulgaire ».

Les genres traditionnels

L'éventail des genres poétiques est fort large entre 1480 et 1520 environ, et il se modifie assez rapidement, soit que l'on assiste au déclin brutal de certaines formes, soit que l'on note l'introduction d'autres types poétiques. Le coup de balai que Du Bellay donnera dans toutes les « épisseries » de la Rhétorique ressemble fort à un coup d'épée dans l'eau.

Les rhétoriqueurs sont d'abord fidèles aux genres pratiqués avec bonheur pendant tout le xve siècle ; ils les compliquent, en précisent les règles. Ces *poèmes à forme fixe* constituent le fonds même de leur arsenal et une part importante de leur production. Deux d'entre eux disparaîtront très vite, le lai et le virelai ; trois autres se maintiendront, avec des fortunes diverses, le rondeau, la ballade et le chant royal, jusqu'au moment où les poètes de 1530 se détourneront d'eux.

Le *lai*, forme lyrique dont les traités donnent encore des règles bien vagues, n'est plus guère pratiqué dès la fin du xve siècle, mais l'une de ses structures strophiques (l' « arbre fourchu » en vers alternés de 7 et de 3, que l'on appelle le lai double), aux possibilités intéressantes, se retrouvera dans un type d'ode ronsardien *(Bel Aubépin)*. Le *virelai* n'a aucune parenté avec le lai, d'autant qu'il se présente sous des formes très différentes : il est en vers isomètres, généralement brefs, répartis en strophes de 12 et construits sur deux rimes ; la rime dominée dans la première partie de la strophe est « virée » pour devenir dominante dans la seconde partie. Le virelai, peu estimé par les rhétoriqueurs, apparaît aussi dans le domaine de la musique chantée du xve siècle, où il correspond à la « ballata » italienne : sa structure est alors nettement différente. Pour les théoriciens de notre époque, il appartient déjà au domaine de la poésie « ruralle » ; pour les émules de Marot, qui n'en composa aucun, il ne sera plus qu'un nom.

D'une tout autre importance, le *rondeau* fut peut-être le genre le plus répandu entre 1480 et 1520 : de Georges Chastellain à Marot ou Roger de Collerye, la lignée est intinterrompue ; les marotiques le connaissent encore et, après l'éclipse de la Pléiade, il refleurira de plus belle. Il est aussi bien le genre aristocratique de la poésie courtoise et mondaine que celui de l'inspiration détendue et familière. Tous les auteurs de traités lui consacrent une place importante : leurs efforts vont dans le sens d'une simplification et d'une codification plus précise. En effet, les formes de rondeau sont nombreuses au xve siècle ; mais après 1480, si le rondeau triolet (RR' aR bcRR') est parfois encore pratiqué, le rondel de Charles d'Orléans a pratiquement disparu. Deux autres formes vont s'imposer, l'une surtout, appelée à supplanter tous les autres types. Le rondeau double cinquain voit ses règles précisées (décasyllabes ou, moins fréquemment, octosyllabes; deux strophes de cinq vers encadrant un tercet; refrain répété d'abord intégralement, plus tard sous forme de « rentrement ») : il sert à exprimer toutes sortes de sentiments et convient aux sujets les plus variés de la poésie morale, religieuse, amoureuse ou occasionnelle. A côté de lui se rencontrent aussi le rondeau simple quatrain et le rondeau redoublé ou parfait, dont Marot donnera l'un des meilleurs exemples.

Une forme issue d'un croisement entre le virelai et le rondeau, la *bergerette*, avait connu, entre 1500 et 1520, une certaine diffusion. Fabri la définissait ainsi : « Bergerette est en tout semblable à l'espèce de rondeau excepté que le couplet du mylieu est tout entier et d'autres lisiere, et le peult l'on faire d'autre taille de plus ou moins de lignes que le premier baton ou semblable à luy »; plus simplement, c'était un rondeau sans refrain à la deuxième strophe et construit sur des rimes variées. La bergerette est, elle aussi, une forme de poésie familière ou « rurale », les grands auteurs n'en ayant jamais composé.

Enfin, la ballade et le chant royal occupent une place de choix parmi ces poèmes hérités du passé. La forme de la *ballade* a nettement évolué depuis Guillaume de Machaut, pour se fixer selon des règles précises : elle comprend trois strophes et une demi-strophe d' « envoi », huitains ou dizains de vers isométriques (octosyllabes ou décasyllabes) sur rimes identiques, toutes terminées par un vers-refrain « auquel se tire toute la sustance de la balade » (Molinet). La ballade, forme favorite des rhétoriqueurs, convient mieux aux sujets graves que le rondeau : on la retrouve non seulement dans les puys, mais aussi dans la poésie amoureuse et morale, et il lui arrive même de servir à la facétie. Après Marot, la ballade disparaîtra presque totalement, sauf chez quelques attardés de province. Le *chant royal*, qui est une extension de la ballade, comprend cinq strophes de onze vers (décasyllabes) et un envoi de sept ou de cinq, sur rimes identiques. De dimensions déjà appréciables, il était réservé aux sujets sérieux, principalement religieux. Il conserva longtemps une flatteuse réputation : pour Cretin, « en chant royal s'acquiert gloire immortelle ». C'était le grand genre des puys, mais il passera de mode plus facilement encore que la ballade.

Ainsi l'on constate une floraison des poèmes à forme fixe (ou semi-fixe) pendant un demi-siècle (1480-1530), puis une désaffection très marquée : la raison en est sans doute à chercher dans la vogue des *formes libres* (épigramme, épître, chanson), où le poète se sent plus à l'aise et moins tenu au remplissage. Distincts des genres que nous venons de passer en revue, d'autres types poétiques se caractérisent par la grande liberté et la souplesse de leur structure, qui ignore les règles trop rigoureuses. Ceux-ci, loin de disparaître, ne feront qu'évoluer, changeant de nom parfois, mais gardant même objet et même démarche. Ils proviennent tous du fonds médiéval et se classent en diverses catégories thématiques. Poésies de circonstance d'abord, où voisinent testaments, déplorations et complaintes (la poésie funèbre), panégyriques, épithalames ou « chants de joye » : elles sont avant tout destinées à célébrer, directement ou non, le protecteur ou le mécène, voire le confrère ou le parent. Toutes proches, les poésies historiques ou politiques, qui ne constituent que rarement un genre particulier (les *Voyages de Gênes* et *de Naples*, de Jean Marot, les invectives de Pierre Gringore, etc.).

La *complainte* ou *déploration*, pratiquée par Jean Lemaire, Jean Molinet, Guillaume Cretin, Jean et Clément Marot, est un genre savant, orné d'allégories, d'allusions, de comparaisons mythologiques, de motifs patriotiques ou politiques : elle s'étend souvent sur plusieurs centaines de vers. Toutes ses caractéristiques se retrouveront, après 1530, dans l'églogue funèbre ou dans l'élégie et, un peu plus tard, dans les *Tombeaux* de la Pléiade.

La poésie satirique est abondamment représentée chez ces poètes qui se veulent moralistes : elle se glisse dans les écrits politiques et polémiques d'auteurs toujours à la solde de quelque cour, et elle rehausse souvent la pensée moralisante. Un genre va lui être réservé, après une rapide évolution : le *blason*. Il fut d'abord laudatif, puis devint dépréciatif avec Pierre Gringore, Guillaume Coquillart ou Roger de Collerye, avant d'évoluer sous la plume des marotiques ; pour Thomas Sébillet, il n'est que « perpetuelle louange ou continu vitupere de ce qu'on s'est proposé blasonner ». L'œuvre qui assura le succès du genre, dès le milieu du XVe siècle, fut le *Blason des fausses amours* de Guillaume Alecis.

Le domaine de la poésie morale est bien l'un des plus développés chez les rhétoriqueurs : le genre le plus révélateur est ici le *doctrinal*, traité moral ou didactique en vers gnomiques, recueil de préceptes destinés à la conduite de la vie dans une situation particulière (*Doctrinal des filles à marier*, *Doctrinal des serviteurs*, etc.). A mi-chemin entre la facétie et la moralité, le *débat* se rencontre souvent chez les rhétoriqueurs les plus proches de l'esprit populaire (Jean d'Abondance en est le grand spécialiste) : c'est un genre dialectique, un peu artificiellement dialogué entre le *pro* et le *contra* (*Débats du vin et de l'eau*, *du jeune et du vieil amoureux*, *de l'homme et de l'argent*).

La poésie facétieuse et plaisante témoigne d'une étonnante vitalité : en dehors de l'utilisation humoristique d'autres formes poétiques, du rondeau au blason, et de genres peu répandus, comme le *fatras*, auquel Molinet fait place dans son traité et qui est l'ancêtre du coq-à-l'âne marotique, le plus intéressant est une forme semi-dramatique, le *monologue*, très populaire à cette époque. On y trouve pêle-mêle les sermons joyeux ou « farcis », les plaidoyers burlesques, les boniments de charlatan, les confidences cyniques d'un valet à tout faire, les bravades du soldat couard (*Monologue d'un clerc de taverne; Monologue de la botte de foing,* de Coquillart ; le *Franc-Archer de Baignol-let,* etc.).

L'essentiel de la production des rhétoriqueurs, toutefois, se trouve coulé dans un moule assez imprécis. Henry Guy proposait, non sans raison, d'appeler *grand genre* ce type d'œuvre dont il est difficile de donner une caractérisation bien nette, vu la diversité des réalisations. Il est indiscutable cependant que les rhétoriqueurs y voyaient le sommet de leur art, le couronnement de leur maîtrise et de leur recherche, un essai de littérature « totale », leur chef-d'œuvre. Le grand genre est une œuvre de longue haleine, aux dimensions souvent impressionnantes, dont le sujet, quand il y en a un, peut être moral ou politique ; car le lien est parfois très mince entre des propos tout à fait disparates, et le thème principal, volontiers allégorique, n'est qu'un prétexte que de multiples digressions font vite oublier. Le grand genre serait un vaste poème si la prose ne venait se mêler aux vers, et cette alternance est caractéristique. Au fil du texte, les allégories se succèdent, discours, débats, développements moraux et descriptions se combinent aux poèmes à forme fixe : ainsi, dans le *Voyage de Gênes,* rondeaux et complaintes parsèment le discours poétique.

En fait, le grand genre n'est pas un genre, mais bien une œuvre complexe et composite, un livre où voisinent des éléments très divers, plus ou moins adroitement reliés par une idée générale. Tout rhétoriqueur s'y est essayé, au moins une fois, et il est curieux de constater la survie ou la permanence de cette forme jusqu'à la fin de l'école marotique. Parmi les œuvres les plus significatives, outre le *Temple d'Honneur et de Vertu,* de Lemaire, on trouverait quelques textes jusqu'ici mal connus, tels que le *Séjour d'Honneur* d'Octovien de Saint-Gelais, ou le *Verger d'Honneur* d'André de La Vigne.

Mais il existe encore un genre dont le succès ne se démentira jamais jusque vers 1550 et dans lequel les poètes de ce temps ont souvent mis le meilleur de leur talent, l'*épître.* Le xive siècle la connaissait déjà ; au xve, elle ressemblait à un « fourre-tout », parfois sous forme strophique, comme chez Chastellain ou Villon. Avec les rhétoriqueurs, le caractère du genre se précise : elle « a forme de missive envoyée à la personne absente », dit Sébillet. Ecrite en décasyllabes généralement, à rimes plates, sans alternance obligée, elle peut aborder tous les thèmes, à condition de le faire sur le ton de la confidence intime, familière et détendue ; elle peut relater un seul fait ou se composer d'une suite de réflexions librement ordonnées. Le genre se subdivise suivant une distinction assez simple. La traduction des *Héroïdes* ovidiennes par Octovien (1500) met à la mode l'épître artificielle, attribuée à des personnages légendaires ou défunts : la mythologie, les traditions populaires et l'histoire sont ainsi mises à contribution dans une correspondance fictive. Le vrai rôle de l'épître, toutefois, est ailleurs : écrire à un personnage réel, protecteur, ami ou relation ; ce sera l'épître naturelle, épître de relation, de requête ou de méditation, voire de confidence. Enfin, l'épître amoureuse mérite d'être rangée à part, lorsqu'elle n'est pas simple galanterie ; une branche à peine distincte existera, à partir de Marot, sous le nom d'élégie.

Chez les rhétoriqueurs, Chastellain, Lemaire *(Epistres de l'Amant verd)*, Cretin (23 épîtres naturelles), Jean Bouchet *(Epistres morales et familières)* ont laissé des œuvres dignes d'attention ; après Marot, Saint-Gelais, Salel, Sainte-Marthe et Charles Fontaine cultiveront encore le genre, sans parler de tous les *minores* attirés par la grande souplesse et la liberté de ton de cette forme.

Le renouvellement

L'effort de renouvellement que nous pouvons constater dès le début du xvie siècle paraît étroitement lié au regain d'intérêt pour la poésie latine et à la découverte de l'Italie : toutes les formes dont il va être question proviennent, directement ou non, des œuvres de l'Antiquité, des compositions italiennes ou néo-latines. Certaines ne font que prendre le relais de genres jusque-là pratiqués en France, non sans quelques modifications où la même influence reste perceptible ; d'autres sont de pures importations. Ainsi les derniers rhétoriqueurs comme les marotiques disposeront de cadres poétiques choisis et définis par eux-mêmes et laisseront à leurs successeurs un héritage plus important qu'on ne le pense.

Plaçons au premier rang l'*églogue* : c'est par Théocrite et Virgile, par les néo-latins Sannazar ou Baptiste Mantouan et par les Italiens (l'*Arcadie* de Sannazar ou l'*Orfeo* du Politien) qu'elle s'introduit en France. L'humanisme français au début du xve siècle retrouve l'églogue virgilienne qu'imitent Jean Gerson et Nicolas de Clamanges. Chez les rhétoriqueurs, on rencontre des bergers qui dialoguent dans les déplorations de Molinet, de Cretin ou dans le *Temple d'Honneur et de Vertus* de Lemaire. Mais c'est Marot traduisant la première églogue de Virgile qui assurera la fortune du genre. Dès ce moment, l'églogue aura un double caractère : d'un côté, le cadre rustique, campagnard qui entraîne la simplicité du langage prêté aux « entreparleurs » ; de l'autre, le dessein symbolique de l'enseignement moral. Le genre de l'églogue peut être aussi bien narratif que dialogué (dramatique) : cette dernière forme a ses antécédents dans la pastorale dramatique du xve siècle. La première églogue « moderne » écrite par Marot en 1531, la *Complainte de Louise de Savoie*, est une grande pièce funèbre dialoguée en quatrains entre Thénot et Colin ; puis Marot aborde, dans l'*Eglogue au Roi sous les noms de Pan et de Robin*, la forme narrative et familière, relatant sa jeunesse champêtre et glissant une requête allégorique. Enfin, dans la *Complainte d'un Pastoureau chrestien faite en forme d'églogue rusticque*, il adopte la forme mixte (le narrateur rapportant les paroles du pastoureau) pour traduire un thème moral, religieux et satirique à la fois. La mode de l'églogue est lancée, et même si l'églogue funèbre se taille la part du lion dans les œuvres de Hugues Salel, Scève *(Arion)* ou François Habert, même si Thomas Sébillet y voit la fonction principale du genre, l'églogue allégorique ou morale est bien représentée chez Habert ou Scève *(Saulsaye)*. Pendant tout le siècle, ce sera un genre très vivant et illustré par des œuvres d'une réelle valeur.

Nous avons déjà entrevu l'*élégie* parmi les sous-catégories de l'épître : en effet, elle n'est guère qu'une épître amoureuse, dolente, « triste et flebile de sa nature ». Le mot apparaît en 1500 sous la plume de Jean d'Auton, mais c'est Marot encore qui crée le genre en France, sous la double influence de l'épître déplorative des rhétoriqueurs et des élégies latines ou néo-latines (celles d'Alamanni en particulier). Il ne fut pas abondamment suivi ; seul Saint-Gelais reprit l'étiquette, mais à la vérité, plus d'une épître amoureuse des marotiques peut se ranger dans cette catégorie ; et les poètes des générations suivantes s'y adonnèrent quelquefois, jusqu'à Ferry Julyot et ses *Elégies de la belle fille lamentant sa virginité perdue* (1577).

L'*Art et science de rhetorique vulgaire* relève l'apparition dans l'œuvre de Lemaire d'un genre jusque-là inconnu, les *tercets* : « ceste mode et maniere est toscane et florentine », simple calque de la *terza rima*. C'est dans la *Concorde des deux langages* qu'apparaît cette forme agréable et « sculpturale », dans laquelle la rime relie étroitement les strophes. Les poètes sentirent tout l'intérêt de cette disposition et y eurent volontiers recours : les vieux rhétoriqueurs comme Bouchet ou Bucher, les marotiques (Salel, Saint-Gelais), Pernette Du Guillet et Marguerite de Navarre et même les nouveaux poètes, Pontus ou Jodelle.

Le renouvellement sera encore plus net avec les brèves poésies dont Marot assurera le succès : épigramme, sonnet, chanson. Que Marot ait été ou non le premier à leur donner leur titre, voire même à en composer, importe peu : l'essentiel reste son rôle de vulgarisateur des formes nouvelles, de diffuseur. L'*épigramme* française ne dérive pas seulement de l'*Anthologie grecque* ou de Martial : la poésie familière française connaissait les petites pièces terminées par une pointe, et les néo-latins entassaient les épigrammes par dizaines dans leurs recueils. Avec Marot, sous la forme de huitain ou de dizain, elle servira à la satire, à la galanterie, au badinage, à la relation de menus faits. Et dès 1534, on assiste à un véritable déferlement d'épigrammes dans la poésie française : elles se rattachent à la veine familière *(Fleur de poesie françoise)*, au genre érotique (les *Cent Epigrammes* de Michel d'Amboise, librement imitées de l'*Erotopaegnion* d'Angeriano) à la satire plaisante. Salel, Fontaine, Des Périers, Saint-Gelais, Sainte-Marthe et bien d'autres en cisèlent pour y enchâsser la moindre idée, une repartie, une allusion, un rapprochement ingénieux.

Le *sonnet* n'a plus besoin d'un long commentaire. Lorsqu'il apparaît, peu après 1530, chez Marot ou chez Saint-Gelais, il ne se distingue de l'épigramme que par sa forme fixe, calquée sur le schéma du sonnet pétrarquien : deux quatrains sur mêmes rimes, suivis d'un sixain. Puis Peletier, toujours en imitant Pétrarque, lui donne pour principal objet de chanter les « affections et passions graves » (Sébillet) et le transmet, forme privilégiée, aux jeunes écoliers de la Brigade. Marot, qui avait adapté six sonnets de Pétrarque, avait ouvert, sans y prendre garde, une voie royale.

C'est à lui encore que la *chanson* doit ses lettres de noblesse : certes, grâce à la musique polyphonique, le genre existait bien, mais presque toujours cantonné dans un registre inférieur. Les quarante-deux chansons de Marot réussissent à enfermer toutes les nuances de l'amour sous une forme exemplaire et sans cesse variée; la seule exigence du genre est la division strophique (une disposition prédomine chez Marot, le septain de décasyllabes en *ababbcc*) et la structure identique des couplets. Après lui, Saint-Gelais, Bonaventure Des Périers, Chappuys et d'autres marotiques en écrivirent, ainsi que de nombreux poètes d'occasion, restés anonymes. Marguerite de Navarre mérite une place à part pour avoir, dans ses *Chansons spirituelles*, utilisé les timbres d'airs à la mode et constamment employé le langage de l'amour terrestre pour s'adresser à un objet divin. Ronsard lui-même ne voulut pas se priver des ressources de ce genre lyrique et s'en servit dans tous ses vers d'amour.

Il n'est pas jusqu'à l'*ode* qui ne soit représentée dans la poésie marotique, avant les triomphants essais de Ronsard. Certes, des distinctions s'imposent : le terme lui-même est connu de Lemaire ou de Bouchet, et l'on peut estimer que la chanson représente déjà un type d'ode. Mais l'ode lyrique apparaît chez Bonaventure Des Périers *(Des Roses)* ou Peletier *(Chant du désespéré)*, et l'on pourrait même avancer que les *Psaumes* de Marot, avec leur extraordinaire variété de structure et l'élévation de leur sujet, préfigurent les grandes réussites ronsardiennes.

Pour être complet, il faut encore mentionner divers genres mineurs, de l'épitaphe au coq-à-l'âne, du madrigal (introduit par Saint-Gelais) et de l'étrenne au cartel, du baiser à la mascarade. Ce ne sont souvent que des variétés d'épigrammes et ils sont trop peu caractérisés, sinon par leur sujet, pour mériter une distinction. Il faut en outre ajouter que, dans les mètres, la suprématie du décasyllabe n'est pas vraiment menacée pendant toute notre époque; un décasyllabe un peu lourd, carré et massif, bridé dans sa scansion régulière dont presque personne n'ose s'affranchir ; un décasyllabe où persiste l'habitude traditionnelle des césures lyrique (une 5e syllabe atone excédentaire) ou épique (une 4e syllabe atone comptant dans le mètre). L'octosyllabe, aux possibilités rythmiques riches et souples, fait figure, au moins dans la poésie familière, de concurrent redoutable. Mais tous les types de vers sont représentés ou inaugurés avant 1550, du vers de deux au vers de onze syllabes. Et surtout on assiste à l'apparition, d'abord timide, puis plus nettement affirmée, de l'alexandrin, occasionnellement employé par Lemaire ou par Marot, puis tendant à se répandre dans les sujets sérieux.

Les poètes du temps avaient à leur disposition, on aura pu s'en rendre compte, une gamme très variée et très riche de formes où couler leur inspiration. L'instrument poétique a été, pendant ce demi-siècle, perfectionné et diversifié; ainsi, chaque tempérament, chaque humeur et chaque thème pouvait trouver un cadre approprié à sa tonalité : ce n'était certes pas un gage absolu de réussite ; du moins la technique était-elle au point. Et tout au long d'une période qui ne connut peut-être pas une renaissance, mais à coup sûr une floraison de la poésie, on peut assister à ce spectacle étonnant dont Lemaire s'imaginait le témoin :

> Factures, rymeurs, maint beau dictier recordent
> A la louënge et bruit de la deësse,
> Et de beaux motz leurs ditz ourlent et bordent.
>
> Là n'ot on riens que plaisance et liesse,
> Du bruit haultain le hault ciel en resonne,
> Tout a soulas se y duit et acquiesce.
>
> Là ne voit on que gloire qui foisonne,
> Là se produit lascivité comicque,
> Liricques vers dont amours on blasonne.
>
> Là recite on, d'invention saphicque
> Maint noble dit, cantilennes et odes,
> Dont le stille est subtil et mirificque.
>
> Tout ce qui est en livres ou en codes
> Se met avant, hympnes et elegies,
> Chansons, motetz, de cent tailles et modes.
>
> . . . .
>
> Là maint gosier barritonnant bondit,
> Qui lay pronunce ou balade accentue,
> Virelay vire ou rondel arrondit.
>
> Maint serventois là endroit se ponctue,
> Chant royal maint s'i chante et psalmodie ;
> Brief ung chascun se y penne et esvertue.

CHAPITRE III

Au service de Dame Rhétorique

VÉRITÉ nue ou vérité ornée ? Les humanistes, dès Nicolas de Clamanges, essaient de réhabiliter la Rhétorique dans l'enseignement scolastique, car pour eux, loin de trahir la vérité, la belle forme la sert. Ainsi, dans les lettres latines, on assiste à un renouveau des études rhétoriques et formelles. Vers 1470-1471, Guillaume Fichet écrit une *Rhetorique* et il fait imprimer l'*Orthographia* de Barzizza ; en 1474, Georges de Trébisonde édite la *Rhetorique* d'Aristote ; Cicéron, Quintilien, Horace sont, plus que jamais, à l'honneur ; Guillaume Tardif ainsi que Martin de Delft composent tour à tour une *Rhetorique*, et Robert Gaguin publie, en 1498, son *De arte metrificandi*. Toutefois, si le dernier tiers du xve siècle marque un tournant important dans les lettres latines, l'ampleur de ce mouvement et ses interférences avec la littérature de langue vulgaire demeurent encore fort mal connues.

Dans les lettres françaises, les réflexions théoriques sur la Rhétorique sont vieilles d'un siècle. Après les grands créateurs que furent Guillaume de Machaut et Eustache Deschamps, des versificateurs plus ou moins obscurs se mirent à codifier les règles de la prosodie française dans toute une série d'*arts de seconde rhetorique*, depuis le début du xve siècle jusqu'à 1539. En 1548 seulement parut le premier *art poétique*, dû à Thomas Sébillet. Dans son *Grand et vray art de pleine rhetorique* de 1521, réédité six fois jusqu'en 1544, Pierre Fabri peut encore affirmer qu'en latin, « il y a difference entre poete, orateur et rhetoricien..., mais confuseement notre vulgaire mect l'ung pour l'autre, combien que l'orateur doit estre poete ».

En 1532 cependant, un Clément Marot devient sensible à la « difference entre poete, orateur et rhetoricien », et remplace « rhétorique » par « poésie » : c'est que, dès le deuxième tiers du xvie siècle, au règne de Dame Rhétorique succède celui de la Poésie. Mais quels furent au juste les adeptes de cette Rhétorique française ?

On les a appelés « rhétoriqueurs », bien que, entre eux, ils se soient plus souvent décerné le titre (car c'en était un) de « rhétorique ». On a voulu distinguer les « grands rhétoriqueurs » des « petits » et tout en leur consacrant des études biographiques et historiques fort poussées, on les a éreintés par des jugements « esthétiques » parfaitement injustes. S'il est vrai que les « rhétoriques » de l'époque vénérent leurs grands devanciers, les Alain Chartier et les Georges Chastellain, il est inexact de parler d'une « école », car dans la seconde moitié du xve siècle et jusque vers 1530, toute la production littéraire, à l'exception toutefois de la poésie amoureuse de cour (et encore !), obéit au même canon esthétique. Les écrivains d'alors ayant une conception élevée et sévère de leur art, les « épiceries » courtoises, comme le rondeau et la ballade, sont pour eux (du moins en théorie) des accidents mondains. Leur muse vise plus haut. Ecoutons Octovien de Saint-Gelais qui, n'ayant pas vingt-quatre ans, dans une fiction hardie, s'imagine chargé d'ans pour évoquer sa jeunesse « passée ». Dame Sensualité l'a conduit dans le verger de Vaine Espérance :

> Plus ne pensay doresnavant qu'aller ès lieux où puisse veoyr dames à gré et damoiselles, pour avecq elles me desduyre et faire le transsy d'amours, se vous voullés suyvant leur queue. Plus ne quiers que faire *rondeaux* et *ballades* attractives pour donner les humbles requestes à celles qui juges sont, deleguez de la court amoureuse en ma piteuse cause. Plus ne tasche qu'avoir toujours le barbier près pour agencer mes cheveulx souvent et pour tenir poil en battaille. Plus ne veulx que chantres avoir, lucz, tabourins, fleustes, rebecz, pour esmouvoir le cuer à joye.

Non que les « rhétoriques » méprisent les genres à forme fixe, la ballade, le chant royal, et le rondeau, mais ils se plaisent à inventer toutes sortes de nouvelles formes poétiques. Leur production ressemble à un prodigieux laboratoire, où les excès sont forcément le tribut payé à la liberté. On ne saurait méconnaître qu'un instrument linguistique se forge, s'affine, même si certains copeaux, trop bizarres, doivent être éliminés.

L'ambition majeure des « rhétoriques » n'est pas d'exceller en un seul genre, mais de les embrasser tous, vers et prose, dans une sorte de grand genre. Fait révélateur, car ce mélange de vers et de prose, fréquent en français dès le xive siècle, continue le *prosimetrum* des écrivains latins du xiie siècle et se rattache ainsi à une tradition médiévale bien définie, celle de la *satura*, dont les grands modèles sont Martianus Capella et, surtout, Boèce. Du coup, ces deux noms révèlent les aspirations de cette nouvelle *satura* : celle-ci, à travers la variété des formes, témoin de l'*art* (ou du métier, en termes modernes), se veut hautement philosophique. D'où, dans l'effet, un certain didactisme souvent moralisateur et, du côté programmatique, ce postulat toujours répété, que le véritable « rhétorique » doit être un lettré, un savant, un sage. La doctrine est ancienne, car Cicéron, tant pratiqué par nos auteurs, avait déjà souligné que tout orateur digne de ce nom devait exceller en « savoir ». Et Aristote avait dit dans sa *Politique* que l'art a un but moral, social et péda-gogique. Ainsi, le « rhétorique » se veut *praeceptor principis*, et les mille protes-tations d'humilité que multiplient les auteurs, lorsqu'ils s'adressent aux grands de ce monde, ne sauraient dissimuler leurs visées ambitieuses.

De ce fait, nos « rhétoriques », loin de se cantonner dans quelque tour d'ivoire, mettent volontiers leur plume au service de causes politiques, dans des invectives, des récits d'expéditions guerrières, des éloges de princes, des hommages aux grands défunts et, surtout, dans l'historiographie. Leur vie contemplative a pour conséquence une vie active. Dans ce domaine encore, rien ne les distingue de leurs confrères « latins », d'un Fichet, prêt à se croiser, d'un Gaguin, ambassadeur de Charles VIII et historiographe, d'un Tardif, lequel, bien que recteur, ne dédaigna point d'offrir au roi Charles VIII un traité de fauconnerie.

On ne saurait d'ailleurs séparer, à cette époque, la littérature latine de la production française de nos « rhétoriques » : même conception littéraire, semblables recherches formelles, allégories identiques, alliance de la mytho-logie et de l'histoire biblique, enfin, et surtout, ton commun. En effet, une grande partie de cette littérature, aussi bien latine que française, est déclama-toire, destinée à être lue à haute voix. De la lettre latine de l'ambassadeur à l'épître en vers français du « rhétorique », partout seule la déclamation savante saura faire ressortir toutes les subtilités calculées. Qu'on aille écouter la muse latine en prose ou en vers des Jean Robertet, Robert Gaguin, Pierre Gringore, Pierre Burry, Guillaume Du Bellay, Remacle d'Ardenne, Germain Brice, Jean Salmon, Rabelais ! Nos « rhétoriques » sont d'ailleurs persua-dés que leurs réussites égalent celles de la littérature latine. C'est ainsi que Jean Bouchet peut déclarer, dans son *Temple de bonne renommee* (édité en 1517) :

> Si le françois aussi beau que latin
> Voulez savoir, allez devers Cretin,
> Semblablement devers l'abbé d'Authon.

Il convient d'accorder son plein sens au terme de « rhétorique », donc à l'aspect oratoire de la littérature de ces écrivains qui se voulaient des sages. Mais la sapience qui se manifeste dans l'ostentation déclamatoire, comment se présente-t-elle ? C'est ici qu'il faut se demander ce qui, pour les « rhétoriques », est *poétique*. On a trop oublié qu'à l'époque, des termes comme « poète » et « poétique » avaient un sens bien défini. Si la technique de la versification et la théorie des genres sont enseignées dans les *arts de seconde rhétorique*, la matière poétique se trouve dans d'autres traités, les *poétries*. Or une poétrie n'est rien autre qu'un recueil mythologique, où chaque fable est expliquée selon l'histoire, la physique et la morale. Une poésie mythologique s'appelle déjà chez Christine de Pisan, *balade pouetique*, et lorsqu'on va voir ce que Jean Robertet désigne par ce même titre ou par *dictier poetical*, on constate que le poème en question raconte les noces de Zéphire et Flore, tout comme chez Henri Baude, une *histoire poétique* est une histoire mythologique. Est donc poétique, ce qui est mythologique et, d'une manière plus générale, ce qui est fiction. Nul scandale, si les *Métamorphoses* d'Ovide deviennent la « *Bible des poètes* », car il ne fait pas de doute que toute fable, partant toute « poésie », n'est que le support d'une vérité cachée, historique, physique, morale, voire chrétienne. Nul risque, donc, de paganisme. Le « poète » n'a qu'à lire à rebours ces poétries, pour savoir comment il doit cacher, envelopper, « poétiser » ses idées. Veut-il dire que les rayons de la vérité chassent l'obscure ignorance ? il décrira le combat d'Apollon contre le serpent Python... Jean Thénaud, franciscain (fin du XVᵉ siècle), déclare : « Les anciens Grecz faisoient instruyre leurs enfans en poeterie, laquelle disoient estre le puys de sapience et le fondement de la philosophie (et non sans cause). » Et Guillaume Télin (1534) : « Il est assavoir que l'office des poetes est de bailler les choses couvertement et faindre soubz autre semblance et figure. » La cause est entendue : le poète est un philosophe qui enseigne sous couverture de fables, ou (pour reprendre les termes que Guillaume Cretin applique à Jean Lemaire) qui « descript fictions poeticques pleines de sens ».

Cette théorie ne se distingue de celle de l'*involucrum* et de l'*integumentum* du Moyen Age que par un déplacement d'accent, puisque les possibilités « poétiques » semblent surtout inhérentes aux fables mythologiques. A noter aussi qu'en substance, les poètes de la Pléiade ne diront pas autre chose. A y regarder de près, on constate que même la théorie de l'inspiration n'est pas inconnue de nos auteurs. Dans l'*Instructif de la seconde rethoricque*, l'Infortuné (Regnaud Le Queux) nous parle de l'*influence* d'Apollon ; Octovien de Saint-Gelais invoque la muse ; Jean Bouchet proclame que son art est une *science infuse* par la *grâce;* Jean Lemaire dit de Molinet que « des *cieux* vint l'*influence* en son sublime esprit » ; Jean Thénaud sait que les poètes sont remplis d'*esprit divin* et Guillaume Télin, que « poésie se comprent par *divine maniere d'infusion de grace* ». Or on n'a qu'à poursuivre la lecture du traité de Télin pour se rendre compte que ses maîtres sont ceux que le Moyen Age a déjà cités en la matière : Cicéron, Ovide, Virgile, Horace. L'apport du néo-platonisme florentin à la nouvelle conception de la « fureur poétique » des poètes de la

Pléiade consistera en ce que le poète, nouveau *vates*, se voudra créateur.

Il est donc légitime d'affirmer que les « rhétoriques » regardent en arrière. Chez tous, en effet, est très vif le sentiment d'une continuité, la certitude d'appartenir à une longue et glorieuse tradition française qui aurait commencé avec Jean de Meung, et aurait été illustrée par les grands écrivains du xvᵉ siècle, Chartier, Chastellain, Meschinot. Sur ce plan, comment oser parler de rupture? Ce qui ne signifie cependant pas qu'il n'y ait pas eu d'évolution, une évolution qui s'est produite à l'insu de nos auteurs. Georges Chastellain, le « grand Georges » tant admiré, expliquant à sa façon la théorie de l'inspiration, s'était une fois comparé à un miroir dont la « disposition naturelle » resterait sans effet s'il n'était touché par un rayon du soleil. Seule la lumière céleste lui permettrait de reproduire les beautés du monde, ces beautés qui, à leur tour, rendraient le poète meilleur. « Par l'inspiration du Tout-Puissant » (comme l'écrit Jean Castel à Chastellain), l'écriture révèle à l'écrivain le sens du monde. Ce monde est encore, comme au Moyen Age, un livre qui, une fois déchiffré, nous montre la perfection des idées. Le poète ne crée pas, il découvre, et les mots qu'il emploie désignent toujours un signifié préétabli. La langue confirme ce qui est ailleurs.

Si, maintenant, nous ouvrons nos manuels d'histoire littéraire, nous tombons fatalement sur un chapitre où l'on déplore, critique, condamne les recherches de métrique, de rime, de vocabulaire auxquelles se sont adonnés les « rhétoriques ». Tout juste leur reconnaît-on le mérite d'avoir été les premiers à observer l'alternance régulière des vers masculins et féminins. Pour le reste, on s'en tient à une étude des « aspects comiques » de leur versification, qui, à tout dire, étant absurde, irait «du médiocre au pire». Ici, deux remarques s'imposent. La première, quantitative : les recherches formelles incriminées ne constituent qu'une faible partie de l'ensemble de la production littéraire de nos auteurs. La deuxième, qualitative, est plus importante, car, au lieu de reprocher aux « rhétoriques » de faire carillonner les syllabes et de construire des phrases d'une très fantasque tonalité, de s'intéresser, en somme, moins à la pensée qu'à l'expression, il faudrait essayer d'estimer à sa juste valeur la signification historique d'une telle attitude. Nous venons de voir que pour Chastellain, poésie, littérature, langage, sont issus de la Révélation. Or les recherches formelles et musicales des « rhétoriques », inconsciemment à coup sûr, détournent le langage de son but, qui est de communiquer et de signifier, et confèrent au mot, au ton, au rythme une autonomie sans précédent. Cette foule de synonymes, de rimes intérieures et en écho, de variations sur un radical donné, de lectures polyvalentes d'une seule et même strophe, est peut-être puérile, lorsqu'on fait intervenir des critères de goût (critères instables, au demeurant), mais historiquement, ces procédés marquent un tournant décisif. La langue française, dont Jean Bouchet pouvait dire qu'elle allait « de bien en mieux », semble avoir atteint sa maturité et, non contente de désigner ce qui lui est extérieur, elle tente de se construire son propre univers. Rabelais dira, après d'autres, qu'il n'y a pas de langage naturel. Or la question est de savoir si les « rhétoriques » acceptent cette contingence du langage ou s'ils essaient d'éliminer le contingent pour postuler la nécessité, à l'exclusion de la communication ; si les combinaisons inattendues, dans cet univers de seuls signifiants, veulent pour ainsi dire provoquer et saisir, à travers l'expérience, des rapports secrets avec une réalité insoupçonnée. Le bilan d'une telle démarche ne saurait être que positif : la langue se cherche dans la liberté et dans l'autonomie. Bilan d'autant plus remarquable que ces doctes « rhétoriques », à l'école, n'ont manié que le latin. De Jacques Milet, qui avoue savoir mieux écrire le latin que le français, à Jean Calvin, parlant le picard et écrivant le latin (pour ne rien dire de Montaigne), l'écrivain de cette époque n'utilise pas le français naturellement, mais délibérément. Toute conquête débute par des excès commis sur la nature du conquis. Les « rhétoriques » n'échappent pas à cette règle. Mais il fallait mesurer les espaces aussi bien du possible que de l'impossible. Les « rhétoriques » l'ont fait, et c'est ce qui leur confère leur véritable dimension historique.

Littérature oratoire, littérature du son. Une doctrine qui, au XIIIe siècle, s'était manifestée dans quelques écrits latins traitant de la classification des sciences, et qui, dès Eustache Deschamps et dès le commentaire aux *Echecs amoureux*, avait été reprise par certains écrivains français, porte maintenant ses fruits. En effet, selon cette doctrine, la poésie ne fait partie ni de la grammaire, ni de la rhétorique, mais de la musique. Voici un texte : vers 1500, dans *Les regnars traversans les perilleuses voyes des folles fiances du monde*, le jeune Jean Bouchet, traitant (en vers et en prose) des arts libéraux, inclut la poétrie dans le chapitre sur la musique.

Pour ce que poetherie est une science particuliere qui suyt art de mesure et de orature, qui aussi est recreative, et requiert aucunement maniere de pindarisation et façon de prononcer qui descent en partie de chanterie, en cestuy lieu (comme par maniere de incident) nous en parlerons, et verrons aucunes des folles fyances que les poethes et orateurs peuent prendre en soy a cause de leur facette et jolye science, qui pour les subtilles invencions et choses admirables en elle contenue est reputee plus fabulatoire que veridique. *Nam miranda canunt : sed non credenda poethe.* Les poetes chantent choses de admiration, mais non pas a croire. Toutesfois ne sont point leur dictz tous fabulatoires, mais tresvrays, historiques, moraulx.

Tout y est. Guillaume Cretin, chantre de profession, Jean Molinet et Jean Lemaire, musiciens ou très liés avec des musiciens, et tous les autres, auraient souscrit à ce programme : d'une part la poésie (le sens de « poetherie » est ambigu dans le texte de Bouchet) est une sorte de musique comprise comme mesure et mélodie, et d'autre part elle exprime des vérités historiques ou morales sous le voile de la fable. Littérature du son et du rythme, littérature engagée, voilà les deux principes de l'art des « rhétoriques ».

Malgré un air indéniable de parenté, nos auteurs cependant sont loin de se ressembler au point de perdre toute personnalité propre. Certains thèmes, certains genres, peuvent leur être communs, d'autres en revanche sont particuliers à tel ou tel de ces écrivains. Ils mériteraient d'être étudiés individuellement, les Jean Molinet, Jean Marot, Guillaume Cretin, Octovien de Saint-Gelais, Jean d'Auton, Roger de Collerye, Jean Lemaire, Pierre Gringore, Jean Bouchet. Le lecteur trouvera les éléments pour une première orientation dans le *Dictionnaire des auteurs*, à la fin du présent volume.

Eglogne fur le Trefpas de trefhaulte &
trefilluftre Prīceſſe,Ma dame Loyſe de Sa=
uoye,iadis Mere du Roy Frācoys, p̄mier
de ce nō.En laqſle Eglogue/ſōt itroduictz
deux paſteurs.Ceſtaſſauoir/Colī Dāiou, &
Thenot de poictou,poetes contemporains
de Lautheur
Thenot.

EN ce beau val, ſont plaiſirs excellens
Vng clerc ruiſeau bruiat pres de lom=
brage
Lherbe a ſouhait/les ventz non violens
Puis toy Colin,quide chēter faictz rage.
A Pan ne veulx rabaiſſer ſon hommaige.
Mais quāt aux chāps tu lacōpaignoroys
Pluftoſt proffit en auroit que dommage

IAdis ma plume on veit ſon vol eſtādr̄e
Au gre Damours,& dūg bas ſtile tēdr̄e
Diftiller dictz/q̄ ſoulois mettre en chāt
Mais vng regret/de tous coſtez trenchant
Luy faict laiſſer ceſte doulce couſtume,
Pour la tremper en ancre damertume
Ainſi le fault/& quant ne le fauldroit
Mon cueur(helas)encores le vouldroit
Et quant mon cueur ne le vouldroit ēcores
(Oultre ſon vueil)contrainct y ſeroit ores,
Par laguillon dune mort qui le point,
Que dis ie mort? Dune mort neſſe point,
Ains dūe amour, car quāt chaſcū mourroit
Sās vraye amour, plaidre on ne le pourroit

Q

CHAPITRE IV

La poésie française
au temps de François Ier

Comment Marot prit figure de chef d'école

Pendant une dizaine d'années (1520-1530), la poésie française a traversé une petite crise : d'un côté, des rhétoriqueurs vieillissants (Cretin, Lemaire, Jean Marot, Bouchet) qui ne répondent plus tout à fait au goût du temps, de l'autre quelques rimeurs obscurs et médiocres, qui ne réussissent pas à attirer sur eux l'attention. Les libraires offrent plus volontiers à leurs clients des chroniques, des traductions, des textes latins que de la poésie et, quand ils en impriment, c'est, faute de mieux, celle du passé. Mais de 1515 à 1530, Marot s'est lentement imposé, à la Cour d'abord, où le roi et sa sœur le patronnent, auprès du monde littéraire ensuite, à partir du moment où ses poésies commencent à circuler, et, quand paraît l'*Adolescence Clémentine*, son renom est solidement établi.

Avec son tempérament ouvert, liant et cordial, Marot a su se faire de nombreux amis, de plus nombreuses relations. Et dans ce désert poétique que sont les premières années du nouveau règne, ses œuvres, même si ce ne sont que péchés de jeunesse, séduisent par les mérites qui s'y lisent : versification déjà épurée et débarrassée d'inutiles contorsions, ingéniosité des rythmes et des rimes, facilité du style et bonheur dans le choix des termes, enfin une pensée naturelle, quasi spontanée, relevée par la fine malice et quelques touches de sensibilité, de mélancolie ou d'émotion, par l'humour aussi et la satire déguisée sous l'équivoque. Contrairement aux rhétoriqueurs, Marot ne montre aucune ambition excessive dans le choix des thèmes en même temps qu'il déploie un métier tout aussi exigeant que celui de ses devanciers : en somme, le changement dans la continuité.

Seulement, « Marot n'était pas inconscient des innovations qu'il apportait dans la poésie française, mais il ne cherchait ni à les imposer ni à s'imposer » (R. Morçay). Il n'avait le tempérament ni d'un Ronsard ni d'un Malherbe. Aussi est-ce presque malgré lui qu'il devint le chef de file d'un groupe de poètes qui se rangent sous son nom, à la fois nombreux et talentueux. Car c'est bien à une première « grande flotte de poètes », à une magnifique éclosion poétique, encore qu'injustement jugée et trop négligée aujourd'hui, que l'on assiste à partir de 1530.

Peut-on parler d' « école marotique » ? Pour qu'une école se constitue, il faut que les hommes existent et se rencontrent : condition remplie dans ce cas, grâce à ces trois foyers que sont la Cour de France, l'entourage de Marguerite et le milieu lyonnais. Faut-il que la doctrine soit précisée, voire codifiée en un manifeste ? cela ne paraît pas indispensable, loin de là : le rayonnement d'une personnalité dirigeante ou éminente peut suffire, et plus encore les circonstances : qu'une polémique, une brouille, une scission éclate, qu'une résistance se fasse sentir, qu'un concours s'annonce, et l'école se constitue presque naturellement. La génération de Marot a connu le concours des blasons, la querelle des Amyes et la dispute avec Sagon. Et pour couronner ces vingt années viendra enfin l'ouvrage « théorique », l'*Art poetique françoys* de Thomas Sébillet (1548) qui prolongera l'influence marotique, limitée, il est vrai, après 1550, aux épigones provinciaux et aux regratteurs de syllabes. Mais l'essentiel demeure : l'école marotique a bien existé autour de celui qui porte le beau titre de « Maître Clément », avec un éventail de tendances et de dispositions fort diverses, avec une évolution nettement marquée dans deux ou trois directions principales, poésie platonisante, religieuse et officielle, à quoi l'on peut ajouter la poésie épigrammatique.

Un seul poète a pu menacer quelque temps, dans l'esprit des contemporains, la souveraineté de Marot : Saint-Gelais. On sera frappé de voir que, dans nombre de ces poésies où l'auteur fait l'éloge de ses confrères, l'amuseur de la cour et des dames précède, éclipse, évince Marot. A cela, il y eut plusieurs raisons. Saint-Gelais a vécu toute sa vie au-dessus de ses moyens poétiques sur une réputation flatteuse aimablement colportée par les moins compétents de ses admirateurs. Il répugnait à publier : était-ce par modestie ou par indifférence ? Quelques années plus tard, les Jeunes Turcs de la Brigade, hésitants devant cette gloire consacrée et volontiers disposés à l'encenser, le presseront de mettre au jour ses chefs-d'œuvre, car de tout ce qu'ils ont vu, madrigaux, cartels, et autres épiceries, rien ne leur semble s'élever au-dessus du gentil bibelot. Saint-Gelais se tait : mépris ou embarras ? Bien plus, il laisse circuler et publier, sous son nom, une quantité de vers qu'il n'a pas écrits (à vrai dire, il aurait pu signer la plupart d'entre eux, tant ils sont insignifiants). Quoi qu'il en soit, Du Bellay et Ronsard ne lui garderont plus désormais un respect excessif; mais déjà Marot semble n'avoir pas éprouvé une très grande estime pour le personnage. Cependant, pour ceux qui cherchaient à assurer leur carrière, Mellin était un appui à ne pas négliger : bien en cour, il pouvait intervenir pour l'attribution des places, des pensions, voire la collation de bénéfices. Il faut aussi reconnaître que son caractère était d'un abord agréable et séduisant. De là cette abondance de flatteries, cette admiration intéressée : quant à la valeur intrinsèque de l'œuvre, nul doute ne pouvait subsister en face des vers de Marot.

Il est délicat de classer les marotiques : ils devraient apparaître chacun plusieurs fois, dans divers groupes. Du moins, quelques points de repère seront-ils utiles pour la clarté de notre propos. Les deux premiers sont des événements importants non point tant par la qualité des œuvres produites que par leur écho dans le monde littéraire : le concours des blasons et la querelle avec Sagon. Un autre débat, plus profond et plus fécond, l'affaire des Amyes, doit être mis en relation avec un milieu particulier. Car il faut tenir compte des foyers autour desquels se développe l'activité poétique : la cour de France, l'entourage de Marguerite de Navarre surtout. Même si la vie auprès de la princesse n'a pas toujours les couleurs idylliques que lui prête Sainte-Marthe, cette figure de femme et d'écrivain est le véritable pivot du mouvement poétique jusque vers 1545. Ses propres préoccupations déterminent deux courants, où se distinguent aussi bien ses pensionnés que d'autres poètes : la poésie religieuse, teintée de l'évangélisme de Meaux, ou la poésie d'amour platonisante. Marotiques de Lyon, provinciaux divers, poètes proches de la veine populaire, derniers fidèles et poètes de transition constituent encore autant de groupes distincts, à côté des poètes lyonnais réunis autour de Maurice Scève.

Le concours du blason

Lors de son séjour à Ferrare, en 1535 ou 1536, Marot composa une plaisante épigramme, mi-galante mi-grivoise, *Du Beau Tétin*, qui connut un succès retentissant. Le genre du « blason », s'il n'avait pas été inventé par Marot, lui dut un soudain développement, au contact des strambottistes italiens, et notamment de Sassoferrato. Il consistait à décrire un objet ou, chez Marot et ses émules, une partie du corps féminin, voire une qualité abstraite, en une succession lentement déroulée d'apostrophes anaphoriques, touches légères qui finissent par donner une image idéale de la chose envisagée : il y fallait de l'ingéniosité, de la finesse, du goût, de la variété ; genre difficile donc, même s'il ne fut qu'un passe-temps conventionnel.

Il semble que Renée de Ferrare se divertit à solliciter d'autres blasons. De là à organiser un concours analogue aux puys de Rouen ou d'Evreux, aux Jeux Floraux de Toulouse, tous bien vivants à cette époque, il n'y avait qu'un pas. Malgré les soucis du moment, la nouvelle, parvenue en France, incita une douzaine de poètes à blasonner dans le courant de l'année 1536. Parmi eux, des inconnus et des médiocres, qui donnèrent dans la banalité ou dans la grosse salacité : Jean de Vauzelles, Le Lieur ou Albert Le Grand. D'autres étaient déjà liés avec Marot : Claude Chappuys, qui chanta *La Main*, Antoine Héroët *L'Œil*, Victor Brodeau *La Bouche*, Lancelot de Carle *L'Esprit*. Marot se plaignit de n'avoir rien reçu de Saint-Gelais, qui pourtant avait composé deux blasons. « Un *Sourcil* de beauté nompareille » emporta le prix : il était l'œuvre d'un Lyonnais inconnu nommé Scève, qui avait même fait bonne mesure en envoyant aussi *La Larme ;* puis il chanta encore le *Front*, la *Gorge* et le *Soupir*. Il s'y montrait à la fois bon disciple de Jean Molinet (« Sourcil, non pas sourcil, mais un sous ciel »), marotique dans le badinage (« Gorge de qui Amour feit un pupitre/ Où plusieurs foys Venus chante l'epistre »), platonisant même :

> L'hault plasmateur de ce corps admirable,
> L'ayant formé en membres variable,
> Mit la beaulté en lieu plus eminent.

Le *Sourcil* baignait dans une atmosphère de tendresse et de délicatesse, que rehaussait un brin de pétrarquisme :

> Sourcil, sur qui Amour prit le pourtrait
> Et le patron de son arc qui attrait
> Hommes et Dieux à son obeyssance,
> Par triste Mort ou doulce jouyssance,
> O sourcil brun, sous tresnoires tenebres,
> J'ensevely en desirs trop funebres
> Ma liberté et ma dolente vie
> Qui doulcement par toy me fut ravye.

Des autres pièces, peu sont vraiment remarquables : la *Cuisse* resplendit d'une joyeuse et saine gauloiserie et ne manque pas de galbe ; la *Main* est ingénieuse et galante. Chappuys, comme d'autres d'ailleurs, ne s'en tint pas là : il glissa insensiblement de la *Main* vers le *Ventre* et vers un dernier point qu'il traita même deux fois. Des Périers choisit *le Nombril :* « bizarrerie de son génie, la vue d'une simple cicatrice l'abîme dans une méditation cosmique où il rêve cursivement à l'origine des âmes, puis à l'Androgyne primitif, puis aux méthodes de contemplation de ces moines orthodoxes qui savaient faire jaillir par la fissure de leur abdomen la lumière incréée du Thabor » (Albert-Marie Schmidt).

A Lyon, François Juste édita ces blasons dès 1536, ce qui sans doute incita d'autres poètes à cultiver le genre : jusque vers 1543 la mode persista et, en

1550 encore, L'Angelier réunit une collection presque complète de toute cette production. Il fallait déployer des trésors de malice pour trouver un objet non encore blasonné, et l'on comprend le cri de triomphe de Gilles d'Aurigny fier de s'être enfin distingué en choisissant.

> Le petit ongle poly,
> L'ongle luysant, l'ongle joly,
> L'ongle qui a bien merité
> Que son honneur soit recité

(1546).

Mais enfin tout semblait dit. Marot, depuis longtemps, avait mesuré les limites de ce genre frivole et galant, et trouvé un palliatif, le contre-blason, qui consistait à chanter le *Laid Tétin* et autres revers de médaille. Il paya d'exemple, mais seul La Hueterie se divertit vraiment à ce musée des horreurs, et rien de tout cela n'enrichit beaucoup la poésie. Marot avait pourtant bien pris ses précautions dans une épître à ses imitateurs, leur conseillant de garder l'honnêteté et la discrétion : on ne le suivit guère. Ainsi se dégrada le blason, jusqu'à une curieuse entreprise de récupération moralisante tentée par le bon Gilles Corrozet : après avoir lancé de vigoureuses invectives *Contre les Blasonneurs de membres*, il publia en 1539 des *Blasons domestiques* qui chantent la maison, la cave, le jardin ou le lit avec une pesante insistance. Cependant, le genre était créé : Thomas Sébillet et Laudun d'Aigaliers lui feront une place dans leurs arts poétiques et jusqu'à la fin du siècle les poètes s'y divertiront encore.

La querelle avec Sagon

Alors que Marot se trouvait à Ferrare, en 1536, un poète normand, François Sagon, attaqua l'exilé en un écrit furibond. Il avait eu, deux ans plus tôt, une dispute avec celui-ci, pour des motifs religieux ou plus vraisemblablement par jalousie et par susceptibilité. Jusque-là, il n'était connu que par les lauriers remportés aux puys de Province ; son pseudonyme était l' « Indigent de Sapience » (juste aveu de modestie !) et sa devise « Vela de quoy ! ». Il avait la rancune tenace et voyait dans l'exil de Marot l'occasion de se faufiler à la Cour. Marot lui appliqua le surnom de Sagouin, qu'il garda.

En 1536, ce médiocre offrit au roi son *Coup d'essay*, qui répliquait à deux épîtres d'exil adressées par Marot à la cour : les hérétiques méritaient, selon lui, le bannissement ou pis encore, mais non l'indulgence. Son attaque provoqua de vives réactions : la première fut celle de Des Périers, invitant les poètes français à fustiger le malotru. Marot lui-même répondit dans le troisième *Coq-à-l'âne* puis, de retour d'exil, il oublia, jusqu'au jour où il retrouva Sagon à Saint-Cloud : il pourfendit alors son détracteur dans l'étincelante *Epître de Frippelippes* (*Le Valet de Marot contre Sagon, cum commento*, 1537).

Sagon ne trouva dans son parti qu'un retardataire un peu déséquilibré, Jean Le Blond de Branville, un vulgaire ambitieux, La Hueterie, et « le poète campestre » Mathieu de Vaucelles : du moins écrivirent-ils d'abondance. Il est plus intéressant de noter ceux qui vinrent défendre Marot : outre Des Périers, Claude Colet, Calvi de La Fontaine, Charles Fontaine, Nicole Glotelet et même ceux qui ne prirent pas la plume à cette occasion tout en réaffirmant leur estime pour Marot, Victor Brodeau, Claude Chappuys, Antoine Héroët, Almanque Papillon, voire Saint-Gelais.

De tous les poèmes écrits pour Marot, certains ne dépassent point l'épigramme ou la satire. Mais l'*Apologie* de Glotelet célèbre en Marot un authentique poète et définit de belle façon l'inspiration, la fonction poétiques :

> Or entendez qu'ung vray poëte est tant digne,
> Et de nature est tant noble et insigne,
> Qu'en luy est Dieu, qui par son mouvement
> Le faict parler, comme ung vent l'instrument,
> En luy dictant maintes choses ardues,
> Quant à nos sens cachées et perdues.
> C'est la trompette et celeste buccine
> Par qui souvent la grand bonté divine
> Vient aux humains son vouloir declarer,
> Et pour au vray leur prestance narrer.

L'épître de Fontaine, narquoise et insinuante, est de son côté l'attaque la plus appuyée contre les ridicules prétentions et les mesquines accusations de Sagon.

Celui-ci poursuivait, inlassable, provoquant en Marot une tristesse indignée qui ne l'empêchait pas d'affirmer : « Je dy Dieu gard à tous mes ennemys », à quoi l'autre répliquait :

> Dieu gard Marot, gentil valet royal,
> Qui s'enfuyt, se sentant desloyal
> A Dieu, au Roy, à la Foy, et à France,
> Où maintenant il obtient délivrance,
> Pourveu qu'il vueille à son faict regarder :
> En ce poinct donq Dieu le vueille garder.
> Dieu gard Marot tant qu'en foy pure vive,
> Dieu gard Marot qui plus ne recidive,

> Dieu gard Marot, il en a bon mestier,
> S'il veult encore exposer le psautier ;
> Dieu gard Marot car s'il est infidelle,
> Il se viendra brusler à la chandelle.

Pour faire bonne mesure, il ajoutait un « dizain par comparaison de l'enfant prodigue à Clément Marot qui a abjuré », où il trouvait une concordance parfaite : « c'est tout ung cas, fors qu'il [Marot] n'est plus enfant ». La Hueterie avait eu lui aussi quelque délicate plaisanterie sur le nom de Marot : son nom « tourné », disait-il, est « A mort ! » ; il imagina encore un jeu de mots qui fit fortune sur le « rat pelé ».

Sagon put bien compter sur la maigre rescousse de Copin, Macé ou Denisot et sur l'appui tacite de la Sorbonne ravie. Mais lorsqu'il appela à lui Bouchet et Bucher, tous deux se récusèrent, Bouchet déclarant : « Je suis ami de tous par charité », et Bucher faisant taire en la circonstance son animosité contre Marot. Sagon sentit qu'il perdait pied : dans son *Epistre à Marot*, il proposa à mots couverts un arrêt des hostilités, en demandant à son adversaire d'oublier généreusement les injures reçues. Et le dernier mot resta au grand abbé des Conards qui, en trois ou quatre petites plaquettes facétieuses, renvoya les adversaires dos à dos ; en septembre 1537, tout était fini et les libraires pouvaient rassembler en recueil la trentaine de libelles issus de l'affaire. Sagon n'avait mis de son côté ni les rieurs ni les poètes, mais seulement quelques normands. L'essentiel de la querelle est cette constatation que, lorsqu'il s'agit de défendre Marot, ami pourtant assez compromettant à cette date, les poètes, célèbres ou obscurs, occasionnels ou patentés, se dressent avec élan, fiers de se dire les disciples de celui que Des Périers appelle le « Père des poètes français », le « Maro » de son pays.

Les Marotiques à la cour de France

Si la cour fut la maîtresse d'école de Marot, celui-ci à son tour lui prodigua, à travers toute son œuvre, son enseignement, y suscitant d'autres talents poétiques, humbles ou éclatants, qui assurèrent jusqu'au milieu du siècle l'influence souveraine du poète. Le premier de ses disciples est d'ailleurs le roi lui-même, bien que François Ier ne soit sans doute pas l'auteur de toutes les poésies qu'on lui prête. Talent facile et aimable, il est bon imitateur de la manière marotique, sans retrouver cependant le naturel de son modèle. Peu cultivé, il ignore les rhétoriqueurs et méconnaît la technique, se contentant d'imiter la poésie courtoise un peu désuète de la fin du siècle précédent. Dans ses poésies galantes, rondeaux ou chansons, sont développés avec complaisance les lieux communs de l'amour pétrarquisant. Il y a plus de forte vivacité et d'émotion dans les épîtres, en particulier dans celles qu'il écrivit pendant sa captivité espagnole. Certaines petites pièces connaîtront une diffusion considérable après avoir été mises en musique : *Dites sans peur*, *Doulce mémoire*, *Qu'est-ce d'Amours ?* ont été parmi les plus grands succès de la chanson française. Mais dans ces poésies, rien qui dépasse vraiment le niveau moyen des versificateurs d'alors, celui de ses « domestiques » en particulier, Antoine Macault, Almanque Papillon, Jacques Colin ou Lyon Jamet. Il est vrai que l'influence des vieux poètes resta longtemps perceptible à la cour : ainsi, une dame d'honneur de la reine Claude, Anne de Graville, mit en rondeaux la *Belle Dame sans mercy*, d'Alain Chartier et développa dans un roman en vers, *Palamon et Arcita*, une histoire de Boccace.

En dehors de ces honnêtes amateurs, la cour abrite plus d'un bon poète. Certains atteindront l'apogée de leur renom sous François Ier : Victor Brodeau, Hugues Salel, Claude Chappuys, La Borderie ; d'autres seront les favoris de Henri II : Lancelot de Carle, François Habert, sans parler de ce curieux phénomène qui a nom Saint-Gelais. Comme il faut s'y attendre chez des poètes de cour, les pièces de circonstance représentent une part importante de leurs écrits : sans qu'il faille négliger cette production où se reflète tout l'idéal d'un règne et l'art de la décoration de l'événementiel, nous retiendrons d'autres voies ouvertes ou suivies par les meilleurs de ces écrivains.

Poète religieux, Victor Brodeau, qui passe pour le disciple favori de Marot, connut une belle renommée, bien que ses œuvres soient restées manuscrites. Dans quelques pièces profanes, il témoigne d'un esprit vif et léger, d'un talent élégant et facile ; il y a chez lui une fraîcheur d'invention et un bonheur d'expression qui le haussent çà et là au niveau de son maître (*A deux frères mineurs*, *De l'amour du siècle antique*, recueillies dans les poésies de Marot). L'inspiration évangélique et l'influence de Marguerite de Navarre dominent l'œuvre sérieuse de Brodeau, dont l'orthodoxie ne fut jamais suspectée. Peu après sa mort, on publia ses *Louanges de Jésus Christ*, long hymne en décasyllabes, plein d'une flamme oratoire assez vive et d'accents de confiance et d'amour qui n'ont pas perdu toute leur conviction. La foi profonde de Brodeau éveille une sensibilité vibrante qui lui permet d'évoquer le regard du Christ sur les hommes, sa bonté et sa justice, avec l'élan lyrique le plus juste, où l'élévation de la pensée s'appuie sur un vers d'une belle et noble simplicité. Certes, Brodeau conserve à l'occasion les rimes équivoquées, ou paraphrase sans grand relief les versets de l'Écriture, mais à ses meilleures moments il s'élève au-dessus du *Miroir de l'âme pécheresse* et il annonce les *Psaumes* marotiques ; de fait, il a sa place marquée dans les débuts du grand lyrisme religieux, autant par ces *Louanges* que par l'*Epistre d'un pecheur à Jesus Christ*. Personnalité équilibrée et réservée, poète au talent aimable ou vigoureux, Brodeau mérita cette louange de Sainte-Marthe :

> Terpsichoré a près de soy Brodeau
> Lequel tousjours invente chant nouveau,
> Et de son chant il faict si grand merveille
> Qu'il n'y a cœur que soubdain ne resveille.

Peut-être sa disparition prématurée en 1540 ne lui permit-elle pas de donner toute sa mesure : contentons-nous de ces belles prémices.

Le deuxième personnage de cette équipe de courtisans-poètes est Hugues Salel, dont la carrière fut brillante, et qui représente les tendances de la poésie humaniste. Autre Quercynois (ce qui créa naturellement une affinité avec Marot et Magny), ce juriste ami des lettrés joua à la cour un rôle de premier plan pendant une dizaine d'années. Fort cultivé, avenant, débonnaire et obligeant, il sut faire autour de lui l'unanimité de ses confrères : la préface de l'*Olive* le complimente ; Ronsard, Etienne Jodelle et Jacques Tahureau lui consacreront un tombeau. Le recueil de ses *Œuvres*, paru chez Roffet en 1539, joue de registres divers avec même aisance. Marotique, Salel l'est dans ses poésies d'occasion : d'honnêtes épîtres, des épitaphes bien ciselées, et tout un lot d'épigrammes ingénieuses, pétillantes ou raffinées, parfois imitées des strambottistes ; rappelons ici qu'il est l'auteur du dizain liminaire de *Pantagruel*. Le souvenir des rhétoriqueurs se traduit par deux rondeaux, une ballade, un chant royal sur le thème obligé de la conception de la Vierge, et surtout par deux poèmes allégoriques et politiques : *La Chasse royale du Sanglier Milanois par l'Empereur Charles V et le Roy Françoys Ier*, qu'on ne lit pas sans ennui, et le *Dialogue non moins utile que delectable, auquel sont introduictz les dieux Jupiter et Cupidon, disputans de leur puissance et par fin un antidote et remede pour obvier aux dangers amoureux*, où réapparaît l'arsenal déjà archaïque de songes, allégories, débats, intelligemment renouvelé sans que l'œuvre puisse y trouver vie.

Salel fut l'un des premiers humanistes-poètes : à l'inspiration du *Roman de la Rose* ou des *Métamorphoses*, il ajouta Lucien, Boccace et Pétrarque, Ausone, Sannazar et Pontanus. Son œuvre la plus développée, l'*Eglogue marine* (1536), est imitée de Sannazar. Il s'intéressa au platonisme ; en témoignent trois *Chapitres d'amour* en tercets. Il fut essentiellement l'introducteur d'Homère en France : sur l'ordre du roi, il entreprit une traduction en décasyllabes de l'*Iliade*, dont dix chants parurent en 1546 ; après le onzième, posthume (1555), c'est Amadis Jamyn qui acheva l'ouvrage en 1574. Salel eut le goût très marqué de la mythologie, qui se détache chez lui, au moins partiellement, de la froide ornementation conventionnelle, comme dans une belle *Ode* du recueil de 1539. Aussi Ronsard put-il saluer en lui le poète « qui des premiers chassa le monstre d'Ignorance » *(Bocage)*. Cette œuvre pourrait se caractériser par sa grande diversité :

Il n'est pas dit que tousjours faille escrire
Propos d'amour et matière joyeuse :
Communement l'homme changer desire,
Et longue joye est souvent ennuyeuse.

Dans chacun des domaines que Salel a abordés, il lui est arrivé de rencontrer la vraie poésie : malice discrète et réservée dans les épigrammes, langueur à l'italienne des vers d'amour, fermeté et grandeur dans les œuvres sérieuses, charme troublant des évocations mythologiques.

Un second groupe réunit les poètes du règne de Henri II, qui tous ont commencé à écrire vers 1532, alors que Marot venait de s'affirmer. Leur carrière se poursuivra souvent bien après les débuts de la Brigade : ils feront figure de continuateurs ou d'hommes de transition. Ainsi, Lancelot de Carle, évêque et érudit, auteur de blasons marotiques et de poésies religieuses *(Hymnes et sonnets chrestiens)*, traducteur d'Homère (fragments de l'Odyssée) et d'Héliodore. Mais le premier rang revient sans conteste à François Habert et à Saint-Gelais.

François Habert connut la cour sous François Ier, mais c'est Henri II qui lui décerna le titre de « poète du roi ». Précoce et très fécond, il donna une cinquantaine d'ouvrages en vingt ans, tout en traitant sa production avec une belle désinvolture. Une grande place y est occupée par des œuvres de circonstance, dont la liste est intéressante à elle seule, car on voit qu'aucun événement d'importance n'y manque. Il conserva toute sa vie le pseudonyme pris dans sa jeunesse, alors qu'il n'avait pas encore trouvé de protecteur, « Le Banny de Lyesse », et une devise surprenante pour cet homme comblé, « Fy de soulas ». Il est vrai qu'Habert est un poète sans sourire, sans abandon et sans beaucoup de naturel. Il a laissé des poésies religieuses, des opuscules moralisants *(Le Songe de Pantagruel*, 1542) et des allégories embarrassées *(Le Temple de Vertu*, 1542 ; *Le Temple de Chasteté*, 1549). Dans toute cette partie de l'œuvre, Habert se souvient de la rhétorique, à laquelle il ajoute les leçons d'un humanisme spéculatif à prétentions philosophiques, ce qui n'empêche pas ces traités de sonner creux parfois.

Habert a cultivé également tous les genres marotiques, dans ses *Visions du Banny de Liesse* (1540) et leur suite (1541) : on y trouve rondeaux, ballades, épîtres, épigrammes et épitaphes. Il s'essaya aussi à la prose poétique, le premier en France, dans sa *Contemplation poétique* (1544). Homme aux vues assez larges pour pouvoir apprécier Ronsard et Du Bellay, malgré les attaques de celui-ci, il eut de nombreux amis et patronna quelques jeunes poètes, dont Gilles d'Aurigny, et fit partie du dernier carré marotique, autour de Jean Brinon. Il y a de très bonnes choses à glaner dans cette masse énorme de textes, mais aussi beaucoup de fadeur, de convention, de banalité et d'ennui : le vers s'étire souvent, interminable, couvrant des pages sans consistance. Habert n'a pas écrit beaucoup de petites pièces : il préférait l'ampleur de l'opuscule, du poème, qui convenait mieux à son talent prolixe et à ce goût très marqué pour la réflexion solide et sérieuse.

De cette cohorte de rimeurs courtisans, où brille encore Claude Chappuys, qui passa un temps pour son heureux rival, se détache l'intrigante figure de Mellin de Saint-Gelais, parfait modèle du *Poète courtisan* de Du Bellay. On l'a dit fils bâtard d'Octovien : en tout cas, il appartient à une famille qui connaît à merveille l'art de plaire et l'art de parvenir. Très cultivé, il a découvert la poésie en Italie peu après 1520, les élégiaques latins d'abord, les néolatins, les strambottistes et les bembistes ensuite, et il sera très perméable à cette influence. Il commence à écrire après 1532, au moment où Marot triomphe : il a alors la quarantaine, est aumônier du Dauphin et du Roi, et pendant quinze ans il assiéra solidement sa renommée en improvisant de menus riens pour les dames : madrigaux, épigrammes, cartels pour les tournois ou les mascarades. Indifférent à la gloire littéraire, Mellin ne vise que le succès immédiat, ayant choisi « Vie pour moy et non pour mes escriptz » ; il se refuse à imprimer les poésies qui circulent sous son nom et qui ne sont pas toutes de lui :

> Tel estoit de son temps le premier estimé
> Duquel si on eut lu quelque ouvrage imprimé,
> Il eut renouvelé peut-estre la risée
> De la montagne enceinte, et sa Muse prisée
> Si haut auparavant, eut perdu (comme on dit)
> La reputation qu'on luy donne à credit
>
> (Du Bellay)

Mellin fut en tout cas un personnage des plus marquants à la Cour ; tous les marotiques l'encensèrent à l'envi, Rabelais lui emprunta une énigme pour son *Gargantua* et la Pléiade dut céder et composer avec lui jusqu'en 1553.

Les poésies de Saint-Gelais reposent en général sur un large fonds d'imitation : sa véritable originalité réside dans le « tour de main ». Car pour cet ecclésiastique libertin, mais de bonne compagnie, la poésie est un instrument de séduction : épicurien spirituel ou mordant, prompt à la repartie et volontiers caustique, ce Voiture du XVIe siècle tourne habilement le bibelot, avec facilité et agrément, mais avec moins de grâce et de naturel que Marot ; son style tombe souvent dans l'alambiqué et l'affectation, selon la pire manière italienne. Toutefois, en lisant ces billets poétiques, on peut se convaincre que Saint-Gelais possédait l'art de l'improvisation, l'art de la rosserie ou de la galanterie, celle-ci tour à tour flatteuse et délicate, pétrarquisante ou égrillarde, l'art de la pointe et du trait d'esprit ; et l'on comprendra ainsi sa réussite immédiate. Notons aussi pour l'histoire littéraire, qu'il introduisit en France le madrigal et peut-être le sonnet. Certaines de ses œuvres connurent une très grande diffusion vers le milieu du siècle, notamment par le biais de la musique vocale ; une soixantaine de ses poésies, dont les célèbres *Laissez la verde couleur* et *O combien est heureuse*, furent ainsi chantées partout où la chanson française exerçait son rayonnement. Mais ce succès, d'ailleurs limité, ne dura pas : Mellin avait semé sa route « de petites fleurs, et non fruits d'aucune durée » (Pasquier).

L'entourage poétique de Marguerite d'Angoulême

Plus encore que son frère, Marguerite est au centre de la vie littéraire et intellectuelle du temps ; elle s'est faite la protectrice d'un groupe fort nombreux de poètes et d'érudits, de traducteurs, de penseurs religieux, tout en respectant la liberté d'opinion de chacun, mais prête à les défendre contre les persécutions injustes. Dans son entourage ont figuré, outre Brodeau, Salel ou Saint-Gelais, outre les humanistes Sylvius et Le Maçon, trois écrivains de quelque valeur, Des Périers, Sainte-Marthe et Antoine Héroët.

Bonaventure Des Périers, esprit instable et tourmenté, était un authentique érudit, aux vastes connaissances, et un écrivain complet : traducteur de Platon (*Lysis*, dédié à Marguerite en une longue pièce liminaire, *La Queste d'Amytié*), collaborateur de la *Bible* d'Olivetan, pour la partie philologique, hardi penseur dans son *Cymbalum Mundi* et conteur alerte dans les *Nouvelles Récréations*. Les poésies que nous avons conservées de lui datent des années de service auprès de Marguerite (1536-1541) : elles portent la marque de Marot par plus d'un trait formel. Indiscutablement, Des Périers est un virtuose, possédant à fond les ressources de son art, témoignant de géniales inspirations. Il excelle dans l'épître et l'épigramme, esquisse alertement le récit d'un *Voyage de Lyon à Nostre-Dame de l'Isle*, s'échauffe à une truculente rhapsodie bachique et se prend à rêver tendrement aux mystères de l'amour que lui inspire Claude de Bectoz. Ce qui ne l'empêche pas de retrouver l'esprit de la Grande Rhétorique dans un *Cri touchant de trouver la bonne femme*, curieuse paraphrase des *Proverbes* de Salomon, ou dans ses *Quatre Princesses de Vie humaine*. Des Périers est même poète très sérieux dans des œuvres marquées par l'influence de Marguerite, où s'affirme une vive sensibilité et une gracieuse mélancolie (*Des Roses*, l'une des meilleures pièces lyriques de ce temps) ou la fermeté de la réflexion (*L'Homme de Bien*, beau poème moral). Des Périers fut enfin un novateur, paraphrasant en prose rythmée la première satire d'Horace, et disposant, avant Paul Fort, ses vers comme de la prose. Somme toute, un talent varié, à l'imagination mobile et pleine de fantaisie, ayant le don du mot et du vers, alliant la richesse de la pensée à l'équilibre de la forme. Ce fut certainement l'un des plus authentiques poètes de sa génération, que seule une grande instabilité intellectuelle empêcha de se révéler pleinement.

Sainte-Marthe n'a pas le même relief, bien qu'il ait été, lui aussi, une personnalité assez singulière, à la vie très agitée : hardi voyageur, théologien suspect d'hérésie et emprisonné, avant de trouver asile et protection auprès de la reine de Navarre. Il fut l'instigateur du *Tombeau de Marguerite de Valois*, dans lequel presque tous ceux que la princesse avait aidés lui rendirent hommage. Dans sa *Poesie françoise* (1540), Sainte-Marthe a chanté son amour pour la belle Arlésienne Beringue en de nombreuses épîtres ou élégies, en rondeaux ou en ballades. Ses épigrammes peuvent être pleines d'une grande délicatesse galante ou d'une robuste causticité. Il n'innova jamais, mais fut un poète sobre et gracieux, à la veine égale et naturelle. A la fin de sa vie, Sainte-Marthe se rapprocha de la Brigade, sans y trouver de quoi renouveler son inspiration.

Antoine Héroët, le « digne évêque de Digne », ainsi que l'appelait Valery Larbaud, ne pinça qu'une corde sur la lyre : celle du pur amour. « Doctrinaire » des idées platoniciennes avec Marguerite, dont il fut le pensionné, il sut allier une sincère foi religieuse à une science un peu austère et aux élans d'un cœur droit. Dans son *Androgyne*, il traduisit et commenta Platon, donnant de l'amour idéal cette belle définition :

> L'amour est passion gentille,
> Nous esclairant de flamme si subtille,
> Que du ciel semble en la terre demis
> Pour esveiller les espritz endormis
> Et les lever jusques à la partie
> Dont la clairté de sa torche est sortie.

Il composa d'autres poésies dans le même registre, dont la *Parfaicte Amye*, qui est l'une des grandes œuvres de l'école marotique.

A l'image d'Héroët, l'entourage de Marguerite se caractérise par sa soif d'idéal, sa quête d'absolu, ses préoccupations d'ordre philosophique. Ces écrivains sont volontiers des méditatifs, esprits plus profonds que la majorité de leurs rivaux. La poésie est pour eux affaire sérieuse : ils ne la parent que d'un minimum de charmes, sauf dans les pièces plus détendues de stricte obédience marotique, mais ils lui donnent solidité et profondeur, écrivant des œuvres assez denses, qui ne se lassent jamais de redire, souvent sous une forme empesée, les vérités premières et les grands principes du platonisme chrétien. Ces poèmes restent toujours un peu tendus, renonçant à l'effet pour suivre une argumentation serrée. Mais la tendance que représentent les poètes

platonisants était vouée à l'échec, dans un pays où les charmes apparents
comptent beaucoup : si elle fut un moment important dans l'histoire des
idées et du goût, elle n'offrit que peu de développements poétiques, à l'exception toutefois d'un épisode qui toucha un public plus vaste et qui permit de
diffuser les principales idées platoniciennes, la querelle des Amyes.

La Querelle des Amyes

Ce ne fut d'abord que la réapparition d'un vieux débat littéraire, l'opposition entre détracteurs et apologistes de la femme. La femme est-elle un être
retors, cruel et malicieux, causant la perte de ceux qui s'attachent à elle, ou
au contraire la fleur de toute gentillesse, de toute beauté, de toute noblesse ?
On relève des traces de ces images contrastées au Moyen Age, et encore pendant tout le xve siècle. Alain Chartier a attaqué les dames, Martin Le Franc
lui a répondu, et P. Michaut ou Guillaume Alecis ont pris à nouveau le
contre-pied en de vigoureuses satires. Cette longue dispute se clôt provisoire-
ment en 1493 avec l'*Acort des mesdisans et des biens disans* de Du Herlin.
Mais presque aussitôt les rhétoriqueurs reprennent le débat : au *De
Legibus connubialibus*, d'André Tiraqueau, l'ami de Rabelais (1513) s'opposent
Symphorien Champier *(Nef des dames vertueuses)*, Jean de l'Espine de Pont-
Alais *(Louenge des dames)* et le *De praecellentia fœmini sexus* de Corneille Agrippa.
Jean Marot et sa *Vray disant Advocate des Dames; Jean Bouchet (Triomphes de
la noble dame amoureuse)* sont contredits par les très violentes *Controverses des
sexes masculin et fœminin*, de Gratien Du Pont (1534). Les humanistes eux-mêmes,
après Tiraqueau et Agrippa, se partagent en deux camps : d'un côté, Névisan
(Sylvae nuptialis, 1521), de l'autre, Erasme *(Institutio christiani matrimonium*,
1526) et Vivès *(De institutione fœminae christianae*, 1532).
Cette éternelle dispute passe ensuite dans l'école marotique : en 1537,
Almanque Papillon déclare tout crûment que l'amour d'une femme ne s'acquiert que par l'argent *(Victoire et triumphe d'Argent contre Cupido)*. Mais il
faut attendre 1541 pour qu'éclate la querelle proprement dite. C'est Bertrand
de La Borderie, l'un des meilleurs disciples de Marot, qui en est la cause,
avec son *Amye de Court*, poème satirique dans lequel il prend cyniquement le
contre-pied de ceux qui vantent la toute-puissance et la perfection de l'amour.
La Borderie visait des textes idéalistes tels que *Douleur et Volupté*, d'Héroët, la
Définition d'Amour, de Saint-Gelais, et autres ; mais au fond, l'origine du
débat était à chercher dans la découverte d'une œuvre capitale, le *Courtisan*
de Baldassarre Castiglione, traduit en 1537 par Jacques Colin. Ce bréviaire
du parfait gentilhomme faisait une large place à la religion de l'amour et de
la beauté, en vulgarisant les idées ficiniennes : l'amour humain n'est qu'un
degré pour parvenir à une autre passion plus sublime ; partant de la beauté

particulière d'une femme, l'amant parviendra à la beauté universelle, dans laquelle il verra bientôt un « rayon de cette lumière qui est vraye image de la beauté angélicque » et qui le conduira insensiblement à l'amour divin.

En réaction directe contre ces conceptions, le poème de La Borderie fit scandale : on y lisait les déclarations d'une femme refusant l'amour, dominant et asservissant sa passion pour ne conserver que la galanterie et les avantages matériels qu'elle en pouvait tirer. Protestant contre l'amour platonique (encore représenté par le dialogue romanesque du *Pérégrin*, de Caviceo, traduit par François Dassy en 1527), La Borderie donnait le portrait d'une coquette fort réaliste, soucieuse d'hommages mais surtout de présents, méprisant le mariage d'amour : une manière de « cortegiana onesta ». Le ton désabusé et sceptique de l'œuvre était assez nouveau : ironique et agressif, lucide reflet des mœurs du temps, l'*Amye de Court* était un poème piquant, écrit avec un art consommé et propre à susciter la controverse.

La première réplique fut celle de Charles Fontaine qui, dans sa *Contr'Amye de Court* (1542) s'attribua le rôle de champion des dames et invita les autres poètes à entrer en lice à ses côtés. En 1282 vers, il réfutait avec beaucoup de fermeté la vision réaliste et péjorative de La Borderie, en donnant dans le sens du platonisme. Son appel fut entendu : Saint-Gelais, Des Autels, Sainte-Marthe, Dolet intervinrent, ainsi que Marguerite elle-même *(Comédie à dix personnages)*, le transfuge Papillon *(Nouvel Amour)*, La Coudraie *(Le Pourquoy d'Amours)* et Marot (dans son épître *Contre le fol amour*); vinrent en renfort d'Aurigny, Habert *(La Nouvelle Venus; Le Temple de Chasteté)*, La Haye, Changy, Corrozet, Bérenger de La Tour *(L'Amye des Amyes*, 1558) et Louise Labé *(Débat de Folye et d'Amour)*. Face à ces bataillons serrés, un seul poète osa voler au secours de La Borderie : Paul Angier (mais on s'est demandé si ce n'était pas un pseudonyme dissimulant La Borderie lui-même !) donna en 1545 une *Experience de l'Amye de Court*. La querelle s'éternisait, mais elle tournait nettement à l'avantage des femmes et de l'amour idéal.

De ce monceau de textes, un grand poème émerge, la *Parfaicte Amye*, d'Héroët (1542). Ce monologue sentimental (sur le modèle de la *Fiammetta* de Boccace) vaudra à son auteur les plus flatteuses appréciations (« Héroïque Héroët » « heureux illustrateur du hault sens de Platon », selon Dolet) et connaîtra plus de vingt éditions jusqu'à la fin du siècle. C'est un parfait exposé de la doctrine platonicienne de l'amour : l'Amie définit d'abord les caractères du sentiment qu'elle éprouve, puis imagine ce que la mort de son amant lui ferait ressentir, et affirme enfin que l'amour vrai donne le bonheur et se voit toujours récompensé. Le texte a une allure de plus en plus philosophique, métaphysique même. L'amour, selon Héroët, provient « par seure election » des vertus de l'ami, et non pas d'un fol étourdissement causé par l'apparence physique. L'ami devient alors le « terrestre Dieu », car l'amour ne peut être que le résultat d'une prédestination, d'une reconnaissance voulue par Dieu, et il élèvera l'âme vers le divin, la ravissant d'une telle félicité que

> Ne demandez quel heur : car qui l'a eu,
> Oncques depuis redire ne l'a sceu.

L'amour terrestre conduit ainsi à un sentiment d'essence supérieure et prépare le bonheur sans fin :

> Si suis je bien dès cette heure certaine
> Que, rechappés de la prison mondaine,
> Irons au lieu qu'avons tant estimé
> Trouver le bien qu'aurons le plus aymé.
> C'est de Beauté jouyssance et plaisir
> Dont nostre amour est un ardent désir.

Autant qu'un texte de vulgarisation philosophique, la *Parfaicte Amye* est un beau chant d'amour, grave et serein, aux résonances profondément humaines, écrit dans une langue pleine de réserve et de densité.

On sait que cette querelle eut d'autres prolongements littéraires, dont le plus important est le *Tiers Livre* de Rabelais, tout entier orienté autour de la discussion des mêmes problèmes. Les femmes eurent bien le dernier mot, puisqu'en 1555 François de Billon consacrait à leur louange un traité pesant et péremptoire, *Le Fort inexpugnable de l'honneur du sexe féminin*, dont le titre devint en 1564 *La Defense et forteresse invincible de l'honneur et vertu des dames*. La querelle avait ajouté à un lieu commun de la tradition nationale un approfondissement d'une toute autre portée en exposant au public lettré les éléments d'une philosophie de l'amour.

Les provinciaux

L'influence marotique ne s'est pas limitée aux grands centres du royaume : dans la moindre ville où existe un petit noyau de lettrés, le désir de marcher sur les traces de Clément se fait jour ; et la province française a souvent plus d'importance que la capitale dans la vie littéraire. Encore n'avons-nous conservé (heureusement, sans doute) qu'un nombre réduit de ces productions d'amateurs, provinciaux qui ont passé les années actives de leur existence dans leur pays natal ou d'adoption, refusant de suivre la cour ou vivant un peu à l'écart des grands courants artistiques.

Parmi cette foule de petits et d'obscurs, quelques figures ont un relief plus marqué. En premier lieu cette espèce d'original que fut Germain-Colin

Bucher, qui traversa toute l'Europe avant de retrouver son Angers natal pour y essuyer les rigueurs d'une belle Gylon. D'abord jaloux de Marot, il fut toutefois assez lucide et assez honnête pour refuser de rallier le parti de Sagon. Poète consciencieux, mais peu ambitieux, il se contenta du renom que lui valurent les manuscrits de ses rondeaux, chansons, épîtres ou épigrammes, et n'imprima jamais rien. Après avoir manifesté beaucoup de verve et une agressive truculence dans des œuvres liées au terroir angevin (coutumes locales, pièces bachiques), après avoir donné dans l'alexandrinisme mignard, voire dans un pétrarquisme d'une finesse inattendue, il eut dans sa vieillesse l'occasion de quelque mélancolie : inquiété pour des opinions religieuses suspectes, souffrant d'impécune et de maladie, il se plaignait doucement :

> Pleurant je vins sur terre et en pleurs je define ;
> Tout mon vivre est ennuy, soin, soucy, peine et pleurs ;
> Et tout ainsy que l'or par le long tems s'affine.
> En vieillissant aussy s'accroissent mes douleurs.

Malgré une certaine gaucherie, qui n'est pas sans saveur, le vers de Bucher est bien frappé, faisant alterner émotion et raillerie, recherche et naturel.

Moins réservé, le Normand Jean Le Blond de Branville se posa carrément en rival de Marot ; il pensait offrir dans son recueil de « nugae », *Le Printemps de l'Humble Esperant* (1536), de quoi faire oublier l'*Adolescence*. Un silence inquiétant suivit la publication du chef-d'œuvre ; outré, Le Blond trouva tout naturel de prendre le parti de Sagon ; mais il n'était plus temps, et nul ne prit garde à ses attaques. Plus sagement cette fois, il renonça à la poésie et entreprit de traduire Valère Maxime et l'*Utopie* de Thomas More.

Toulouse, cette métropole méridionale, fière de son Parlement, de ses Jeux Floraux et de ses milieux cultivés, ne manque pas de poètes, presque tous juristes de métier, comme le grave La Perrière, auteur de centuries moralisantes. Marot y eut un ami de longue date, un admirateur et un défenseur en la personne de Jean de Boyssonné, professeur de droit et humaniste. S'il versifiait, et même avec facilité, Boyssonné ne surestimait pas ses bagatelles, qu'il communiquait peu ; dans ses trois centuries de dizains, seule la deuxième, les *Amours de Glaucie*, contient quelques plaisantes épigrammes, encore qu'il y ait plus d'un détail curieux à glaner dans la première, réservée aux pièces de circonstance inspirées par l'actualité littéraire ou historique. Marot eut un autre disciple à Toulouse, Etienne Forcadel, que la Faculté de Droit préféra à Cujas. Il avait fait choix de la devise « Espoir sans espoir » et il publia, à la suite de son *Chant des Seraines*, adapté de Théocrite, tout un lot de poésies diverses, d'assez bonne facture. Il ne s'élève vraiment au-dessus de la moyenne que dans quelques épigrammes, dans ses chants lyriques *(D'un amant refusé)* et dans ses

Blasons de la Nuit et *Des Dames*. Il reprendra et corrigera ses œuvres en 1579 pour les remettre au goût ronsardisant, rare exemple de rajeunissement poétique.

Ailleurs, c'est le Dijonnais Jean Martin, qui marotise gentiment dans son *Papillon de Cupido* (1543), l'honnête Bordelais Jean Rus, lauréat des Jeux Floraux en 1540, et auteur d'un *Blason du Puys*, « poème équivoque, plein d'une vicieuse innocence », Guillaume Michel de Tours, moralisant et rigoriste, ou Jean Maugin, « le Petit Angevin », traducteur estimé et poète d'amour *(Le Plaint du Vaincu d'Amour*, 1546, à la suite de son adaptation de *L'Amour de Cupido et de Psyché)*. Deux poètes errants : Jean Chaperon, dit « Le Lassé de Repos », qui salua Marot d'un *Dieu gard à son retour de Ferrare*, et qui traduisit « de langue romanne en prose françoyse » le *Chemin de longue estude* de Christine de Pisan (1549) ; et Michel d'Amboise, « l'Esclave fortuné », bon poète des infortunes amoureuses dans des *Complaintes* (v. 1528) et des *Epistres veneriennes* (1536) qui méritent encore la lecture, mais aussi l'un des premiers grands épigrammatistes, bien que ses *Cent Epigrammes* (1532) reposent pour une bonne part sur des imitations d'Angeriano. La démarche en est ferme et piquante, la formulation ingénieuse et on y devine une sensibilité assez vive dans l'expression de l'ardeur amoureuse.

Quant au Parisien Gilles Corrozet, il représente un phénomène à part, illustrant, dans ses œuvres poétiques originales, tout l'esprit de la bourgeoisie de la capitale. Qu'il trace les règles de conduite du ménage laborieux dans ses *Blasons domestiques* (1539), qu'il se préoccupe d'instruction sentencieuse dans ses *Fables d'Esope* ou son *Hecatomgraphie* (1541-42), ou qu'il oppose l'amour platonique à l'élan sensuel *(Compte du Rossignol)*, son moralisme bourgeois semble souvent terne et étroit, mais son style sans pédantisme révèle une candeur naïve qui fait tout l'intérêt de ces pièces.

La vie poétique française entre 1530 et 1550 ne se limite pas à ces seuls noms, les noms de célébrités vite oubliées ou de poètes des heures perdues : combien d'autres encore, négligés peut-être à tort, dans ce grand moment d'épanouissement et de création, ces La Coudraie, Dodier, Dehéris, Béser, Robinet Du Luc. Ils n'ont pas qu'un intérêt de catalogue : ils attestent, à tous les horizons du royaume, la vitalité retrouvée et la nouvelle jeunesse de la poésie.

La veine familière

Il y avait en Marot un basochien facétieux, un satirique badin, un diseur d'amusettes, bref un bon poète gaulois, franc et sans façon, fait pour distraire en promenade, pour accompagner les gras festins, pour épanouir les voix avinées. On sait combien ses chansons, ses épigrammes et ses rondeaux, mis en musique, par les meilleurs compositeurs du temps, furent chantés, copiés, écoutés : bon nombre de ces piécettes se retrouvent dans les recueils de poésie familière ou joyeuse, voisinant avec de très nombreuses imitations. Il y eut en effet une foule de poètes d'occasion restés anonymes, capables de trousser le dizain ou le quatrain pendant une minute de grâce et qui alimentèrent les recueils de chansons françaises, où s'empilent plus de six mille petites compositions. Parmi ces livrets poétiques, certains ne sont pas totalement oubliés : *La Fleur de Poesie françoyse* (Lotrian, 1542), *La Recreation et Passetems des Tristes*, *Les Fleurs de Poesie françoyse* ou le *Recueil de vraye poesie françoyse* (Janot, 1534-1544). Presque partout, on voit le vieux fonds national ravivé et rajeuni par quelques traces d'esprit marotique et, plus souvent qu'on ne le pense, ces épigrammes ont quelque mérite littéraire, grâce à leur malice prestement enlevée ou leur frappe joliment esquissée. L'amour s'y étale, tour à tour délicat ou piteux, gaillard, élégiaque, indigné ou désabusé, occasion de compliments galants ou de salaces équivoques ; car c'est l'amour qui est presque le sujet unique de ces chansons, charmantes et truculentes, qui portent à bon droit, par la délicatesse ou l'ironie, le qualificatif de « françaises » que les musicologues après les musiciens leur accordèrent.

Cependant, à côté de cette production étroitement liée au phénomène de la chanson polyphonique, il convient de faire une place à trois écrivains qui représentent eux aussi à leur manière cette veine populaire et familière. Le premier, Roger de Collerye, traîne derrière lui une petite légende qui campe son personnage. La déveine s'acharna sur lui, « le Dépourvu », « l'Infortuné » ; il eut pour compagnons Plate Bourse et Faulte d'Argent ; mais son humeur vagabonde et insouciante n'en fut guère altérée. Collerye participa avec entrain aux réunions de la Société des Fous, signa ses Dits du pseudonyme de « Débridegozier » et fut le vrai prototype de Roger Bontemps. Ses œuvres poétiques trahissent le disciple de Guillaume Coquillart et l'héritier de toute la poésie facétieuse médiévale. Il donna ses *Œuvres* en 1536, où l'on note une *Epître à Marot* et toute une série de pièces bachiques ou satiriques, voire effrontément grivoises, esquissant une peinture réaliste de la vie de Bohème. A la fin de sa vie, amoureux d'une Gilleberte de Beaurepaire, Collerye essaya, pour la chanter, du ton galant à la mode ; mais ses rondeaux d'amour semblent faits de centons et de tous les lieux communs. Il est plus intéressant là où il continue Rutebeuf, Villon et Coquillart.

Son ami Pierre Grognet s'est complu aux catalogues versifiés : dans son *Traité de l'excellence des bons facteurs*, il énumère tous les grands noms du Parnasse depuis la fin du xvᵉ siècle jusqu'en 1533. Deux de ses poésies familières sont fameuses : un *Blason de Paris* avec anagramme et un *Rondeau des Taverniers* digne de figurer en tête de toute anthologie bachique.

Enfin, Charles de Bourdigné relata dans sa *Legende joyeuse de Maistre*

Pierre Faifeu (1532) les tours et entreprises d'un bon étudiant gaulois. On y trouve un reflet de la vie des basochiens, amateurs de grosses plaisanteries, de canulars « hénaurmes » et de franches repues. Le livre n'est pas sans parenté avec la forme d'esprit marotique, mais la structure et le style narratif proviennent encore de l'ancienne tradition. Dans une épître liminaire, Bourdigné livrait quelques jugements littéraires sur Cretin, Lemaire, Chartier, Molinet, Chastellain et Marot : on devine qu'il n'était pas sans culture.

La fin de l'école marotique et les poètes de transition

Un petit groupe de poètes protégés par Jean Brinon prolongera jusque vers 1560 l'esprit marotique, tout en entretenant des relations parfois fort étroites avec les jeunes poètes de Coqueret. Brinon, mécène généreux et très ouvert, accueillit Dorat et ses élèves sans se départir de sa bienveilllance à l'égard de poètes tels que Habert, Sébillet ou Fontaine, Claude Colet et Maclou de La Haye. Habert est le chef de file de ce dernier carré, et sa production s'étendra jusqu'en 1561. Le cas le plus typique est celui de La Haye, ami de jeunesse de Ronsard, mais resté obstinément fidèle au passé dans ses compositions : il blasonnait encore en 1553 et ses *œuvres poétiques* contiennent, outre des épigrammes et des chansons amoureuses, des sonnets et des stances, ainsi que des *Vœux des beautés de s'amye*. Ces fidèles de Marot avaient tenté un renouvellement de leurs conceptions poétiques grâce à l'imitation italienne; suivant l'exemple de Saint-Gelais, ils s'inspirèrent souvent de la poésie amoureuse des Bembistes et des traits plus réalistes des strambottistes, tout en pratiquant de nouvelles formes, stances, madrigaux, tercets, et un mode d'expression tirant vers la subtilité raffinée du maniérisme.

Entre les marotiques de stricte obédience et les poètes de la nouvelle génération se rencontre un petit groupe d'écrivains qui se situent malaisément par rapport à ces deux tendances. A côté de Bouju, magistrat cultivé, ami de Ronsard et de Du Bellay, et poète à ses heures, à côté de Lancelot de Carle, de nouveaux talents apparaissent : Jacques Tahureau, qui mourra jeune et qui, poète galant, ne put s'élever au-dessus de la mignardise car « de malheur il fust empestré des liens d'une femme » ; Olivier de Magny, secrétaire de Salel dont il éditera les *Œuvres* et qui, sans jamais nommer Marot, saluera Saint-Gelais et Carle tout en prenant parti pour la nouvelle école, imitant Pétrarque et Sannazar dans ses premières œuvres.

L'homme le plus remarquable est un isolé, à la personnalité trop forte pour pouvoir se ranger derrière une quelconque bannière. Jacques Pelletier du Mans est à la fois un autodidacte, un polyphile et un esprit universel : astrologue, médecin, mathématicien, voyageur et poète ; intelligence très vivante, mobile, continuellement en éveil et continuellement attirée par la nouveauté, il est insatiable et instable, « varium et versatile ingenium ». En 1544 ou 1545 il traduit en vers l'*Art poétique* d'Horace, en le paraphrasant très souvent. Dans une préface injustement méconnue, Pelletier esquisse, avant Sébillet et Du Bellay, les grands thèmes de la rénovation : il fait d'abord une vibrante apologie de la langue nationale, affirmant que

> la principale raison et plus apparente, à mon jugement,
> qui nous oste le merite de vray honneur, est le mepris
> et contennement de nostre langue native, laquelle nous
> laissons arriere pour entretenir la langue grecques et la
> langue latine, consumant tout nostre temps en l'exer-
> cice d'icelles.

Certes, il faut rendre justice à des écrivains tels que Lemaire, qui ont fait beaucoup pour la réhabilitation et l'enrichissement du français, et à François Ier, dont l'action devrait maintenant porter ses fruits. Pelletier propose à ses contemporains l'exemple des Italiens et conclut en se disant confiant dans l'avenir.

En 1547, Pelletier imprime ses *Œuvres poétiques*, premier recueil d'une série de publications qui s'étendra jusqu'en 1581, et où se manifeste une nette évolution par rapport aux marotiques. Certes, on relève encore, dans la première partie, un blason, des épigrammes et une épître à Saint-Gelais, mais ces pièces sont suivies d'une *Ode à un Poète qui n'escrivoit qu'en latin*, qui prolonge les idées de la préface de 1545, et d'un lot de traductions (deux livres de l'*Odyssée*, le chant Ier des *Géorgiques*, trois *Odes* d'Horace et douze sonnets de Pétrarque). La traduction, tout importante qu'elle soit, ne représente pour Pelletier qu'une étape ; il souhaite, par exemple, que Pétrarque trouve en France des interprètes et des imitateurs plus hardis et plus libres. Dans la seconde partie, Pelletier a groupé des *Chants lyriques* inspirés par la nature (quatre poèmes sur les saisons, une *Ode au Seigneur de Ronsard, l'invitant aux chams*, où s'affirme déjà un enthousiasme dévôt pour la forêt ou les prairies) ou par ses propres états d'âme (*Chant du desespéré*, thème que reprendront Magny et Du Bellay). La forme de ces poésies était soignée, une langue limpide et une belle plénitude des rimes s'accompagnaient d'un souci constant de variété dans les rythmes et les strophes. Le recueil contenait enfin la première œuvre imprimée de Ronsard, *Des Beautés qu'il voudroit en s'amye*.

Mais la réalisation, de l'aveu même de l'auteur, restait inférieure à l'ambition :

> Poesie en moy n'est, Dieu mercy,
> Le meilleur don, et n'est le pire aussy
> Que par faveur m'aient departi les cieux.

Pelletier n'avait sans doute pas la patience, la constance nécessaires pour traduire aussi nettement qu'il l'aurait fallu toutes les idées qui germaient en lui : il fut un semeur, laissant à d'autres le soin de la récolte, et s'en tint là, à l'avant-garde de toutes les innovations (réforme de l'orthographe, réglementation de la métrique, substitution de l'ode et du sonnet aux vieux genres, etc.),

> Tousjours prest de refaire voille,
> Suyvant la carte, et le vent, et l'estoille.

Homme sympathique et cordial au demeurant, admiré de tous pour son savoir et sa discrétion, pour la noblesse de sa pensée et de son caractère. La seule unité que l'on puisse relever en lui est une poursuite constamment relancée du progrès dans la beauté et dans la vérité, une soif inextinguible de connaissance, un « curieux désir »; et ce mouvement d'expansion dans la recherche spirituelle, ce mouvement d'ascension par l'amour se rencontrent dans une aspiration à l'infini qui couronne toute cette quête.

Le théoricien : Thomas Sébillet

On a jugé Sébillet avec beaucoup de prévention et surtout dans une fausse perspective, lui faisant grief d'avoir publié son *Art poetique françois* un an avant la *Deffence et Illustration* et on l'a condamné sur la foi de son successeur. Or l'*Art poetique* de 1548 vient à son heure, reflète bien son temps et vaut d'être considéré avec un peu plus d'attention qu'on ne lui en accorde communément.

« Si tu ne veux excuser ce qu'au surplus verras et entendras à reprendre, donne toy garde qu'on ne te die ingrat, ne voulant donner la main à celuy qui auroit choppé en courant pour te garder de tomber » : la remarque conclusive de l'ouvrage suffit à prouver que Du Bellay et ses compagnons font en tout point figure d'ingrats. L'*Art poetique* est davantage un traité de versification qu'un art poétique, certes, mais il n'a rien d'un ouvrage écrit à la hâte ni d'une banale compilation. Il résume les efforts et les réussites d'une génération qui vient à son terme, et il donne de nombreuses citations, alors qu'il n'y a pas un seul exemple poétique dans la *Deffence*, qui anticipe sur les réalisations. Il provient d'un homme qui s'est cultivé et qui a formé son goût avec une sage lenteur : Sébillet, avocat parisien et amateur de poésie, était « homme de bien et docte, le plus curieux du monde, mais rond et véritable »; nous ignorons quand il a rédigé son traité, et il serait intéressant d'avoir réponse à cette question. Il a toujours publié ses ouvrages au gré de sa fantaisie, attendant plus de trente ans avant de livrer ses *Contramours* (1581), et bon nombre de ses manuscrits se sont perdus. Son caractère affable est attesté par sa rapide réconciliation avec Du Bellay, et par divers témoignages de contemporains.

Théoricien de l'école marotique, a-t-on dit de lui : c'est exact sans doute, mais à nuancer de quelques remarques. D'abord Sébillet ne traite que de la forme, et il est conscient de ne pas tout dire sur la poésie ; de plus, il est clair-voyant, adressant parfois à Marot un reproche au nom du bon sens, et condam-nant les purs rimeurs qui avilissent leur art ; enfin, sous une forme charmante de désinvolture et de badinage élégant, on trouve au hasard de sa plume beau-coup d'idées neuves qui seront reprises sans vergogne ni gratitude par Du Bel-lay. N'oublions pas enfin qu'il s'agit d'une méthode didactique « pour l'ins-truction des jeunes studieux et encore peu avancés en la poésie françoise », méthode progressive et pratique avant tout, et ne demandons pas à Sébillet ce qu'il n'a jamais entendu donner.

On trouve d'abord dans l'ouvrage une série de remarques techniques, portant sur les mètres, la prosodie et les rimes. La nature du vers, dit Sébillet, n'a guère d'importance, car la poésie « bien faite » sera appréciée de toute manière. En revanche, il insiste sur d'autres aspects, donnant pour la première fois la règle moderne de l'élision à la césure, enregistrant la disparition de la coupe féminine ; il établit une distinction pleine de bon sens entre les rimes, et renvoie aux traités antérieurs pour les curiosités des rhétoriqueurs, qui ne sont plus en usage « entre ceux qui ont le nez mouché », preuve de son esprit critique. Sébillet aborde ensuite les genres : il fait place à ceux que la Pléiade revendiquera comme siens, le sonnet, le chant lyrique (qui est l'ode), l'épopée, qu'il nomme le « grand œuvre » ; il analyse avec finesse les genres marotiques et il constate l'extinction de genres tels que le lai ou le virelai. Toutes ces remarques sont frappées au coin de la plus grande justesse et d'une sobre pertinence.

Mais revenons à la poésie elle-même. Sébillet affirme, contrairement à ce que dira Du Bellay, que la poésie française n'est pas expirante et qu'il faut la continuer, non la bouleverser : il est évolutionniste, non révolution-naire, souhaitant un « perfectionnement paisible et continu » (Sainte-Beuve), convaincu de la voir « dedans peu d'ans autant sainte et autant auguste qu'elle fut sous le César Auguste ». Sébillet voit dans la poésie une « divine inspiration », un art « divinement donné » ; c'est pourquoi « le fondement et premiere partie du poeme est l'invention » : cela pour répondre à ceux qui ne verraient en Marot que le fabricant de vers. « Aussi peu profite le vide son des vocables sous lesquels n'y a rien de solide invention, comme le papier lavé de couleurs que legère mouillure legèrement efface ». Le sujet choisi a donc selon lui une importance capitale : sans un bon argument, point de vraie poésie.

Il aborde ensuite le problème de l'imitation : que le jeune poète lise les anciens poètes français qui ont contribué à « l'illustration et augmentation de nostre langue françoise » ; « mais plus luy profiteront les jeunes », et encore plus « la lecture et intelligence des plus nobles poetes grecs et latins, car ceux sont les Cygnes, des ailes desquels se tirent les plumes dont on escrit proprement ». Théorie, on le voit, qui a le mérite de la clarté et de l'équilibre ; en lisant attentivement Sébillet, peut-être même y trouverait-on esquissée la fameuse idée de l'« innutrition »... Pour le style enfin, il conviendra de « rechercher la propriété et la douceur » des termes, de ne pas créer abusivement des néologismes inutiles, ni user de mots obscurs. Cette critique très sage des poètes sibyllins est suivie d'une défense de la *Délie*, « poème d'aultant riche invention que pour le jour d'huy se lise ».

En fait, les principales idées de la *Deffence* se trouvent déjà sous la plume de Sébillet : l'apologie de la langue nationale, au nom d'une philosophie de l'histoire que la Pléiade n'a pas inventée ; la notion d'un progrès possible grâce à la traduction et à l'imitation des Anciens ; enfin la revendication d'une poésie qui est d'abord affaire de don, d'inspiration, puis de métier et de méthode, d'une poésie indépendante, libre, originale et noble. Peut-on raisonnablement prétendre que c'était là « l'art poétique des poètes marotiques, celui des grands rhétoriqueurs, celui du Moyen Age en somme » (Decahors) ? On s'explique mieux l'irritation des jouvenceaux de Coqueret si l'on mesure leur dépit d'avoir été devancés : du coup, leurs idées ne retrouveront quelque valeur qu'affichées avec morgue et prétention, avec excès et intransigeance aussi. Sébillet avait-il formulé ces idées « d'une manière insuffisante et défectueuse » (Chamard), les avait-il réduites « en sèches formules » (Roy) ? N'était le jugement déformant des siècles, on parierait volontiers que l'incohérence, la jactance et le style filandreux de la *Deffence* en rendent la lecture moins aisée et moins agréable que ne le font, pour l'*Art poetique*, la bonhomie malicieuse, la sobre netteté et la raisonnable mesure de Thomas Sébillet.

CHAPITRE V

Les lettres lyonnaises

Lyon, creuset de vie intellectuelle

A une époque où l'idée de centralisation était inconnue, la vieille métropole des Gaules occupait un rang au moins égal à celui de Paris. Au confluent de la Saône et du Rhône, une population active et avisée se groupait alors sur une superficie égale à celle de la ville rivale : 60 000 habitants en 1550. Ville de tradition : les anciennes familles locales, les Bonté et les Sala, les Perréal, les Gondi et les Scève occupaient toujours les grandes charges municipales et constituaient un monde un peu clos, volontiers enclin à l'ésotérisme. Ville d'audace aussi, accueillante aux penseurs hétérodoxes et prompte à la révolte, voire à la grève : certains corps de métiers, les imprimeurs notamment, étaient déjà très attachés à défendre les droits du travailleur contre le patron, et pourvus d'une organisation quasi syndicale. Ville cosmopolite enfin, plaque tournante où les banquiers italiens côtoyaient les courtiers des Pays-Bas, où les convois partaient par eau ou par routes vers Genève ou la Méditerranée, les terres d'Empire ou l'intérieur du royaume. Les échanges commerciaux atteignaient un volume considérable, et l'organisation des quatre foires annuelles, les plus importantes de France, faisait de Lyon l'un des premiers marchés d'Europe. La Relation des ambassadeurs vénitiens note que « la plupart des habitants sont des étrangers, surtout des Italiens ; le plus grand nombre des marchands est de Florence et de Gênes ; Lyon est le fondement du commerce italien et en grande partie du commerce espagnol et flamand ». Enfin, l'imprimerie, introduite dès 1473 et qui bénéficiait de franchises et de privilèges particuliers, occupait un grand nombre d'ouvriers et de savants ; Gryphe, Tournes, Dolet, Juste, Arnoullet, Huguetan, Bonhomme, Constantin, Trechsel, Frellon, Gueynard ou Roville rendent illustre le nom de leur cité.

La présence fréquente de la Cour, depuis le début des expéditions italiennes, le nombre élevé de dignitaires ecclésiastiques ou civils contribuaient à donner à la ville un éclat sans pareil. Le Collège de la Trinité, réorganisé par Champier en 1527, était le lieu de rencontre des érudits et des amateurs, avec l' « Antiquaille » de Pierre Sala. Lyon avait été un centre humaniste dès la fin du xve siècle, avec Barthélemy Buyer, puis Symphorien Champier ; ce dernier, médecin et lettré, domina sa génération. Poète, il développa dans sa *Nef des Dames vertueuses*, qui est un « doctrinal », une théorie de l'amour où se marque l'influence de Ficin. Après lui, la vie intellectuelle connaîtra son point culminant entre 1530 et 1536 : c'est Guillaume Scève, cousin de Maurice, qui est la figure de proue, secondé par les savants archéologues Du Choul, Bellièvre et Grolier. Ils accueillent d'illustres visiteurs, Marot et Rabelais, Des Périers ou Marguerite, voire l'Italien Alamanni qui séjourne à Lyon entre 1522 et 1531. Le milieu humaniste lyonnais est « éclectique et iréniste » (Schmidt), plein d'amour pour le monde, la création et l'homme, se refusant à toute position trop tranchée à l'égard des divers systèmes, volontiers tourné vers l'individualité de l'être intérieur. Ce courant de pensée spéculative se manifeste dans les œuvres : Antoine Du Saix, dans son *Esperon de discipline* (1532), dresse un bilan et donne une justification de la poésie philosophique ou scientifique. Un peu plus tard, Barthélemy Aneau, principal de la Trinité, donnera quelques travaux érudits à côté de poésies officielles ou emblématiques, et peut-être aussi ce *Quintil Horatian*, vigoureuse réplique à la *Deffense*, que l'on attribue encore à Charles Fontaine.

L'atmosphère lyonnaise semblait donc particulièrement favorable à l'inspiration poétique ; et jusque vers 1550 on peut affirmer que presque tous les écrivains ont été, peu ou prou, en contact avec cette source et ce foyer. Du Moulin pourra parler de ces « bons esprits qu'en tous arts ce climat lyonnois a tousjours produict en tous sexes, voire assez plus copieusement que guère autre que l'on sache ». A Lyon, on ne s'est jamais beaucoup intéressé aux rhétoriqueurs, depuis le passage de Lemaire. En revanche, la poésie latine y a été florissante autour de 1535, tout comme la littérature idéaliste, qui y connaîtra sa principale éclosion. Et l'on y sera sensible aux influences, celle de l'Italie et de Pétrarque, celle du platonisme, comme aux hardiesses des occultistes et des magiciens, Simon de Pharès, Corneille Agrippa ou Maître Jean, et à celles des penseurs religieux de la Réforme. Est-on pour autant en droit de parler d'une école lyonnaise entre 1530 et 1550 ? Il ne le semble pas : l' « Académie de Fourvière » ou la mystérieuse « Angélique » n'ont eu ni l'importance ni la cohésion qu'on leur prête parfois et n'ont été sans doute que lieux de rencontre entre l'élite lyonnaise et les visiteurs de marque, entre tenants de tendances diverses au sein du « sodalitium lugdunense ». De fait, on retrouve d'un côté le courant marotique, de l'autre le petit groupe scévien, puis les passants et les marginaux.

Les Marotiques de Lyon

Bon nombre de poètes amis et disciples de Marot sont passés par Lyon ou y ont vécu quelques années, et Marot lui-même s'y est arrêté à diverses reprises. Plusieurs ont déjà été cités : d'autres suivent une voie commune, Antoine Vias (*Diffinition et Perfection d'Amour*, v. 1530), François Roussin, Philibert de Vienne, « l'Amoureux de Vertu » (*Devis amoureux*, 1545 ; *Indignation de Cupido*, 1546) et, plus tard, Guillaume de La Tayssonnière (*Amoureuses Occupations*, 1555). Ces poètes sont avant tout attirés par la philosophie de l'amour et subissent l'influence du platonisme.

Lyon se singularise aussi par le nombre de poétesses qu'elle connut à cette époque : on devine une société très féminisée, où la femme occupe souvent une place de premier rang. A côté de Pernette Du Guillet et de la romancière Jeanne Flore, les noms abondent : Jacqueline de Stuard, Marguerite Du Bourg, Jeanne Creste, Claude et Sibylle Scève. Poétesse, cette Claude de Bectoz, aimée par Des Périers et Visagier, entrée en religion et célèbre par sa vertu comme par sa science. A l'amour pressant et mondain de Des Périers, elle oppose une soif d'amour idéal, chaste, fidèle, qui l'apparente, au moins par certains aspects, à Marguerite. De Jeanne Gaillarde, de Clémence de Bourges, nous n'avons rien conservé ; mais elles furent célèbres par leurs talents artistiques. Ajoutons que Louise Labé elle-même unit la rhétorique, le marotisme et le platonisme dans son *Débat de Folye et d'Amour*. On comprendra ainsi que la querelle des Amyes ait pu trouver à Lyon un terrain favorable à son développement.

Parmi tous les néo-latins, proches de la lignée marotique, Gilbert Ducher, Girinet, Guillaume Scève, un homme mérite une place à part, Etienne Dolet. Humaniste, traducteur, cicéronien, puis apôtre de la langue nationale, grammairien et imprimeur, et surtout philosophe hardi et imprudent, aux opinions très originales (quoiqu'on ne puisse douter de son attachement foncier au christianisme), cet esprit universel, fécond et novateur, fut aussi poète. Il versifia en latin au gré des circonstances les plus diverses et pour tous les lettrés qu'il connut. En français aussi : son *Second Enfer* est mieux qu'une copie de Marot ; il avait fait l'expérience tragique des prisons, et il pouvait décrire avec véhémence les tourments de l'angoisse du captif. Les douze épîtres datant de son exil en Piémont sont un peu reléguées dans l'ombre par sa traduction de l'*Axiochus* et surtout par un seul poème, le beau *Cantique d'Etienne Dolet prisonnier à la Conciergerie*, que le pitoyable destin de l'auteur rend plus pathétique et plus noble encore.

Deux de ces marotiques lyonnais peuvent être hissés au second rang où ils occuperaient des positions fort diverses. Eustorg de Beaulieu représente le picaro de la poésie par sa vie aventureuse et mouvementée. Après avoir versifié des pièces légères ou salaces, après avoir adressé mainte protestation d'amitié à Marguerite, à Marot, à Du Moulin, qui ne répondirent pas, il se convertit au calvinisme et, changeant les cordes de sa lyre, ne composa plus que des chansons spirituelles et des poésies morales. Parfois assez proche de Collerye dans sa poésie familière, d'inspiration rustique ou musicale, il imita Marot dans ses coq-à-l'âne et ses blasons, sans retrouver les charmes du modèle.

Charles Fontaine a une toute autre envergure. Ce bon bourgeois parisien voua toute sa vie à la poésie, sans jamais se préoccuper d'une carrière. Il se fixa à Lyon, où il compta bientôt de nombreux amis. Dans sa *Contramye de Court*, il définit un idéal amoureux plein d'équilibre et conforme aux idées ficiniennes. Il publia en 1546 sa *Fontaine d'Amour* puis en 1555 ses *Ruisseaux de Fontaine*, aux titres gentiment anachroniques : il y avait réuni des élégies, des épîtres, des épigrammes et des chants divers. Très cultivé, de tempérament pondéré, Fontaine est un poète séduisant par le charme coulant et mélodique de son vers, par le jaillissement de son invention et par l'alacrité de sa plume.

Le groupe scévien

La forte personnalité, mystérieuse et réservée, de Scève s'est imposée à un petit groupe de familiers qui, s'ils ne forment pas une école, n'en ont pas moins en commun plus d'une idée. Placés entre les marotiques et la Pléiade, fermement enracinés dans leur Lyonnais, ils représentent une évolution poétique particulière, bien que limitée jusqu'en 1560 environ. Ce sont des poètes de compromis, fidèles en cela à la tradition éclectique de leur ville : en eux, comme chez leur chef de file, se fondent les courants du pétrarquisme et du platonisme, de l'hermétisme et de la courtoisie, l'héritage des humanistes et les leçons de Marot, qu'aucun d'eux n'a jamais attaqué ni renié.

Aux premiers rangs, une femme au destin exceptionnel, Pernette Du Guillet. De petite bourgeoisie lyonnaise, elle reçut une bonne éducation et s'essaya à versifier. Le grand événement de sa brève existence fut sa liaison avec Maurice Scève, dont elle fut la Délie et qu'elle voulut imiter dans ses vers. Mais bien vite mariée, elle fut séparée de son poète et mourut peu après la publication du recueil scévien. C'est Antoine Du Moulin qui, à l'instigation du « dolent mary », recueillit et édita en 1545 les *Rymes* laissées par Pernette « parmy ses brouillars en assés pauvre ordre ». L'ensemble est assez mince : moins d'une centaine de petites pièces, des épigrammes pour la plupart. On y lit d'un côté le fidèle écho de la manière scévienne, auquel s'ajoutent les traits propres à la psychologie féminine. Scève lui a montré le chemin de l'amour pur et noble, et elle lui a emboîté le pas pour un long cheminement, une ascension vers l'idéal, mais dans ses efforts pour se rendre digne de son maître, Pernette s'essouffle un peu. Elle se révèle d'ailleurs ingénument perverse en attisant la flamme de son amant par un jeu équivoque (épigr. XII, XIII, XIV), en restant malgré tout coquette. Cependant, elle fait preuve d'une passion plus exaltée, où se retrouve toute la théorie platonicienne (épigr. I) : elle voudrait s'identifier avec son amant, se transmuer en lui ; il est celui qu'elle nomme « son Jour », car toute lumière dans sa vie vient de lui (épigr. v). Le style, il est vrai, n'atteint pas au niveau des idées et ne retrouve que très rarement la frappe scévienne : on y lit au contraire beaucoup de galimatias, un goût démesuré de l'antithèse et de l'abstraction, la rareté de l'image et la gaucherie de la versification. Bien meilleures sont les quelques poésies où Pernette s'est abandonnée à une inspiration plus naturelle et à une expression plus détendue : ainsi, d'agréables et fraîches chansons, aux rythmes variés et d'un goût parfait, auxquelles on peut joindre le *Conde Claros de Adonis*, romance élégiaque sur un thème amoureux, et des élégies où Pernette fait retour sur elle-même pour se repaître mélancoliquement de ses tourments, quand elle n'y livre pas l'aveu de souhaits dont elle pressent l'irréalisable portée. Le lecteur moderne y peut être sensible à une tristesse voilée et lourde tout à la fois, à ces appréhensions qui traversent la conscience, lancinantes, et qui se font jour comme malgré elles, aux plaintes d'une âme incertaine et accablée.

Bien qu'il se range plutôt dans la seconde moitié du siècle, Pontus de Tyard appartient lui aussi à ce groupe. Il connut Pelletier et Scève et subit très nettement l'influence des Italiens, de Pétrarque aux sonnettistes des anthologies de Giolito. Il traduisit les *Dialogues d'Amour* de Léon l'Hébreu, bréviaire du platonisme à l'usage des gens du monde, entre 1549 et 1551. C'est à partir de 1543 qu'il commença à écrire ses *Erreurs amoureuses*, parues en 1549 : disciple de Scève et d'Héroët, parfois même de Marot (dans quelques épigrammes où se glisse encore l'influence des strambottistes), il trouva sa manière propre. Lui aussi chantait une femme devenue idéale, Pasithée, la Toute-Divine, en sonnets et en chansons ; lui aussi allait du désir sensuel à la purification et à la maîtrise platoniciennes, en accentuant le caractère contemplatif et presque mystique de ce pur amour. Il ajoutait à cette inspiration aristocratique toute la stylistique pétrarquisante, parfois exaspérée jusqu'au symbolisme le plus obscur (tercets « La haulte Idée »), coulée dans la forme du sonnet, préféré par lui au dizain. Son canzoniere est d'ailleurs contemporain de l'*Olive*, publiée quelques mois auparavant.

Pontus donna en 1552 le « manifeste » du groupe lyonnais, *Solitaire premier ou Discours des Muses et de la Fureur poetique :* dans ce dialogue à l'italienne entre le poète et sa Pasithée, apparaissent les grandes idées illustrées par Scève.

La plus importante est l'affirmation du caractère à la fois sacré, docte et mystérieux de la Poésie,

> esveillée du sommeil et dormir corporel à l'intellectuel veiller, et revoquée des tenebres d'ignorance à la lumière de Verité, de la mort à la vie, d'un profond et stupide oubly à un ressouvenir des choses celestes et divines.

Pour Pontus, poésie et musique sont inséparables, et tout l'effort de l'inspiré doit tendre à recréer l'harmonie parfaite en unissant les accords et la mesure aux vers. Enfin, la France doit se donner un art poétique à la mesure de ses espérances, qui tiendrait compte de l'acquis des Anciens et des Italiens tout en étant « approprié aux façons françoises ». Il faut croire que les pages hautaines de Du Bellay ne répondaient pas aux désirs de Pontus.

Guillaume Des Autels est, plus nettement encore, un poète de transition : cousin de Tyard, il fut l'ami d'Aneau et de Fontaine et entretint des relations avec Marguerite, Saint-Gelais et Du Moulin. Ecrivain précoce autant que fécond, marotique à ses débuts, il publia dès sa vingtième année *Le Moys de May* (v. 1548). Mais c'est l'influence platonicienne et scévienne qui se manifeste dans *Le Repos de plus grand travail* (1550), rassemblant des poésies composées entre 1544 et 1549. Enfin Des Autels se convertit à la Brigade, grâce à Pontus, et donna à son tour un canzoniere, *L'Amoureux Repos*, en 1553.

Scève eut encore quelques disciples, ternes et pauvrement inspirés, Claude de Taillemont, Philibert Bugnyon ou Bérenger de la Tour d'Albénas. Il faut dire aussi qu'il n'y a pratiquement rien de commun entre Scève et Louise Labé, sinon leur origine lyonnaise, et qu'il serait bien indu de faire de la seconde une disciple du premier. Rattachons enfin à Lyon, bien qu'il ait vécu dans le Comtat, le premier traducteur français de Pétrarque, Vasquin Philieul. Il donna en 1548 la première partie de sa translation en vers, *Laure de Avignon*, complétée en 1555 ; c'était une tentative fort originale d'adaptation poétique, et Philieul s'y révéla souvent habile autant qu'heureux dans la restitution des images et le renouvellement des rythmes.

L'aventure des Lyonnais n'aura guère de lendemain : les principaux d'entre eux sont morts vers 1560 ou ont abandonné la poésie, quand ils n'ont pas été assimilés par la Pléiade. Les lecteurs se détournent de cette poésie dense et d'un abord difficile, et les grands recueils où tenait l'essentiel d'une aventure humaine et poétique vont dormir pour longtemps dans les recoins délaissés des bibliothèques.

CHAPITRE VI

Contes et romans

L A littérature narrative d'imagination de l'époque n'est pas uniquement faite d'œuvres originales, loin de là. Dans un tableau qui se veut historique, insister sur la seule création signifierait altérer profondément le relief du paysage littéraire d'alors. Nous avons eu l'occasion de rappeler la survie des œuvres héritées de l'âge précédent et soigneusement rhabillées [1], nous avons trop brièvement présenté les apports des littératures étrangères [2], nous aurons l'occasion de revenir sur les grands créateurs que sont François Rabelais et Marguerite de Navarre : ici, nous aimerions offrir une esquisse de ce monde mouvant des contes et nouvelles, monde traditionnel, oral autant que littéraire, et qui, dans ses aspects aussi bien populaires qu'aristocratiques, est souvent un reflet fidèle des différents « moments » artistiques, idéologiques et sociaux.

Contes populaires et traditionnels

D'abord une survie, tenace, celle des *Cent nouvelles nouvelles* [3], dont on connaît douze éditions entre 1486 et 1532, remplacées, dès 1549, par l'adaptation de La Motte Roullant, *Les facetieux deviz des cent nouvelles nouvelles*. Ce recueil fameux, écrit dans une prose volontairement anti-sublime, qui applique le langage courtois aux choses érotiques pour décomposer l'idéal chevaleresque, s'adresse à un public d'hommes — à la différence des nouvelles courtoises dont nous parlerons tout à l'heure. Il puise, tout en empruntant le cadre général au *Décaméron* de Boccace et une vingtaine de thèmes au Pogge, aux sources vives du vieux fonds français des fabliaux et de la tradition orale. Dès mainte-

---

1. Voir ci-dessus, p. 41-54.
2. Voir ci-dessus, p. 72-84.
3. Voir page 163, dans *Le Moyen Age II*, par Daniel Poirion (même collection).

nant, il faut souligner que l'importation savante italienne a été limitée ; elle fournit, comme nous venons de le dire, un cadre ou quelques thèmes, et souvent son esprit se voit profondément transformé. On constate, en effet, chez presque tous les conteurs français une tendance moralisatrice très nette ; celle-ci est particulièrement sensible à l'époque de Charles VIII et de Louis XII, où ceux qui se mettent à transcrire ou à éditer les recueils de contes (Boccace, le Pogge, les *Gesta Romanorum*), sentent le besoin de souligner la valeur didactique de leur entreprise. Antoine Vérard, qui édite dès 1485 la traduction du *Décaméron* par Laurent de Premierfait (titre français : *Des cent nouvelles*), non seulement mutile les intermèdes de l'original, mais ajoute encore des commentaires moraux, prouvant ainsi sa totale incompréhension du dessein artistique de Boccace. Et dire que le public français qui ignorait l'italien, lisait le *Décaméron* dans cette version jusque vers le milieu du XVIᵉ siècle ! Ce ne sera qu'avec la nouvelle traduction qu'en procurera Antoine Le Maçon, à la requête de Marguerite de Navarre, en 1545, que la personnalité artistique de Boccace deviendra compréhensible en France. Un sort analogue est réservé à l'autre grand conteur transalpin connu en France à l'époque, Gian Francesco Bracciolini dit le Pogge, qui, dans ses *Facetiae*, s'était appliqué à raconter ses histoires plaisantes ou scabreuses dans un style dépouillé, qui visait à l'élégance sans être orné. Dans la traduction partielle qu'en fournit Guillaume Tardif (cent douze contes, publiés avant 1496), l'action devient plus importante que la manière de la présenter, et sous cette *enflure*, commune à toute la prose française de l'époque, l'originalité des contes de l'humaniste italien se perd. Toutefois, la version de Tardif n'est pas sans mérites, car elle se distingue par un goût prononcé pour le détail réaliste, pour le dialogue et pour la présentation dramatique des faits (aussi un certain nombre de ces *facecies* sera-t-il utilisé par les auteurs de farces). La version française se signale en outre par une intention moralisante qui manque complètement chez le Pogge, mais qui s'insère parfaitement dans la tradition médiévale encore vivante des *exempla*. Ainsi la *facecie* ne semble exister, pour l'humaniste français de la fin du XVᵉ siècle, qu'en fonction de la *moralité*. Cette veine didactique se manifeste encore dans les *Fantasies de Mere Sote* de Pierre Gringore (une bonne douzaine d'éditions entre 1516 et 1551), recueil de vingt-sept contes, en prose et en vers, d'après les *Gesta Romanorum*. Pour chaque conte, Gringore fournit une *exposition*, révélant le *sens moral* qu'il croit y déceler.

Dans une compilation publiée en 1531, le *Parangon des nouvelles honnestes et delectables*, qui reproduit des nouvelles traduites à la fin du XVᵉ siècle (Boccace, apologues de Valla, Pogge), les *moralitez* de Tardif seront omises, signe évident d'un changement de perspective. Cependant, ce recueil ajoute à ces nouvelles « érudites » et humanistes cinq contes tirés de l'*Ulenspiegel* (dont la traduction intégrale paraîtra en 1532), d'une inspiration nettement plus populaire, et prouve par là que le « parangon des nouvelles », c'est-à-dire le genre même de la nouvelle, la « nouvelle exemplaire », se mesure au contenu, à l'histoire plaisante, et non pas à la mise en forme de ce contenu.

Est-ce parce qu'il n'est pas un humaniste, mais un simple chaussetier, que Philippe de Vigneulles, qui compose le premier recueil original à cette époque, n'ajoute que rarement des commentaires moraux à ses contes ? Les *Cent nouvelles nouvelles* de l'artisan messin, écrites entre 1505 et 1515, sont restées manuscrites. Du point de vue littéraire, on n'a pas à le déplorer ; le style lourd, les dialogues qui traînent, les phrases compliquées ne réussissent pas à compenser la bonne volonté de l'auteur. L'intérêt documentaire du recueil est en revanche considérable. Philippe cite lui-même ses sources d'inspiration, la tradition orale et l'expérience personnelle, et, en effet, la couleur locale messine apparaît dans maint passage, tout comme de nombreux thèmes de fabliaux ne remontent pas directement à des sources écrites, mais reflètent une tradition orale encore vivante. L'auteur s'inspire évidemment des *Cent nouvelles nouvelles*, ce que le titre de son recueil atteste clairement, et il connaît Boccace ainsi que Masuccio Salernitano, qu'il a peut-être appris à connaître lors de ses voyages en Italie. Toutefois, la valeur du recueil de Philippe de Vigneulles réside moins dans ces emprunts littéraires que dans son aspect traditionnel et populaire.

Le Grand parangon des nouvelles nouvelles de Nicolas de Troyes (sellier, celui-ci), tout en se rattachant à la même veine populaire, utilise davantage des sources livresques. Nous n'avons conservé du *Grand parangon* que la seconde moitié d'un manuscrit autographe, écrit en 1536, manuscrit qui est resté inédit à l'époque. Les trois quarts du recueil de Nicolas sont transcrits de livres imprimés, soit cent trente contes sur cent quatre-vingts, dont la plupart proviennent des *Cent nouvelles nouvelles* (soixante contes) et du *Décaméron* publié par Vérard (cinquante-sept contes) ainsi que des *Fantasies de Mere Sote* (dix) ; d'autres emprunts sont faits aux *Quinze joyes de mariage*, au roman de *Merlin*, aux *Chroniques* de Froissart et à la *Célestine*, traduite en 1527. Notre artisan manque évidemment de culture littéraire, mais il connaît les recueils de contes les plus importants. A ce propos, il est significatif qu'il omette les contes de Boccace se terminant par un bon mot, une pointe : sa préférence va au comique de situation. Il donne cependant à son recueil un cadre fictif, un pont imaginaire et une société de «fonctionnaires pontaux» qui sont sensés raconter les histoires. On ne saurait dénier à Nicolas de Troyes un certain don de conteur ; il sait maintenir l'unité du ton, et veiller à l'économie du récit et, s'il utilise un vocabulaire réduit, il évite en revanche la prolixité. Comme chez Philippe de Vigneulles, les mérites du recueil de Nicolas de Troyes sont du côté de la tradition populaire. Les contes que le «simple sellier natif de Troyes» a rédigés lui-même constituent un témoignage important de la tradition orale ; un certain nombre de ces thèmes sont toujours vivants dans le folklore actuel. Il faut aussi reconnaître que l'esthétique du conte populaire est, en France, insuffisamment étudiée encore pour qu'un jugement définitif puisse être porté sur l'art des deux artisans, Philippe et Nicolas.

Le prêtre Charles de Bourdigné, en revanche, a des lettres. Du moins s'ingénie-t-il à mettre en vers sa *Légende de Pierre Faifeu* (1531), un recueil de quarante-neuf contes qui narrent les bons ou mauvais tours de son personnage, Pierre Faifeu. La matière, ici, semble originale, mais elle est desservie par une versification gauche, la monotonie et un manque d'humour. Retenons toutefois que le recueil de Charles de Bourdigné est le seul, en France, à être centré sur un personnage unique.

Le meilleur conteur de l'époque (Rabelais toujours mis à part) est sans aucun doute Bonaventure Des Périers, dont les *Nouvelles recreations et joyeux devis* n'ont cependant paru qu'en 1558, quelque quatorze ans après sa mort. Beaucoup plus libre que ses devanciers, Bonaventure puise largement dans la tradition orale et le folklore ; il connaît aussi, en humaniste, des textes latins contemporains qui ne sont pas forcément des recueils de contes, mais les emprunts qu'il leur fait demeurent peu nombreux. Ses contes se distinguent par leur concision et un goût théâtral très marqué ; aussi le dialogue est-il fort soigné : *Je me suis bien contrainct pour les escrire*, avoue l'auteur dans le sonnet liminaire. Si la culture littéraire ne se manifeste pas directement, par l'utilisation de « sources » livresques, elle est pourtant évidente dans l'attention particulière que porte l'auteur à l'expression, à la forme. Ainsi, le comique verbal devient plus important que le comique de situation. L'auteur possède l'art de la parodie, ce qui présuppose une référence à un texte ou à un comportement déterminés et reconnus dans leur spécificité ; il donne à chaque personnage un langage approprié et utilise le patois à des fins stylistiques. Certains contes sont en outre construits en vue d'amener une pointe dans la repartie finale. Le modèle rabelaisien est sensible, par exemple dans l'abandon à la fantaisie verbale. Plus de didactisme pesant et, à une exception près, pas de dénouement tragique ; une ironie bienveillante remplace la satire acerbe, des personnages bernés ont droit à un sourire indulgent : Bonaventure Des Périers offre vraiment de *nouvelles recreations*. Tout est-il pour rire ? Lisons le préambule :

> Je vous prometz que je n'y songe ny mal ni malice ; il n'y
> ha point de sens allegorique, mystique, fantastique.

Donc pas d'arrière-pensée ? point de philosophie ?

> J'ay mieux aymé m'avancer pour vous donner moyen
> de tromper le temps, meslant des resjouissances parmy
> vos fascheries, en attendant qu'elle se face de par Dieu.

Pas de sens allégorique, soit, mais un dessein profond qui donne au recueil sa véritable unité. La gaieté n'est pas une fin en elle-même, tout comme l'esprit irénique ne procède pas d'une simple nonchalance. Le rire qui doit aider à supporter les *fascheries* se place dans la perspective de l'attente de la paix joyeuse de Dieu. Ainsi, le refus de tout engagement est bien réfléchi et semble refléter la situation religieuse et politique des années 1535-1540. Il correspond aussi, en partie du moins, à la philosophie qui se dégage du *Cymbalum mundi* [1]. Il est vrai que nous ignorons trop de choses de la vie de Bonaventure Des Périers. Aussi ne savons-nous pas si le rire des *Nouvelles recreations et joyeux devis* est vraiment l'expression franche d'une attente joyeuse ou si, déjà, l'auteur n'en a fait qu'un masque pour *tromper* l'idée de la mort. C'est la veille des Bacchanales que Bonaventure Des Périers fait résonner son *Cymbalum mundi* : pourquoi ne pas situer le masque des *Joyeux Devis* dans une perspective carnavalesque, moins grotesque assurément que celle de Rabelais, mais profondément humaine ? Quoi qu'il en soit, les nouvelles de Bonaventure Des Périers nous proposent un monde comme il pourrait aller, si la dureté, la terreur et l'oppression en étaient bannies.

D'une inspiration très différente, les *Propos rustiques de maistre Leon Ladulfi* que le jeune juriste humaniste Noël Du Fail publie en 1547. Cet « éloge de la vie rustique » se présente comme une suite assez décousue de propos que tiennent quelques villageois âgés sur le bon vieux temps et sur les mœurs paysannes. Ici, il ne s'agit plus de contes à proprement parler, mais plutôt d'une série de tableaux dont le « réalisme rustique », tel qu'il apparaît dans les portraits des devisants ou dans l'évocation de l'ambiance villageoise, contient passablement de traits conventionnels. Des paysans, au fond, comme un gentilhomme se les souhaite : conservateurs et satisfaits de leur existence. Point d'amours idylliques entre bergers et bergères ; point de paysans au travail, non plus. Des intentions morales, en revanche, très prononcées, dans la perspective d'un humanisme idéaliste. On n'a qu'à lire le chapitre intitulé *harengue rustique* pour s'apercevoir que c'est un humaniste qui parle. Du Fail emprunte la plupart de ses arguments à Caton, à Pline l'Ancien, aux *Tusculanes*, à Virgile, et aussi aux modernes : Philippe Béroalde, Erasme, et Antoine de Guevara. Le chapitre sur *la différence de coucher de ce temps et du passé et du gouvernement d'Amour* est ainsi beaucoup moins un tableau de mœurs paysannes qu'une satire du *Courtisan* de Castiglione. Certains passages dénotent une

1. Voir ci-dessus, p. 77-78.

influence rabelaisienne, mais Du Fail ne quitte guère une retenue familière, gentille, assez inoffensive. Sa philosophie ? Vivre en sage comme « Thenot du Coin » ! Noël Du Fail invite en somme les rustiques à se rendre compte de leur bonheur ; seule l'idée qu'il a probablement pris sa philosophie au sérieux peut nuire à ses propos, pourtant agréablement contés.

Le deuxième petit recueil de Du Fail, *Les Baliverneries ou contes nouveaux d'Eutrapel* (1548), démarque *Pantagruel* d'une façon assez plate. La suite désordonnée des aventures d'Eutrapel (pseudonyme érasmien de l'auteur), de Polygame et de Lupolde sent l'artifice ; sa gaieté semble forcée et son réalisme facile. Le recueil non moins décousu que donnera Du Fail vers la fin de sa vie, *Les contes et discours d'Eutrapel* (1585), sera, malgré son désordre et son pédantisme, autrement important. La morale pratique de l'auteur sera alors servie par un art qui aura mûri pendant de longues années. Ce n'est que grâce à certains contes du recueil de 1585 que Du Fail se rangera dans la lignée des bons conteurs français.

La veine courtoise et aristocratique

Brillamment représentés au Moyen Age, le conte et le roman courtois se transforment à cette époque en roman sentimental. Cette nouvelle orientation doit beaucoup moins aux vieux *Tristan* ou *Lancelot*, pourtant lus assidûment, qu'aux textes traduits de l'italien et de l'espagnol. L'évolution, cependant, a été lente et, après les premiers ouvrages, traduits à l'époque de Charles VIII, il faut attendre la deuxième partie du règne de François Ier pour voir se multiplier non seulement les traductions significatives, mais, surtout, les œuvres originales. Celles-ci s'inscrivent ainsi dans un mouvement d'émancipation féminine, dont les manifestations les plus connues sont la « querelle des amies » et le *platonismo per le donne*. Les contes et romans des Anne de Graville, Jeanne Flore, Hélisenne de Crenne, Marguerite de Navarre, participent tous, à des titres divers, de ce mouvement, lequel ne semble toucher cependant que les couches sociales privilégiées.

Grisélidis, la nouvelle fameuse de Boccace (*Décaméron*, X, 10), est éditée en français dès 1484, mais le côté didactique l'emporte encore sur le pathétique ; aussi est-elle considérée comme un conte moral, *singulier et proufitable exemple pour toutes femmes mariees*. Plus modernes déjà, plus « renaissance », les deux contes édités ensemble en 1493, *Eurialus et Lucrèce* et *Guiscard et Gismonde*, tous deux en vers, disposés en huitains décasyllabiques, et tous deux traduits à la requête des dames, qui semblent avoir pris goût aux dénouements tragiques. L'histoire des deux amants *Eurialus et Lucrèce* qu'Octovien de Saint-Gelais traduit de l'original latin d'Aeneas Sylvius Piccolomini (le pape Pie II), raconte comment une belle bourgeoise ne survit pas au départ de son amant noble. L'intérêt porte surtout sur le personnage féminin, dont la sensibilité est opposée à l'égoïsme de l'homme. En outre, l'atmosphère sensuelle d'une nuit d'amour, où l'amant chante la beauté nue de sa maîtresse, est, dans ce ton élevé, une grande nouveauté pour l'époque. *Guiscard et Gismonde* est une traduction, par Jean Fleury, de la version latine que Leonardo Bruni avait donnée du conte IV, 1 du *Décaméron*. Signalons que ce conte est aussi largement répandu dans la traduction en vers latins élégiaques de Philippe Beroalde, dont François Habert et Richard Le Blanc offrirent au public français une traduction en vers à l'époque de Henri II (1551 et 1553). Octovien de Saint-Gelais et Jean Fleury suivent leurs modèles d'assez près, et n'insistent guère sur la valeur morale de ces contes. Jean Fleury par exemple termine tout juste par une petite phrase sentencieuse :

> Ceste hystoire monstre bien clerement
> Qu'amour loyal ne peut jamais finer
> Et que l'on doit filles legierement,
> Quant elles sont en aage, marier.

Puisque, en marge de chaque strophe, l'éditeur Antoine Vérard imprime les premiers mots latins du passage traduit, on doit supposer que les dames, pour lesquelles ces traductions ont été faites, appartiennent à une société cultivée, où les originaux latins semblent avoir fait quelque bruit. Les versions françaises se présentent ainsi comme une sorte de complément aux textes latins, et n'osent pas encore voler de leurs propres ailes, le nouvel esprit étant encore ressenti comme quelque chose d'étranger.

Une génération plus tard, vers 1521, Anne de Graville exalte la dignité de la femme et les vertus courtoises et chevaleresques dans les quelque 3 600 vers décasyllabiques du *beau romant des deux amans Palamon et Arcita*, pour lequel l'auteur n'utilise pas l'original italien, le *Teseida* de Boccace, mais une traduction française en prose qui avait vu le jour dans l'entourage du roi René (vers 1460). Le poème d'Anne de Graville est resté manuscrit ; le fait qu'un des manuscrits soit orné de magnifiques miniatures de même que la provenance du modèle en prose dénotent bien l'inspiration courtoise et aristocratique de l'entreprise.

Dans le genre du débat de casuistique amoureuse, le vieux fonds français est représenté par les éditions des *Arrêts d'amour* de Martial d'Auvergne, à qui une traduction latine avec commentaire assure une audience internationale (1533). A ce genre se rattachent des œuvres comme les *Treize elegantes demandes d'amours*, une traduction du cinquième livre du *Filocolo* de Boccace (1529-1530) et le *Jugement d'Amour* de Juan de Flores (1530). On remarque que le nom de Boccace revient à tout moment. On doit encore le citer à propos de la *Flamette*, traduite dès 1532, dont l'importance pour l'évolution du genre sentimental a été considérable. Il s'agit en effet d'un récit à la première personne, où une femme raconte longuement ses malheurs ; l'action y est toute intime, une *élégie*, pour reprendre le terme utilisé par Boccace lui-même, centrée sur la passion d'une femme, dont les plaintes ne s'adressent qu'aux femmes.

C'est encore pour les *nobles dames amoureuses* que l'énigmatique Jeanne Flore compose son recueil de *Comptes amoureux* (vers 1531). On y trouve, pour la première fois traduit directement de l'italien, un conte de Boccace (*Décaméron*, V, 7), ainsi que d'autres emprunts italiens (Cieco da Ferrara, *Mambriano* ; Boiardo, *Orlando innamorato*), mais l'importance de ce recueil n'est pas là. Ce qu'il faut retenir, c'est d'abord la forme, car, pour la première fois en France, ces histoires racontées par des femmes s'insèrent dans un cadre développé et lié intimement aux contes. Il faudra attendre les nouvelles de Marguerite de Navarre pour retrouver cette fiction narrative empruntée à Boccace. Autre nouveauté par laquelle le recueil de Jeanne Flore se distingue nettement d'une œuvre comme *Flamette*, cette doctrine de l'amour qui aboutit à une morale fort galante, voire libertine. L'amour étant considéré comme une loi de la nature, la chasteté ne saurait être que de l'orgueil. A grand renfort de discours, de descriptions et de digressions savantes, les histoires de Jeanne Flore nous présentent le mari jaloux et le dédaigneux Narcisse dûment punis, ainsi que les jeunes filles farouches matées par le dieu d'Amour. L'histoire du cœur mangé n'y manque pas, et l'on compte de nombreuses aventures chevaleresques et merveilleuses, avec dragons, géants et fées. Lorsqu'une beauté, mariée à un homme trop âgé, refuse les avances d'un amoureux pour rester fidèle à la foi conjugale, non seulement le jeune homme éconduit se tue de désespoir (ce qui constituerait un dénouement somme toute traditionnel), mais la cruelle, lors d'une visite au temple, est assommée par une statue de Vénus et son corps « dissipé de bestes » : ainsi Jeanne Flore fait tranquillement l'apologie de la volupté, et ceci dans un cadre tout païen, au milieu d'un riant jardin, agrémenté du chant des oiseaux et du murmure d'une fontaine. Ces jolies femmes joyeusement impudiques sont vraiment exceptionnelles à l'époque.

Après le petit roman idyllique de Pâris et Œnone, un peu perdu dans la masse imposante des *Illustrations de Gaule et singularitez de Troye* de Jean Lemaire, le premier roman sentimental original est l'œuvre d'une femme, et s'adresse, une fois de plus, *à toutes honnestes dames. Les Angoyses douloureuses qui procedent d'amours, contenant troys parties composées par dame Helisenne de Crenne, laquelle exhorte toutes personnes à ne suyvre folle amour* (1538), sont une œuvre largement autobiographique. Marguerite de Briet, épouse de Philippe Fournel, sieur de Cresne, s'est mise dans son livre avec une franchise lucide et une vibrante passion, un peu comme le fit, à la même époque, mais dans un registre différent, Louise Labé. Et la transposition romanesque paraît bien ne toucher qu'à l'accessoire.

Toutefois le livre — l'un des succès de librairie entre 1538 et 1560 — n'est pas à proprement parler un roman. L'action y est insignifiante, c'est la grisaille de la vie quotidienne, du détail trivial, des maigres évasions, qui domine (du moins dans la première partie). Le titre donne un aperçu assez exact du contenu et du propos de l'auteur. Hélisenne (elle conserve son pseudonyme dans le roman), mariée très jeune, se laisse surprendre d'amour pour un inconnu, Guénelic, qui n'est ni noble, ni courtois, ni discret : quelques regards à l'église, quelques paroles furtives, des sérénades qui font scandale, un échange de lettres alambiquées, et voilà pratiquement toute l'intrigue amoureuse ; s'y ajoutent la jalousie du mari, les commérages des voisins et les outrageantes vantardises de Guénelic ; à la fin de la première partie (de loin la plus intéressante), Hélisenne est séquestrée dans le château de Cabassus, amoureuse humiliée et plaintive, sans même avoir consommé l'adultère, à l'opposé de la *Flamette*. La deuxième partie rapporte le voyage de Guénelic et ses aventures guerrières : on devine que ces pages ont été composées afin de racheter quelque peu le personnage de l'amant qui, jusqu'ici, ne brillait guère par ses qualités de cœur ou d'esprit. L'analyse psychologique est encore bien pesante, embarrassée et timide, mais l'essentiel de ce qui fera la fortune du grand roman français, de *La Princesse de Clèves* à *Madame Bovary* est déjà là, comme en germe. Certes, l'influence des romans italiens (la *Flamette* de Boccace, et le *Pérégrin* de Caviceo) y est constamment perceptible : du moins, dame Hélisenne a-t-elle su y ajouter une résonance profondément personnelle et un pathétique discret.

Le plus lourd, le plus difficile à admettre est sans aucun doute la langue et le style, hérissés de prétention et de pédantisme. Notre bas bleu se dit *oultrageusement angustiee et adoloree*, insensible aux *efficacissimes* paroles du religieux, occupée de *tres griefves et durissimes cogitations*, implorant les *cieux stelliferes* et le *souverain plasmateur* de la prendre en pitié. Ajoutons-y que la structure et le mouvement des phrases sont de la même veine : contournée, alourdie d'incises, partant en porte-à-faux, se continuant en anacoluthe, demeurant en suspens, la démarche logique y est trop souvent bousculée sans ménagement.

Plus que son intérêt documentaire et historique, ce qui nous retient est cette attention au moi, cette complaisance qui n'est pas excuse, mais mauvaise conscience, ce regard tout entier tourné vers l'intérieur de la personnalité. En somme, nous n'attendions pas, à l'époque de François Ier, autant de sincérité profonde et d'engagement, autant de sentiment et de finesse psychologique. Le monde moderne a vraiment commencé lorsque Marguerite de Briet écrit la pitoyable histoire de sa vie.

Toutefois, à l'époque, le roman a été édité, réédité et lu en entier, c'est-à-dire avec la seconde partie, où l'indigne Guénelic, faisant des merveilles de prouesses chevaleresques, se transforme en un modèle de persévérance et de fidélité, et la *tierce partie*, qui est une apologie du renoncement. *D'autant que tu as aymé le corps, sois doresnavant amateur de l'ame* : après avoir représenté les tourments de la femme et l'ascension de l'homme, l'auteur essaie de trouver une solution où le platonisme se mêle assez curieusement au christianisme.

Dans l'ensemble, cette époque a produit un nombre considérable de contes et romans d'inspiration fort variée. La plupart sont en prose, mais le vers n'est pas complètement détrôné : certaines parties du *Décaméron* publié par Vérard sont versifiées (de II, 5 à III, 6) ; *Eurialus et Lucrèce* ainsi que *Guiscard et Gismonde* sont écrits en huitains décasyllabiques ; Gringore insère des parties en vers dans ses *Fantasies de Mere Sote* ; Anne de Graville donne à *Palamon et Arcita* la forme d'un poème et Charles de Bourdigné compose son *Pierre Faifeu* en vers. Les nouveaux principes formels mettent longtemps à s'élaborer.

N'oublions pas, pour terminer, que l'amateur de contes, qui, vers le milieu du XVIᵉ siècle, court les librairies, cherche en vain les contes de Philippe de Vigneulles, de Nicolas de Troyes, de Bonaventure Des Périers, de Marguerite de Navarre ou le poème d'Anne de Graville. Pour les contemporains, la production française a dû sembler bien moins importante qu'elle ne l'a été effectivement.

CHAPITRE VII

Le théâtre

Les mystères

Pour étudier le théâtre de la fin du XVe et de la première moitié du XVIe siècle, on a, trop souvent et trop hâtivement, chaussé des lunettes « renaissance », voire « classiques ». A l'affût des signes avant-coureurs du grand théâtre du XVIIe siècle, on a tout simplement oublié cette petite vérité que le XVe siècle français est, lui aussi, une grande époque du théâtre. Or ce théâtre est radicalement différent du théâtre aristotélicien. Dans celui-ci, l'acteur, selon le principe de la *mimésis*, de l'illusion, s'identifie au personnage, et il évolue dans un espace représenté par la scène. Cette scène est le monde, d'où l'acteur ne sort pas parce qu'il fait partie de ce monde fermé et tout naturellement soumis à des règles qui assurent son unité. Dans le théâtre non aristotélicien du Moyen Age en revanche, l'acteur ne s'identifie pas au personnage : il le montre — et la scène n'est pas le monde : elle le signifie. La scène simultanée assure d'ailleurs, par la présence constante de toutes les mansions, le caractère fictif, non illusionniste, de ce théâtre. La représentation théâtrale est une re-présentation d'une chose qui est ailleurs. Elle est figurale. L'acteur raconte son personnage. Voilà pourquoi les représentations des mystères sont précédées par la *monstre*, ce cortège des acteurs à travers la ville. De la réclame, dit-on, que cette *monstre*, mais, puisque très souvent la population entière, des semaines durant, avait prêté son concours à la préparation du spectacle, tout le monde était un peu au courant. La *monstre* était plutôt un signe que, enfin, tout était prêt et, surtout, une occasion pour les badauds d'admirer les costumes des voisins, bouchers et épiciers, qui devaient *figurer* tel ou tel personnage. Cette valeur figurale entraîne des conséquences importantes. Elle interdit, en effet, aux personnages toute véritable dimension psychologique. Or ce qui est une force, quand la foi est le véritable support du mystère religieux, devient à une époque, où le besoin de divertissement semble l'emporter, une des causes de la déchéance du genre. La puissance typologique risque d'être remplacée par des platitudes stéréotypées.

Le premier traité théorique que nous ayons en français sur le théâtre est contenu dans l'*Instructif de la Seconde Réthorique*, publié vers 1500 en tête de l'anthologie poétique intitulée *Le Jardin de plaisance et fleur de Réthoricque*. Dans la perspective où nous nous plaçons, ce traité que l'Infortuné (Regnaut Le Queux) composa dans le dernier quart du xve siècle, est évidemment tardif. Il montre bien comment les auteurs de mystères, les « fatistes » de l'époque recherchaient la vraisemblance dans ce que le personnage avait de typique dans son « état ». Ainsi l'auteur de l'*Instructif* énumère-t-il certains de ces « états du monde » lorsqu'il traite *pro misteriis compilandis* : noblesse, gens d'Eglise, bourgeois, marchands, paysans, artisans, marins, hérauts.

> Item considerer convient
> Les faiz et estatz des seigneurs,
> Comment à chascun il advient,
> Et selon qu'ilz sont gens d'honneurs,
> Leur contribuer serviteurs,
> Tant aux dames que damoiselles,
> Et aux gens selon leurs grandeurs
> Qu'appartient à ceulx ou à celles.

Et plus loin :

> Item l'on doit donner langaige
> A chascun selon la personne :
> Se c'est de clergie personnaige,
> Parler de clergé on luy donne...
> Pour personnages de labours
> Ou aussi de gens de mestiers,
> Soit de villes ou de faulx bourgs,
> Soient maçons ou charpentiers
> Ou forgerons ou argentiers,
> Parlent de louer leurs outilz
> Et leurs mestiers en tous quartiers,
> Selon ce qu'ilz seront soubtilz.

D'autres différences avec le théâtre régulier doivent être signalées, si l'on veut apprécier les grands mystères à leur juste valeur. L'application des règles aristotéliciennes aboutit à un théâtre écrit, ce qui fait que, trop souvent, on a confié ces textes à la lecture, au même titre, ou peu s'en faut, que le roman. Or le théâtre que nous examinons ici est exclusivement destiné à la représentation, donc parfaitement inadapté à la lecture, fût-elle orale. Pratiqué de la sorte, le théâtre du xve et du début du xvie siècle n'a aucune chance de survivre à côté du théâtre « classique ». Mais comment restituer l'agitation, l'allégresse, la ferveur de la place publique ? Les sujets des mystères sont donnés : *Nativité, Passion, Actes des Apôtres, Miracles, Vies des saints.* Pour chaque nouvelle représentation, le « fatiste » soumet le texte à une révision. Autrement dit, le texte une fois écrit est repris dans le mesure où, lors d'une représentation antérieure, il a révélé son efficacité sur la scène. Tout en vénérant les grands modèles, les Eustache Mercadé ou les Arnoul Gréban, on place le principe dynamique d'une représentation chaque fois renouvelée, au-dessus du principe statique d'un texte *ne varietur*. Ainsi, les mystères sont un genre mouvant. Les remaniements peuvent obéir à des critères littéraires (en effet, les « fatistes » sont souvent rompus aux subtilités des arts de rhétorique), mais ce qui importe bien davantage, c'est le côté empirique de cet art théâtral, qui ne part point de réflexions théoriques, d'une poétique élaborée de la dramaturgie, mais des réussites acquises sur la scène.

En 1507, la *Passion* compte quelque 65 000 vers ! C'est trop. Le délayage risque de vider de leur substance les pièces ainsi traitées. Le genre porte donc en lui le principe de sa propre mort. Mais cette mort lui vient aussi du dehors, par l'apparition (lente, il est vrai) d'un théâtre plus régulier, statique. La restriction qu'apporte ce nouveau théâtre, celle d'une représentation complète pendant une seule séance, entraîne une autre restriction d'une importance considérable, à savoir l'exclusion d'un certain public. Le nouveau théâtre sera un théâtre de classe et il ne tardera pas à devenir un théâtre de blasés. Voici un fait divers significatif : en 1502, on représenta, dans une salle du palais épiscopal de Metz, une pièce de Térence en latin. Or le menu peuple, qui assista à la représentation, se déchaîna, furieux de ne pas entendre le latin, et obligea les acteurs à interrompre le spectacle. Sans doute, des pièces latines avaient été jouées depuis fort longtemps, dans les collèges, mais à huis clos. A Metz, le menu peuple s'était senti exclu. Trois siècles auparavant, ce même menu peuple avait assisté à des représentations sacrées en latin : alors, il n'avait pas bougé, ces représentations ayant eu valeur figurale.

Le théâtre du Moyen Age se distingue enfin du théâtre « classique » par le fait qu'il s'adresse à la foule. Les acteurs sont des amateurs, nobles et bourgeois. Et surtout une représentation théâtrale est un événement extraordinaire, une fête publique. Comment être blasé, lorsqu'on se laisse entraîner par la ferveur d'une fête ? Lorsqu'on veut s'amuser, comment porter des jugements littéraires ? D'emblée, le public est enclin à préférer l'habileté à l'art. Ce public, au demeurant, est fort composite. Mais l'étendue des mystères, genre ouvert, garantit que chacun y trouvera de quoi se délecter. Public tolérant aussi, puisque personne n'entend condamner ce qui n'est point à son goût. Tel ne se rend au spectacle que pour savourer le comique stéréotypé des scènes du messager qui s'attarde dans quelque tripot, de l'aveugle et de son valet, des diableries, du fou (qui ne manquera pas d'entrer en contact direct avec le public). Tel autre goûte, outre les scènes de la vie familière, les supplices détaillés avec un maximum de ressemblance ou les fastes pseudo-orientaux qui lui procureront un dépaysement facile. Tel enfin, bourgeois lettré et quelque peu clerc, savoure les morceaux raffinés, les tirades de style, et admire la métrique et les rimes recherchées. Car il y a de tout, dans ces mystères, qui oscillent constamment entre le sublime et les gros effets, et qui embrassent aussi bien le sacré que le profane.

Et voici un autre danger qui menace de l'intérieur ce genre généreux. Les éléments profanes prennent de plus en plus d'importance, et le savant équilibre entre le *docere* et le *delectare* est rompu en faveur de ce dernier. Comme, de nos jours, un match de football ou une émission populaire à la télévision peuvent paralyser la vie économique et sociale, les représentations des mystères, qui s'étendirent alors sur plusieurs jours, voire sur plusieurs semaines, furent des foyers de désordres. Lorsqu'en 1541, par exemple, les Confrères de la Passion de Paris, après avoir représenté avec le plus vif succès et ceci pendant trente-cinq jours, le mystère des *Actes des Apôtres*, annoncèrent pour l'année suivante une représentation du mystère du *Vieux Testament*, ils virent le procureur général leur lancer une requête foudroyante, dénonçant « cessation de service divin, refroidissement de charitez et d'aumones, adultères et fornications infinies, scandales, derisions et mocqueries ». Les détails ne manquent pas :

> Tant que les dicts jeux ont duré le commun peuple, dès huit à neuf heures du matin, ès jours de festes, delaissoit sa messe paroissiale, sermons et vespres, pour aller ès dits jeux garder sa place et y estre jusqu'à cinq heures du soir ; ont cessé les prédications, car n'eussent eu les prédicateurs qui les eussent escoutez. Et retournant desdictz jeux se mocquoient hautement et publicquement par les rues desditz jeux des joueurs, contrefaisant quelque langage impropre qu'ilz avoyent oï desdictz jeux, ou autre chose mal faite, criant par dérision que le Sainct-Esprit n'avoit point voulu descendre, et autres moqueries. Et le plus souvent les prestres des paroisses pour avoir leur passe-temps d'aller ès dictz jeux, ont délaissé dire vespres, ou les ont dictes tout seuls dès

l'heure de midy, heure non accoutumée ; et mesme les chantres et chapelains de la saincte chapelle de ce palais, tant que les dictz jeux ont duré, ont dict vespres les jours de feste à l'heure de midy, et encore les disoyent en poste et à la légère pour aller es dictz jeux.

Si, en 1539, François Ier assiste encore au *Sacrifice d'Abraham* et, en 1543, à la *Conception et Annonciation de Marie*, le fait est plutôt exceptionnel dans la deuxième partie de son règne. Et en 1548, le Parlement de Paris interdit aux Confrères de la Passion de jouer des mystères à sujet religieux. D'autres Parlements ne tardent pas à le suivre. Voici donc, dès le milieu du siècle, les mystères officiellement condamnés. Ils survécurent toutefois en province, et fort longtemps.

L'imitation mécanique des succès des grands modèles, la stéréotypie et le délayage ainsi que l'introduction de plus en plus marquée d'éléments profanes qui noient la valeur figurale suffisent à expliquer la déchéance du genre. Les facteurs extérieurs ne pouvaient qu'accélérer cette évolution. Questions de goût, d'une part, pour les lettrés humanistes qui reprochèrent aux mystères de sacrifier aux extravagances de la foule. Questions religieuses, d'autre part, car les évangéliques et les protestants furent hostiles à tout ce qui était apocryphe ou profane, aux *Miracles* aussi, tandis que les catholiques craignaient les hérésies. Souvent, on fit revoir les textes par les docteurs, mais tel autre texte supprima obstinément, devant les noms des Pères de l'Église, le nom de « saint ». Intention hérétique ? Mieux valait prendre ses distances. Certains réviseurs tentèrent d'adapter le mystère aux nouvelles conditions. Dans l'édition de 1538 des *Actes des Apôtres* par exemple, on note le souci constant d'éliminer les éléments apocryphes, les gloses et les sens mystiques du Moyen Age, pour se rapprocher de la vérité historique. On a fait remarquer que, dans ce domaine, la différence est très sensible entre les mystères du XVe et ceux du XVIe siècle. Dieu le Père et Jésus n'apparaissent plus aux hommes, et les diableries se font édifiantes. Ces changements portent cependant sur des détails. Dans l'ensemble, le mystère demeure ce qu'il est ; il ne saura pas se renouveler.

Si, dans une histoire de la littérature qui va de 1480 au milieu du XVIe siècle, il faut bien évoquer l'agonie des mystères, il convient également de souligner que pendant toute la première partie de cette époque, le mystère est un genre vivant, voire vigoureux. Parmi les remaniements, le plus célèbre est sans aucun doute le *Mystère de la Passion* de Jean Michel, médecin et régent de l'Université d'Angers. Cette œuvre, malgré le fait que plus d'un tiers en a été repris à la *Passion* de Gréban, porte la marque d'un véritable créateur. Représentée à Angers, en août 1486, elle connut un immense succès, attesté par dix-sept éditions entre 1488 et 1550.

Genre vivant, aussi, parce que, dans cette première période, des auteurs renommés ne dédaignèrent point de se faire « fatistes ». Ainsi André de La Vigne, auteur d'un mystère de *Saint Martin*, représenté à Seurre, en 1496. Ou Pierre Gringore, qui écrivit, à une date incertaine, la *Vie monseigneur sainct Loys*, pièce originale, beaucoup plus historique qu'hagiographique, et qui se situe dans la lignée du *Mystère du siège d'Orléans*. Mais, fait curieux et important, ces deux mystères à sujet national n'ont pas créé de tradition. Chacun n'a été conservé que par un seul manuscrit, et leur succès est de loin inférieur à celui d'un autre mystère profane du xvᵉ siècle, l'*Istoire de la destruction de Troye*, que Jacques Milet composa en 1450-1452 et dont une douzaine de manuscrits des xvᵉ et xvıᵉ siècles et autant d'éditions entre 1484 et 1544 attestent suffisamment que, dans le monde du théâtre, l'antiquité (fabuleuse ou non) est et sera préférée à l'histoire nationale.

Signalons, pour terminer, le *Mystère de saint Quentin*, attribué à Jean Molinet, véritable fourre-tout, d'ailleurs non dépourvu d'agréments. Fidèles aux exigences du genre, les personnages sont plutôt des marionnettes que des caractères ; leurs sentiments sont constants ; à fonctions semblables, propos semblables ; différence de ton selon les degrés de la dignité sociale ou morale. Le fou joue un rôle important et les tortures ne manquent pas, ainsi que les combats, les sièges (avec feu et canons), les « trucs » comme cette volerie (un pigeon qui sort du corps de Quintin), les chariots sur la scène, les cortèges religieux et profanes, bref, tout semble représentable et tout est en effet représenté. Cette variété se manifeste également dans les très nombreuses pièces lyriques qui émaillent le texte. L'auteur semble se jouer de toutes les difficultés. Rien ne paraît impossible. La tradition ne lègue plus des valeurs, mais uniquement un immense répertoire « neutre ». Les noms propres les plus illustres de l'antiquité et de la grande littérature du Moyen Age, se voient attribués à des personnages quelconques : voici les clercs Ganymède et Venimecum, la paysanne Galathée, l'écuyer Perceval, le maître d'hôtel Gauvain, le bourreau Ysengrin. Mais le fait le plus important est que le discours lui-même est parfois détourné de son but, qui est de communiquer, et tourne à la gratuité de la fantaisie verbale. En outre, pour les exigences de la rime, les noms propres peuvent revêtir plusieurs formes ; la prosodie, en tant que pur jeu, semble donc à l'auteur plus importante que la norme de la langue. C'est le vertige d'une liberté et d'une maîtrise au niveau des seuls signifiants. La véritable signification littéraire de ces mystères de la fin du xvᵉ siècle réside dans cette ouverture totale. Il fallait sans doute passer d'abord par cette dispersion pour savoir apprécier la valeur de la mesure et de la concentration.

Les genres brefs

Dans le registre comique, l'époque précédente lègue au théâtre, outre les intermèdes des mystères, un certain nombre de petits genres autonomes. Si le nombre de pages que nous pouvons consacrer aux différentes manifestations de la vie des lettres, devait correspondre à la vitalité qu'eut alors chacune de ces manifestations, la *sotie* et la *farce* occuperaient à coup sûr une place privilégiée. L'apogée de ces deux genres comiques se situe en effet dans le dernier tiers du XVe siècle et leur vogue dure jusque vers 1530 ; certaines pièces remarquables virent même le jour après cette date. Etre bref sur ce chapitre comporte en outre le danger de surestimer quelques grandes notions, Humanisme, Renaissance, Réforme, et d'oublier combien était vivante, à l'époque, une culture fort différente. Culture populaire, carnavalesque — comment l'appeler ? Disons plus prudemment : culture non-officielle, extra-ordinaire. Par la force des choses, les productions littéraires de cette culture restèrent éphémères ; point d'éditions de luxe, mais des recueils, parfois fort composites, pleins de fautes d'impression, conservés par le hasard — il ne nous reste, en effet, qu'une partie de cette production considérable. Certains noms émergent, Henri Baude, André de la Vigne, Pierre Gringore, Jean de l'Espine (dit Jean du Pont-Alais), Clément Marot, Jean d'Abondance — mais dans leur grande majorité, les auteurs demeurent anonymes. La plupart d'entre eux, cependant, appartiennent à des confréries, dont les centres sont à Paris et à Rouen.

Or comment présenter des textes qui ne vivent que par la représentation ? Comment analyser des pièces qui ont pour sujet le non-sens et d'où l'action est absente ? Dans la *sotie*, les personnages sont simplement désignés par : le premier sot, le deuxième sot, etc., ou par des noms allégoriques, comme Bon Temps ou Folie. Souvent satirique, la sotie, sous un voile que nous ne réussissons pas toujours à lever, traite de sujets politiques, religieux, historiques, mais, souvent aussi, les propos des sots nous semblent pure sottise. Les personnages de la *farce*, en revanche, sont tirés de la vie ordinaire ; la farce comporte une intrigue, plutôt rudimentaire, qui met en scène des situations domestiques ; elle est une sorte de fabliau dramatique.

Il est évident qu'un genre qui cultive la satire politique et religieuse doit compter avec la réaction des autorités. L'essor de ce genre se trouve être ainsi en relation directe avec le bon vouloir du souverain. Sous Louis XI, qui n'aimait guère les libertés du théâtre, la comédie politique est presque absente. Charles VIII fut plus libéral, mais les Basochiens de Paris connurent les limites de ce libéralisme puisqu'en 1486, Henri Baude fut incarcéré pour avoir fait jouer une pièce pleine de « parolles cedicieuses, sonnans commocion ». L'âge d'or de la comédie politique se situe sous Louis XII. Selon le témoignage de plusieurs auteurs, le roi aurait déclaré qu'il apprenait au théâtre ce que ses conseillers et ses confesseurs lui cachaient. Dans ses *Epistres morales et familieres*, Jean Bouchet affirme que

> Le Roy Loys douziesme desiroit
> Qu'on les jouast a Paris ; et disoit
> Que par tels jeux il sçavoit maintes faultes
> Qu'on luy celoit par surprinses trop caultes.

Avec François Ier, les beaux jours de la comédie politique sont comptés. Dès le mois d'avril 1515, maître Cruche (que Pierre Grognet énumère dans sa liste des « bons facteurs ») faillit payer de sa vie certaine hardiesse. En 1516, pour avoir critiqué la cour, trois jeunes joueurs de farces, dont Pont-Alais, furent incarcérés, et Pierre Gringore alla chercher à Nancy, dès 1518, en la personne du duc Antoine de Lorraine, un nouveau mécène amateur de théâtre. On devint prudent, comme le prouve cette épître, attribuée à Clément Marot, où les Basochiens viennent implorer la « digne puissance » du roi :

> O Syre, donc, plaise vous nous permettre
> Sur le theatre, à ce coup cy, nous mettre,
> En conservant noz libertez et droicts,
> Comme jadis feirent les autres Roys.

Nous ne sommes pas bien renseignés sur l'organisation des spectacles. Parfois, une pièce profane précédait ou suivait un mystère, parfois, lorsque le spectacle était purement profane, il s'ouvrait par une sotie, à laquelle pouvait faire suite un monologue dramatique ou un sermon joyeux, suivi d'une moralité et, pour terminer, d'une farce. Le plus célèbre de ces spectacles, *Le Jeu du prince des sots* de Pierre Gringore, fut joué aux Halles de Paris, le Mardi gras en 1512. Jeu carnavalesque, donc, qui se composait d'un cri, d'une sotie, d'une moralité et d'une farce. Voici comment le cri annonce le spectacle :

> Sotz lunatiques, sotz estourdis, sotz sages,
> Sotz de villes, de chasteaulx, de villages,
> Sotz rassotez, sotz nyais, sotz subtilz,
> Sotz amoureux, sotz privez, sotz sauvages,
> Sotz vieux, nouveaux, et sotz de toutes ages,
> Sotz barbares, estranges et gentils,
> Sotz raisonnables, sotz pervers, sotz retifz,

Vostre Prince, sans nulles intervalles,
Le Mardy Gras jouera ses Jeux aux Halles...

Cette pure virtuosité verbale prélude au non-sens verbal de la sotie. Ouverture de la représentation, celle-ci doit porter l'euphorie de la fête à son paroxysme en sacrifiant le sens des mots à une ébriété verbale. Ainsi, dès l'entrée du jeu, le sens du monde est éliminé. Le non-sens crée une disponibilité complète et souligne la contingence de tout énoncé. Une courbe savante ramène le spectateur à d'abstraites considérations morales (dans la moralité), pour retrouver dans la farce finale une vulgarité de bon aloi. L'obscénité de certaines farces ne peut être ressentie comme telle que de l'extérieur, par des gens qui refusent de se laisser entraîner dans le tourbillon final d'une représentation carnavalesque (par des bien pensants comme un Jean Bouchet, par exemple). L'obscénité, émoussée en quelque sorte par l'accumulation, établit une distance esthétique. Dans l'accumulation, le langage scatologique ne désignant plus la chose, mais soi-même, joue avec le mot en tant que tel. Ainsi ce jeu carnavalesque est une libération des normes de la surculture. A l'époque, les interdits religieux et moraux ainsi que les contraintes politiques et économiques pesaient lourd sur les consciences. La sotie et la farce permirent, pour quelques instants du moins, de s'en libérer. Mais, puisque ces genres ne vivent que de situations extraordinaires, nous ne saurions les juger d'après nos critères littéraires ordinaires.

Comme l'indique son nom, la *moralité* poursuit un but édifiant. Elle met en scène des abstractions personnifiées dont chacune tient le langage qui convient à la qualité ou au défaut qu'elle a pour fonction d'incarner. Les sujets que traitent les moralités sont des plus variés : préceptes dialogués d'une morale courante, rancunes populaires contre la noblesse et le clergé, satires universitaires, histoire romaine, quelque récit romanesque, la Bible, le catholicisme, le protestantisme, le mysticisme, la défense du beau sexe. Généralement aussi brève que la sotie et la farce, la moralité peut cependant prendre des dimensions qui font d'elle une sorte de mystère. Il semble en fait difficile de donner une définition satisfaisante de la moralité. Certaines pièces sont fort réussies, comme la *Moralité nouvelle d'ung empereur qui tua son nepveu qui avoit prins une fille a force, et comment le dict empereur estant au lict de la mort, la saincte hostie lui fut apportee miraculeusement* (éditée à Lyon, en 1543), moralité qui se rapproche du genre de certaines *miracles* du XIVe siècle et dont le sujet doit être tiré de quelque roman de la même époque. D'autres pièces franchissent délibérément le pas vers un théâtre *écrit*, comme *La Condamnation des bancquetz* de Nicolas de La Chesnaye (éditée à Paris, en 1507), car l'auteur déclare dans son prologue que son œuvre peut être représentée ou simplement lue (« qu'il se puisse lyre particulierement ou solitairement par maniere d'estude, de passe temps ou bonne doctrine ») ; il n'hésite pas d'ailleurs à faciliter cette lecture par des notes et commentaires.

Les comédies bibliques et profanes de Marguerite de Navarre sont également des pièces relativement brèves. Leurs sujets (la Bible, la religion, l'amour, le divertissement mondain) sont ceux que la sœur de François Ier aborda aussi dans ses autres œuvres [1].

Comédie et tragédie

Le théâtre vivant de l'époque se trouve ainsi fort éloigné de la conception classique de la comédie et de la tragédie. Ces genres, qui triompheront au XVIIe siècle, ne sont toutefois pas inconnus et, s'ils ne sont guère pratiqués, les bases de l'évolution future n'en sont pas moins jetées. Les nombreuses éditions et traductions du théâtre antique familiarisent les lettrés avec la tradition classique, qui, après une longue période de gestation pendant la première moitié du XVIe siècle, finira par s'imposer. Quel est, dans cette période préparatoire, le rôle du théâtre français ? Les théoriciens tentent par exemple d'assimiler la moralité à la tragédie antique : dès 1537, Lazare de Baïf, dans la « diffinition de la tragédie » qu'il met en tête de sa traduction d'*Electre*, affirme que la tragédie était une moralité composée des grandes calamités survenues aux nobles personnages ; d'autres, Charles Estienne en 1543, Thomas Sébillet dans son *Art poétique* de 1548, font le même rapprochement. Ils se trompent, évidemment. Entre la tradition médiévale et le théâtre classique, il n'y a pas de solution de continuité.

Il fallut en venir aux modèles antiques. Le travail de préparation qui s'accomplit alors se fait entièrement en latin. La tragédie française sortira de la salle de classe et non pas des forces vives d'une tradition nationale en langue vulgaire. Dans les collèges, l'activité théâtrale avait toujours été un moyen pédagogique apprécié. Toutefois, pendant longtemps, on préféra des sujets d'actualité ou des sujets moraux (par exemple les *Dialogi* de Ravisius Textor) à Plaute ou à Térence (bien que celui-ci ait aussi été joué). Ce n'est que plus tard qu'on commenta Sénèque, Euripide et Sophocle. Fait important : les premières tragédies latines écrites en France, celles de l'extravagant Italien Quintianus Stoa (1514) et celle du bénédictin Nicolas Barthélemy (*Christus Xylonicus*, 1529, divisée en quatre actes dès 1531), sont des pièces religieuses, destinées à une lecture scolaire. Deuxième fait important : comme dans bien d'autres domaines, c'est au cours des années trente que s'amorce une véritable mutation. Deux noms, au moins, doivent être cités. D'abord celui de Georges Buchanan, professeur et poète écossais, qui publia vers

---

1. Voir p. 231-235.

1528-1529 une traduction latine de *Médée*, et qui composa pour ses élèves du Collège de Guyenne de Bordeaux, autour de 1540, deux tragédies bibliques, *Baptistes* et *Jephtes*. Cette deuxième pièce connut, dans la seconde moitié du XVIe et au XVIIe siècle, un succès extraordinaire dans toute l'Europe. Après Buchanan, Marc-Antoine Muret et son *Julius Caesar*, œuvre juvénile, et première tragédie à sujet profane en France. Buchanan et Muret, professeurs de Michel de Montaigne : tout est là, dans cet enseignement oral, dans l'exemple du maître. En effet, l'*Abraham sacrifiant* de Théodore de Bèze et la *Cléopâtre* de Jodelle furent jouées avant que les tragédies latines de Buchanan et Muret aient été publiées. On comprendra qu'il ait fallu un certain temps pour que les élèves, à travers la France, répandissent cet enseignement de leurs maîtres. Sous le règne de François Ier, la comédie et la tragédie classiques n'ont pas encore droit de cité dans la vie théâtrale.

La renaissance de la tragédie antique ne sera d'ailleurs pas uniquement une renaissance de la forme. Le christianisme du Moyen Age avait ressenti le monde comme une parabole : ce monde-là n'avait rien d'absolu, car, grâce à la Résurrection, il avait été vaincu. Le sentiment tragique sera lié à la conception d'un monde absolu. Par la désacralisation de la vie, la Renaissance rouvrira de nouvelles perspectives tragiques.

Quatrième partie

LES GRANDS CRÉATEURS

44. PIERRE GRINGORE. « LE JEU DU PRINCE DES SOTS. ET MERE SOTTE. » *Lyon, A. Durye, édition en caractères gothiques avec des figures sur bois.*

45. PIERRE GRINGORE. « LES FANTASIES DE MERE SOTTE. » *Paris, J. Petit, 1516, in-4°. Edition en caractères gothiques, illustrée de gravures que l'auteur, dit le texte du privilège, a passé beaucoup de temps « à faire pourtraire et tailler plusieurs hystoires pour la décoration dudit livre et conformes aux matières contenues en icelluy ».*

46-47. « SONGES DRÔLATIQUES DE PANTAGRUEL... » *Paris, Richard Breton, 1565, in-8°. Les illustrations grotesques de cet ouvrage, qui* exploite le succès de Rabelais, s'inspirent des œuvres de Pierre Brueghel. De telles caricatures évoquent, de même que le Jeu du prince des Sots, les fameuses fêtes des fous de l'époque, autant que le joyeux grouillement de l'univers rabelaisien.

48 et 51. *On connaît l'admirable illustration de Dürer pour* La Nef des fous *de Sébastien Brant, œuvre qui ne manqua pas d'inspirer* L'Eloge de la folie *d'Erasme. Pour évoquer ce climat de la « folie du monde », on a reproduit ici deux œuvres de la première moitié du XVIᵉᵐᵉ siècle : une gravure d'Erhard Schoen,* La cage aux fous *(48) et un dessin du « maître de Pétrarque »,* L'arbre aux fous. *(Musée de Veste Coburg.)*

¶ Le ieu du prince des sotz. Et
mere sotte. *de Valois.*

Faison. par. tout

tout. par. Faison / par. tout. Faison

¶ Ioue aux halles de paris le marby
gras. Lan mil cinq cens et onze.

Boscheron

44

¶ Exemple côme se têps passe on pugnissoit
les femmes qui rompoyent seur mariage.

45

46

47

48

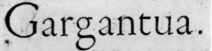

Gargantua.

M. D. XXXVII

49

Pan

M. I

50

Comment le nom fut imposé a
Gargantua : et comment
il humoit le piot.
Chap. Vij.

53

VTOPIAE INSVLAE TABVLA.

52

Pantagrueline

prognosticatiõ certaine véritable ⁊ ifalible pour
lã mil. D. xxxiii. nouuelleme̅t composee au pro
fit ⁊ aduiseme̅t de ge̅s estourdis et musars de nature p maî
stre Alcofribas architriclin dudict Pantagruel

55

gruel.

CXXVII.

51

Comment Panurge feit noyer
en mer les moutons, & le
marchant qui les cõ
duisoit. Chap.iij.

54

LA
PLAISANTE,
ET IOYEVSE
histoyre du grand
Geant Gargantua.

Prochainement reueue & de beaucoup
augmentée par l'Auheur mesme.

A Valence.
Chés Claude La Ville.

56

57

58

59

49, 50. RABELAIS. *Edition en deux volumes de* Gargantua *et* Pantagruel. *Elle est attribuée à D. Janot. La page de titre du premier volume est ornée d'une figure représentant* Gargantua *et* Gargamelle, *celle du deuxième volume d'un bois avec le personnage de* Pantagruel. *On a reproduit page 184 la page de titre de l'édition originale de* Pantagruel, *parue chez Claude Nourry, à Lyon en 1532.*

52. THOMAS MORE. « UTOPIE. » *Edition bâloise de 1518 illustrée par Holbein.*
(Bibliothèque de Bâle.)

53, 54. RABELAIS. « *Comment le nom fut imposé à* Gargantua... » *vignette de l'édition originale en caractères gothiques (53).*
« *Comment Panurge feit noyer en mer les moutons et le marchand qui les conduisoit.* » Le quart livre des faictz et dictz héroïques... *(45). Le style des gravures reste identique tandis que les caractères changent : du gothique au romain.*

55. RABELAIS. « PANTAGRUELINE PROGNOSTICATION... POUR L'AN MIL D XXXIII... »

56. RABELAIS. « LA PLAISANTE ET JOYEUSE HISTOYRE DU GRAND GEANT GARGANTUA. » *Publié par Claude La Ville, à Valence en 1547. La page de titre porte une vignette dans le style de l'imagerie populaire.*

57. GUSTAVE DORÉ. *Illustrations pour les œuvres de Rabelais (Paris, Bry, 1854). L'illustration choisie représente le héros dans l'Isle Sonante (Vème livre).*

58. « VIGINITI MISSARUM MUSICALIUM. » *Recueil publié par Pierre Attaingnant en 1532. La gravure représente* La Messe à la Cour.
(Library of Boston Athenaeum, Boston.)

59. « EN VENANT DE LYON... », *chanson de Mouton imprimée par Guillaume Le Bé avec les caractères de musique qui portent son nom. Publié par Adrian Le Roy et Pierre Ballar (1555).*

CHAPITRE I

Jean Lemaire

LA carrière littéraire de Jean Lemaire, né à Bavai en 1473 dans le Hainaut, terre d'Empire, s'étend sur une période relativement brève, une dizaine d'années, de 1503 à la fin du règne de Louis XII. Après cette date, la trace du poète se perd. A l'exception de quelques menus exercices poétiques et de son œuvre monumentale en prose, les *Illustrations de Gaule*, toute la production de Jean Lemaire se rattache à des circonstances biographiques et historiques précises. Toujours au service de la très haute noblesse, soit franco-bourguignonne, soit française, le poète déplore la disparition, célèbre les vertus ou soutient la politique de ses puissants protecteurs. Intéressé et engagé tout comme les autres rhétoriqueurs, son exemple atteste cependant que les différentes servitudes suscitent des vocations plutôt qu'elles ne les contrarient. Jean Lemaire, pour avoir cultivé les mêmes genres pendant toute sa carrière, pourrait faire figure de conservateur, mais l'estime dont il jouira auprès des Clément Morot, Jacques Pelletier, Joachim Du Bellay et Pierre de Ronsard, prouve suffisamment la qualité de ses recherches poétiques dans ce cadre formel traditionnel.

Nous sommes peu renseignés sur les vingt-cinq premières années de la vie de Jean Lemaire : clerc tonsuré, il a pu profiter, à Valenciennes, du savoir de Jean Molinet, à qui il est apparenté ; il a aussi étudié à Paris, « de laquelle — dira-t-il — j'ay principalement succé tout le tant (combien que peu) du laict de literature, qui vivifie mon esprit ». A côté de la « littérature », terme qui désigne la littérature latine, Lemaire a certainement pratiqué les poètes français, en premier lieu Jean Molinet, dont il aime à se dire le disciple. Ses premières ambitions littéraires doivent cependant beaucoup à l'instigation du célèbre Guillaume Cretin, auquel il dédie le troisième livre des *Illustrations*,

> comme à celuy [...] qui as esté la cause première que je
> me suis enhardy et entremeslé de mettre la main à

> escrire en ceste nostre langue Françoise et Gallicane.
> Car (si bien il en souvient à ta debonnaireté) passant par
> Ville Franche en Beaujeulois, tu me donnas encourage-
> ment de mettre la main à la plume, et de clerc de
> finances..., je devins soudain enclin à l'art oratoire, au
> moyen de la tienne persuasion...

Voici donc Jean Lemaire, à vingt-cinq ans clerc de finances du duc de Bourbon (1498), « soudain enclin à l'art oratoire ». Il réside à Villefranche, à
proximité de Lyon, ville largement ouverte aux influences italiennes que le
poète ne manquera pas de subir à son tour. La Bourgogne, Paris, l'Italie,
sont les centres qui exercent et excerceront l'attraction la plus forte sur Jean
Lemaire.

Nous avons la chance de posséder, daté de 1498, un recueil poétique
manuscrit, où Jean Lemaire a fait copier ses premiers vers, encadrés par des
extraits de textes célèbres, en latin et en français ; ce recueil constitue un témoignage précieux des goûts d'un jeune homme qui, élevé dans un milieu bourguignon, vient de passer un certain temps à Paris. Nous n'hésitons pas à affirmer que ce recueil reflète le « climat » des lettres à la fin du XVe siècle. Il se
divise en trois parties, dont la première et la troisième sont placées sous le
signe de l'inconstance de la fortune : *nulla sors longa* — cette citation de Sénèque
ouvre et ferme le recueil. La partie centrale est consacrée à la littérature morale
et mariale ; après deux poèmes pieux en latin de Baptiste Spagnoli, dit le
Mantouan, suit une antienne, une transcription du *Cantique des cantiques*
(toujours en latin) et deux poèmes français en l'honneur de la Vierge, de
Chastellain et de Molinet, auxquels Jean Lemaire ajoute une oraison de sa
facture sur le *Salve Regina*. On notera que le passage de l'*Art d'aimer* d'Ovide,
transcrit dans la première partie du recueil, ne concerne pas l'amour (que
Jean Lemaire n'a guère chanté), mais la condition du poète : « Qu'ambi-
tionnent les poètes sacrés, sinon la gloire ? Autrefois les poètes étaient chers
aux ducs et aux rois... ». Voici un beau programme, pour un poète débutant
dont la pièce la plus remarquable commence ainsi :

> Nostre eaige est brief ainsi comme des fleurs
> Dont les couleurs reluisent peu d'espasse.
> Le temps est court et tout remply de pleurs
> Et de douleurs, qui tout voit et compasse.
> Joyë se passe ; on s'esbat, on solasse
> Et entrelasse un peu de miel begnin
> Avec l'amer du monde et le venin.

Cette variation sur le thème de la *vanitas mundi* ne débouche pas, comme c'est presque la règle au xve siècle, sur une vision de la mort ; elle conduit à des considérations morales sur la vie, à savoir qu'il faut planter dans son cœur trois fleurs, des pensées, symboles de la foi, de l'espérance et de la charité. Et déjà se manifeste ce désir d'unir la poésie à la peinture, car Jean Lemaire a fait orner son recueil de deux miniatures qui représentent le « blason » des trois fleurs symboliques.

Deux années plus tard, en 1500, Jean Lemaire commence son *opus magnum*, une histoire monumentale de la « Gaule ». Il y travaillera pendant une bonne dizaine d'années et toute son œuvre poétique, qui sera de circonstance, ne fera au fond que retarder son achèvement. Jean Lemaire se veut d'abord « historiographe ». Bientôt, il se dira « de Belges », voulant signifier par là qu'il était originaire d'une ville fondée par Belgius, un des rois mythiques de l'ancienne Gaule selon les documents qu'Annius de Viterbe venait de publier [1].

Mais il faut vivre. En 1503, Jean Lemaire met sa plume au service de Louis de Luxembourg, comte de Ligny, en écrivant deux épîtres en vers au bailli d'Etelan. Les circonstances font que les années 1503 et 1504 deviennent, pour notre auteur, qui perd successivement ses protecteurs, les années des complaintes funèbres. Il compose *Le Temple d'Honneur et de Vertus* à l'occasion de la mort de son maître Pierre de Bourbon (décédé le 10 octobre 1503), et *La Plainte du Désiré*, lorsque disparaît le comte de Ligny (mort le 31 décembre 1503) ; *La Couronne Margaritique*, enfin, célèbre la mort de Philibert de Savoie (décédé le 9 septembre 1504) et les vertus de sa veuve, la nouvelle et puissante protectrice de Jean Lemaire, Marguerite d'Autriche.

Le titre du *Temple d'Honneur et de Vertus* (édité en 1504) ne convient qu'à la troisième et dernière partie de l'œuvre. En effet, dans la première partie, qui ressemble à une pastorale dramatique, des bergers et des bergères, représentant les provinces gouvernées par le duc de Bourbon, chantent les louanges de Pan et d'Aurora, noms par lesquels sont désignés Pierre de Bourbon et son épouse Anne de France. Il n'est pas exclu que cette partie ait été composée du vivant du duc. Quoi qu'il en soit, cette bergerie est assez différente du reste et, malgré la forte tonalité virgilienne, elle s'insère parfaitement dans la tradition française. Au cours de la partie centrale, où, sous la fiction d'un complot de Saturne et de Mars contre Pan et ses sujets, la nature se déchaîne, Pan tombe malade et meurt. Bien que les dieux astraux se rencontrent souvent dans la poésie française antérieure, Lemaire cherche ailleurs son inspiration. D'abord la forme, celle de la rime tierce, la *terza rima* des Italiens, montre qu'il entend faire œuvre de novateur : Lemaire est le premier poète français

1. Voir précédemment p. 58.

à utiliser cette forme strophique, qu'il manie avec une certaine aisance ; mais la tentative fut presque sans lendemain.

Quant au fond de cette partie centrale, Lemaire l'emprunte également à une œuvre qui vient d'Italie. Il imite en effet de près une églogue latine de Pétrarque (dont les *Bucolica carmina*, édités par Josse Bade, viennent de paraître). Cette adaptation du modèle humaniste à la pastorale française prend ainsi elle-même l'aspect d'une véritable églogue. La dernière partie de l'œuvre s'insère en revanche dans la meilleure tradition française, car, dans un mélange de prose et de vers, Aurore voit en songe le temple d'Honneur et de Vertus et assiste à l'intronisation (pour ne pas dire à l'apothéose) de son mari défunt. C'est une belle occasion pour illustrer le thème de la gloire, si souvent repris à la Renaissance : « Ceulx ne sont point plourables, ne lamentables qui, par la memoire de leurs gestes vertueux, revivent et reflourissent de jour en jour et volent en la bouche des meilleurs. » Toutefois, implicitement, Jean Lemaire prévoit la gloire non seulement pour ceux qui se sont signalés par des « gestes vertueux », mais aussi pour l'écrivain et son œuvre. Lorsqu'il exhorte la veuve à « excogiter quelque haut chief d'œuvre miraculeux » et à perpétuer la mémoire de son mari par un « monument consolatoire », Lemaire entend bien ériger lui-même ce monument en composant son *Temple* littéraire. L'auteur, du moins, ne manque pas d'assurance, car malgré sa protestation d'avoir écrit son œuvre « par legier stille et rude emprainte », il s'est fait préfacer en vers par Guillaume Cretin en personne, qui n'a pas craint d'affirmer, en tête d'une œuvre à la mémoire de Pierre de Bourbon, que Jean Lemaire devait « porter couronne de laurier ». Ce premier laurier poétique, Lemaire le mérite dans la partie écrite en rime tierce, pour sa recherche de l'émotion, et, dans les parties ancrées dans la tradition française, pour ce qu'on a pu appeler son style pictural, style réfléchi, cependant, où l'art et l'artifice vivent en symbiose. Le *Temple*, composé « par l'impulsion exhortatoire de Jehan de Paris, painctre du roy », s'inspire en effet plutôt de peintures que de la nature, celle-ci apparaissant moins vraie que l'œuvre d'art. Ce n'est pas pour rien que les personnages allégoriques de la troisième partie portent leurs noms brodés sur leurs vêtements : les peintures et les tapisseries de l'époque ne procèdent pas autrement.

Quant à la *Plainte du Désiré* (éditée seulement en 1509) sur la mort du comte de Ligny, Lemaire la fait d'abord précéder d'une épître dédicatoire à la reine de France, Anne de Bretagne, mais, cette démarche n'ayant pas eu de résultats, il se tourne vers la duchesse de Savoie, Marguerite d'Autriche, qui le nomme son indiciaire. S'il écrit, pour vivre, des complaintes funèbres, Lemaire manifeste dès ses premières œuvres une étonnante individualité. Certes, il lance son invective contre la Mort et l'Envie (un couple aux réminiscences

bibliques), et met en scène des personnifications : Nature, Peinture et Rhétorique, mais on est surpris de ne rencontrer que fort peu de plaintes, surpris
surtout de ne plus retrouver l'image de la Mort égalisatrice, celle du cadavre
et de la pourriture, le *memento mori*, bref, tout ce que le XVe siècle a pu inventer
pour peindre les horreurs de la mort. De quoi s'agit-il ? L'auteur raconte
qu'il a vu, à Lyon, auprès « d'ung noble corps gisant mort tout de fraiz »,
dame Nature, éplorée, en compagnie des nymphes Peinture parée et riche
Rhétorique. Chacune de ces deux nymphes fait un discours, Peinture en
trente-et-un huitains, Rhétorique en trente-quatre quatorzains décasyllabiques, déclarant toutes deux être incapables de consoler, par leur art, dame
Nature. A la fin, les nobles personnages s'étant évaporés, Jean Lemaire se
charge de « rememorer les choses dictes par les deux gracieuses pucelles ».
On notera d'abord que, ces pucelles n'ayant pas été en mesure de peindre
c'est-à-dire de composer une œuvre consolatrice, la *Plainte du Désiré* n'est
pas une véritable complainte. L'artifice adopté par l'auteur lui permet de
présenter son œuvre comme une sorte de réflexion sur ce qu'elle aurait dû
être en réalité : l'œuvre n'est pas sa propre réalisation, mais l'optatif de cette
réalisation.

> Et pour ce faire, en heure bien hastive
> Vous formerez une forte invective
> Encontre Mort, pour le commencement ;
> Et puis apres, par foys iterative,
> Vous blasmerez Envie detractive.

Cette invective contre la Mort, on la cherche en vain dans la *Plainte du Désiré*,
et celle qui doit être dirigée contre l'Envie n'y a pas l'importance qu'exige
le plan de l'œuvre, tel qu'il est exposé par Rhétorique. La *Plainte* décrit le
projet d'une œuvre, et, au lieu d'évoquer longuement des faits extérieurs à
elle (la vie et la mort du défunt), la poésie se transforme en une méditation
sur elle-même. Jean Lemaire nous offre une sorte de poétique. La puissance
cosmique de l'harmonie des arts — ici, celle de la poésie et de la musique —
transforme les pleurs en joie et assure, à elle seule, la victoire sur la mort :

> Or meslez doncq telle armonie ensemble,
> Que tout ainsi que maint chesne et maint tremble
> Orphie esmeut à le suivre et l'ouyr,
> Ainsi vous tous faictes tant qu'il nous semble
> Que tout le monde en sa machine tremble,
> Et que maint fleuve et maint rochier s'assemble
> Pour de voz chantz en grant pitié jouyr.

Et puis acop, [1] par euvre controverse, [1]. *(immédiatement)*
Faictes changer l'efficace diverse,
En semonnant nature à resjouyr :
Affin que Mort ayt passion adverse,
Et que la triste, oultrageuse, perverse,
Ayt tel despit que ou fons [2] d'enfer se verse, [2]. *(au fond)*
Et faulse Envie ayt haste à s'enfouir.

L'opposition traditionnelle entre la vie et la mort devient, sous la plume de Lemaire, celle des arts et de la mort ; autrement dit, les arts sont la vie et grâce à eux, on triomphe de la mort.

L'attitude de l'auteur à l'égard de la peinture et de la poésie n'est pas identique. Lorsque Jean Lemaire cite les auteurs de complaintes : Virgile, Catulle, Alain Chartier, Arnoul Greban, Jean Robertet et Octovien de Saint-Gelais, il ajoute ceux qui vivent encore : Molinet, Cretin, d'Auton et François Robertet — mais pourquoi termine-t-il son énumération des modèles du passé par la remarque :

si croy que Rhetoricque
Finablement avec eulx se mourra ?

C'est comme si, d'instinct, Jean Lemaire se sentait à l'étroit dans la tradition dont il est l'héritier, comme s'il se rendait compte que la vieille Rhétorique avait fait son temps... L'instrument dont il dispose semble à l'auteur peu approprié à ce qu'il aimerait exprimer, aussi renonce-t-il à ce qu'il qualifie de « ruse », à savoir l'invocation à la muse. Ce doute, cette inquiétude qui travaillent l'auteur lorsqu'il fait l'expérience du désaccord entre l'inspiration et l'expression littéraire, disparaît complètement quand il vient à parler de ce qu'il ne connaît qu'en spectateur : la peinture. Quelle surprise que de rencontrer, dans une complainte funèbre, un véritable panégyrique de la peinture, créatrice de « volupté » :

Tu es et fuz de Nature l'ymaige,
Le vray miroir qui son noble visaige
Nous represente en ton riche sçavoir...

Tout comme dans une poésie du peintre Jean Perréal, la peinture est pour Jean Lemaire imitation de la nature. Or si la peinture se trouve être impuissante à exprimer la douleur de Nature, c'est qu'elle est pour l'auteur non pas dessin, mais couleur, sensualité exubérante, donc foncièrement incapable de représenter autre chose que la vie.

Et Ligny, le défunt ? La mort l'a terrassé, certes, mais cette mort est qualifiée de « soporifère ». Pour la première fois, en France, la mort acquiert un aspect paisible :

> Painctres prudens, le deffunct vous aymoit.
> Mettez Nature auprès de luy dolente :
> Et le tirez ainsi que s'il dormoit,
> Ou se les yeulx en veillant il fermoit.

Et, au lieu d'insister sur la destruction du corps, l'auteur décrit la beauté du défunt. Lemaire complète ce portrait physique par un portrait moral où le comte de Ligny est présenté comme un homme complet, ouvert aux arts, digne de l'immortalité :

> Quel autre plus en toute art vertueuse
> Se delicta, sans forme impetueuse,
> Suivant le train des bons nobles anciens ?
> Qui ayma plus paincture sumptueuse,
> L'art de bien dire, histoire fructueuse,
> Musicque aussi, doulce et voluptueuse,
> Ou qui mist plus son estude en tous biens ?

Ainsi la *Plainte du Désiré* est comme une longue explication sur l'impossibilité d'écrire une complainte. Plus que sur la mort, elle se penche sur la vie, ou mieux, sur ce qui fait la beauté, la dignité, voire la volupté de la vie : peinture, rhétorique et musique.

La première supplique que présente Jean Lemaire à sa nouvelle protectrice, Marguerite d'Autriche, c'est de pouvoir séjourner « en quelque lieu solitaire », sans doute pour pouvoir travailler en paix à son *opus magnum*. Marguerite, fille de l'empereur Maximilien, avait été « mariée », à l'âge de deux ans, au dauphin Charles, qui l'avait répudiée en 1493. Veuve de Jean de Castille, elle épouse en 1501 Philibert de Savoie. Elle a vingt et un ans, et déjà la « Fortune » l'a rudement éprouvée. Cultivée, aimant à s'entourer d'artistes et de poètes, elle s'essaie elle-même à la littérature. A Turin, en 1504, elle fournit à Jean Lemaire le canevas d'une œuvre intitulée *Le Palais d'Honneur féminin*. Cet ouvrage ne nous est point parvenu, mais les indications que nous tenons de Lemaire suffisent à montrer que sa retraite studieuse ne semble pas avoir été de longue durée. Et, quelques mois plus tard, le duc Philibert meurt. Marguerite décide de perpétuer la mémoire de son mari dans une magnifique église, à Brou, et, en attendant, elle charge Lemaire d'ériger un monument poétique. Cette œuvre, la *Couronne Margaritique,* Lemaire l'entreprend « oultre gré » et il ne la terminera d'ailleurs jamais :

> Plume infelice [1] oustil calamiteux, [1]. *(malheureux)*
> Matiere obscure, object poure [2] et piteux, [2]. *(pauvre)*
> Dites pourquoy mon engin [3] peu fertile [3]. *(esprit)*
> Vous retirez de son emprise utile
> Pour le tourner en ce present traveil ?

Etonnante franchise que celle de Lemaire, qui ne craint pas d'affirmer que l'œuvre de commande, au regard des *Illustrations,* est peu utile ! La *Plainte du Désiré* a déjà fait voir que l'auteur ne se sent pas à l'aise dans le genre de la déploration funèbre. Cette fois, il se tire d'affaire en passant rapidement sur la piteuse mort de Philibert, pour s'étendre d'autant plus longuement sur les mérites de Marguerite, qui, en effet, à vingt-quatre ans, a suffisamment pu montrer ses vertus dans l'adversité. La *Couronne Margaritique,* écrite surtout en prose, est une sorte de tableau vivant : Vertu, pour récompenser la constance de Marguerite, décide de lui présenter une magnifique couronne, dont l'exécution est confiée à l'orfèvre Mérite, et dont elle veut fournir un modèle vivant. Elle choisit parmi les nymphes de sa suite, les dix plus belles, les habille somptueusement, les pare chacune d'une pierre précieuse et les dispose en cercle, en couronne. Martia reçoit l'ordre de peindre cette scène pour que l'orfèvre puisse emporter le modèle dans sa boutique. Comme dans la *Plainte du Désiré,* l'œuvre littéraire expose une scène-modèle qu'elle ne représente plus dans son accomplissement. La perfection se situe ainsi au delà de l'œuvre, qui demeure une faible ébauche de ce que Jean Lemaire désire voir se réaliser en peinture, en orfèvrerie et en « rhétorique ». L'unité idéale lui paraissant inaccessible, l'auteur procède par « exemplification particulière », justifiant sa méthode additive par l'exemple fameux de Zeuxis, qui, pour peindre la belle Hélène, prit pour modèle cinq jeunes filles, empruntant à chacune « les plus parfaites touches, pour icelles reduire tout en un corps ». Les initiales des dix Vertus dont se compose la « couronne » forment en effet le nom de MARGUERITE. Des philosophes, orateurs et historiens sont invités à expliquer chacune de ces vertus et de ces pierres précieuses, les explications étant complétées par un exemple d'une « clere femme » et par un épisode significatif de la vie de Marguerite d'Autriche. Ces morceaux érudits sont débités par Robert Gaguin, Albert le Grand, Jean Robertet, Isidore de Séville, Georges Chastellain, Boccace, Arnaud de Villeneuve, Marsile Ficin,

Martin Le Franc et Vincent de Beauvais. Lemaire n'a malheureusement pas su tirer profit de cette belle galerie d'hommes célèbres : faute de temps et parce qu'il a travaillé « oultre gré », il ne s'est guère préoccupé de différencier les dix discours selon les doctrines que leurs auteurs avaient professées. Ainsi nous ne savons pas comment un Jean Lemaire lisait et comprenait un Gaguin et un Ficin, un Albert le Grand et un Arnaud de Villeneuve. Il reste que, même si l'exécution sent la hâte, la *Couronne Margaritique* est une œuvre intéressante par ce qu'elle nous apprend sur la conception de l'art de son auteur.

Seul un lecteur moderne qui saura oublier son Clément Marot et les poètes de la Pléiade et qui aura pratiqué longuement les rhétoriqueurs de la fin du xvᵉ siècle, saura aussi apprécier le charme et la fraîcheur des deux *Epîtres de l'Amant Vert* (1505), dont le *Quintil Horatian* dira encore un demi-siècle plus tard qu'elles sont « tant riches en diversité de plusieurs choses et propos, que c'est merveille ». L'occasion est futile : pendant une absence de Marguerite, son perroquet est dévoré par un chien. Libre — et pour la première fois — de toute contrainte, Jean Lemaire n'abandonne pas pour autant le thème de la mort. Il imagine que le pauvre perroquet, l'Amant Vert, éperdument amoureux de sa maîtresse, écrit une lettre à celle-ci, avant de se jeter dans la gueule d'un chien famélique. Devant le succès remporté par cette première épître, le poète en ajoute une autre, dans laquelle l'oiseau narre ce qu'il a vu en enfer et au paradis. Badinage, à coup sûr, que cette histoire d'un « martyr amoureux » quelque peu érudit, mais sur ce mode mineur Jean Lemaire transforme de nouveau, et cette fois en toute liberté, le thème de la mort en thème de vie, de survie et d'immortalité, de sorte que les plaintes se changent en « joyeuses festes », en danses et caroles bucoliques. Dans le jugement de Minos sur l'Amant Vert, le suicide n'est même pas évoqué. Ces *Epîtres* ne sont, certes, pas une méditation sur la vie et la mort ; spontanément toutefois, leur auteur se détourne des danses macabres de l'âge précédent pour manifester, dans un sourire, son adhésion aux plaisirs de cette vie terrestre. A travers un tempérament percent les lueurs d'une certaine Renaissance.

L'originalité et la qualité des œuvres de ces années 1503 à 1505 sont des promesses que les années qui suivent semblent plutôt démentir. En effet, la production de Lemaire, toujours au service des grands, ne se distingue guère de celle des rhétoriqueurs contemporains. Citons une complainte d'une facture toute traditionnelle, les *Regretz de la dame infortunée*, où l'auteur fait prononcer par Marguerite une déploration, en quatorze douzains, sur la mort de son frère Philippe le Beau, décédé en 1506. Citons aussi des pièces politiques, les trente-neuf huitains de la *Chanson de Namur*, qui célèbre la victoire des paysans et « bergers » de la région de Namur sur les chevaliers français en 1507 :

> Les porcz epicz horriblement greverent,
> Les cerfz volans au courre se saulverent.

Ces sarcasmes, le partisan des Bourguignons les oubliera volontiers un peu
plus tard, lorsqu'il sollicitera les faveurs de la cour de France. En sa qualité
d'indiciaire de Bourgogne, Lemaire essaie de continuer l'œuvre de Molinet,
mais le souffle vient bientôt à lui manquer — aussi sa *Chronique* demeure-t-elle
un fragment. Les raisons de cet échec de l'historiographe sont moins dues aux
continuels déplacements et au manque de loisirs qu'au tempérament de
l'auteur qui, incapable de saisir les ressorts secrets de la politique de son temps,
conçoit l'histoire plutôt comme une fresque mythique et séculaire et préfère
l'hyperbole épique au récit impartial. Il célèbre le traité de Cambrai (1508)
dans un prosimètre à la façon des rhétoriqueurs, la *Concorde du genre humain*,
qui développe d'abord un long parallèle entre la Vierge et Marguerite,
puis entre Bethléem et Cambrai et entre les trois rois mages et Louis XI,
Charles VIII et Louis XII, après quoi vient un songe allégorique (dans lequel
l'auteur recourt à la « ruse » de l'invocation à la muse Calliope) ; l'œuvre se
termine par une relation de la cérémonie de la ratification du traité et par
une série de poèmes à forme fixe. Autre reflet de la situation politique, la
Légende des Vénitiens (1509), long pamphlet en prose, puis un traité traduit de
l'italien, à la louange d'Ismaïl, roi de Perse *(Histoire moderne du prince Syach
Ismaïl, dit Sophy Arduelin)*, opuscule que Lemaire a rapporté d'Italie. Curieux
bagage que ce traité politique contre les Turcs, surtout lorsqu'on songe à l'image,
que présente généralement la critique, d'un Lemaire humaniste et italianisant.
L'auteur demeure à la vérité fortement enraciné dans la tradition bourguignonne et, s'il voyage en Italie, il en rapporte soit des textes obscurs, soit le
souvenir de quelques noms fameux, et rentre chez lui sans avoir été autrement ébloui par une civilisation qu'il ne semble pas avoir estimée supérieure
à celle dont il est nourri. Quand la « concorde du genre humain », c'est-
à-dire la paix entre les chrétiens en vue d'une croisade contre les Turcs, se
change en discorde à cause du revirement de la politique papale, Lemaire
attaque celle-ci, dans son *Traité de la différence des schismes et des conciles* (1511),
où il prouve que tous les schismes ont été la conséquence de la convoitise des
papes, tandis que les conciles, surtout les conciles gallicans, ont toujours ins-
tauré la paix. Violente diatribe contre la puissance séculière de l'Eglise, le
Traité, dans lequel Lemaire s'élève aussi contre le célibat, connaît un succès
immédiat ; en 1512 déjà, l'auteur affirme en avoir vendu quelques milliers
d'exemplaires. Plusieurs fois réédité en français, le *Traité* est traduit en anglais
en 1539, et en 1566, 1572, 1609 et 1629 paraissent des traductions latines dans
les pays de langue allemande — succès manifestement dû aux circonstances
politiques et religieuses et non pas aux qualités littéraires de l'œuvre.

Défenseur de la politique gallicane de Louis XII, Jean Lemaire se rapproche du roi. De passage à Blois, il répond à l'*Epître du preux Hector transmise au roy Louis XIIᵉ de ce nom* de Jean d'Auton, poème qui glorifie les victoires italiennes du roi. Lemaire, qui donne à sa réponse la forme d'une *Epître du roy à Hector de Troye* (1511), insiste, dans des vers assez prosaïques, sur la descendance troyenne des Français, s'en prend à la politique du pape Jules II et s'évertue à se rendre agréable au roi de France. La fiction de cette *Epître* permet cependant à l'auteur de renouveler le genre encomiastique dans un curieux mélange : politique contemporaine, passé mythique et glorieux. Tant d'efforts méritent d'être couronnés : en mars 1512, Lemaire devient l'indiciaire d'Anne de Bretagne, qui le charge aussitôt de « compiler les croniques de sa maison de Bretaigne ». La nouvelle protectrice meurt en janvier 1514. Nous n'avons pas ces chroniques de Bretagne et la trace de leur « compilateur » se perd aux environs de 1515.

Toutefois, Jean Lemaire a encore la satisfaction de voir couronné de succès son *opus magnum*, auquel il a consacré une bonne dizaine d'années. En 1511 paraît le premier, en mai 1512 le deuxième et en décembre de la même année le troisième livre des *Illustrations de Gaule et Singularités de Troye;* jusqu'en 1549, cette longue œuvre en prose ne cessera d'être réimprimée. Expression de certaines aspirations de l'époque, elle s'insère parfaitement dans son contexte culturel, et marque une prise de conscience « nationale » face à la civilisation de la Renaissance italienne. En remontant bien plus haut dans le temps que l'origine troyenne des Francs, Lemaire chante la civilisation des anciens Gaulois et prouve en même temps que la *translatio* de cette civilisation n'a nullement passé par l'Italie [1]. Commençant par Noé, Lemaire narre longuement l'histoire des éponymes et ancêtres des peuples, dont il fournit une chronologie parallèle qu'il puise dans les textes récemment publiés par Annius de Viterbe. Dès Samothès, petit-fils de Noé, la Gaule s'illustre :

> A cause de ce tresnoble Roy Saturne et Patriarche
> Samothès, surnommé Dis, nostre Gaule commence bien
> d'estre illustree et anoblie. Et ne fust ce que pour l'amour
> des lettres et de philosophie qu'il enseigna premier en
> icelle, ne desplaise à la vanterie de Grece, qui long temps
> ha usurpé ce los...

Or, fort heureusement, après la préhistoire de la Gaule et celle de Troie, Lemaire abandonne ces sources peu recommandables et consacre toute la deuxième partie du premier livre au récit de la jeunesse de Pâris. Dans ce cadre pastoral, notre auteur est à l'aise. Brodant librement sur ses sources,

---

1. Voir précédemment p. 57-59.

classiques cette fois-ci, il compose le premier roman idyllique du XVIe siècle. Les quelques passages qui rappellent la préciosité des rhétoriqueurs, n'arrivent pas à nuire à cette prose sinueuse et séduisante qui contribue bien plus à l'*illustration* de la France que la partie historique et programmatique. L'érudition mythologique (ou *poétique*, comme l'appelle Jean Lemaire) affecte une naïveté désarmante qui élève le récit jusqu'au pur jeu. Les amours de Pâris et d'Œnone semblent bien écrites pour le seul plaisir de la belle prose — ce qui n'est pas peu dire à une époque où, généralement, le *prodesse* l'emporte de loin sur le *delectare*. Le style humble de la « bergerie » monte d'un degré lorsque l'auteur décrit le festin des dieux, et on a une fois de plus l'impression, que Lemaire brosse un ample carton pour quelque fresque majestueuse. Lors de la description des trois déesses, et du jugement de Pâris, Lemaire, qui juge en peintre les beautés divines, est bien un des premiers à se montrer sensible à l'aspect plastique du spectacle. Dans une lettre latine ajoutée à la fin du premier livre, un correspondant de Valenciennes s'écrie non sans raison : *Iam Gallica lingua (discussa barbarie) inter civiles et politicas linguas statum sibi non mediocrem assumat. Habet enim (pace latinae linguae dixerim) suos Cicerones et Sallustios...* [1].

Le deuxième livre des *Illustrations* raconte l'histoire d'Hélène et la destruction de Troie. Dans le récit du rapt d'Hélène, Lemaire fait jouer toutes les ressources de son métier de rhétoriqueur et retrouve, du même coup, à propos de certains traits de mœurs antiques, un ton réprobateur. C'est seulement en revenant à Œnone qu'il regagne le naturel : décidément, le registre de Jean Lemaire est celui de la simplicité bucolique. Quant au siège de Troie, l'auteur le traite d'après les « meilleures » sources, surtout d'après Dictys, qu'il abandonne cependant une fois au profit d'Homère. Ceci nous vaut la première traduction française d'un texte homérique (d'après la traduction latine de Valla). Il s'agit de la « bataille singulière » entre Pâris et Ménélas, bataille qu'Homère a « bien coulouree de fleurs poëtiques », comme le reconnaît Lemaire :

> Je vueil icy m'arrester un petit à descrire ledit
> combat, pource qu'il est beau et delectable, et sent bien
> son antiquité. Et pour ce faire, je translateray presques
> mot à mot ledit Homere sur ce passage.

Il semble bien que Lemaire, s'il avait voulu écrire une œuvre poétique au lieu d'une œuvre historique, n'aurait pas manqué de cueillir copieusement les « fleurs poëtiques » dans le jardin d'Homère. On regrette que l'auteur se

---

1. « Déjà la langue française (la barbarie étant dissipée) occupe, entre les langues civilisées, une position non médiocre. Elle possède en effet (soit dit avec tout le respect dû à la langue latine) ses Cicérons et ses Sallustes... »

soit trompé sur sa vocation. A la fin de son deuxième livre, il manifeste sa fierté devant la tâche accomplie :

> Par ce second livre, tous lecteurs et auditeurs se peuvent bien tenir pour contens et bien informez de la verité de toute l'histoire, à fin qu'en peintures et tapisseries on ne fasse plus nulz abus.

L'auteur, qui se veut historien, désire que son œuvre serve de modèle à la peinture et aux tapisseries. Lui, il pense évidemment au contenu « historique » — pour nous autres cependant, la phrase de Jean Lemaire se transforme en métaphore qui situe l'auteur à un carrefour historique, où le nouveau langage poétique s'exprime encore dans des formes anciennes. La réussite de Lemaire n'est pas dans la partie historique, mais bien dans les peintures verbales des épisodes romanesques.

Le troisième livre est consacré aux différentes dynasties européennes, issues des Troyens dispersés. Dans le récit qui va de Francus à Pépin le Bref, l'auteur insère de longues digressions sur les Burgondes et les Mérovingiens. A côté de bien d'autres preuves, Lemaire fournit celle-ci : les rois de France sont du sang de Charlemagne, et celui-ci descend du Troyen Francus. La portée politique d'une pareille démonstration est évidente, car chasser les Turcs de l'Asie Mineure, ce n'est au fond que récupérer sa patrie... Les tours de force vertigineux auxquels s'astreint l'auteur ne sauraient toutefois mettre en doute sa bonne foi et son souci, attesté tout au long des *Illustrations de Gaule et Singularités de Troye*, de recourir aux meilleures sources, imprimées et manuscrites. Si les contemporains paraissent apprécier cet effort, la postérité préfère les passages où l'auteur, libérant sa plume du poids écrasant de la vérité « historique », lui laisse prendre son envol vers les gracieux bocages du bucolique flamboyant.

La *Concorde des deux langages* (1511 ou 1512, première édition en 1513) se compose d'un prologue, d'une description du voyage de l'auteur — en songe — au temple de Vénus (six cent seize vers décasyllabiques en rime tierce), d'un intermède en prose, de la description du palais d'Honneur et du temple de Minerve (cent huit vers alexandrins à rime plate) et d'un épilogue en prose. Dans ce prosimètre, Jean Lemaire revient aux thèmes qui l'ont hanté pendant toute sa carrière poétique, la musique, la peinture, la poésie, l'illustration de la langue française. Le prologue situe le problème de la « concorde » sur deux plans : celui de la littérature (des *poètes, orateurs* et *historiens*) et celui de la politique (de la *chose publique*). L'épilogue montre bien que le premier souci de l'auteur concerne la concorde politique, l'alliance de la France avec l'Italie, ou plus précisément avec Florence, surtout parce que « la fleur de liz de Florence est procedee du don du grand empereur Charlemaigne, roy des Francz, fundateur ou instaurateur de la cité de Flo-

rence la belle ». On comprend ainsi pourquoi Jean Lemaire se confie, à la
fin de son traité, à un personnage nommé Labeur Historien ; l'histoire doit
fournir la preuve que les deux langages (c'est-à-dire les deux peuples) sont
prédestinés à s'entendre — une conception qui est bien celle de l'auteur des
Illustrations de Gaule. Seulement, à l'intérieur de la *Concorde*, cet aspect politique est pratiquement absent. Et l'on y chercherait aussi en vain toute tentative de « concorde » littéraire ou culturelle. Le titre de l'opuscule, en effet,
prête à confusion, car Jean Lemaire entend beaucoup moins « accorder » les
deux langages, « derivez et descendus d'un mesme tronc et racine, c'est-
assavoir de la langue latine », que lancer un appel aux italianisants et aux
Italiens priés d'admirer le français. Jadis, au temps de Jean de Meung et de
Dante, régnait la concorde, donc une émulation amicale, entre la France et
Florence, et maintenant, Jean Lemaire, nouveau Jean de Meung, propose son
œuvre à l'émulation florentine et italienne. L'auteur ne veut pas moins
qu'ériger lui-même ce monument français, digne de toutes les admirations.
Si ce dessein ambitieux n'est nulle part explicité, il ressort néanmoins clairement de la structure de l'œuvre. Dans la première partie, le *Temple de Vénus*,
l'auteur reprend surtout des thèmes et des procédés allégoriques qui lui
viennent du *Roman de la Rose* de Jean de Meung, thèmes et procédés qu'il
coule dans une forme italienne, la rime tierce. Qu'est-ce à dire sinon que la
forme choisie n'est pas l'apanage des Italiens et que le français est fort bien
capable de rivaliser, sur ce plan, avec la langue-sœur ? Le *Temple de Minerve*,
en revanche, qui s'inspire, quant à l'affabulation générale, d'une églogue
italienne d'un poète siennois, est écrit en alexandrins, dans ce mètre vénérable,
autochtone, qui atteste à lui seul la dignité de la tradition française. Contenu
français et forme italienne, forme française et contenu italien : la concorde
s'opère à l'intérieur de l'œuvre même.

Plutôt que de rechercher si les réminiscences lyonnaises de la *Concorde
des deux langages* correspondent à quelque réalité vécue, il convient de souligner
que Jean Lemaire nous y livre un art poétique et un art de vivre. Le *Temple
de Vénus* est un véritable hymne à la Nature et à son épanouissement dans la
jeunesse et au printemps. Dans le temple de la déesse, on assiste à un magnifique concert, dans lequel les modernes triomphent des anciens :

> Par le doulx son des nouveaux monocordes,
> Ont mis soubz banc les gens du roy Clovis
> Leurs viiesles, leurs vieulx plectres et cordes,
>
> Et maintenant frequentent à devis [11]. *(à souhait)*
> Les cueurs divins, les pulpitres dorez,
> Anges nouveaux dont les cieulx sont serviz.

Et Lemaire de célébrer les musiciens modernes, ces « clers engins » qui bénéficient des « grâces infuses » par l'harmonie des sphères. Ce sentiment de modernité, l'auteur l'éprouve donc à propos de la musique, et non pas de la littérature. En effet, le passage qui suit est consacré au lyrisme musical et aux genres à forme fixe. Toute la deuxième partie du *Temple de Vénus* est réservée au sermon que Génius, grand-prêtre de Vénus, fait sur le thème : *aetatis breve ver*. Il y décrit longuement les affres de la vieillesse, mais cette vieillesse annonce moins la mort qu'elle ne nous invite à jouir de la jeunesse. Au lieu d'aboutir à un *memento mori*, le raisonnement de Génius recommande le *carpe diem*. Jean Lemaire demeure fidèle à lui-même ; s'il emprunte à Jean de Meung, c'est que l'exaltation de la joie de vivre répond à une de ses attitudes fondamentales, telle qu'elle s'est manifestée dès ses premières œuvres.

L'entrée au temple de Vénus, à ce paradis des amoureux, se paie par une offrande. L'auteur s'avance : « Je doncques [...] presentay ung petit tableau de mon industrie, assez bien escript et enluminé de vignettes et flourettes, lequel j'estimoye ung chief d'euvre, pour le planter et dediier devant l'ymage de ma demy deesse. » Cependant, le cadeau est refusé, « pource qu'il n'y avoit guieres de metal, d'or ou d'argent pesant ou massif, fors seulement de dorure ou enlumineure superficielle ». Mystère ! Sommes-nous en présence d'une anecdote vécue ? Ou se cache-t-il autre chose derrière cet échec ? Et d'abord, pourquoi Jean Lemaire offre-t-il un tableau et non pas une poésie ? Est-ce toujours cette hantise de la peinture ? On pourrait imaginer que l'auteur, qui approche de la quarantaine, a simplement voulu signifier que le temps de la jeunesse est, pour lui, irrémédiablement perdu. Et si, ce que nous sommes enclins à croire, l'épisode reflétait ses préoccupations, voire ses angoisses d'artiste ? Le refus serait ainsi le refus de la poésie lyrique, domaine dans lequel, en effet, Jean Lemaire n'a rien produit, ou presque, mais qui le séduit. Jean Lemaire, exclu du monde de la poésie alliée à la musique, de ce monde dont il sait pourtant apprécier les beautés : pourquoi le malheureux a-t-il invoqué Clio (vers 130), la muse de l'histoire ? Le voici donc livré à une « merveilleuse solitude », avec l'espoir, toutefois, de trouver « aulcune chose estrange, merveilleuse et anticque ». De fait il arrive à un rocher immense, au pied duquel une inscription, due à Jean de Meung, « orateur françois », lui apprend qu'au sommet, qui se perd dans les nuages, se trouve le palais d'Honneur et le temple de Minerve.

> Dedens ce palais est de Mynerve le temple,
> Ouquel maint noble esprit en hault sçavoir contemple
> Les beaux faitz vertueux en cronicque et histoire,
> En science moralle et en art oratoire ;

Là se treuvent conjoinctz, vivans en paix sans noise,
Le langaige toscan et la langue françoise.

Histoire, science morale et art oratoire : sur les traces de Jean de Meung, l'auteur espère pouvoir parvenir à ce paradis terrestre d'Honneur et de Minerve. Modeste, il imagine qu'un « esprit familier » nommé Labeur Historien lui signifie que l'ascension de cette montagne de la sagesse ne sera possible qu'après sa mort. La vie du rhétoriqueur est toute soumise à l'effort de l'art.

Conception traditionnelle s'il en fut — tout comme l'opposition entre Vénus et Minerve, avec cette nuance, cependant, que Jean Lemaire ne condamne pas la doctrine de Génius. Il est à la recherche d'un équilibre entre la joie de vivre et la vie contemplative, entre la musique, la poésie lyrique, la peinture et ce qu'il croit être son domaine, l'histoire, la science morale et l'art oratoire.

Ainsi Jean Lemaire de Belges, malgré la brièveté de sa carrière, laisse une œuvre considérable, variée, riche en enseignements et en réussites. Les nombreuses éditions collectives attestent que les contemporains et la génération suivante ont reconnu en lui un maître. En 1526 encore, l'éditeur Galiot Du Pré publie trois contes inédits sur *Cupido et Atropos*, qu'il attribue à Lemaire et dont les deux premiers pourraient bien être de lui. Ecrivain engagé politiquement comme ses confrères les rhétoriqueurs, Jean Lemaire, au service des grands, paie aussi son tribut aux circonstances, sans que ces œuvres de circonstance nuisent cependant à la qualité littéraire. Fidèle aux formes traditionnelles, il a su leur rendre une vie, parfois un brio, qui lui confère sans aucun doute la première place parmi les écrivains du règne de Louis XII. C'est à tort qu'on a voulu faire de lui un humaniste, tout comme on a exagéré son italianisme. Beaucoup plus qu'un précurseur, Jean Lemaire est le type de l'écrivain qui réussit à se mouvoir avec aisance dans un cadre traditionnel et prouve par là que toute tradition, pour rester vivante, a besoin de se renouveler de l'intérieur. Les « révolutionnaires » du milieu du siècle le reconnaîtront, car Joachim Du Bellay dira de lui dans la *Deffense et Illustration de la langue françoyse* : « Jan le Maire de Belges me semble avoir premier illustré et les Gaules et la Langue Françoyse, lui donnant beaucoup de motz et manieres de parler poëtiques, qui ont bien servy mesmes aux plus excellens de notre tens. » D'autres, non seulement les Symphorien Champier, Jean Bouchet, Charles Bourdigné, Gratien Du Pont, Mellin de Saint-Gelais, Geoffroy Tory, mais encore les Clément Marot, Thomas Sébillet, Jacques Pelletier, Pierre de Ronsard demeureront sensibles à la science et à l'art d'écrire de Jean Lemaire.

CHAPITRE II

Clément Marot

Le jardin secret de Maître Clément

ON croit connaître Clément Marot pour avoir trouvé en lui les traits du passionné et de l'émotif « primaire », — primesautier, enthousiaste et irréfléchi —, pour l'avoir salué comme l'un des amuseurs de son temps, futile et changeant selon son humeur, pour avoir enfin décelé dans son œuvre une rare limpidité et une simplicité naïve. Les apparences sont trompeuses : l'homme fut secret, et l'œuvre a son mystère. Personnalité souvent déconcertante, parfois fuyante, en tout cas complexe, Marot ne se livre pas vraiment au premier regard. Il a dissimulé presque tout ce qui touche profondément à lui-même : que savons-nous de sa femme et de ses enfants, des maîtresses qu'il a chantées, de ses opinions religieuses, des mouvements intimes de sa conscience ? En apparence, il a mené une vie d'abandon et de quiétude joyeuse, mais son insouciante bonhomie et sa candeur ont pu voiler, en plus d'une occasion, des tourments et des inquiétudes qui percent çà et là, presque malgré lui. Pris entre sa fidélité au passé et son attrait pour la nouveauté, il a su mieux que quiconque trouver un compromis, sans éviter les contradictions et les échappatoires.

L'œuvre de Marot est si étroitement liée à l'actualité qu'elle ne peut guère se comprendre sans un recours constant aux circonstances qui l'ont fait naître. Si Marot n'a pas écrit seulement le journal de sa vie, comme le voulait Brunetière, la réalité quotidienne lui fournit bien l'essentiel de ses stimulations. Marot est né à Cahors d'un père normand et d'une mère quercynoise. De sa mère on ne sait rien, sinon qu'elle était de petite bourgeoisie cadurcienne et qu'elle éleva son fils comme tous les garnements du pays. Il est resté quelque chose de méridional en Marot : sa verve et sa ronde jovialité, son inconséquence nonchalante et son imprudence, le verbe haut et coloré, l'attrait pour les paysages ensoleillés et les visages lumineux. L'atavisme normand explique peut-être la conscience de l'écrivain, attaché à faire facilement des vers difficiles, l'amour de la jonglerie intellectuelle, la malice et la fine ironie. Jean Marot, s'il a négligé l'éducation de son fils, s'est efforcé de le faire marcher sur ses traces : il lui a montré « l'art de rimoyer », et il en sera bien récompensé, puisque Clément vouera au « bon Janot » son père une affectueuse vénération. Certes, il y a loin de la sève un peu épaisse, mais solide et franche, du père, de sa « rhetoricalle sentence ou faconde oratoire » à la souveraine légèreté, à l'aisance aérienne et détachée du fils ; néanmoins, il est resté quelque chose de l'un en l'autre, ne serait-ce que la science du vers, le goût du terme inattendu et imagé, la technique de l'amplification poétique.

De bonne heure, Clément s'était donc familiarisé avec la poésie : écueil redoutable que cette orientation précoce vers un art épuisé, moribond, fait de difficiles recettes et de vaine recherche. Par chance, l'éducation fit moins que « la Nature aux Muses inclinée », et l'apprenti commença par les chants rustiques, laissant deviner ainsi son esprit indépendant, original, et la liberté de son talent. Des écoles il n'avait pas gardé un très bon souvenir : les régents n'étaient que de « grands bestes », les livres ne l'attiraient guère et il partageait avec les Enfants sans souci une conception fort détachée des études juridiques. Car il tâta de la Basoche, quelques années après sa venue « en France » (1505 ou 1506) à la suite de son père. Mais voyant les dispositions de son fils pour la poésie, Jean Marot essaya de le placer ailleurs, en lui assurant une carrière analogue à la sienne : peu d'argent certes, mais on est désintéressé dans la famille, on vit surtout au contact des grands, de la cour, on fait ce qui plaît et, somme toute, on mène une existence libre. Voilà donc Clément admis en qualité de page chez Nicolas de Neufville, seigneur de Villeroy (1514) : il y lit le *Roman de la Rose*, Villon, Lemaire et le bon Cretin. Il versifie pour son maître le *Temple de Cupido* (1514), offert à François d'Angoulême et Claude de France le jour de leurs noces.

Au début de 1519, il est présenté au roi, dont son père est valet de chambre. François Ier donne le jeune « dépourvu » à sa sœur Marguerite, qui en fait son secrétaire et le prête au duc son mari pendant ses campagnes militaires afin d'en recevoir des nouvelles. D'emblée, Marot est sous le charme étrange de ce « monstre » à « corps féminin, cœur d'homme et tête d'ange ». C'est le début d'une longue période de faveur à la cour.

Les premières œuvres. La Rhétorique chez Marot

Dès 1512 (ou 1513), Marot s'était lancé dans des traductions de la première *Eglogue* de Virgile et du *Jugement de Minos* de Lucien. Surtout, il donnait déjà la mesure de ce que serait son talent dans une héroïde, l'*Epître de Mague-*

lonne, et dans un poème allégorique, le *Temple de Cupido*. On juge habituelle-
ment avec sévérité ces deux pièces, qui ne méritent pas telle mésestime :
l'érudition est autrement pesante chez Ronsard, la feinte naïveté autrement
apprêtée chez Baïf, l'élégie autrement maniérée chez Du Bellay. Il reste, il
est vrai, plus d'un défaut à Marot : çà et là, le sonore verbiage et la redon-
dance ampoulée, l'incohérence et la confusion des images, le parti pris du
symbole ; mais déjà apparaissent les beautés, l'élégante ingéniosité de la pensée
se double d'une virtuosité de plume fort prometteuse.

Le *Temple de Cupido ou la Queste de Ferme Amour* est une « allégorie liturgique
du mariage ». Le poète distingue « trois sortes d'amours : l'une est ferme, l'autre
legiere, et la tierce venerienne ». Et il souhaite montrer la difficulté de trouver
le véritable amour, puis les joies qu'on en retire. L'amant découvre le « temple
cupidique » et en décrit minutieusement les beautés, dans une longue suite
d'allégories plaisantes et raffinées, parfois même gentiment ironiques. Mais
ce temple est un lieu équivoque, enfer ou paradis, puisqu'on y éprouve joie
et peine mêlées ; Ferme Amour ne s'y livre point au premier regard. L'amant
rencontrera enfin sa belle déesse dans le chœur du temple, assise entre les
époux princiers : la récompense du pèlerin sera de prendre place dans le
« buisson » aux côtés de si nobles personnages. On devine Clément sous les
traits de ce jeune amoureux, qui se complaît aux évocations voluptueuses et
tendres, qui s'émerveille devant toute beauté. Certes, le *Roman de la Rose*,
le *Joli Buisson de Jonece* de Froissart et le *Temple de Vénus* de Lemaire ont fourni
le cadre et plus d'un détail du tableau ; certes, la conduite de l'ensemble sent
encore l'exercice d'école ; mais le goût est loin d'en être détestable. « Quel
badinage dans son *Temple !* C'est une allégorie toujours également bien entendue ; c'est une diversité de peintures vives et d'images agréables, sous le voile
desquelles on découvre une infinité de pensées fines et délicates » (Lenglet-
Dufresnoy). Et l'atmosphère langoureuse, sensuelle, reflète déjà tout l'esprit
de la Renaissance épanouie.

Quant à l'*Epître de Maguelonne*, elle n'échappe pas à la convention du
genre, et il est vain d'en relever les invraisemblances. La part de la mode est
grande : l'héroïde vient d'être illustrée par Lemaire, Octovien, Jean d'Auton
et Bouchet. Avec Marot, l'élégie devient chant d'amour, la lettre fictive traduit
les mouvements du cœur. Le rondeau *Comme Dido* tirera les leçons de l'aventure : Maguelonne a longtemps attendu, mais elle est restée constante et
fidèle dans son désarroi même, aussi Pierre son amant lui sera-t-il enfin rendu.
Cependant, l'intérêt principal du poème est ailleurs : la franche spontanéité
des images, le naturel des idées, le tour gracieux et familier de la phrase portent
la vraie marque marotique dans cette belle peinture de la passion tourmentée,
pleine d'une tendresse diffuse.

Les autres poésies de jeunesse sont moins ambitieuses et plus inégales :

les premières épîtres (*Le Dépourvu*, épîtres du Hainaut) et diverses pièces de commande ou de circonstance sont languissantes, malgré quelques vers bien venus ; la rhétorique y est pesante, les traductions manquent d'aisance et d'allant. Bref, on ne saurait réhabiliter cette production que partiellement, mais tout n'y est pas négligeable.

Marot n'a donc pas trop mal employé sa jeunesse ; s'il n'a pas été un enfant prodige, il a fait très honorablement ses classes poétiques et il a su profiter des enseignements de la Rhétorique. Toutefois, c'est entre sa vingtième et sa trentième année que se place sans doute la véritable formation de son génial talent. Marot continue à lire les poètes de la génération précédente : il ne reniera jamais son admiration pour Cretin ou pour son père, il estimera et imitera Lemaire et Bouchet. Plein de vénération pour les grandes œuvres du passé, il donnera une édition du *Roman de la Rose* (1527), des œuvres de Villon (1532) et des *Epîtres de l'Amant vert* de Lemaire (1537). Il doit à ses devanciers la conscience méticuleuse du bon facteur, la science du mètre et de la rime, le goût de l'ornement et la technique de la composition. Excellentes leçons sans doute, mais encore insuffisantes pour assurer une place hors pair.

Le poète et la Cour

Heureusement une autre « maîtresse d'école » vient compléter ce fonds : la Cour. Une cour vagabonde, changeante, vivante, ouverte à toute nouveauté, comme Marot lui-même ; une cour magnifiquement animée par le frère et la sœur, l'un arbitre des élégances et esthète avisé, l'autre contemplatrice des âmes et avide de recherche spirituelle. Marot les a servis tous deux, vivant dans la familiarité de Marguerite et dans le voisinage de François Ier. Il traitera toujours le roi avec la naïve familiarité des poètes, le plaisantant à l'occasion, mais sans jamais se départir du respect sacré dû au monarque. Il y a plus d'intimité encore et d'entente, malgré les différences de personnalité, entre le poète et la princesse : il lui voue un culte dévot et humble, heureux de mettre sa plume à son service, de la dérider par ses plaisanteries. Mais Marot est un être de réserve, de pudeur et de discrétion ; après avoir dit une ou deux fois, comme en passant, qu'elle était le parangon de toute vertu, il se taira, plutôt que de tomber dans la flagornerie ou dans la médiocrité de la louange. Jusqu'aux *Psaumes* il restera fidèle aux leçons de Marguerite, qui a su jeter sur cette âme évaporée le voile de l'inquiétude et dans cette cervelle légère le plomb de la réflexion.

Il est encore redevable au monde de la cour et à Marguerite de son initiation à l'humanisme. Sans doute, il en restera aux rudiments, il ne sera jamais un docte ; il parviendra même (à la différence d'un Ronsard) à ne jamais paraître pédant ; du moins, il a acquis une curiosité et une ouverture

d'esprit aux tentatives de renouveau, qui le conduiront à s'intéresser sincèrement aux grands thèmes humanistes.

Ce contact direct avec la Cour se reflète fidèlement dans l'œuvre de
Marot, poète officiel du royaume : tous les grands événements de la vie politique entre 1517 (naissance du dauphin François) et 1544 (bataille de Cérisoles) ont été salués en vers familiers ou solennels sans qu'y manque parfois
le souffle épique de l'Histoire. Mais en général, Marot n'a guère développé
ces pièces de circonstance : le rondeau ou la ballade lui suffisent la plupart du
temps. A côté de cette production, Marot brosse aussi la petite histoire du
règne dans certaines de ses *Epigrammes :* y voisinent pêle-mêle compliments
galants, relations de menus faits, souhaits à l'occasion d'une maladie, moque-
ries sur l'Empereur. Les *Etrennes* sont nées dans ce milieu courtisan, et Marot
s'est diverti à ce petit jeu de société, griffonnant des feuilles d'album d'une
main parfois audacieuse, toujours avec ingéniosité, grâce et esprit, à quoi
s'ajoute la netteté sobre et étincelante du style. Ailleurs, le poète déplore la
mort de personnages illustres ou amis *(Cimetière)* en rappelant leurs mérites et
en célébrant leur mémoire ; en de plus rares occasions, il développe une longue
Complainte (pour Louise de Savoie ou Florimond Robertet). Enfin, Marot
complimente çà et là les puissants du jour, Montmorency, Tournon ou
Lorraine, et il lui arrive de prêter sa plume à des seigneurs de la cour.

Tout cela ne constitue pas, on s'en doute, la meilleure partie de l'œuvre :
que d'esprit, que de talent dépensé pour des bagatelles ou des créations d'artifice ! Retenons tout de même cette attention très grande portée aux détails
du quotidien, que double la volonté de les dégager d'un contexte matériel
afin de les sublimer par la poésie. Et surtout, Marot a été un homme de la
Renaissance, qu'il ne manque pas de célébrer en chaque occasion : il sait la
vivre, il sait qu'il assiste à ce grand mouvement des esprits, à la lutte contre
l'ignorance et la paresse intellectuelle :

> Tu trouveras la guerre commencée
> Contre Ignorance et sa troupe insensée.

Son admiration va à ce roi

> Sous et par qui ont été esclaircis
> Tous les beaux arts par avant obscurcis.
> O siecle d'or le plus fin que l'on treuve !
> Dont la bonté sous un tel roy s'eprevue !
> O jours heureux à ceulx qui les cognoissent !
> Et plus heureux ceulx qui aujourd'huy naissent !

Le même enthousiasme, la même exaltation se retrouvent dans deux autres textes, l'*Eglogue au Roy* et l'*Epître du temps de son exil*. Au fond, malgré les déboires qu'il put y connaître, Marot fut toujours heureux de vivre à la cour, de la retrouver et de s'y retremper pour rafraîchir son inspiration :

> Dieu gard la cour des dames où habonde
> Toute la fleur et l'eslite du monde !
> Dieu gard enfin toute la fleur de lys,
> Lime et rabot des hommes mal polys.

Les prisons et l'exil

Comment un poète bien en cour, ayant la faveur et l'appui de plusieurs personnages importants, reconnu et célébré comme le maître par toute une génération de poètes, en vint-il à mener une existence de suspect, de prisonnier, de fuyard, de banni ? A partir de 1526, la vie de Marot, malgré quelques moments de répit ou de crédit retrouvé, se ramène en fait à l'histoire de ses démêlés avec le pouvoir et les représentants de la stricte orthodoxie, dont la terrible Sorbonne.

En février et mars 1526, Marot est jeté en prison pour avoir mangé du lard en Carême : le motif n'est pas si futile qu'il y paraît, car braver ainsi ouvertement les prescriptions de l'Eglise, c'est en quelque sorte une profession de foi réformée, un aveu de luthéranisme. La Sorbonne et le Parlement, profitant de la captivité du roi pour arrêter la diffusion de l'hérésie, ne s'y sont pas trompés, et Marot, qui les avait raillés plus d'une fois dans ses vers, n'est pas seul en geôle. Lefèvre, Roussel et d'Arande ont préféré prendre le large. Marot a-t-il été dénoncé par une ancienne maîtresse, Isabeau ou Luna la fausse, la capricieuse, la variable ? On ne sait trop que penser. Quoi qu'il en soit, il est attiré, c'est indéniable, par les idées nouvelles et les gens qu'il fréquente, à cette date, témoignent de ses compromissions. Il a pu être entraîné au delà de sa pensée, ne pas mesurer exactement la portée de ses actes, vouloir une religion « éclairée » ou simplement mondaine, ou s'engager sincèrement dans le parti des réformistes ; qui pourrait le dire ?

> Que pleust à Dieu qu'ores tu peusses lire
> Dedans ce cueur de franchise interdit !

Le cheminement de cette conscience se dérobe à nos investigations.

Grâce à l'intervention d'amis fidèles, cette première détention se termine bien : transféré à Chartres, puis libéré, Marot n'aura passé qu'un mois et demi en prison. Il aura eu le temps d'y écrire la préface de son édition du *Roman de la Rose*, quelques épîtres de requête, ballades ou rondeaux, et d'y méditer sa grande satire, l'*Enfer*. Dans cet opuscule allégorique, Marot étale toutes les ressources de sa malignité ingénieuse et de son ardeur vengeresse ; le sinistre Châtelet devient l'enfer, proche d'un bâtiment bruyant et grouillant, qui est le Palais de Justice, les procès y prennent la forme de serpents, et le juge Rhadamantus représente le lieutenant criminel. Marot ajoute à cette description allégorique de la meilleure venue une série de réflexions morales sur la justice et la liberté individuelle, ainsi que de nombreux traits d'une satire très vigoureuse ou d'une émotion non feinte.

Quelques mois plus tard, Marot se retrouve à nouveau sous les verrous : il a prêté main forte à un prisonnier qui essayait de se défaire des sergents. Episode bien connu grâce à l'admirable *Epître au Roi pour le delivrer de prison*, supplique qui portera ses fruits puisque le poète sera non seulement promptement élargi mais même nommé valet de chambre du roi, obtenant la survivance de son père *(Au Roy pour succeder en l'estat de son pere)*. En 1531, il est atteint de la peste et volé par son valet, occasion d'une épître fameuse elle aussi. L'an d'après, il est peut-être de nouveau inquiété pour avoir fait gras en Carême (est-ce simplement le vieux dossier qui réapparaît ?), ce qui ne l'empêche pas de donner au libraire son *Adolescence Clémentine* et de connaître une période d'intense production.

A la suite de l'affaire des Placards (1534), Marot prend peur et s'enfuit en hâte, d'abord auprès de Marguerite, puis outre-monts. Il sera même condamné à mort par contumace pour hérésie. Par bonheur, il trouve à Ferrare Renée de France, seconde fille de Louis XII, épouse du triste Hercule d'Este et fervente adepte des idées réformées. Elle prend le fugitif à son service et, pendant plus d'une année, Marot sera heureux dans ce hâvre, côtoyant les dames de la cour, rencontrant poètes et artistes italiens ainsi que nombre d'illustres proscrits venus de France. Il écrit beaucoup et se montre sensible à l'influence des Italiens dans toute sa poésie galante. Mais surtout il garde la nostalgie de la France et ne peut se résigner à son exil : il adresse plusieurs épîtres afin d'obtenir sa grâce ou la cassation de l'arrêt. A-t-il sincèrement reconnu son erreur et renoncé à elle ? il semble du moins prêt à toutes les concessions en matière de foi et il se justifie avec un peu trop d'habileté, tout en persévérant dans ses attaques contre le Parlement et ses juges hypocrites ou véreux, contre la Sorbonne ignorante et prétentieuse. La grande profession d'orthodoxie qu'il place dans l'*Epître au Roi* témoigne ou d'une très rare habileté dans l'art du double jeu et de l'esquive, ou d'une noble vision du christianisme épuré et ramené à l'essentiel.

Marot a dû quitter Ferrare, où sa présence déplaisait fort au duc, et il passe quelques semaines à Venise, menant une vie assez difficile et continuant à réclamer son rappel, tout en décochant plus d'un trait satirique dans de sibyllins coq-à-l'âne. Enfin, il apprend qu'il peut rentrer et il se met en route sans tarder pour Lyon, où il se pliera à la cérémonie d'abjuration avant de courir vers Paris retrouver la Cour, ses amis et ses « petits Maroteaux ». La bonace est douce au cœur du vieux poète, qui reprend sa place, la première, dans la société des lettres de 1536 ; il pourfend l'outrecuidant Sagon, il donne quelques-unes de ses plus belles poésies, mais déjà le voici lancé dans une entreprise risquée, la translation des *Psaumes* en langue vulgaire. Poétiquement, c'est une réussite, autant par la variété métrique que par l'ampleur de la phrase ou l'art de l'adaptation. Mais les réformés les adoptent d'emblée pour leur culte, honneur bien redoutable, puisqu'en 1542, alors que de nouvelles poursuites sont engagées contre les hérétiques, Marot, se sentant menacé, doit une dernière fois prendre le chemin de l'exil. Il gagne Genève où, bien vite, il se sent mal à l'aise : il repart vers la Savoie avant de passer les Alpes, et c'est à Turin qu'il meurt, solitaire, en 1544. Il venait de chanter la victoire française de Cérisoles, œuvre du duc d'Enghien. Etienne Jodelle résuma cette vie d'homme et de poète en un beau quatrain d'épitaphe :

> Quercy, la Cour, le Piémont, l'Univers
> Me fit, me tint, m'enserra, me congneut ;
> Quercy mon loz, la Cour tout mon temps eut,
> Piemont mes os, et l'Univers mes vers.

Une œuvre désordonnée

Il est difficile d'avoir une vue d'ensemble et une impression globale de l'œuvre de Marot, qui n'a pas fini de poser des problèmes. Ceux-ci sont de divers ordres : authenticité, classement, établissement du texte et, bien sûr, interprétation. Il n'est pas sans intérêt de s'arrêter un instant aux principaux manuscrits ou éditions qui nous ont transmis cette œuvre.

1532 marque une date trop importante dans notre histoire littéraire pour qu'il soit besoin d'insister sur la publication, par Pierre Roffet, de l'*Adolescence Clémentine*, premier recueil collectif donné par Marot, complété par une *Suite* en 1534. Jusqu'en 1538, les bibliographes ont compté vingt-cinq éditions de l'*Adolescence* et dix-neuf de la *Suite* : a-t-on suffisamment mesuré l'importance de cette extraordinaire diffusion ? C'est Etienne Dolet qui donnera en 1538 les *Œuvres* de son ami, dans un beau volume au texte « soigneusement reveu et mieulx ordonné » et qui sera, lui aussi, souvent reproduit par les libraires lyonnais, parisiens ou anversois. Les *Psaumes* paraissent par séries : douze en 1539, trente en 1541, cinquante enfin en 1543. L'*Enfer* est mis au jour par Dolet en 1542. En 1544, Constantin donne son édition des

Œuvres « à l'enseigne du Rocher », édition qui clôt la série des publications faites du vivant de l'auteur.

Mais les libraires garderont longtemps ces poésies dans leurs étals, et les inédits viendront régulièrement enrichir les rééditions : en 1547, les Marnef éditent des épigrammes et des épîtres nouvelles, en 1596, le docteur Mizières réunit une édition des *Œuvres* plus complète que les précédentes pour l'éditeur niortais Thomas Portau, et, en 1731, Lenglet-Dufresnoy donnera encore de nombreux inédits (dont une bonne part, il est vrai, est d'attribution fantaisiste) dans sa grande édition.

Parmi les nombreux manuscrits du temps qui conservent des poésies de Marot, l'un au moins est bien connu : c'est le fameux manuscrit de Chantilly, offert par le poète au connétable de Montmorency en 1538 et qui contient une riche brassée de textes, étudiés et édités par Gustave Macon en 1898. Les manuscrits Gueffier (dix-sept pièces de Marot, dans des leçons souvent très intéressantes), Grenet, et les six manuscrits de Soissons (copiés après la mort du poète) présentent, en outre, un intérêt certain pour l'établissement du texte.

On a attribué beaucoup de vers à Marot, sans faire preuve d'un grand discernement ou en se fondant sur des analogies et des apparences souvent gratuites. Parmi toutes ces pièces, il en est certainement qui sortent bien de sa plume, mais lesquelles ? Marot n'a jamais manifesté un très grand souci de sa production, dispersée à pleines mains, émiettée : aussi peut-on affirmer d'autre part que nous ne connaissons pas toute son œuvre et que plus d'une poésie est sans doute retombée dans l'anonymat de quelque manuscrit.

La seconde difficulté a trait à l'ordonnance des textes. Aucune des éditions de Marot ne concorde : du vivant même de l'auteur, l'incertitude du plan frappe. Certains textes se retrouvent d'une section à l'autre, épître ou élégie, étrenne ou épigramme, sans que l'on puisse déterminer si la responsabilité de ce désordre revient à l'auteur ou à l'imprimeur. Et les éditeurs modernes ne sont point encore parvenus à s'accorder sur une présentation de l'œuvre : on classe généralement d'après les genres, mais que d'arbitraire ! Un classement chronologique est impossible à établir, et un classement thématique réclamerait un tel bouleversement de la présentation traditionnelle que l'on a jusqu'ici reculé devant la tâche. Il faut dire enfin que nous ignorons presque tout des intentions de Marot à ce sujet et que toutes les tentatives de classement sont déjà des interprétations.

En outre, le texte lui-même est loin d'être établi de façon satisfaisante. Les variantes sont très nombreuses, même si leur portée est souvent réduite et, ici encore, nous ne savons qui en est responsable. Le texte de Marot que nous connaissons (ou mieux : les textes, car il y en a autant que d'éditions) ne présente aucune garantie d'authenticité absolue. On discute toujours pour savoir si

Marot a voulu écrire, dans l'épître à Bouchard (v. 8) : « Ne zwinglien, encores moins papiste » ou : « Ne zwinglien, et moins anabaptiste » ; et combien d'autres passages analogues, qui modifient sensiblement la portée d'un écrit !

Puisque la hiérarchie des genres est solidement ancrée dans la mentalité des poètes du temps, demandons-nous quelles sont les principales subdivisions formelles de l'œuvre de Marot. Une première remarque s'impose : nous trouvons peu de poésies de dimensions importantes. Parmi les pièces les plus développées, l'*Enfer* n'atteint pas cinq cents vers, et la *Déploration de Florimond Robertet* en compte à peine cinq cent soixante ; la seule œuvre de longue haleine est la traduction des deux premiers livres des *Métamorphoses* d'Ovide. Marot est plus à l'aise dans la concision et l'alacrité des « petits » genres, dizain épigrammatique, rondeau ou quatrain d'étrenne ou encore dans la poésie de dimensions moyennes, épître ou élégie.

Les anciens genres à forme fixe sont bien représentés chez lui, mais principalement au début de sa carrière : quatre-vingts rondeaux, une trentaine de ballades et chants royaux. Ajoutons-y, parmi les pièces à forme libre, les épitaphes pleines d'un humour macabre et de féroces pointes satiriques (dix-sept) et le *Cimetière* (trente-cinq), ainsi que les complaintes ou déplorations (cinq), tous genres pratiqués par les rhétoriqueurs. Marot reprend et développe certaines formes poétiques précédemment apparues, telles que l'épître, le grand genre chez lui (près de quatre-vingts textes), l'églogue ou l'élégie (vingt-sept). Si les étrennes (cinquante-quatre) ne sont qu'amusettes, il en va tout autrement de deux formes auxquelles Marot a donné vie, l'épigramme (près de trois cents) et la chanson (quarante-deux), strophiques ou non, librement développées au gré de la fantaisie créatrice. Restent les poèmes rangés sous le titre d'*Opuscules* : satire *(L'Enfer)*, allégorie *(Temple de Cupidon)*, dialogue, et poèmes religieux, dont l'attribution est discutée par certains. Les *Psaumes* inaugurent en France le grand lyrisme religieux ; ils sont accompagnés d'*Oraisons*. Enfin, Marot a traduit Virgile, Martial, Lucien, Musée et Ovide, Erasme, Béroalde et Pétrarque, en des versions qui rivalisent souvent avec le modèle.

Cette œuvre, on sait quelle fut sa diffusion et son écho, après la brève éclipse de la fin du siècle : le style marotique fleurit à nouveau avec Voiture et les poètes mondains, galants ou précieux du XVIIᵉ siècle ; on le retrouvera encore avec tous les petits poètes du XVIIIᵉ siècle. C'est d'ailleurs l'époque du « marotisme » : six éditions nouvelles en trente ans à peine, que l'on trouve dans mainte bibliothèque ; sur cinq cents catalogues dépouillés par Daniel Mornet, les *Œuvres* de Marot figurent deux cent cinquante-deux fois, devancées seulement par le *Dictionnaire* de Bayle, mais précédant Buffon et même Voltaire. Jamais oubliées, ces poésies représentent une référence et une source d'inspiration dans la résistance au style noble, tendu, dépersonnalisé, auquel on oppose la bonhomie amène et la vivacité étincelante du vieux poète gallique.

Les Epîtres

Si le meilleur du génie de Marot se reflète dans ses *Epîtres*, c'est qu'il y a déployé toutes les facettes de son talent, tour à tour sérieux et désinvolte, plaisantin ou attendri, suppliant ou complimenteur, sarcastique ou mélancolique, toutes les séductions d'une langue souple, colorée, et d'un style aux effets les plus variés. Marot n'a pas créé l'épître, mais il lui a donné la vie, en l'allégeant de toute érudition conventionnelle, en remplaçant l'artifice et la fiction par le naturel. Ces poésies sont bien le journal de sa vie, un entretien familier ou grave où se révèle l'homme tout entier.

Il y a encore un peu de contrainte et d'apprêt dans les premières missives en vers, celles que Marot écrivit au service de Marguerite ; mais déjà s'y dénotent la finesse du goût, le sens de la mesure et la justesse de l'observation, ainsi que l'art de la mise en relief des détails significatifs. Les grandes épîtres du poète royal marquent l'un des sommets de cette production. Les textes les plus connus sont des requêtes, qui atteignirent parfaitement leur but : piquer la curiosité, séduire, amuser et disposer favorablement le destinataire. Il flatte, mais n'est jamais dupe de ce qu'il écrit ; il « enfle son style » tout en avouant avec une fausse ingénuité cette même exagération. Il déploie sa verve spirituelle qui détend et désarme, présentant sa demande sur le mode humoristique. Il lui arrive aussi de pincer une autre corde sensible, celle de l'émotion, en faisant appel à la compassion du destinataire, en dissimulant à peine ses infortunes sous un feint détachement. Il sait adapter son argumentation à la psychologie du personnage auquel il s'adresse : il n'écrit pas à Bouchard comme à Duprat, à Lorraine comme à Montmorency. Le plus remarquable est que Marot ne se départit jamais de ses grandes qualités de naturel et de mesure, auxquelles il ajoute le pittoresque de maint coup de crayon et la subtilité la plus affinée sous une apparence souvent bonhomme.

Dans les épîtres familières, adressées à diverses connaissances, Marot se montre cordial et charmant ; ailleurs, il taquine gentiment. Les épîtres de l'exil sont en général plus sérieuses : on y lit les confidences du poète soupçonné ou condamné, ses tristesses, ses regrets et son espoir d'être bientôt réhabilité. C'est à ce moment qu'apparaissent, parmi les épîtres, des missives d'un genre spécial, les quatre coq-à-l'âne, qui accompagnent d'autres lettres au tour déjà satirique, comme celle qu'il écrivit de Venise. L'essentiel de ce genre, qui s'apparente aux fatrasies médiévales, réside dans l'incohérence voulue des enchaînements, la disparate volontiers saugrenue et l'allure générale de « non-sens », sans grande prétention littéraire même ; le coq-à-l'âne donne un aperçu des préoccupations de Marot à un moment précis, traduites non sans quelque élaboration artistique, mais en préservant l'extrême liberté des mouvements de l'esprit. Les associations d'idées se créent par l'équivoque, par la rime, par l'antilogie, ou par l'imbrication de formules populaires. Quant aux sujets, on y trouve un peu de tout : de la satire religieuse (abondante dans le premier coq-à-l'âne), des allusions aux événements contemporains (dont bon nombre nous échappent), des réflexions littéraires, des propos grivois, des facéties et des calembours ; en bref, une petite chronique rimée, faite de « propos esgarez, toutesfois piquans et rians » (Pelletier), dont « la plus grande élégance est la plus grande absurdité » (Sébillet).

Les diverses suppliques que Marot adresse au roi, au dauphin, à Marguerite, pour obtenir son rappel sont d'une facture hors de pair : sans doute les a-t-il soigneusement calculées pour que l'effet corresponde au souhait. A ces plaidoyers ardents et habiles succède l'entrain, la verve joyeuse et jaillissante des épîtres du retour (en particulier le *Dieu gard à la Cour*) : « jamais peut-être Marot n'a prodigué plus de verve, ni plus d'esprit, ni plus d'observation malicieuse, ni une entente plus heureuse de la sonorité et du pittoresque des mots, de la cadence des vers » (Vianey). Ajoutons-y l'épître de *Frippelippes*, d'une élégance parfois discutable, mais si enlevée, si preste et si étincelante.

Marot n'écrira plus guère d'épîtres pendant la dernière partie de sa vie, à l'exception de cette belle pièce exaltant la victoire de Cérisoles, tout entière animée par un souffle patriotique ardent. Car Marot aima, sans jamais s'en dédire, et d'une grande affection, son roi et son pays. Si les épîtres ne sont pas de simples poésies de circonstance, elles sont bien moulées sur la réalité même ; loin de « nous lasser par une profusion d'allusions obscures » (A.-M. Schmidt), elles nous permettent de suivre un poète tout au long de son existence, de ses soucis et de ses joies quotidiennes et de pénétrer, au moins partiellement, les mouvements de sa conscience, tout en admirant la rare perfection d'un style qu'on n'a pu baptiser autrement que « marotique ».

Le badinage marotique

L'étiquette conventionnelle héritée de Boileau ressemble à cet arbre qui empêche de voir la forêt : certes, le badinage est bien l'un des aspects de la poésie marotique, mais il s'agit là d'une notion complexe, car elle recouvre diverses formes d'esprit alliées à certaines qualités de style et elle se manifeste à divers niveaux. Apparemment, ce n'est qu'une démarche nonchalante, l'art de dire des futilités ; quelques distinctions peuvent cependant être établies.

Tout d'abord, notons la persistance de l'esprit gaulois à travers la plaisanterie « de haute graisse », rabelaisienne, le rire gras et jovial, sans arrière-pensée ; il s'exerce, dans les épigrammes et certaines épîtres (comme dans la poésie facétieuse du temps), aux dépens des victimes traditionnelles, les femmes, les maris trompés et les moines. Mais Marot conserve le plus souvent une distinction qui lui évite de tomber dans la vulgarité grossière : même si le *Beau Tétin* n'est pas à mettre entre toutes les mains, il est bien au-dessus des textes du même ordre qui fleurissent alors.

Marot est encore plus à l'aise dans la plaisanterie « de salon », au caractère immédiat : un trait qui fuse, calembour ou jeu de mots d'une ingéniosité brillante, et qui retombe, aussitôt oublié (épigrammes à Mlle de La Roue, ballade « Il n'est que d'être bien couché », etc.). Il lui arrive aussi de faire preuve d'ironie, soit par astéisme (dans l'*Enfer* et les coq-à-l'âne notamment), soit par antiphrase, débitant les invraisemblances les plus saugrenues sur un ton sérieux, donnant les truismes pour profondes vérités, les tautologies pour raisonnements rigoureux.

Mais Marot mériterait d'être appelé, avec Rabelais, l'un des premiers grands humoristes de la littérature française : il est l'homme du clin d'œil, du détachement feint, de la fausse discrétion, il a l'art de la suggestion par petites touches, sans « l'air d'y toucher ». Il incarne la malice alerte, primesautière, qui va de l' « hénaurme » à l'imperceptible. Et que de nuances, de l'humour noir à propos de Semblançay jusqu'à l'humour moqueur des *Cinq Points en Amour*, de l'humour mélancolique et attendri *(Plus ne suis ce que j'ay esté)* à l'humour détaché *(Épître au Roi pour avoir esté derobé)*, de l'humour par jeu à l'humour par précaution !

Les frontières sont délicates à fixer; du moins trouvera-t-on presque à chaque page d'abondants exemples de ce badinage, dont une part est plus légère, plus discrète encore que ce qui vient d'être relevé, et qui ne provoque pas nécessairement le sourire, mais donne simplement l'impression de l'aisance, du naturel, en refusant toute insistance et toute lourdeur. Jouant habilement de tous ces registres, Marot a vraiment le génie de l'épigramme.

Un poète sensible

Ne figeons pas cependant Marot dans la pose de commande de l'homme d'esprit, brillant et superficiel; à tout instant dans son œuvre la sensibilité, l'émotion, la véhémence ou la mélancolie apparaissent. Marot se révèle ainsi sous un jour réellement humain, autant à l'égard d'autrui que de lui-même.

Il s'élève avec vigueur contre la guerre, ne craignant pas d'avouer sa peur du risque et de la souffrance inutiles et brossant un tableau apitoyé des méfaits guerriers, de l'inanité des discordes et des luttes :

> N'est-ce pas un trop grand erreur
> Pour des biens qui ne sont que terre

> De mener si horrible guerre ? [...]
> J'aimerois aultant estre ung veau
> Qui va droict à la boucherie
> Que d'aller à telle tuerie. [...]
> Fi, fi de mourir pour la gloire !
>
> *(Troisième coq-à-l'âne)*

Certes, il a chanté, plus d'une fois, les victoires de son roi et exalté la guerre défensive ; certes, il entre une bonne part de couardise et d'égoïsme dans ce pacifisme ; du moins a-t-il condamné sans équivoque toute contrainte et toute violence, rappelant que les adversaires chantent tous « Dona nobis pacem », et exaltant, dans un élan passionné, cette paix qu'il nomme « très sacrée fille de Jhésus Christ ». Marot se montre ici sous les traits du véritable chrétien.

Il donne une vision sensible et vibrante des misères humaines, déplorant les morts des champs de bataille :

> Je blasmerois guerre qui faict gesir
> Journellement par terre en grand outrance
> Les vieux souldars et les jeunes de France

il dénonce avec compassion l'inhumanité des tortures :

> O chers amys, j'en ay veu martyrer
> Tant que pitié m'en mettoit en esmoy !
> Parquoy vous pry de plaindre avecque moy
> Les Innocens qui en telz lieux dampnables
> Tiennent souvent la place des coulpables.

Il parle avec une poignante réserve des affamés, et il écrit cela alors qu'il est lui-même dans la misère à Venise :

> Les pauvres vouldroient estre chiens,
> J'entends à l'heure qu'on repaist.

Marot possède une grande qualité, la fidélité dans ses admirations et dans la reconnaissance. Il ne se départit jamais de son respect à l'égard du roi et de Marguerite, à l'égard de Renée de France, « qui me reçoit quand on me chasse », ou de Villeroy ; il s'inquiète des maladies de François Ier et s'apitoie sur sa captivité, il se réjouit des naissances princières comme s'il était de la famille ; il s'enorgueillit de la gloire de ce règne.

En revanche, Marot est infiniment plus discret sur sa propre famille :

seul son père est évoqué avec attendrissement en deux ou trois passages ; mais l'amour paternel apparaît furtivement lorsque Marot songe à ses « petits Maroteaux » :

> Tu mens, Marot, grand regret tu sentis
> Quand tu pensas à tes enfans petis.

Les amis occupent une plus large place dans l'œuvre ; Marot a toujours été très sensible à l'amitié, prêt à vibrer en recevant un témoignage d'affection vraie et désintéressée. Que de poésies à eux adressées : à Lyon Jamet, l'ami de la première heure, jamais oublié, à Papillon, et combien d'autres, à ceux aussi que l'on a jetés en prison ou brûlés vifs, Berquin notamment :

> Ils ont esté si bien rostis
> Qu'ilz sont tous convertis en cendre.

Enfin, Marot jette souvent sur lui-même un regard plein d'émotion. Les évocations du passé sont empreintes d'une mélancolique nostalgie, que la naïveté apparente du vers dissimule mal (*Eglogue au Roi*, v. 15 sq.). S'y ajoute la constatation amère de l'homme qui se sent vieilli avant l'âge :

> car l'hyver qui s'appreste
> A commencé à neiger sur ma teste.

La poésie amoureuse

La vie affective de Marot se ramène à très peu d'éléments certains et ne saurait être envisagée qu'avec prudence. Nous pouvons certes imaginer Marot attiré vers les femmes, qu'elles soient lingères du Palais ou princesses ; mais les noms manquent, les détails de ces liaisons nous échappent. Faut-il rappeler que nous ignorons jusqu'au nom de la femme qu'il épousa avant 1529 ? Pourrait-on lui prêter les traits d'une autre Thérèse Levasseur, attachée au poète d'une naïve et confiante admiration, lui témoignant un dévouement humble et gauchement affectueux ? Pendant ce temps, Marot tourne les yeux vers les grandes dames, se prend au jeu et s'éprend d'elles ; il les comble de beaux vers, et sa femme sait-elle lire ?

En dehors de ses protectrices et des dames de la cour, Marot a chanté, d'une note parfois fort aigre, une Isabeau, qu'il semble avoir aimée sincèrement avant de lui être violemment hostile, car, si nous l'en croyons, c'est elle qui le dénonça en 1526. Mais, malgré les vifs reproches dont il l'accable dans ses épigrammes et rondeaux, il se souviendra longtemps de cet amour :

> Quand j'escriroys que je t'ay bien aymée
> Et que tu m'as sur tous aultres aymé,
> Tu n'en serois femme desestimée,
> Tant peu me sens homme desestimé.

Quelques poésies sont adressées à une Hélène, ou à une Diane, et à des femmes qu'il ne nomme pas : il est bien difficile de savoir s'il s'agit de vers de commande, de galanteries sans conséquence ou de reflets d'une véritable passion.

De cette foule de créatures féminines émergent un visage et un prénom, qui est presque un *senhal* : celui d'Anne, la très chère sœur, la sœur par alliance. Les identifications les plus fantaisistes ont été avancées : Marguerite, Diane de Poitiers ou Louise Labé ! Abel Lefranc a proposé de voir en cette mysté- rieuse maîtresse Anne d'Alençon, dont nous savons peu de chose, sinon qu'elle était fille du bâtard Charles, frère adultérin du mari de Marguerite, et qu'elle épousa en 1540 Nicolas de Bernay. Nous serions volontiers tentés de rapporter à Anne la plus grande partie des vers d'amour écrits par Marot, les épigrammes d'abord, les rondeaux et les chansons, et même certaines élégies, qui ne sont pas aussi impersonnelles qu'on l'a prétendu ; l'ensemble constitue un canzoniere vibrant et passionné, d'une importance humaine et poétique indiscutable.

Les amours de Marot et d'Anne ne relèvent pas tant de l'histoire que de l'imagination. Elles suivent les alternances traditionnelles de peines et de plai- sirs, d'espérance et de désespoir, au long de leur déroulement figuré ou réel. Amour imparfait sans doute : quelques baisers échangés, quelques mouvements d'affection, mais rien n'autorise à parler de liaison. En fait, cet amour, tel que nous le déchiffrons dans les poésies de Clément, a vécu pour une bonne part de compensations littéraires : les songes, les rêveries complaisamment entretenues, les traits hardiment suggestifs délivrent le poète d'un désir de possession insatisfait. Mais aussi que de tendre respect dans cet amour impos- sible, fait de douce complicité, d'entente cordiale ! Et l'œuvre poétique sera un effort d'idéalisation et de fixation du souvenir, une revanche sur le destin : la poésie fera ce que la vie n'a pu faire.

Tout commença par une rencontre à la cour en mai 1526, mais Marot dut attendre jusqu'au 6 mars 1527 pour voir l'alliance de pensée scellée par un premier baiser. Et dès le mois de mai suivant, les amants sont séparés. Pendant cette première période, Marot chante son *innamoramento* en plus d'un ron- deau pétrarquisant et dans quelques épigrammes où il se déclare, tout en avouant l'audace de sa pensée. Comparant sa condition à celle de sa dame, il ressent et appréhende l'impossibilité d'une satisfaction durable. Son amour sera loyal et soumis, heureux de sa souffrance même : les chansons le répètent sur un ton tantôt lumineux et serein, tantôt langoureux et mélancolique.

De longs mois durant, Anne se montre ingrate et cruelle, et le poète revient avec insistance sur la profondeur de son propre sentiment, sur ses souhaits et sur sa loyauté mal récompensée. Mais dès qu'Anne a échangé avec lui le premier baiser, l'exaltation, le ravissement et la sérénité l'emportent : l'alliance conclue avec la « grande amye », qu'il nomme aussi sa « Pensée », l'a réconforté et il détaille complaisamment les vertus et les mérites de sa maîtresse. Anne, brunette au tempérament fort gai, primesautier et badin, s'accorde en tout point avec lui-même :

> Tous deulx aymons gens pleins d'honneteté,
> Tous deulx aymons honneur et netteté,
> Tous deulx aymons à d'aulcun ne mesdire,
> Tous deulx aymons un meilleur propos dire,
> Tous deulx aymons à nous trouver en lieux
> Où ne sont point gens melancolieux ;
> Tous deulx aymons la musique chanter,
> Tous deulx aymons les livres frequenter.

Le portrait d'Anne est encore plus développé dans l'épître 62 et dans maint autre passage où sont évoquées sa grâce, sa douceur et sa beauté.

Mais la joie rayonnante qui éclate dans les textes que nous rapportons à cette période n'annihile pas tout autre mouvement du cœur ou de l'âme : Marot s'engage, non sans un certain trouble, sur la pente dangereuse de la taquinerie familière et du badinage volontiers égrillard ; ses rêveries, qui au réveil se révèlent mensongères, avivent son insatisfaction et son désir : aussi va-t-il se faire plus pressant, en réclamant « jouissance [qui] est [sa] médecine expresse ». En vain, semble-t-il ; de plus, en mai 1527, Anne quitte la cour ; l'absence, pour brève qu'elle soit, pèse lourd au cœur de l'amant qui se lamente, en se souvenant trop souvent des clichés pétrarquistes.

Au retour d'Anne commence la grande période de cet amour longtemps tourmenté. Jusqu'en 1534, le poète, jouissant à la cour d'un grand crédit et de protections avérées, délivré de graves soucis, peut consacrer à sa dame ses loisirs et son talent. Il lui adresse de nombreux billets galants, dans le ton musard et léger qu'il pratique avec aisance, et il ne manque pas une occasion de rappeler ce qu'il attend encore. Hardiesse malicieuse et révolte plaintive, tendre délicatesse et mignarde plaisanterie emplissent ces mois d'entente et de détente.

L'exil viendra mettre un terme provisoire à cette liaison : Marot a eu vent des calomnies et des machinations des envieux, des efforts faits par la famille d'Anne pour la détacher de lui. Il sait qu'il ne pourra lutter longtemps et, lorsqu'il aura regagné la France, il ressentira bien une dernière flambée d'amour, mais furtive et comme résignée devant l'inévitable.

La séparation, la rupture de toute fréquentation semblent imposées par la famille d'Anne. Marot, avec une dignité pleine de retenue et de noblesse d'âme, mais empreinte d'une ineffable tristesse, prend congé de celle qu'il a approchée au long de ces dix années. Même s'il renonce à la voir, il sait que leur amour s'est transporté et établi à un niveau où rien ne pourra attenter à sa nouvelle plénitude : il lui adresse cet admirable et poignant finale qu'est l'épigramme 151. Tout est dit désormais, et les amours d'Anne et de son poète se perdent dans le mystère des consciences.

Qu'ajouter à l'histoire de cet amour, qui à notre avis domine toute l'œuvre marotique ? Cette poésie est faite d'un lyrisme franc, direct et sobre, accompagné d'une expression mesurée, juste et spontanée. Marot sait exprimer à la perfection une gamme très variée de sentiments, la légèreté, l'émotion, la profondeur et la plaisanterie. Si les billets galants sont souvent dans la tradition pétrarquisante du strambotto, si parfois le maniérisme naissant du galimatias poétique raffiné masque le frémissement de la vie, Marot dépasse de beaucoup le niveau de la pure imitation ; il y a chez lui la joie et le ravissement de l'amour, accompagnés d'une inquiétude diffuse et des tourments de l'amant insatisfait, déchiré dans sa chair, le léger badinage qui se complaît aux familiarités de plume, aux jeux innocents ou parfois plus hardis, l'émerveillement un peu effrayé devant cet amour et la délicatesse déférente et discrète. Nous retrouvons ainsi un poète profondément humain, nous sentons vibrer encore un homme tour à tour avide et apaisé, confiant et tourmenté, leste et profond, serein et tragique ; bref, un grand poète de l'amour.

Le poète selon Marot

Marot est l'un des premiers à avoir réfléchi sur la mission du poète et sur le problème de la gloire ; certes, on ne trouve pas encore chez lui les grandes conceptions ambitieuses de la Pléiade, mais il exprime nettement le désir de montrer que le poète est l'un des rares hommes à pouvoir défier le temps et qu'il est un indispensable complément des princes, des héros et des amants. Au *faire* il ajoute le *dire* : il proclame les actions d'éclat ou les nobles sentiments qui, sans lui, seraient comme non advenus ou non éprouvés. Ainsi Marot peut placer sur un pied d'égalité le prince et le poète : celui-ci, dans l'exercice de sa fonction, n'a pas de supérieur, tout au plus des égaux, et il dispose même d'un pouvoir souverain.

Le poète confère l'immortalité : voilà le thème que Marot développera avec insistance. En 1538, dédiant à son premier protecteur Villeroy son *Temple de Cupido*, il écrit, sans forfanterie, tout naturellement :

Soit doncques consacré ce petit livre à ta prudence, noble seigneur de Neufville, à fin qu'en recompense de certain temps que Marot a vecu avecques toy en cette vie, tu vives çà bas après la mort avecques luy, tant que ses œuvres dureront.

Phrase très significative : on sent un Marot confiant dans le jugement des siècles et certain d'être parvenu à la renommée impérissable. A ce moment, qui est celui de sa pleine maturité, il peut même affirmer hautement :

> J'ay entreprins, pour faire recompense
> Ung œuvre exquis, si ma Muse s'enflamme,
> Qui maulgré temps, maulgré fer, maulgré flamme
> Et maulgré mort fera vivre sans fin
> Le Roy Françoys et son noble Daulphin.

On n'est pas plus net : le roi lui-même ne vivra dans la mémoire des hommes que grâce à son poète.

Et le poète est immortel par son art, il s'élève au-dessus de l'humaine condition, il touche au divin. C'est ce que proclame, dans sa fière concision, la devise de Marot : « La Mort n'y mord. » Cette certitude permet au poète de mépriser la fortune passagère, voire le succès immédiat, belle revanche sur le sort :

> Riche ne suis, certes je le confesse,
> Bien né pourtant, et nourri noblement,
> Mais je suis leu du peuple et gentillesse
> Par tout le monde, et dit on « C'est Clément » ;
> *Maints vivront peu, moi éternellement.*
> Et toy tu as prés, fontaine et puits,
> Bois, champs, chasteaux, rentes et gros appuis ;
> C'est de nous deux la difference et l'estre :
> Mais tu ne peux estre ce que je suis,
> Ce que tu es, ung chascun le peult estre
>
> Epigr. 218, *De Soymesme*
> *et d'ung riche ignorant*

Par-delà le trait de satire, par-delà l'imitation de Martial, on devine ici la belle assurance de celui qui se sent dépositaire d'un talent hors du commun, qui défie le temps par les produits de son art.

Aussi peut-il offrir à la femme qu'il aime les vers qu'elle lui a inspirés : son cadeau est plus que royal, car il la place avec lui dans l'immortalité.

> Et mon renom en aultant de provinces
> Est dependu comme celuy des princes.
> S'ils vainquent gens en faictz d'armes divers,
> Je les surmonte en beaulx escriptz et vers ;
> S'ilz ont thrésor, j'ay en thrésor des choses
> Qui ne sont point en leurs coffres encloses ;
> S'ilz sont puissans, j'ay la puissance telle
> Que faire puys ma maistresse immortelle.

Noble conscience de son génie : Marot se sait « roi d'un royaume qui ne périra point ». Et ce sera la revanche de Marot malheureux sur le destin injuste, la consolation qu'il propose à sa dame. Mélancoliquement certes, mais aussi très fièrement, il adresse à Anne, sa grande amie, ces vers qui sont parmi les plus beaux, les plus poignants dans leur réserve délicate et leur tristesse voilée, tout à la fin de leur long roman d'amour, au moment où il doit s'éloigner d'elle. Il s'efface, il prend congé, avec toute la noblesse du cœur prêt au renoncement, mais non à l'oubli :

> Pardonne donc à mes vers le tourment
> Qu'ilz t'ont donné, et ainsi que je pense
> Ilz te feront vivre eternellement :
> Demandes tu plus belle recompense ?

La poésie est le seul gagne-pain de Marot et de ses confrères : il ne faut donc pas s'étonner de voir l'intérêt matériel allié à la gloire lorsque Marot parle du « profit joint à l'honneur ». Mais il ne s'attarde guère à cet aspect, préférant insister sur l'état ou le don de poète. Il dit de Villon : « le temps qui tout efface ne l'a su effacer », et de son maître Cretin :

> O dur tombeau, de ce que tu encœuvres
> Contente toy : avoir n'en peulz les œuvres :
> Chose eternelle en mort jamais ne tombe,
> Et qui ne meurt n'a que faire de tumbe.

Ainsi sont renversés les rapports sociaux, et annihilé l'effet du temps. Car la poésie est un art d'essence divine, « Littérature, savoir exquis, vertus qui le ciel percent ». Et Marot retrouve la vision antique du poète élu d'Apollon, couronné de lierre ou de laurier, inspiré d'une fureur surnaturelle.

Quant à la doctrine littéraire du poète gallique, rien de moins systématique et, pourtant, que de vues justes et neuves : « A la différence des poètes de la Pléiade, Marot a créé et transformé sans rien dire » (Mayer). Il insiste plusieurs fois sur la nécessité du travail de l'expression, humble métier du versificateur attentif au détail : il convient de « raboter » les vers pour en ôter les « gros nœuds », de « limer » les « mesures et césures ». Mais Marot connaît bien la locution populaire « Sans rime ni raison », et il s'efforce constamment de faire la part égale aux deux, en montrant qu'il faut aller au delà de la pure recherche expressive pour traduire des sentiments vrais. Il revendique donc la simplicité, le style « coule doux », en condamnant l'obscurité et les latinismes inutiles autant que prétentieux.

Marot dénonce sans équivoque les mauvais poètes se moquant gentiment mais fermement de leur éloquence pompeuse (« une grande levée de Rhétorique ») et de la faiblesse de leur invention. Pour lui, il conseille d'éviter la banalité des sujets, car « qui voudra faire une œuvre de longue durée, ne prenne son sujet sur telles choses basses et particulières ». Il place donc au premier rang l'originalité du thème, ou sa noblesse, nécessairement accompagnée d'une perfection formelle fondée sur les mêmes principes.

Le bonheur de l'écriture

Malgré une diversité parfois fort marquée dans le détail, le style de Marot présente au moins une grande constante, qui est son aisance. Chez lui, la poésie coule de source, le vers possède un naturel, une souplesse difficiles à égaler. Restant toujours, sauf pour quelques épigrammes, dans les limites du goût le plus délicat, il ne donne presque jamais l'impression d'une recherche, d'une tension créatrice, d'un calcul prosodique. C'était déjà la remarque fort pertinente de G. des Autels :

> Marot doncq est facile, humble, imitant quasy la coutume de parler, et qui semble facile à tous d'estre suyvi : pource que ceste subtilité de parole semble sans doute estre imitable à celuy qui la considere, mais rien moins à celuy qui l'essaye.

Inimitable, Marot ne l'est sans doute pas : du moins la tâche se révèle-t-elle plus difficile qu'il n'y paraît.

Ce n'est pas que Marot soit sans affectation ou sans raffinement : mais toute subtilité de l'image, tout calcul de l'expression se dissimulent ou se voilent si habilement que l'impression de fraîcheur n'est ni amoindrie ni atteinte. Son style est un compromis très adroit entre l'effort de construction artistique et la saine simplicité de la conversation spontanée.

Quelques procédés acquièrent une importance particulière dans ce style marotique : l'allègement de la phrase obtenu grâce à l'ellipse du pronom sujet ou de l'article, le rôle dévolu aux adverbes qui ponctuent le développement, la fréquence des incises, que la typographie du temps plaçait entre parenthèses, et qui constituent autant de clins d'œil, l'emploi abondant de termes, d'expressions ou de tournures empruntées au langage familier, la très grande variété des comparaisons ou des images provenant des domaines les plus divers, enfin la disparate obtenue par les rapprochements inattendus, les incohérences voulues, les naïves banalités intentionnelles.

La versification marotique est sans nul doute la plus parfaite de son temps. Marot a employé presque tous les mètres dont il pouvait disposer, mais il a marqué une nette prédilection pour deux d'entre eux, l'octosyllabe, vers malicieux et léger, d'une grande liberté rythmique, et le décasyllabe, à la carrure plus rigoureuse (Marot n'échappe jamais à la contrainte de la césure à la quatrième syllabe), vers héroïque ou familier, qui se prête à merveille aux usages les plus divers. Et lorsqu'il arrive à Marot d'écrire une épigramme en vers de 2, une épître en vers de 3, il le fait avec une maestria funambulesque étincelante; en revanche, il semble moins à l'aise dans l'alexandrin, plus rarement utilisé et qui convenait mal à son talent.

Il conserve çà et là la césure épique ou lyrique, qui disparaîtra bientôt; il se divertit aux enjambements cocasses ou narquois, souvent très expressifs et audacieux. Quant à la rime, il s'y révèle souverain et nonchalant, trouvant des accords rares et pleins ou se permettant les pires facilités; il a pratiqué, pour se jouer, toutes les singularités de la Rhétorique, rimes équivoquées, fratrisées, batelées, couronnées, empérières, léonines. Et dans ses vers, il aime particulièrement les jeux de sonorités, allitérations ou apophonies, et les jeux de reprises, anaphores, répétitions, refrains. Sébillet n'avait pas tort de choisir presque tous ses exemples dans l'œuvre de Marot : elle est une admirable démonstration de l'art de faire des vers.

Ainsi, la conscience artistique et l'artifice sont constamment soumis à la grande règle de l'aisance et du naturel; si les premiers essais de Marot sentent encore un peu la Rhétorique, ils ont été pour la maturation de son art une étape nécessaire et utile et lui ont permis de trouver rapidement cet équilibre si savant et si simple qui fait de lui un maître insurpassé.

Marot n'offre peut-être pas à son lecteur une pensée très riche et très approfondie, ni d'ambitieux systèmes; il se contente de porter son témoignage d'homme, avec ses enthousiasmes et ses repentirs, ses engagements, ses contradictions et ses hésitations; mais il le fait avec tant de bonne grâce et d'honnête simplicité qu'on ne peut manquer d'en subir le charme et même d'en tirer plus d'une leçon. C'est ce qu'il proposait déjà aux lecteurs de son *Adolescence* : « Lisez hardiment, vous y trouverez quelque délectation et en certains endroits quelque peu de fruit. »

CHAPITRE III

Marguerite de Navarre

La Marguerite des Princesses

L A destinée exceptionnelle de Marguerite d'Angoulême, devenue par ses mariages duchesse d'Alençon, puis reine de Navarre, a fini par faire de cette femme mêlée de très près aux luttes politiques et religieuses ou au mouvement des idées et des lettres de son temps, une figure symbolique incarnant tous les scrupules et tous les progrès, tous les espoirs et tous les échecs de la Renaissance. Personnalité complexe au demeurant, et qu'il importe de tenter de saisir avant de considérer l'œuvre, malgré les difficultés que l'on éprouve à l'enfermer en quelques formules.

Jamais peut-être femme ne fut aussi marquée par le milieu familial, par une dépendance poussée jusqu'à la soumission totale à l'égard de sa mère et de son frère. Marguerite était l'aînée de Louise de Savoie et elle passa ses premières années dans la petite cour de Cognac ou de Blois, menant une existence assez difficile, retirée, mais parfois brillante. Elle eut de bons maîtres et trouva dans la belle bibliothèque de son grand-père Jean d'Angoulême, enrichie par son père et par sa mère (qui avait pris pour devise « Libris et Liberis ») de quoi satisfaire sa passion du savoir. Elle retira de ses études et de ses lectures une bonne connaissance de l'Antiquité et des grands textes du Moyen Age, tout en partageant avec son cadet des passe-temps violents et virils, sous la surveillance du maréchal de Gié. Elle était moins aimée de sa mère que François, auquel était promis un héritage merveilleux, la couronne de France : avec quelle tension, avec quelle angoisse ne guettait-on pas les menus événements de la vie royale ! Les préférences maternelles n'empêchèrent pas Marguerite de rester constamment liée à Louise de Savoie d'une affection profonde et sincère, et peu à peu Louise prit l'habitude de compter avec cet esprit avisé et de bon conseil. A l'égard de son frère, Marguerite éprouva un attachement si passionné qu'il prit même des couleurs suspectes aux yeux de quelques historiens. Quoi qu'il en soit, Marguerite reporta sur son frère la tendresse et la sollicitude dont elle était pleine. Jusque vers 1530, leur entente fut parfaite, Marguerite effaçant la reine Claude, accompagnant son frère partout, faisant preuve envers lui d'une indulgence sans bornes. Les maladies du roi la jetaient dans l'anxiété la plus vive, elle partageait tous les soucis du gouvernement et se lança dans de folles entreprises pour tirer François des prisons espagnoles. Conseillère écoutée, elle joua un rôle politique non négligeable autant dans les affaires intérieures du royaume que dans les tractations avec l'Empire (elle signa notamment la Paix des Dames) ; mais que de déchirements lorsqu'il fallait balancer entre France et Navarre, que de tristesse lorsque ses avis étaient mal reçus ou qu'on la tenait à l'écart des grandes décisions ! Toute la vie publique de Marguerite a été orientée vers son « seul Soleil », François Ier.

Elle n'avait pas trouvé dans ses deux mariages l'entente et l'amour dont elle avait pu rêver. Charles d'Alençon, épousé en 1509, terne et inculte, lourd d'esprit, fut un mari insignifiant ; Henri d'Albret, roi de Navarre, futile et volage, ne lui apporta guère que déceptions. Elle lui dut néanmoins une fille, Jeanne, et trouva quelque compensation dans l'affection maternelle : encore ne fut-ce pas sans orages. Connut-elle la passion ? Il est permis d'en douter ; les titres de sœur et de mère lui en tinrent lieu.

Les contemporains ont insisté sur la richesse de son caractère, sur sa grande bonté, sa douceur, son calme. Elle s'occupa de nombreuses œuvres de bienfaisance, sut éviter toute querelle et ne se départit jamais de sa modestie, de sa discrétion, de sa modération un peu effacée. De complexion délicate, elle était d'apparence plutôt masculine : on eût dit son frère déguisé en femme ou encore, au seul physique, cette grande dame de la cour de Louis XIV dont Saint-Simon disait que c'était un grenadier aux gardes travesti. Cela n'empêchait pas la vraie féminité, celle du cœur, et Marguerite possédait beaucoup de charme et d'agrément, sachant mêler au sérieux de la pensée et de l'œuvre la gaîté dans la vie quotidienne. Mais aux distractions communes, elle préféra toujours la méditation et les conversations polies, se montrant préoccupée par les plus graves questions. Elle avait pris pour devise le « Non inferiora secutus » de Platon et son ouverture d'esprit, doublée de curiosité et d'indulgence, lui permit de s'intéresser aux hommes et aux idées les plus étranges.

Venue à la cour de France dès 1509, Marguerite rechercha de bonne heure la compagnie d'esprits profonds et novateurs. Son rayonnement fut considérable : peu de personnes ont autant qu'elle attiré les artistes, les penseurs, les écrivains, et cela malgré la vie itinérante qu'elle mena longtemps, avant son « installation » à Nérac. Elle séduisait par ses libéralités, mais aussi par la franchise et la pénétration de son esprit, sa largeur de vues, son avidité de connaissance et l'étendue de sa culture. Nous avons parlé ailleurs des poètes qu'elle protégea : à côté de cette brillante équipe, deux autres groupes de penseurs et d'écrivains ont joué un rôle de grande importance. Parmi ses valets de chambre ou secrétaires, se trouvaient quelques humanistes ou polygraphes, dont Simon Sylvius traducteur du commentaire de Marsile Ficin sur le *Banquet*, éditeur des *Marguerites*, et Antoine Du Moulin, translateur d'Epictète, sont les plus notables, avec Antoine Le Maçon, traducteur du *Décaméron*. Et surtout se détachent les penseurs religieux à qui Marguerite dut son initiation aux grands problèmes qui se trouvent au cœur de son œuvre et de sa réflexion.

La formation de la pensée morale et religieuse

Dès les premières années de son mariage, Marguerite découvrit l'expérience mystique grâce à sa belle-mère, la duchesse douairière d'Alençon ; quelques années plus tard l'enseignement fabriste venait s'ajouter à l'effusion « piétiste ». C'est vers 1517 que Marguerite rencontre Lefèvre d'Etaples et en 1521 qu'elle fit la connaissance de Guillaume Briçonnet, avec lequel elle entretint une abondante correspondance. Elle traversait alors une période d'inquiétude religieuse et trouva dans les paroles et les lettres de l'évêque un grand réconfort et un aliment substantiel.

Le groupe de Meaux se situait à l'écart du courant humaniste ; bien plus, il représentait encore une attitude médiévale que Marguerite fera sienne, plaçant la religion au centre même de la vie. Lefèvre et Briçonnet s'étaient attachés au thème du salut et au problème de la justification par les œuvres ; ils insistaient sur la nécessité de l'abandon à la volonté divine et développaient un véritable christocentrisme, en plaçant le Sauveur à la base même de la foi et de la piété. Conscients des imperfections du système ecclésial, ils relevaient sans ménagement l'indignité des dignitaires et appelaient de tous leurs vœux des pasteurs compétents et pénétrés de leur mission. Comme eux, Marguerite croit à la possibilité d'une réforme souple et efficace de l'intérieur même de l'Eglise ; ainsi, elle s'insurgera contre les abus de l'état monacal mais ne prétendra jamais qu'il faille supprimer les couvents : bien plus, elle s'intéressera de près à plus d'une maison, autant pour en assurer la subsistance que pour en diriger la réforme.

Briçonnet avait vite compris que, par-delà Marguerite, c'était le roi lui-même qu'il pouvait gagner à ses idées ; aussi essaya-t-il de faire de la princesse son apôtre et, dans ses lettres de direction spirituelle au ton si douceâtre et au style si embarrassé, insista-t-il souvent sur le zèle, le feu divin qui devait embraser toute âme sincèrement éprise de son Créateur. Marguerite reçut encore auprès d'elle Michel d'Arande, prédicateur envoyé par Briçonnet ; cet audacieux s'attira les foudres de la Sorbonne et la duchesse eut quelque mal à le défendre.

En revanche, les novateurs les plus hardis jugèrent Briçonnet lâche et Lefèvre timide ; Marguerite elle-même fut souvent prise entre les deux feux de la Sorbonne et des réformateurs, après avoir été séduite par les idées de ceux-ci. N'avait-elle pas traduit vers 1525 la *Paraphrase du Pater* de Luther, et développé dans le *Miroir* la thèse de l'indignité absolue du pécheur ; n'avait-elle pas longtemps protégé le jeune Calvin ?

Certes, toutes les idées religieuses du temps exercèrent une séduction sur Marguerite, avide d'enrichissement spirituel. Si elle reprit à son compte les grands articles du credo fabriste, elle ne les figea pas en une sèche attitude. Les trois points principaux toutefois demeurèrent constamment affirmés : la justification par la seule et pure foi, le salut octroyé par la grâce divine, le primat absolu de l'amour. Cependant, Marguerite ne donna jamais de réponse précise aux grandes questions décisives, la prédestination, les intercesseurs, les sacrements, ce qui la place en dehors des partis religieux.

Les premières œuvres

C'est de cette période que datent les premiers textes importants où se marque le point de départ du long cheminement spirituel que suivra la princesse : le *Dialogue en forme de vision nocturne*, le *Miroir de l'âme pécheresse* et l'*Oraison de l'âme fidèle*, sans parler de poésies plus brèves recueillies par Simon Sylvius dans les *Marguerites de la Marguerite des Princesses*, publiées à Lyon en 1546 seulement.

Le *Dialogue* fut écrit peu après la mort de Charlotte de France, fille du roi, et édité en 1533. C'est un débat au cours duquel l'esprit de la petite princesse vient réconforter et éclairer l'âme de sa tante, aux prises avec l'inquiétude et l'incertitude ; le poème, après un préambule en rondeaux, est écrit en tercets, forme rare au XVIe siècle, où se trahit l'influence de Lemaire, mais aussi de Dante et de Pétrarque, que Marguerite avait lus dès cette date. Malgré les maladresses de la forme, d'une dialectique un peu rudimentaire, ce texte contient déjà quelques-uns des fondements de la pensée religieuse de Marguerite. Le problème de la mort en lui-même est rapidement tranché : elle est « fin d'une prison obscure ». Quant au salut de l'âme, l'accent est déjà mis sur la nécessité de l'amour : « en luy seul est seure salvation » ; la raison doit être mortifiée par la foi, et la souffrance nécessaire endurée patiemment. Suit l'exposé d'une méthode d'exercices spirituels, qui conduit à tout rapporter à l'amour de Dieu, « l'amour déifiante » : l'oraison n'est autre qu'une « union de cœur au créateur ». Marguerite se détourne des pratiques déformantes de la dévotion et du culte des Saints : on ne doit les aimer que comme une lampe qui transmet la lumière. Les œuvres ne peuvent rien pour le salut de l'âme : « démeriter ou avoir merité vous ne pouvez ». La question même du libre arbitre est un débat superflu :

> Soyez seur qu'en liberté vous estes
> Si vous avez l'amour de Dieu et grace [...]
> Impossible est vous garder de bien faire
> Si vostre Dieu parfaitement aymez.

Tout vient de Dieu et de sa Providence, dont l'homme dépend absolument : n'aura même la vraie foi que celui-là seul à qui Dieu en fera la grâce. Ainsi, le dépouillement de l'âme est la condition nécessaire à l'intervention divine : celui qui n'a rien, a tout. A travers cette longue méditation, Marguerite est parvenue à déterminer l'essentiel de sa foi, à dépasser une inquiétude légitime en face de la mort pour s'abandonner sans réserve à la grâce divine.

Autre jalon important dans sa démarche spirituelle : le *Miroir de l'âme pécheresse*, écrit en 1531, dont la valeur ne peut être niée malgré toute la lourdeur de la phrase, la confusion de la disposition, l'absence d'un thème central. Importance historique d'abord : c'est de ce moment que datent les difficultés de la reine avec les théologiens orthodoxes ; car, après le carême prêché par Gérard Roussel au Louvre en 1533, la Sorbonne voulut censurer l'ouvrage et elle n'y renonça, de mauvais gré, que sur l'intervention du roi. Importance religieuse ensuite, car le *Miroir* aborde de front le problème du péché, lié à celui de la charité divine. A la tentation du désespoir, provoquée par la conscience des faiblesses et des fautes, répond un grand élan de supplication et d'humiliation ; à la joie profonde de se découvrir déchargé du fardeau de misère par l'amour de Dieu, répond l'ardent désir d'union mystique avec le Consolateur. Ainsi l'âme se renouvelle et peut renaître en Dieu, pénétrée d'un amour ineffable. Les mille quatre cents vers de ce poème théologique et mystique retracent donc « l'histoire d'une âme » se réfugiant dans un ascétisme passionné. Avec le *Discord estant en l'homme* et l'*Oraison de Nostre Seigneur Jésus-Christ*, l'*Oraison de l'âme fidèle* développe les trois thèmes qui domineront la réflexion ultérieure : l'opposition radicale entre le néant de l'homme et l'infinie puissance de Dieu, l'emprise néfaste du « Cuyder », la folle présomption, l'outrecuidance de la créature qui croit pouvoir impunément se passer du soutien de son créateur, et l'efficace de l'amour dans lequel l'âme se confie tout entière : « Las, viens Jésus ! car je languis d'amours. »

Ces premiers poèmes, s'ils ne révèlent pas un grand talent littéraire ni un grand souci de l'expression artistique, manifestent du moins l'attrait de Marguerite pour la méditation lyrique longuement développée : avec un souci constant de la sincérité et du sérieux, elle cherche, à travers les digressions et les reprises, la formule qui rendra exactement son idée, suivant scrupuleusement les élans de son cœur. Ainsi, la reine de Navarre arrachait la poésie au simple divertissement pour la vouer aux grands débats spirituels et religieux.

A partir de 1533, Marguerite compose abondamment, bien que la date de la plupart de ses poésies soit difficile à déterminer. Elle poursuit sa réflexion dans ses vers ou dans ses comédies, et aborde le domaine profane dans des pièces diverses, rondeaux, épîtres de circonstance. Dans les écrits les plus marquants, recherchons les signes d'une évolution ou d'un approfondissement de la pensée, ceux aussi d'une originalité et d'une fermeté où s'affirme le métier poétique. Le *Triomphe de l'Agneau*, chef-d'œuvre de la reine selon Abel Lefranc, est un vaste poème symbolique au dessein ambitieux, mais à la réalisation encore gauche. L'homme, livré à ses trois ennemis, la Loi, le Péché et la Mort, est secouru par l'Agneau divin, le Verbe, qui vient combattre ces trois adversaires avant de remonter en apothéose dans les cieux. Plus d'un passage atteint au véritable lyrisme sacré dans cette œuvre grandiose où se trouve exposé tout le dogme de la Rédemption.

Dans un cadre d'églogue, partiellement emprunté à Sannazar, Marguerite traite à nouveau de la grande erreur de l'homme avec sa *Fable du Faulx Cuyder;* elle y raconte, non sans charme souvent, la triste métamorphose des nymphes de Diane abusées par des satyres et punies de leur sotte vanité. Ici, l'auteur a renoncé aux réflexions religieuses pour « moraliser » sur une aventure exemplaire, qu'elle s'est d'ailleurs complue à raconter avec élégance et finesse ; et on pourrait noter l'apparition, encore fugitive, des idées platoniciennes sur le véritable amour, exposées dans les derniers vers du poème.

Les *Chansons spirituelles* forment un ensemble cohérent, tournant autour d'un thème unique avec une variété d'accents que l'on ne trouve nulle part ailleurs dans l'œuvre de la reine. Elles sont écrites sur des « timbres » de chansons, fort grivoises souvent ; mais il est peu vraisemblable que Marguerite les ait destinées au chant, certaines comptant plus de quarante strophes. La forme en est pleine d'agrément, et l'admiration de l'auteur pour Marot se marque dans le tour de la phrase, l'ingéniosité des images et des rapprochements, la structure de la strophe. Les thèmes reviennent constamment sur les questions d'amour : mépris de tout ce qui est terrestre, charnel, passager ; renonciation à toutes les marques de l'amour humain, larmes, soupirs, craintes et baisers ; insistance sur la fuite du temps et l'instabilité du monde ; valeur éminente de l' « alliance » platonique, nécessité de la souffrance et du tourment pour parvenir à l'amour suprême ; enfin, découverte radieuse de l'amour parfait. Il semble difficile de définir celui-ci : l'âme l'éprouve si intensément qu'il lui est impossible de s'analyser :

> O bergere ma mye,
> Je ne vy que d'amours.

Elle est devenue l'amante, la « mignonne », de l'Etre parfait et, puisque l'amour humain est mort, son langage du moins pourra traduire ce transport nouveau :

Amour mourant, voiant Amour vaincqueur
De tout amour, entré dedans mon cueur,
Pour l'en oster et se mectre en sa place,
Cria : O toy de vray Amour vaincqueur,
Ne sois en moy de ton nom destructeur,
En deffaisant ma fresle et vaine masse,
Mais envers moy use de telle grace
Que l'imparfaict te plaise reformer,
Afin qu'en toy de moy soudain tu passe
Pour en parfaict l'imparfaict transformer.

(La Distinction du Vray Amour par dixains).

« Nous appelons Beauté ceste grace de la Face divine et appelons Amour
l'ardent desir de l'Ange par lequel il se cole du tout à la face divine », disait
Ficin ; pour Marguerite, cet amour sera une identification, une confusion
totale de l'âme dans l'éblouissante splendeur du divin Amant :

Et lors Amour, que tant recommandez
Vivra en moy, quant je ne vivray plus.
Par quoy m'amour me fault, je le consens,
Afin qu'Amour, non plus moy, en moy vive.
Je m'y consens et quicte le surplus
D'amour charnel pour l'amytié naïfve.

Les comédies

Peut-être est-ce le spectacle de quelque mystère qui donna à Marguerite
l'idée d'écrire à son tour des « pièces de théâtre » : elle commença vers 1530
par une tétralogie sacrée, *La Nativité, Les Trois Roys, Les Innocens,* et *Le Désert,*
paraphrasant, sous forme dialoguée, le Nouveau Testament. Puis elle composa,
entre 1535 et 1549, sept pièces sur des sujets profanes, mais tout imprégnés de
religion : trois comédies ou « farces » de controverse religieuse, *Le Malade,*
L'Inquisiteur, et *Trop, Prou, Peu, Moins ;* deux débats mondains sur l'amour,
Comédie à dix personnages et *Le Parfait Amant ;* et deux méditations lyriques, la
Comédie sur le Trépas du Roy et la *Comédie jouée au Mont-de-Marsan.* La forme du
dialogue dramatique convenait assez bien au talent de Marguerite et mieux
encore à la tournure dialectique de son esprit ; elle lui permettait d'épouser les
mouvements contrastés de son âme au fil de ses réflexions. N'avait-elle pas fait
de son *Dialogue en forme de vision nocturne* un premier essai de construction dramatique ?

La reine destinait ses pièces à la représentation, cela paraît presque certain. Elle voulait profiter de la vogue des « mommeries » à la cour pour offrir à son entourage un divertissement qui pût être aussi un enseignement ou le point de départ d'une méditation. Et nous savons par Brantôme que les dames de sa cour ont représenté au moins deux de ces « moralités qu'on appeloit des pastorales ». Public choisi donc, et dans un cadre mondain, ce qui explique certaines caractéristiques de ce théâtre : la simplification de l'action, la réduction du nombre des personnages et des « mansions », le dépouillement de la mise en scène et la suppression des épisodes comiques fréquents dans les mystères. Marguerite fait de ces pièces les instruments d'un didactisme moral, religieux et même mystique, et l'expression d'une pensée sans cesse plus affirmée.

Les quatre comédies religieuses suivent fidèlement le récit des évangélistes, mais en intercalant, comme dans les para-liturgies médiévales, des cantiques spirituels et des développements moralisants. Le dialogue a souvent une saveur naturelle, utilisant un langage à la portée du petit peuple (auquel l'auteur pensait peut-être destiner ces premiers essais théâtraux) ; il n'y manque ni les jeux de mots (le diable dit : « Je fais par méfaits porter faix »), ni les libertés les plus surprenantes (Hérode a peur de perdre son royaume, qui pourrait lui être ravi « par un petit enfant de merde »), ni un certain souci du pittoresque populaire. Le découpage des répliques, un peu trop régulier dans le dialogue, convient mieux aux chœurs lyriques des Anges. Les personnages restent flous; simples porte-parole, ils incarnent des attitudes ou des idées. Cependant, on trouve dans *La Nativité* une pastorale pleine de fraîcheur naïve ; *Les Trois Rois* contiennent des traits vraiment populaires dans les réactions brutales et cruelles d'Hérode et des docteurs. Mais on notera la persistance de la moralité allégorique : les rois sont conduits par Philosophie, Tribulation et Inspiration vers Intelligence divine. Enfin, la comédie du *Désert* manifeste déjà une évolution sensible dans la place faite aux effusions lyriques, où l'influence du *Cantique des Cantiques* est constamment perceptible aussi bien chez Dieu, qui se présente en disant :

> Je ne suis pas seulement amoureux,
> Mais suis l'Amour,

que chez Marie, l'amie de Dieu, « de parfaite amour yvre ».

Dans ces premières comédies, on a pu voir comme une préfiguration lointaine du culte réformé ; et le chant des anges ou les strophes lyriques ponctuant le déroulement des pièces annoncent le chant des psaumes introduit par Théodore de Bèze et Calvin. Avec ses pièces « profanes », Marguerite reprend le cours de sa réflexion religieuse, guidée par les circonstances et l'évolution de ses opinions. *Le Malade* illustre la doctrine de Guillaume Briçonnet et correspond à un grand espoir de conciliation entre l'évangélisme et l'autorité religieuse (vers 1535) : un malade est guéri non par son médecin, mais par une chambrière qui lui conseille de mettre toute sa confiance en Dieu seul. Le médecin, qui représente un dignitaire de l'Eglise, est dépeint comme un homme à l'esprit assez étroit, mais honnête et de bonne foi : ainsi, la « moralité polémique » est ici bien conciliante, visant à l'apaisement des consciences. C'est dans cette seule « farce » que Marguerite a introduit l'élément comique, non sans discrétion, accompagnant un certain pittoresque des attitudes et des répliques, bien que les personnages soient avant tout des incarnations symboliques. Le même esprit de concorde anime *L'Inquisiteur*, autre « farce » aux notations réalistes, où le théologien cynique, hypocrite, vénal et balourd est contredit par des enfants qui affirment leur abandon total à Dieu, leur joie insouciante. L'inquisiteur finit par se convertir à cette attitude quiétiste, à l' « absolu devoir d'imprévoyance ». Les enfants représentent l'équipe des protégés de la reine vers 1536 : Dolet, Bonaventure, Boyssoné, Du Moulin, Calvin, Bourbon, Visagier, et la reine leur a prêté ses propres idées sur le règlement pacifique des divergences religieuses.

Toute différente dans sa conduite et dans son argument, la *Comédie à dix personnages* (1542) appartient à la querelle des Amyes : ce n'est qu'un débat verbeux et artificiel entre deux jeunes filles heureuses, l'une parce qu'elle refuse l'amour, l'autre parce qu'elle voit en lui le bien suprême, puis entre deux femmes malheureuses, la première parce que son mari la soupçonne à tort d'avoir cédé à un amant respectueux, la seconde parce qu'elle aime son mari qui en aime une autre. Une vieille, réaliste et cynique, vient leur proposer un remède qu'elles refusent, et toutes s'apprêtent pour le bal. C'est dans cette œuvre que le souvenir des « mommeries » est le plus apparent ; mais, en dehors d'une figuration rudimentaire et du finale, il n'y a presque rien de théâtral dans cette suite de vers, qui prolonge le débat de *La Coche*, poème composé en 1540, où l'on se demande quelle est la plus malheureuse de trois dames, l'une abandonnée, l'autre trahie, la dernière prête à la tromperie.

Trop, Prou, Peu, Moins, farce au titre énigmatique (1544), marque une étape intermédiaire entre les premières pièces et les grandes méditations dramatiques des dernières années ; c'est ici que la satire religieuse est la plus sévère, sous le voile d'une allégorie encore imparfaitement élucidée. Trop et Prou sont deux seigneurs malheureux à cause de leurs longues oreilles : ils représentent le clan de l'orthodoxie, le Pape et l'Empereur, ou l'Empereur et Bourbon ; Peu et Moins, petites gens, vivent dans la joie malgré leurs cornes : leur fidéisme mystique correspond à l'attitude des libertins spirituels avec qui Marguerite est liée depuis peu, Pocque et Quintin. La reine y condamne d'abord la folie orgueilleuse et hypocrite, mondaine et ambitieuse de Trop et Prou, pendant qu'elle justifie, pour répondre aux critiques de Calvin (dans son *Excuse aux*

Nicodémites), la folie bienheureuse des humbles. Leur foi est souriante, dénuée de prosélytisme, détachée de tout ; leurs devises sont « N'avoir rien, fors que nous-mesmes » et « Il n'est rien, qu'estre ». La démarche stylistique du dialogue s'apparente par moments au coq-à-l'âne, incohérence et sautillement bien adaptés à ces personnages atteints de folies d'espèces différentes.

La Comédie sur le Trépas du Roy (1547) est une longue déploration dans un cadre d'églogue, au cours de laquelle Marguerite évoque tous les deuils qui ont marqué sa vie. La bergère Amarissime pleure le grand Pan, le grand pasteur :

> Elle a raison, soit en prose ou en rime,
> De lamenter, car elle a tout perdu !

pendant que Securus et Agapy tentent de la réconforter ; enfin, Paraclesis, messagère d'en-haut, viendra annoncer que Pan est entré en Paradis. L'œuvre, qui n'a presque aucun caractère scénique, appartient au cycle poétique tournant autour de la mort du roi ; l'auteur revient avec insistance sur l'inutilité des larmes versées à propos de la mort corporelle, comme si elle cherchait à se convaincre de renoncer à l'excessive douleur.

Le jour de carême-prenant 1548, on joua à Mont-de-Marsan une autre comédie de Marguerite, la plus importante sans doute de toute la série. La Mondaine et la Superstitieuse s'opposent, puis s'unissent contre la Sage qui vient leur tenir le langage de la foi intelligente, de l'évangélisme. Mais toutes trois sont confondues par une bergère, la Ravie, qui chante le pur amour, la béatitude mystique de l'union totale avec l'« ami ». On reconnaît ici encore la doctrine des libertins spirituels, qui insiste sur l'innocence fondamentale de celui qui aime follement et avec ivresse, sur le détachement qui résulte de ce don absolu, la vacuité, l'oisiveté de l'âme uniquement préoccupée d'amour : « Je ne sais rien, sinon aimer », dit la Ravie. A la limite, la parole même est inutile : on ne peut plus que rire, chanter et danser, tant la joie est grande, oppressante. « Jamais d'aimer mon cueur ne sera las » : comment l'âme pourrait-elle se détacher de l'illumination et de l'embrasement de cette union parfaite, immédiate, avec Dieu ?

Marguerite écrivit encore une comédie, le *Parfait Amant*, peut-être à l'occasion du mariage de sa fille avec Antoine de Bourbon ; ce fut sans doute sa dernière œuvre. Une vieille femme part à la recherche du parfait amant ; elle écarte l'une après l'autre trois filles : chez l'une, l'amour n'a pas résisté à l'absence, l'autre n'en a pas encore fait l'épreuve, la dernière a surmonté la séparation mais n'accepterait pas la tromperie. Enfin arrive un couple dont chacun revendique la couronne pour l'autre ; ils la recevront tous deux, ayant compris que, par-delà l'exigence élémentaire de « fermeté », l'amour humain doit mener à l'oubli total de soi. Toute la comédie baigne dans une atmosphère détendue, souriante même : au soir de sa vie, Marguerite a enfin conquis la sérénité.

Il n'y a pas beaucoup de métier dramatique dans toutes ces pièces, où l'on insiste bien davantage sur les idées que sur leur présentation, à laquelle le vieux cadre des mystères et des moralités suffit. L'expression elle-même, souvent marquée par la Rhétorique, n'atteint à un certain relief que dans les strophes lyriques, qui reprennent parfois des chansons spirituelles ou les prolongent. Tout tourne en effet autour du mystère de l'amour, et le personnage central est toujours un « petit », un humble, qui est le premier atteint par le coup de foudre de la grâce et qui montre la voie aux mondains et aux grands. Ce théâtre édifiant est, dans sa forme comme dans son dessein, hors du mouvement théâtral de son temps ; mais, bien qu'il soit une simple extension de l'œuvre poétique, le lecteur moderne peut être ému par la profondeur du sentiment religieux qui l'anime et y voir, autant qu'un legs médiéval, la primitive annonce d'un théâtre religieux moderne.

L'Heptaméron

C'est vers 1540 que la vie de Marguerite prend une orientation différente, à la suite d'une crise, longue et douloureuse, qui la détachera de personnes ou de milieux auxquels elle se croyait liée de tout son être. Entraînée par les manœuvres parfois malhabiles de son mari, préoccupé par la reconquête de son royaume, elle a mécontenté son frère, qui la tient à l'écart de la vie politique française : c'est l'échec de son désir d'action pour le bien du royaume, c'est aussi la cassure dans une entente jusque-là si étroite. Après l'affaire des Placards, Marguerite a compris que la réconciliation des partis religieux opposés n'était plus guère possible : dès 1534, elle a quitté la cour pendant plus d'un an, avant d'y retourner pour voir le fossé se creuser encore, mettant au cœur de l'ardente apôtre de l'apaisement la désillusion et la soif de retraite. Enfin, dans son propre ménage, la reine n'a trouvé d'accord ni avec son mari ni avec sa fille Jeanne sur laquelle elle avait reporté un amour peut-être trop étouffant.

Tout cela explique le tour de plus en plus méditatif et mystique de sa réflexion et de ses écrits, son désir de détachement du monde, sa quête de la sagesse. La « seule Minerve de France », retirée à Nérac en 1542, passe ses jours à « se réfugier dans la contemplation des choses divines et dans le culte des lettres » (Lefranc). C'est pourtant le moment où elle entreprend la rédaction d'un recueil de nouvelles, dont la composition s'étendra jusque vers 1546 : nous aurons à dire quel en est le but et l'esprit. En a-t-elle écrit cent, comme Boccace, dont le *Décaméron* est son grand modèle ? Le livre fut d'abord publié, posthume, en 1558, par Pierre Boaistuau qui avait disposé soixante-sept nouvelles selon un ordre fort fantaisiste, sous le titre d'*Histoires des Amans fortunez;* en 1559, Claude Gruget redonna un *Heptameron des novelles de la reine de Navarre,* plus complet (soixante-douze nouvelles) et plus satisfaisant. Mais divers manuscrits nous ont transmis des textes parfois bien différents, selon une autre disposition, voire des contes que ni Boaistuau ni Gruget n'avaient recueillis : nous en connaissons aujourd'hui quatre-vingt-deux.

C'est en parcourant son royaume, de Nérac à Pau, et d'Orthez à Mont-de-Marsan, « dans sa litière », que Marguerite a noté une bonne partie de ces nouvelles, pour se délasser de soucis plus pressants. Elle voulait y conserver le reflet d'une vie aux activités contradictoires, où alternaient les délassements de cour et la méditation de l'Evangile, les propos gaillards et les études platoniciennes : sans doute était-elle désireuse de donner à son entourage un compromis entre le *Courtisan* de Castiglione et les « passe-temps » des conteurs italiens ou français, mais sans jamais recourir à des modèles directs. La structure même du livre trahit cette double volonté de divertissement et d'édification. Un prologue relate une mésaventure donnée pour authentique : quelques nobles personnes sont retenues par les pluies, le mauvais temps et la crainte des brigands, à l'abbaye de Notre-Dame de Serrance, dans les Pyrénées, et pour occuper leurs journées elles se livrent à la lecture des « Saintes-Lettres », à la méditation, et elles se récréent au récit d'histoires vécues, dont elles s'attardent à discuter le sens et la leçon. Le monde des « devisants » ne va pas sans poser quelques problèmes d'identification : il est très probable que Marguerite a mis en scène des personnes qu'elle connaissait, mais la clef prête à controverses. Malgré certaines critiques récentes, qui veulent voir en Oysille Marguerite, en Parlamente Catherine de Médicis et en Hircan le dauphin, futur Henri II, il nous paraît possible de continuer à identifier Oysille à Louise de Savoie, Parlamente à Marguerite, Hircan à Henri de Navarre. Parmi les autres figures, Dagoucin, qui est souvent le porte-parole des idées de la reine, est Nicolas Dangu.

L'*Heptaméron* est plus qu'une simple collection de contes : un recueil d'illustrations, d'*exemples,* d'apologues destinés à éclairer certaines vérités morales ou à appuyer certains éléments des débats. Mais ces récits méritent d'être étudiés pour eux-mêmes : ils mettent en scène un monde brutal, sauvage, cruel et pourtant naïf, où la duplicité et la candeur alternent, comme les plus atroces vengeances et les plus nobles dévouements. Or, sur les soixante-douze nouvelles de l'édition Gruget, plus d'une vingtaine s'appuient presque certainement sur des faits réels et trente-neuf ont pour personnages des rois, des princes ou des grands et de nobles dames ; presque partout l'auteur prétend reproduire la réalité, faire œuvre de mémorialiste, « n'escrire nulle nouvelle qui ne soit véritable hystoire ». L'*Heptaméron* permet donc de scruter les mœurs de ce temps, la vie quotidienne, les occupations et les habitudes d'êtres partagés entre la courtoisie et la grossièreté, la violence et la réserve, et qui, s'ils sont nobles, font de l'amour leur principale occupation. Boaistuau n'avait pas mal trouvé ce titre d' « Amans fortunez », puisqu'on voit les personnages exposés aux caprices du sort.

L'amour est au cœur du livre ; il est question de la « malice et tromperie » des femmes, des dames légères ou avides de plaisirs, des amants insouciants ou volages, des « transis d'amour » et des moines paillards, en somme de tous les types amoureux, victimes ou héros. Les uns sont prêts à sacrifier leur propre vie, d'autres cachent une « grande hardiesse sous une extresme hypocrisie » ; ici, l'on n'hésite pas à supprimer un amant devenu gênant, là des années d'absence et l'entrée en religion ne parviennent pas à entamer un amour fidèlement entretenu. C'est que Marguerite est prise dans un faisceau de contradictions où se mire la vie réelle : elle a donné, pêle-mêle, le meilleur et le pire, dans ces épisodes galants ou scatologiques, dans ces tragédies de l'amour « traversé » ou menant à la mort, dans ces hymnes de l'amour préservé, ennobli et victorieux.

Certes, la technique du conte reste assez élémentaire, et Marguerite ne peut guère rivaliser sur ce plan avec Boccace ou Bandello, Bonaventure ou Du Fail. Elle raconte de façon bien sèche, schématisant ses personnages, passant sous silence leurs motivations, peu soucieuse de portraits ou de psychologie, et trop encline aux longs discours. Au fond, les vraies réussites techniques, à l'exception de l'histoire de *Floride et Amador*, ce sont les brefs contes grivois qui daubent sur les moines ou vantent l'esprit de ruse et de tromperie féminines. Le vocabulaire est pauvre, le style diffus, abondant, le dialogue gauche : l'auteur manque d' « art », pourtant, le ton et la structure sont variés, de la brève anecdote gaillarde à la vaste fresque de mœurs, du petit roman pastoral à la moralité mondaine, du récit réaliste ou de l'analyse psychologique au conte de pure fiction, et les effets dramatiques ou comiques habilement diversifiés.

Mais on devine que l'essentiel pour la reine de Navarre est ailleurs et que, par-delà les joyeux ou pitoyables devis, il s'agit pour elle de « donner un style à l'amour » (Huizinga), de corriger les errements et les infortunes de la passion grâce aux conversations des protagonistes. Son manuel de civilité peut bien être largement illustré, entrecoupé de nombreuses digressions : le fond même du propos n'est pas tant l'histoire que le jugement porté sur elle, les controverses morales qu'elle provoque. Aussi serait-ce une grave erreur que de lire les contes sans les conversations qui les encadrent, car, plus qu'une œuvre de conteur, l'*Heptaméron* est une œuvre de moraliste. Dans sa peinture, Marguerite s'intéresse autant à la vie mondaine qu'à la vie intérieure, dont elle proclame la nécessité ; étudiant les problèmes du couple à travers des types sociaux et des caractères humains qui s'affrontent, elle expose une morale du devoir et de la charité, avec autant d'indulgence que de conviction. Et pourtant, même ici, les contrastes demeurent très forts : certes, il convient de maintenir l'amour, ce brasier auquel nul n'échappe, dans les limites de la morale chrétienne ; mais on admet qu'une faute bien celée n'est plus vraiment une faute. Le mariage n'a ni prestige ni valeur, puisque trop souvent l'amour y fait défaut ; mais on cherche malgré tout à le réhabiliter en montrant que le rôle de la femme doit y être égal à celui du mari et que l'idéal demeure une union de type conjugal. On souligne l'importance, dans toute liaison, de l'amour, sensuel, terrestre ; mais on indique clairement que l'état suprême est l' « alliance » épurée, sereine, exaltante. Et que penser de ces interlocuteurs qui passent sans transition de l'office ou de la méditation aux propos scabreux des plus légers d'entre eux ?

La théorie du pur amour a, dans le livre, outre Parlamente elle-même, un défenseur passionné : Dagoucin, le sentimental dogmatique, l'idéaliste impénitent, amant de l'amour plus que de la femme, qui véhicule les grandes idées du platonisme chrétien. Pour lui, il convient de traverser le royaume de la Vénus populaire et terrestre, pour chercher à conquérir les dons de la Vénus céleste grâce à la « parfaicte et honneste amytié ». L'amour devient « le ressort moral par excellence, le fondement des belles actions, la source des hautes pensées » (Lefranc) : en lui se résume toute forme de vie évoluée, en lui est la fin de toute destinée humaine bien comprise. « Amour demourra le maistre » : c'était déjà le dernier vers des *Marguerites*. Ainsi, devenu principe spirituel d'ordre général, l'amour porte en soi sa justification et sa plénitude ; comme les libertins spirituels prônant la doctrine de l'amour seul, Marguerite affirme que rien ne saurait s'opposer à un amour bien compris et bien vécu : « la gloire de bien aymer ne cognoist nulle honte ».

> J'appelle parfaictz amans ceulx qui cerchent, en ce qu'ilz aiment, quelque parfection, soit beaulté, bonté ou bonne grace ; tousjours tendans à la vertu et qui ont le cueur si hault et si honneste qu'ilz ne veullent, pour mourir, mectre leur fin aux choses basses que l'honneur et la conscience repreuvent ; car l'ame, qui n'est créée que pour retourner à son souverain bien, ne faict, tant qu'elle est dedans ce corps, que desirer d'y parvenir.

« Regardons de là où nous sommes venus : en partant d'une très grande follye, nous sommes tombés en la Philosophie et Theologie » : la réflexion de Symontault souligne parfaitement la démarche de l'*Heptaméron* et peut-être de Marguerite elle-même. A cette femme mal aimée et pleine de tendresses déçues, il fallait d'abord, puisqu'elle était de son temps, le dérivatif de la grivoiserie, de la volupté et des folies de la chair alertement contées ; à ce cœur avide de dépassement, de réconfort et de sérénité, il fallait dégager lentement de sa gangue trop humaine l'image d'un amour enfin dépouillé de toute contingence et de toute imperfection. Ici encore, Marguerite l'individualiste révélait le cheminement de son âme.

Le platonisme chrétien et la pensée de Marguerite

Si l'on admet la thèse de Lefranc, Marguerite est à l'origine d'un courant de vulgarisation littéraire du platonisme, qui double le courant proprement philosophique illustré à Lyon par Symphorien Champier et Maurice Scève. De fait, la reine a bien joué un rôle d'initiatrice, en suscitant des traductions de Platon (par Bonaventure Des Périers et Du Val, traducteur du *Criton* en 1547) ou de Marsile Ficin (Simon Sylvius, 1546). Le platonisme chrétien fut dans son entourage le grand sujet de discussion. Déjà Lefèvre d'Etaples s'était tourné vers divers penseurs dont il recueillit les leçons : les alexandrins, les hermétistes, et surtout les mystiques du Moyen Age. Lefranc a montré l'importance d'un « relais », Nicolas de Cuse, apologiste de Platon et défenseur d'un idéal de vie élevé. Pour Cuse, « de même que le cœur ne vit en réalité qu'autant qu'il aime, de même c'est la vie de l'esprit que de tendre à la science et à la vérité » ; l'homme doit vouloir s'élever « jusqu'à la source de toute vérité et de toute beauté ». Et il parle encore de la « sancta et docta ignorantia », qui est l'humiliation totale devant Dieu. Il devait enfin plaire au groupe de Meaux par son idéal de concorde et de tolérance ; Lefèvre édita d'ailleurs ses œuvres en 1514.

Marguerite s'est véritablement passionnée pour les grands thèmes religieux du platonisme ; à côté de symboles qui occupent dans son œuvre une place importante, le Cercle et le Soleil par exemple, elle s'attache à tout ce qui a trait à la nature, à l'essence de la Divinité. Cette aspiration vers le Divin, absolu mais insaisissable, sera le but de toute son œuvre, à partir d'une réflexion sur les problèmes de l'amour. Amour profane d'abord, où convergent les influences platoniciennes et pétrarquistes et le vieux fonds français de la courtoisie antérotique ; amour suprême ensuite, marqué celui-là par le mysticisme passionné d'une Catherine de Sienne autant que par la réflexion ficinienne. Une poésie des dernières années, la *Distinction du Vray Amour* donne la synthèse de cette longue quête :

> Si j'ayme Amour, qui est ce que vous estes,
> Et sans lequel vous estes pis que rien,
> Qui vous sépare et difere des bestes,
> Est-ce le tort si grand que je vous tiens ?

> J'ayme Celluy où consistent tous biens,
> Et n'ayme poinct le corps du corps visible,
> Qui sans amour n'est que chair insensible,
> Beste esgarée, ou masquee pour dire.
> Croyez qu'Amour ne trouve pas possible
> D'aymer, sinon l'amour qu'Amour desire.

Les derniers poèmes : La Navire, Les Prisons.

Tout à la fin de son existence, Marguerite connut encore les épreuves : le mariage de sa fille avec le duc de Clèves annulé en 1545, la reine voulut éviter l'union avec Antoine de Bourbon, décidée par François Ier ; elle n'y parvint pas, et ce fut pour elle une pénible humiliation. Le royaume de Navarre connaissait de graves difficultés, qu'Henri parvenait mal à dominer. Le fanatisme religieux se déchaînait dans les persécutions. Mais le coup le plus rude fut la nouvelle de la mort du frère bien-aimé, le 31 mars 1547. Marguerite, en proie à la mélancolie et abattue par tant de revers, se retira dans les Pyrénées pour n'en plus guère sortir. Mais elle ne pouvait rester longtemps dans les mêmes lieux : Tarbes, Cauterets, Auch, Pau la virent passer, jusqu'au jour où elle trouva enfin la grande paix, à Odos, le 21 décembre 1549. Jusqu'au bout, la poésie resta pour elle un refuge et un mode de réflexion : outre ses dernières comédies et diverses pièces assez brèves, elle composa encore deux grands poèmes, inédits jusqu'au xxe siècle, qui marquent autant la permanence des thèmes auxquels s'attacha sa pensée que leur aboutissement.

La Navire (titre donné *a posteriori*) pourrait s'intituler, comme le proposait Gaston Paris, « Consolation de François Ier à sa sœur » : écrite peu après la mort du roi, l'œuvre trahit l'accablement et le bouleversement de l'âme endeuillée. C'est une longue plainte lyrique, une complainte où se ramassent tous les souvenirs maintenant douloureux, toutes les appréhensions sur l'avenir, jusqu'au moment où l'esprit du défunt fait entendre des paroles de consolation en appelant sa sœur à la mort qui couronnera sa longue route :

> Qui sent d'amour l'aneantissement,
> Il s'esjouyt, perdant ce qui n'est rien
> Pour recepvoir son tout entierement.

Mais l'atmosphère reste sombre, lourde, presque pessimiste : on devine que la reine se laisse aller ici à la mélancolique lamentation.

> De l'encolye aultant j'ayme les fleurs
> Que de la rose...

Les Prisons constituent réellement la somme de la pensée de Marguerite : « confession spirituelle » et « autobiographie intellectuelle » à la fois. Ce très long poème de près de cinq mille vers, où l'on relève l'influence du *De Consolatione* de Boèce, est divisé en trois livres. Dans le premier, l'Ami s'avoue heureux de la prison où l'amour le tient ; mais, convaincu de la fausseté et de l'inconstance de sa dame, désabusé, il se révolte contre l'amour et s'en libère. Il découvre alors (Livre II) le monde, ses richesses et ses séductions, il succombe à l'ambition, à l'hypocrisie, aux tromperies du milieu courtisan, jusqu'au jour où un bon vieillard vient l'admonester en lui montrant que trois tyrans se sont emparés de lui : Plaisir, Honneur et Richesse, et qu'aucun ne peut lui apporter de satisfaction durable. Le vieillard, qui se nomme « Amateur de Science », l'arrache à cette deuxième prison en lui apprenant à mépriser le monde. Le narrateur entre donc dans la prison de Science (Livre III), qu'il édifie lui-même en pierres qui ont nom Philosophie, Poésie, Médecine, Jurisprudence, Rhétorique, Grammaire, Théologie. Séduit par « Faulx Cuyder », il s'enorgueillit de cette somme de savoir. C'est à ce moment (et ceci aurait dû former un quatrième livre) que Dieu se révèle à lui et le révèle à lui-même. Dieu est celui qui est, l'homme celui qui n'est pas : Marguerite s'extasie longtemps sur ce « Je suis » de l'Esprit Divin ; Dieu est Tout, l'homme Rien, cette antithèse est développée avec insistance. Ainsi l'homme prend conscience de ce qui, jusqu'alors, lui était caché et il découvre cette science suprême qui ne peut s'acquérir, mais qui résulte d'un don gratuit du « Loing Près ». Voici enfin le narrateur dans la vraie liberté, la liberté de celui qui accepte de n'être Rien et désire s'unir à Tout, s'abandonnant joyeusement à la volonté divine :

> O petit grand ! ô Rien en Tout fondu !
> O Tout gagné par Rien en toy perdu !

Les Prisons s'achèvent sur cette fusion mystique de l'âme en Dieu et sur un cri de confiance et d'espoir. La réalisation du poème n'est pas à la hauteur de cette théodicée ; Marguerite l'a conçu comme l'une de ces « sommes » médiévales au dessein encyclopédique. Mais elle en dit trop, et le déroulement litanique du vers, les longueurs, les répétitions, même s'ils ont un rôle esthétique ajouté à leur fonction pathétique et morale, risquent de lasser. A plusieurs reprises cependant, la forme et la frappe du vers ont un attrait qui manquait aux premiers poèmes et qui souligne la fermeté et la hauteur de la pensée. Ce qu'elle a découvert, Marguerite veut le faire découvrir, dans un grand élan de charité et de passion, à ceux qu'elle aime.

L'œuvre littéraire de Marguerite de Navarre est le prolongement fidèle des pensées, la traduction sincère des convictions intimes. Ce serait une erreur et une injustice que d'en considérer le seul aspect artistique, qui n'atteint jamais à un niveau très élevé. Les raisons en sont multiples : le goût abusif de l'allégorie et de procédés chers aux rhétoriqueurs, le côté démonstratif et raisonneur de son esprit, l'intarissable prolixité verbale de cette femme. Mais Marguerite n'écrit jamais pour faire œuvre littéraire, elle est, Dieu merci, très peu « femme de lettres » ; en tête du *Miroir*, elle a placé ces vers révélateurs :

> Si vous lisez ceste œuvre tout entiere,
> Arrestez vous non plus à la matiere
> En excusant le rythme et le langage,
> Voyant que c'est d'une femme l'ouvrage
> Qui n'a en soy science ny sçavoir,
> Fors un desir, que chacun puisse veoir
> Que faict le don de Dieu le Createur
> Quand il luy plaist justifier un cueur.

On n'a pas manqué de lui reprocher ses gaucheries et ses lourdeurs : La Monnoye pouvait écrire du *Petit Œuvre :* « Non est in toto corpore mica salis. La poésie d'un bout à l'autre y est plate, froide et misérable ». Lucien Febvre parle même d'« écrits de nonnain ». Mais on peut aussi être sensible au ton de Marguerite, si personnel, si ardent, si pressant qu'il en fait oublier tout le reste.

Marguerite nous intéresse peut-être moins par ses qualités d'écrivain que par sa pensée et par son rayonnement. Dans son caractère très complexe de femme perpétuellement inquiète, livrée à une interminable crise de conscience, vibrant de toute son hypersensibilité et en proie à de graves contradictions, se reflète l'esprit de l'époque entière. C'est une valeur exemplaire que prennent la devise choisie à Nérac : « Ubi spiritus, ibi libertas », et l'emblème des dernières années, la fleur de souci. La reine de Navarre entendit toute sa vie l'appel de l'idéal spirituel et fut habitée par le souci de la perfection. Rien ne pouvait entamer une sincérité qui se manifeste jusque dans les maladresses et les indécisions ; rien ne pouvait la détourner d'elle-même et du but qu'elle avait assigné à sa vie. Si la poésie philosophique et religieuse en France date de Marguerite, si elle est le premier poète mystique de nos lettres, nous lui devons quelque chose de plus précieux et de plus grand encore : l'attention scrupuleuse, droite et sans complaisance aux mouvements de la conscience, l'apparition du moi dans le domaine littéraire.

CHAPITRE IV

François Rabelais

Invitation à la lecture

LIRE Rabelais, sans notes ni commentaires, comme le firent ses contemporains qui achetèrent les *Pantagruel* et *Gargantua* à la foire de Lyon ? Lire Rabelais comme on lit les livres populaires, tête en repos, tout désir de s'instruire écarté, mais prêt à se laisser prendre par les entrailles ? La meilleure introduction à son œuvre d'imagination, Rabelais la fournit lui-même dans un texte « réaliste », à savoir la description des fêtes que le cardinal Jean Du Bellay fit organiser à Rome, à l'occasion de la naissance du deuxième fils de Henri II. Cette *Schiomachie* ou simulacre d'un combat, parue à Lyon, en 1549, illustre à merveille la fusion du spectacle aristocratique et du spectacle populaire. Le thème central, la représentation d'un siège, n'est là que pour dévoiler un thème plus profond, celui de la victoire sur la mort, par le rire. Le spectacle s'ouvre sur la mise à mort de quatre taureaux, autrement dit par la mort noyée dans l'allégresse populaire. Et lorsqu'on arrive au siège, les combattants, en baisant la terre, reprennent un rituel archaïque et tellurique, pour signifier que la Grande Mère, dévorante et génératrice, est origine et fin de toute vie. Voilà pourquoi la mort peut prendre un aspect burlesque : après un premier affrontement, deux cadavres demeurent sur le champ de bataille, « autour desquels fut recréation nouvelle, ce pendant que la musique sonnoit ». Un Arlequin et un Fabrizio s'approchent d'eux, l'un pour les confesser, l'autre pour les détrousser. « Enfin..., montrerent au peuple que ce n'estoient que gens de foin. Dont fut grande la risée entre les spectateurs... » Rire libérateur, provoqué par des personnages du théâtre comique ! Et plus tard, Arlequin, courant après une bombe sphérique ingénieusement inventée par les plus habiles bombardiers italiens, l'apostrophe « en l'appelant gueule d'enfer et teste de Lucifer ». Voici donc le diable vilipendé par un personnage du théâtre comique populaire. Les festivités se terminent par un banquet fabuleux, une pièce de théâtre et un bal masqué. Ainsi le rire a raison de l'angoisse de la mort et de la peur du diable ; il nous libère pour le banquet régénérateur, où le corps reprend tous ses droits ; il nous donne enfin accès à un monde masqué, différent donc du monde quotidien.

Le rire de Rabelais est ce rire populaire. Aussi l'affinité avec le théâtre de l'époque est-elle beaucoup plus profonde que ne le laisseraient présumer l'Arlequin du récit romain et le Pantagruel de l'œuvre imaginaire. Pantagruel, diablotin des mystères, traîne derrière lui un monde. Le rire du théâtre d'alors, c'est le rire de la foire, où celui qui rit appartient au monde dont il se moque. Rire cosmique, qui fait renaître chaque cadavre de ses cendres. Voilà pourquoi ce rire peut s'étendre aux grandes vérités, de la mort au diable. C'est un rire qui ne détruit pas. On a donc tort de vouloir comparer Rabelais à Lucien. Le rire de Rabelais est l'expression d'une tolérance foncière ; s'il détruit les fausses vérités, les fausses institutions et tout ce qui les cautionne, langage inclus, il ne détruit jamais les hommes. Il les jette à bas de leur piédestal, mais ne les condamne que jusqu'au feu *exclusive*.

Lire Rabelais — c'est être ébloui, submergé par un langage. Non pas richesse, mais abondance de paroles. Dès l'abord, on a l'impression qu'il y a trop de paroles. Trop pour quoi ? Pour ce qu'elles semblent vouloir dire. Et si l'on se trompait ? Si ces paroles ne voulaient rien dire ? Si Rabelais visait non pas le discours rationnel pour nous communiquer quoi que ce soit, mais un univers de paroles sans référence à des signifiés précis ? Au lieu d'une pensée, c'est un mot qui est souvent à l'origine de nombreuses pages de son œuvre. Un mot agissant comme un déclic, tire derrière lui un torrent d'autres mots, mots connus et inconnus, mots savants et populaires, mots inexistants. Vertige de la parole qui engendre d'autres paroles ! D'où une question grave, qui apparaît, en filigrane, dans tant de pages de Rabelais : ces paroles, seraient-elles effectivement indépendantes de ce qu'elles devraient ou pourraient signifier ? La chose, la réalité, la pensée sauraient-elles être exactement désignées par la parole ? « C'est abus de dire que ayons langaige naturel. » Sommes-nous condamnés à vivre dans un univers de contingence, voire d'ambiguïté ? On connaît les pages fameuses où Rabelais, à sa manière, soulève le problème du langage : Humevesne, Janotus, les propos des bien yvres, l'écolier Limousin, Panurge, Thaumaste, la bibliothèque de Saint-Victor, la sibylle de Panzoust, le pays de Ouy-dire, les pays qui n'existent qu'en « parole », c'est-à-dire en littérature (Utopie, Thélème Medamothi), les paroles gelées, l'île des proverbes, l'oracle de la Dive Bouteille, enfin Diogène, qui semble considérer l'action d'écrire comme une action gratuite. La richesse des points de vue le dispute à la variété des procédés littéraires ; ici, Rabelais dénonce les langages creux et sclérosés qui asservissent l'homme, là, il confère au monde littéraire une réalité supérieure à la réalité des choses, ailleurs encore, il institue son univers de la parole dans la seule fantaisie verbale. Trop long-temps, la critique rabelaisienne a demandé au lecteur de transporter le récit sur le plan réel, ce qui correspond à détruire le récit au profit de quelque chose qui se situe en dehors de la littérature. Nous invitons au contraire à une (première) lecture sans commentaire, pour essayer de saisir combien la réalité, pour Rabelais, est d'abord celle que créent les paroles dans l'œuvre littéraire.

Or cette œuvre n'est pas un tout accompli et fermé, derrière lequel s'effa-cerait l'auteur, et devant lequel se trouverait le lecteur, seul. L'œuvre rabe-laisienne a ceci de particulier qu'elle est écrite à la première et à la troisième personne et que le lecteur ne cesse d'être sollicité. Le point de vue du conteur est un point de vue ambigu ; qui sont, en effet, ces *il, je, nous* ? Et ce *je* qui s'adresse au lecteur, est-ce le *je*-personnage ou le *je*-auteur ? Entre l'auteur, ses personnages et le lecteur s'établissent ainsi des rapports très particuliers qui, d'une part, rappellent constamment au lecteur qu'il se trouve devant une fiction, et abolissent ainsi l'illusion, mais qui, d'autre part, l'invitent à s'ins-taller, avec l'auteur, à l'intérieur de cette fiction. Puisque chaque lecteur réagit différemment à cette double invitation, l'œuvre de Rabelais demeure une œuvre *in fieri*.

Ce rire, si différent de celui qu'admet la culture officielle, ce langage, si révolutionnaire parce qu'il est à la fois affirmation et négation, cette œuvre, si originale parce qu'elle engloutit ou rejette le lecteur — nous avons voulu les rappeler parce que, jusqu'à ces tout derniers temps, la critique s'est surtout attachée à dégager la pensée de Rabelais.

Il est vrai que rares sont les pages de Rabelais qui ne reflètent quelque donnée religieuse, politique, littéraire de l'époque. Comme tous les grands créateurs, Rabelais est à la fois très moderne et profondément de son temps. Au rire populaire, généreux et positif, s'ajoute souvent le comique savant de la parodie. Or qui dit parodie, dit référence à quelque chose d'extérieur à l'œuvre, rapport de l'œuvre avec l'ambiance historique et littéraire. Ici, les commentaires de nos éditions modernes peuvent nous éclairer. Parodie mona-cale que l'utilisation comique des textes bibliques et liturgiques, dans la plus pure tradition de la liberté franciscaine ; parodie estudiantine que ces magni-fiques syllogismes, ces copieux développements juridiques émaillés de cita-tions, ces raisonnements médicaux appuyés d'autorités antiques ; parodie de l'épopée antique, parodie des genres chers aux rhétoriqueurs de ce temps — tout cela sur un *humus* épais, grouillant, fait du meilleur et du pire de la vie d'alors. Et les mots, tout en postulant, parfois, la gratuité, signifient aussi, après tout, quelque chose.

L'homme

La vie de Rabelais demeure, au fond, assez mal connue. Quelques éléments sûrs, cependant, peuvent contribuer à une meilleure compréhension de son œuvre. François Rabelais naît vers 1483 à La Devinière, près de Chinon. Son père est avocat, ce qui permet au futur auteur de voir de près le monde des juristes, lequel, dans ses écrits, deviendra celui de la chicane et de la ventriloquie. Pendant de longues années, Rabelais est moine et il sera prêtre, avant 1521. Fait d'importance : notre auteur a une formation franciscaine, ce qui implique non seulement des études scolastiques poussées, mais aussi (et surtout !) une initiation à l'art des sermonnaires, art orienté vers un public *populaire*, art *oral*, et une liberté d'esprit (l'irrévérence des franciscains demeure inégalée) que seule permet la charité. Mais à Fontenay-le-Comte, en Poitou, où se trouve le couvent de Rabelais, on cultive aussi les lettres grecques ; Pierre Amy, cordelier, et André Tiraqueau, avocat, sont les plus connus de ce cénacle d'hellénistes. La théologie, le latin scolastique et le grec classique, ainsi que les traditions d'un grand ordre monastique populaire, voilà ce qui forme Rabelais. Lorsque la Sorbonne, en 1523, interdit l'étude du grec, Rabelais et Amy se voient confisquer leurs livres grecs. Mesure temporaire, certes, mais qui permet à Rabelais une première expérience personnelle de l'intolérance. Ce ne sera pas la dernière.

Rabelais passe ensuite chez les bénédictins de Maillezais, au service de l'évêque Geoffroy d'Estissac. Ce changement ne semble pas avoir été dicté par des sentiments d'hostilité envers les frères mendiants, mais bien par une nouvelle curiosité, ou (pourquoi ne pas le supposer ?) une nouvelle vocation : la médecine. L'étude de la médecine est, en effet, interdite à un moine franciscain. — En 1527 seulement, Rabelais quitte le Poitou, pour monter à Paris, où il se fait prêtre séculier. Toutefois, c'est à Montpellier qu'il est reçu bachelier en médecine, en 1530. Enfin, en 1532, Rabelais est nommé médecin de l'Hôtel-Dieu, à Lyon.

François Rabelais approche de la cinquantaine : il n'a encore rien publié, et la plus grande partie de sa vie, il l'a vécue cantonné à Chinon, puis en Poitou. Toute son œuvre sera marquée par sa province ; paysage familier, microcosmique, qui prendra les dimensions « gigantales » que l'on sait. Et lorsque les personnages de Rabelais voyageront, ce ne sera ni en Amérique ni dans le cosmos, mais en Utopie, dans le cerveau de leur auteur.

Il lui reste vingt ans à vivre. Vie agitée, cette fois, pour des raisons sans doute extérieures. C'est l'époque de l'intolérance accrue, des bûchers. Rabelais qui, par tempérament, est du côté de la charité, abhorre tout ce que les hommes, pour dominer les hommes, ont échafaudé autour de la vérité simple de l'Evangile. Les livres d'imagination de Rabelais seront condamnés par la Sorbonne, leur auteur sera inquiété. Heureusement pour lui, il peut compter sur la protection de très grands personnages, le cardinal Jean Du Bellay et son frère Guillaume, gouverneur du Piémont. Grâce à eux aussi, Rabelais verra l'Italie, Turin, et surtout Rome, qu'il visite trois fois. A la fin de sa vie, il est protégé par Odet de Coligny. Cette fréquentation de la haute société permet à Rabelais de voir de près la haute politique. Or la politique, à l'époque, est indissolublement liée aux questions religieuses.

Rabelais meurt à Paris, le 9 avril 1553.

L'œuvre

Toutes les œuvres de Rabelais ont été publiées dans les vingt dernières années de sa vie, voire après sa mort. Ses lettres sont demeurées manuscrites et certaines d'entre elles ne sont connues que par des copies tardives. Les unes sont écrites en un latin ampoulé farci de grec (à Budé, à Erasme), les autres en français (à Geoffroy d'Estissac, au cardinal Du Bellay, à Antoine Hullot, avocat à Orléans). L'intérêt de ces lettres, outre leur valeur biographique, réside dans leur conformisme. Rabelais joue le jeu. Aux humanistes, il envoie des missives où l'humilité ostentatoire est exprimée dans des phrases oratoires et compliquées. A propos de ces écrits gréco-latins, il convient de souligner que Rabelais n'est pas un humaniste au sens restreint du terme, puisque son latin aussi bien que son grec restent loin de la pureté désirée, ce qui signifie que l'antiquité semble avoir été ressentie par Rabelais comme un tout qui n'aurait pas sa propre dimension historique, avec début, apogée, déclin, parmi lesquels il aurait fallu choisir. Rabelais fréquente beaucoup moins les grands textes littéraires, épopée, tragédie, poésie lyrique, que les essais des moralistes, les historiens, les naturalistes et les médecins. Les lettres en français, sont adressées à des protecteurs. Là aussi, Rabelais se conforme au style que le genre requiert. La lettre à Hullot paraît la plus « rabelaisienne », mais elle s'insère au fond dans une tradition bien définie, celle de la *farce* et de la plaisanterie goliardesque.

Quant à l'épître en vers français que Rabelais a envoyée à Jean Bouchet et que celui-ci ne publiera qu'en 1545, elle nous montre que l'idée que se fait Rabelais de la poésie ne diffère pas de celle de son ami le rhétoriqueur : passe-temps agréable, la poésie veut et *docere* et *delectare* :

> Car tes escriptz, tant doulx et meliflues,
> Leur sont, au temps et heures superflues
> A leur affaire, ung joyeulx passetemps,
> Dont deschasser les ennuytz et contemps
> Peuvent leurs cueurs, ensemble prouffiter

En bonnes meurs, pour honneur meriter.
Car, quant je liz tes euvres, il me semble
Que j'apperçoy ces deux poincts tous ensemble
Esquelz le pris est donné en doctrine,
C'est assavoir, doulceur et discipline.

Rabelais a publié lui-même quatre genres d'ouvrages : des travaux d'érudition, une description d'événement, des livrets populaires, des « romans ».

Les travaux savants, tous publiés chez Sébastien Gryphe, à Lyon, sont des éditions de textes. En 1532, une édition des *Aphorismes* d'Hippocrate, en grec, avec des notes philologiques qui reprennent des éléments du cours professé, peu auparavant, à Montpellier. La même année, Rabelais publie des lettres latines d'un médecin italien, Manardi, et, toujours en 1532, un texte juridique pseudo-antique, le *Testament de Cuspidius*. Par ces éditions, Rabelais entend vulgariser des textes importants et contribuer au progrès du savoir. Citons, en traduction, deux passages de la lettre-dédicace au juriste poitevin André Tiraqueau, dans l'édition des lettres de Manardi :

> Comment expliquer, très docte Tiraqueau, que dans notre siècle si plein de lumière, où une faveur singulière des Dieux nous donne de voir la restauration des plus hautes sciences *(disciplinae)*, on rencontre çà et là des hommes ainsi faits qu'ils ne veulent ni ne peuvent se dégager du brouillard épais et presque cimmérien de l'époque gothique, ni lever leurs yeux vers le flambeau éclatant du soleil ?

L'ignorance, affirme Rabelais, a pour cause *infamis illa philautia*, ce maudit amour de soi.

> Ainsi il y a des gens qui comptent, aux yeux du peuple ignorant, en raison de la compétence extraordinaire et singulière qu'ils affichent : si vous leur ôtez ce masque *(persona)* et cette peau de lion, et si vous faites comprendre à la foule que l'art grâce auquel ils sont parvenus à une brillante réussite est pure jonglerie *(meras praestigias)* et comble de sottise, vous passerez bien pour avoir crevé les yeux aux corneilles. Car ceux qui étaient installés jusqu'alors à l'orchestre auront de la peine à trouver une place sur les banquettes...

Les « disciplines » dont Rabelais loue les progrès, sont le droit et la médecine, non point les lettres. Dans ce sens, les publications savantes de 1532 sont révélatrices. Rabelais milite en faveur des besoins immédiats de l'homme, la santé et la justice. Les hommes sont viciés, parce qu'ils sont en proie à la *philautie*, ou, autrement dit, parce qu'ils ne pratiquent pas la charité. Si Rabelais est porteur d'un message, c'est bien de celui-ci, banal, parce que simple, mais essentiel. Tout le *Tiers Livre* (1546) roulera autour de cette *philautie* et de l'aveuglement irrémédiable qui s'ensuit.

La deuxième partie du texte que nous venons de citer présente le monde comme un théâtre, sur lequel des masques *(personae)* s'épuisent dans la vanité de la jonglerie *(meras praestigias)*. Qui ne possède pas la charité ne sera jamais que déguisé. Ce qui, ici, est une image, devient pour nous, lecteurs de l'œuvre d'imagination de Rabelais, une sorte de clé. A propos du rire de Rabelais, nous avons déjà insisté sur ses rapports avec le rire du théâtre d'alors. Les affinités de l'œuvre rabelaisienne avec le théâtre se situent cependant sur un autre plan encore. Les personnages de Rabelais se rapprochent en effet des personnages du théâtre de l'époque parce qu'ils sont, comme eux, des *personae*, des masques, c'est-à-dire des signes ou des apparences sans profondeur psychologique. Tout réside dans leur déguisement, et c'est dans le déguisement qu'ils se dénoncent eux-mêmes. Comme au théâtre, ils n'ont pas de regard qui révélerait l'âme individuelle ; ils existent par leur bouche (parole et nourriture), par l'oreille et par leur corps entier : personnages biologiques, qui peuvent être séduits par la parole. Si nous ne lisons plus guère les lettres médicales de Manardi, nous avons peut-être intérêt à relire les préfaces de Rabelais.

En 1534, Rabelais publie un texte d'une nature très différente, la *Topographia antiquae Romae* de Marliani. C'est que, entre-temps, il a vu Rome et que ce voyage lui a donné l'idée de décrire la Rome antique. Ce goût pour l'archéologie, il le partage avec son éminent protecteur, le cardinal Jean Du Bellay — ou faut-il dire qu'il le *doit* à son protecteur ? Ou pensait-il simplement, en publiant une sorte de guide touristique, à une opération lucrative ? Quoi qu'il en soit, Jean-Barthélemy Marliani, Milanais, devance les projets de Rabelais. Celui-ci, soulagé (affirme-t-il lui-même), publie alors le texte de l'Italien.

Le deuxième genre d'ouvrage, c'est la relation de la fête à Rome, la *Schiomachie* (Lyon, Sébastien Gryphe, 1549), dont nous avons déjà souligné l'intérêt. Rabelais n'excelle pas dans les descriptions, mais la *Schiomachie* — pensum ou non — a dû le fasciner par sa matière même.

Quant aux livrets populaires, le premier paraît dès 1532, toujours à Lyon, mais cette fois chez François Juste. Cette *Pantagrueline prognostication* a été plusieurs fois rééditée. Il s'agit d'un calendrier facétieux, parodie d'un genre populaire qu'il faut rapprocher des *almanachs*, dont Rabelais, « professeur en astrologie », semble avoir composé plusieurs (pour 1533 et 1535), mais dont seuls trois fragments manuscrits nous ont été conservés.

Enfin, les « romans », qui sont, sur un plan supérieur, comme la fusion de tous les ouvrages que nous venons d'énumérer. Et le premier (quelle année !) paraît encore en 1532, chez Claude Nourry, à Lyon : *Pantagruel. Les horribles et espouentables faictz et prouesses du tres renommé Pantagruel roy des Dipsodes, filz du grand geant Gargantua. Composez nouvellement par maistre Alcofrybas Nasier.* Se cachant derrière une anagramme, Rabelais publie, chez un éditeur spécialisé dans les romans de chevalerie, un livre mis en vente à la foire de Lyon, livre qui se veut (le prologue l'affirme) dans la tradition de certaines *Grandes et inestimables chroniques de l'enorme geant Gargantua* et qui par son héros, Pantagruel, évoque chez le public le souvenir d'un diablotin des mystères, d'un génie de la soif. Les « chroniques gargantuines » sont une piètre épopée gigantale qui narre les exploits de Gargantua, serviteur du roi Artus et fils de Grand-Gossier et Galemelle, eux-mêmes créatures de l'enchanteur Merlin. Une source ? Des sources, les livres de gigantisme parus en Italie, le *Morgante* de Pulci et les *Macaronées* de Folengo ? Certes non. Des réminiscences, oui, quelques emprunts aussi, un cadre, sans doute — mais le *Pantagruel* de Rabelais est tellement différent ! Son originalité est absolue, car jamais auparavant un récit en prose n'a atteint cette liberté. Liberté-désinvolture devant des sujets réputés sérieux : droit, religion, guerre, culture officielle ; liberté-parodie au niveau de la tradition littéraire : gigantisme populaire et savant, roman de chevalerie, déploration et oraison funèbres, jargon scolastique, juridique et humaniste ; liberté-libération par le refus d'admettre le signifié comme donné.

Roman de verve, a-t-on dit, que ce *Pantagruel*, et roman écrit d'un trait, faut-il supposer. Il nous paraît en effet impossible de présenter le texte de Rabelais en « morceaux choisis », ici, des chapitres burlesques et parodiques et, là, des chapitres sérieux (la fameuse lettre de Gargantua, par exemple). Ici, l'amuseur et là, le penseur. Toujours, chez Rabelais, ce qui précède ou ce qui suit infirme ou détruit ou rend vaine ou change la signification du « morceau choisi ». Jamais le lecteur ne peut s'installer confortablement à l'intérieur d'un discours isolé.

Des vingt-trois chapitres que compte l'édition de 1532, un tiers met en cause la langue. Cela commence par la généalogie du premier chapitre, une parodie, certes, de textes bibliques, de Polydore Virgile et des généalogies des maisons princières d'alors, qui raffolaient d'ascendances remontant jusqu'à Francus, voire à Hercule. Mais Rabelais invente des noms ; dans cette liste historique, il y a donc des noms qui ne sont que des noms ; incompréhensibles pris isolément, ils acquièrent cependant un sens dans la verticale, lorsqu'ils sont insérés dans la liste. Ils n'ont de signification que par rapport aux autres noms. Le troisième chapitre est fait de parodies, d'un langage qui

doit être lu par rapport à un autre langage. Le centre du livre, les chapitres VI
à IX *bis*, roule entièrement sur des questions de langage, parlé et écrit. Peut-on
s'exprimer *naturellement*, comme le fait (enfin), poussé par la peur, l'écolier
limousin (chapitre VI) ? Et que dire de cette magnifique librairie de Saint-
Victor, où sommeillent les *Bragueta Juris*, *Pantoufla Decretorum*, *Decrotatorium
Scholarium* et bien d'autres bouquins de même « billon », tous témoins d'un
langage vain et creux ? (chapitre VII) Rabelais : « Pantagruel estudioit fort
bien, comme assez entendez ». Suit (chapitre VIII) la fameuse lettre que
Gargantua adresse à son fils. Balancement : si les livres de la bibliothèque de
Saint-Victor dénoncent le temps « ténébreux et sentent l'infélicité et calamité
des Gothz, qui avoient mis à destruction toute bonne litérature », la lettre
célèbre les temps nouveaux, où « toutes disciplines sont restituées, les langues
instaurées ». Hymne à la Renaissance, programme humaniste ? Oui, dès
qu'on lit la lettre comme « morceau choisi ». Nombreuses sont en effet les
réminiscences d'un traité d'Erasme (ce qui n'exclut d'ailleurs pas que certains passages se ressentent de la formation scolastique de Rabelais). Or cette
lettre, écrite d'Utopie, voudrait voir en Pantagruel un « abysme de science ».
Mettra-t-on ce souhait sur le compte du gigantisme ? Ne vaut-il pas mieux
lui reconnaître un caractère utopique ? Rabelais, du moins, nous y invite,
puisque le chapitre suivant, où Panurge, ce fils de personne, parle dix langues,
oppose un démenti formel à cette omniscience de Pantagruel. Celui-ci, en
effet, outre qu'il ne comprend aucune de ces langues, se révèle, avec tout
son savoir humaniste, parfaitement incapable de voir ce qui est manifeste,
c'est-à-dire l'extrême indigence et la faim de Panurge. Le langage, l'écrit et
le parlé, le « gothique » et l'humaniste jusqu'au lanternois utopique, voile
autant qu'il dévoile. Lequel de ces langages est sérieux ? En existe-t-il, au
fond, qui mérite notre confiance dès qu'il s'agit de rechercher la vérité ?
Rabelais ne répond pas ; il souligne en revanche une ambiguïté qui pourrait
être foncière. Le langage du chapitre suivant (IX *bis*), qui traite du diffé-
rend entre Baisecul et Humevesne, est à la fois une parodie de l'éloquence
judiciaire et une série de coq-à-l'âne ; c'est encore un langage qui tourne à
vide. Au chapitre XIII enfin, où Thaumaste dispute publiquement avec
Panurge « pour apprendre et en sçavoir la vérité », le langage aboutit à sa
propre négation, puisque cette *disputatio* se fait par signes. Panurge, « vray
puys et abisme de Encyclopédie », sort vainqueur de cet exercice scolastique,
et nous démontre, par la vanité de ses gesticulations, que l'*abysme* en savoir,
stipulé par Gargantua, demeure inefficace dès qu'il s'agit de « sçavoir vérité ».

Une grande partie du premier « roman » de Rabelais envisage l'homme
comme un sujet parlant, ou mieux encore, comme un sujet livré au langage.
Ecrire, pour Rabelais, revient ainsi à écrire sur le langage, sur son imposture,
sur sa contingence. Mais en même temps, l'écriture de Rabelais est une des

manifestations les plus vertigineuses de la puissance du langage. Sur le plan de l'art, elle rachète ce qu'elle dénonce.

A côté de l'homme et de ses langages, qui sont ce qui le distingue de l'animal, il y a une autre présence dans l'œuvre de Rabelais, celle de l'homme-animal. Dès les premiers paragraphes du premier chapitre, nous trouvons des images qui replongent l'homme dans un univers biologique : la mort et le sang ne sont pas une fin, mais le début d'une re-naissance et de la fertilité. Le thème de la génération, si bien étudié par Bakhtine, est une des constantes de toute l'œuvre rabelaisienne. Intimement liée à ce thème, une conception grotesque du corps insère nourriture et excréments dans un cycle de l'éternel renouvellement, où l'individu se fond dans l'humanité, dans le peuple. Voilà pourquoi la guerre se termine en banquet (voir chapitres XVI, XVII, XX de l'édition de 1532), voilà pourquoi, lorsque Pantagruel érige un « Arc triumphal ou Trophée », des vers exaltant la cuisine font pendant aux vers qui célèbrent les preux (ce qui est beaucoup plus important que telle réminiscence du *Songe de Polyphile*), voilà pourquoi la tête coupée d'Epistémon est réchauffée à la braguette, puis nettoyée au vin : la résurrection passe par le bas-ventre et la liqueur bachique, voilà pourquoi la bouche et l'estomac de Pantagruel, visités par maître Alcofrybas en personne, acquièrent des dimensions presque cosmiques.

Enfin, cette élimination de l'individuel se manifeste dans l'esprit carnavalesque. Le renversement des valeurs se produit dans l'euphorie ; on détrône les autorités pour hisser sur le piédestal ce qui vient d'en bas : au niveau du langage, c'est ce que la culture officielle désigne par obscénité ; au niveau des personnages, c'est Panurge, ce saltimbanque inquiétant ; c'est le monde à l'envers, tel l'enfer visité par Epistémon ou la bouche de Pantagruel explorée par l'auteur lui-même. Le prologue nous donne d'ailleurs le ton, qui est celui d'un *cri*, d'un boniment de foire. L'auteur, qui fait partie de la foule, attire son public en portant aux nues le livre qu'il s'agit de vendre : *Trouvez moy livre, en quelque langue, en quelque faculté et science que ce soit, qui ait telles vertuz, proprietez, et prerogatives, et je payeray chopine de trippes. Non, Messieurs, non.*

Tout le monde n'est pas de l'avis de l'auteur, car la Sorbonne se hâte de condamner ce livre. Sur quoi Rabelais d'ajouter au passage cité, dans les éditions ultérieures : *Je le maintiens jusques au feu « exclusive ».* C'est que, contrairement à ce qui se passe dans les holocaustes carnavalesques, on ne renaît pas des bûchers véritables.

En 1534 (ou 1535 ?), chez François Juste, à Lyon, paraît *Gargantua*, toujours anonyme. Rabelais exploite visiblement le succès remporté par son *Pantagruel* et, selon une recette déjà utilisée par les auteurs des chansons de geste, il ajoute aux prouesses du fils celles du père : naissance, enfance, éducation, guerre, le tout émaillé des propos des bien ivres, de la salade de pèlerins et de force harangues dans tous les registres ; à la fin, une nouveauté : l'abbaye de Thélème. Beaucoup plus que dans *Pantagruel*, Rabelais, dans *Gargantua*, prend position à propos des questions les plus brûlantes de l'actualité ; aussi le lecteur moderne doit-il recourir aux commentaires des éditions critiques. Mais ce serait erreur que de vouloir faire de *Gargantua* une sorte de pamphlet évangélique ou un livre de propagande royale. Voir en *Gargantua* une œuvre « réaliste », épingler un patron fait de citations bibliques ou juridiques sur le tissu, c'est méconnaître que ce tissu est *un*, que le comique, le burlesque, le grotesque, voire le gratuit ne sont pas de simples ajouts. Rechercher la réalité d'alors, c'est bien ; lire le texte de Rabelais avec toutes ses composantes, c'est mieux. Propagande évangélique ou grotesque biologique que cette naissance de Gargantua par l'oreille ? Image du Verbe divin, conçu et né au monde par l'oreille de la Vierge, ou renversement des valeurs reçues ? *Si ne le croyez, je ne m'en soucye pas.* Et dire que cette naissance est précédée par les propos des bien ivres et par un bal champêtre où *c'estoit passetemps celeste les veoir ainsi soy riguoller.* Même perplexité lorsqu'il s'agit d'expliquer les couleurs symboliques de la livrée de Gargantua. Dans un merveilleux développement de logique scolastique, Rabelais nous prouve selon le *jus gentium, droict universel, valable pour toutes contrees*, et par *droict naturel*, que le noir signifie le deuil et la tristesse, bref, qu'il existe un symbolisme naturel. Valable pour tous les peuples ? *Je excepte les antiques Syracusans et quelques Argives qui avaient l'ame de travers.* Mais alors ce droit naturel souffre des exceptions — ou ces Syracusans et Argives ne font tout simplement pas partie de la nature. Vicié à la base, tout le bel édifice logique s'écroule. Critique radicale des façons de signifier périmées (Beaujour) ou simple habileté du plaideur (Screech) ? Allez donc lire vous-même ! Et l'éducation du géant ? Beaucoup plus développée que celle de Pantagruel, elle propose, de nouveau, les deux versants du problème. Ce petit livre en caractères gothiques qu'est le premier *Gargantua* fustige les méthodes « gothiques » de la scolastique sclérosée des Thubal Holoferne et Jobelin Bridé pour exalter, par la suite, la pédagogie de Ponocratès, le puissant, dont le programme gigantesque *de omni re scibili*, avec sport et jeux, semble celui d'un humanisme complet : l'esprit aussi bien que le corps y trouvent leur compte.

Gargantua *ne perdoit heure du jour*. Ce temps si parfaitement chronométré inquiète. La Bible, on la lit à Gargantua vers quatre heures du matin, *ce pendent qu'on le frotoit*, et les points obscurs de cette lecture lui sont exposés pendant qu'il se trouve *es lieux secretz*. Ne prendrait-on soin de l'âme qu'aux lieux susdits ?

Dans la guerre picrocholine, une fois de plus, l'individuel éclate dans l'universel. Une anecdote, peut-être historique, et un petit coin de la province française forment un cadre, dans lequel les contemporains ont pu reconnaître une dénonciation de la politique de l'Empire. Cette actualité provinciale ou européenne s'élève cependant au niveau du mythe et de l'utopie. La guerre se termine sur un rêve de paix et d'une « police humaine » selon l'Evangile. *Le temps n'est plus d'ainsi conquester les royaulmes avecques dommaige de son propre frere christian.* Les paroles de Grandgousier semblent bien, ici, signifier quelque chose, tout comme dans l'épisode des pèlerins. Ceux-ci, mangés en salade, au lieu d'être écrasés par les puissantes mâchoires de l'humaniste omniscient, seront humainement traités par un Grandgousier qui, par la parole, les invite à laisser ces voyages inutiles et à vivre selon la Parole de l'Evangile. Curieux, ce « gothique » Grandgousier à qui Rabelais prête sa parole plutôt qu'à son fils érudit. Curieux aussi, ce frère Jean des Entommeures, moine ignorant et guerrier, qui incarne le héros des romans de chevalerie aussi bien par son côté ridicule que par son aspect le plus sérieux, tel que les romans du XIIIe siècle nous le présentent : *il defend les opprimez ; il conforte les affligez ; il souvient es souffreteux.* Dans un contexte évangélique, l'ancien moine Rabelais réserve le rôle de *miles Christi* non pas au chevalier-humaniste Gargantua, mais à ce frère Jean qui ne jure que par son bréviaire. Ainsi la grâce supplée à l'éducation — ou faut-il dire que l'éducation sans la grâce demeure stérile ?

Les programmes, chez Rabelais, sont à la mesure des géants, tandis que les actes exemplaires sont à la mesure de l'homme. D'où les apparentes inconséquences ou contradictions, souvent l'ambiguïté et presque toujours, l'impasse, dès que le lecteur essaie de fixer Rabelais à l'intérieur du discours rationnel. Thélème, sans église abbatiale et sans cuisine (holà !), est bien une des créations les plus énigmatiques de Rabelais. Son abbé, l'incomparable frère Jean, que va-t-il bien faire de la magnifique bibliothèque ? (problème inexistant, au demeurant, puisque ni lui ni aucun des compagnons de Gargantua et de Pantagruel ne mettra jamais les pieds dans cette séduisante fondation). Thélème, abbaye de la Volonté — mais de quelle volonté, celle de Dieu ou celle des hommes ? *Fay ce que vouldras* — pourvu que tu sois bien né, donc prédestiné à ne vouloir que le bien. La syndérèse serait-elle l'apanage de quelques élus ? Dieu ! quel pessimisme à propos de la nature humaine. Et s'est-on jamais demandé comment la volonté individuelle pouvait s'insérer dans l'ensemble de l'œuvre de Rabelais ? Or, puisque toutes les explications rationnelles butent contre tant d'obstacles, il conviendrait peut-être de souligner davantage le caractère utopique, donc irrationnel, de Thélème. Pour notre part, nous estimons (contre ceux qui voient en Thélème un grand mythe) que Rabelais *devait* échouer dans cette tentative pour créer une nouvelle institution, car un Rabelais ne fonde point d'institutions. Ce n'est pas pour rien que de cet épisode, le *cri*, à savoir l'inscription placée sur la porte, est le morceau le mieux venu. Le monde de Rabelais est là.

Il n'empêche que *Gargantua*, dans l'ensemble, accuse un art plus conscient que *Pantagruel*. Il se termine sur une énigme dont Gargantua et frère Jean proposent des interprétations divergentes. Jeu de paume ou message évangélique ? Rabelais ne se prononce pas. Or cette ambiguïté est reconnue comme telle dès le prologue. Si le prologue de *Pantagruel* respire encore l'atmosphère de la foire, celui de *Gargantua* se situe déjà sur un plan plus littéraire. Dès la première phrase, les buveurs très illustres et les vérolés très précieux côtoient Platon et Socrate, suivis de Pythagore, d'Homère et d'Horace. Et Rabelais, après la paraphrase d'un *adage* d'Erasme, invite le lecteur à « ouvrir le livre et soigneusement peser ce que y est déduict », à dépasser le sens littéral pour pénétrer jusqu'à la « sustantificque mouelle ». Toutefois, patience ! Les allégories que les commentateurs ont « calfatées » sur Homère et Ovide sont pure sottise : à la thèse d'une « *doctrine absconse* », Rabelais oppose les allégories fantaisistes, sans pour autant proposer de synthèse. Ou faut-il le croire lorsqu'il affirme que son œuvre sent plus le vin que l'huile, que l'élan libérateur l'emporte sur l'application studieuse ? Le fait important, c'est que Rabelais, en rappelant la doctrine alors courante des différents sens de l'écriture, envisage le problème sous un angle littéraire. Le prologue de *Gargantua* reflète une prise de conscience sur le plan de l'écriture.

Cette tendance s'affirme dans le prologue du *Tiers Livre*. Après avoir publié, en 1542, l'édition « définitive » de ses premiers livres, Rabelais obtient, en 1545, un privilège très flatteur pour une « séquence », privilège renouvelé en 1550. C'est donc sous son nom que paraît, en 1546, *Le tiers livre des faictz et dictz héroïques du noble Pantagruel* (Paris, Chrestien Wechel). Le prologue, un des textes les plus denses que Rabelais ait écrits, élève l'anecdote de Diogène et de son tonneau au niveau de la parabole littéraire. Au lieu de venir au secours de la patrie en danger, l'écriture, tel le tonneau « inexpuisible » à « source vive et vène perpetuelle », mais tournant sur lui-même, crée son propre univers. L'action d'écrire semble, d'abord, se désigner elle-même. « A ce triballement de tonneau, que feray je en vostre advis ? Par la vierge qui se rebrasse, je ne sçay encores. » Une fois de plus, Rabelais se dérobe-t-il aux interprètes ? Il fulmine contre les mâtins qui compissent son tonneau, contre ces cafards « qui sont déguisez comme masques pour tromper le monde », mais il sait que son livre s'ouvrira aux pantagruélistes. Evoqués dès le prologue de *Gargantua*, ces pantagruélistes et leur façon d'être, le pantagruélisme, prennent consistance avec le *Tiers Livre*, lequel se termine, comme on sait, par l'éloge du pantagruélion. Cette plante imaginaire est une analogie de l'homme, ou une fusion de l'homme et de la nature : Pantagruel *est* le pantagruélion. Transformant le pessimisme de sa source (Pline), Rabelais fait du pantagruélion une *énergie* indestructible (elle sort purifiée de l'épreuve du feu) dont l'usage universel garantit tous les mouvements à l'intérieur du cosmos. Grâce à elle, l'homme, nouveau dieu, épousera les déesses ; grâce à elle, « les substances invisibles visiblement sont arrestées, prinses, détenues et comme en prison mises » — c'est donc elle qui, dans l'île de Médamothi du *Quart Livre*, a su peindre « les idées de Platon, et les Atomes de Epicurus ». C'est l'énergie créatrice de l'écriture, cette énergie qui permet toutes les ouvertures. C'est elle qui invite au voyage et qui permet à l'homme de « mesurer tout le zodiacque ». Peu avant sa mort, Rabelais dira du pantagruélisme que « c'est certaine gayeté d'esprit conficte en mépris des choses fortuites ». Belle parole d'un septuagénaire ! Il faut croire que la « sustantificque mouelle » n'est pas quelque « doctrine absconse », mais bien ce pantagruélisme ; non pas une doctrine définissable, donc circonscrite, mais une énergie, qui, sur le plan de l'écriture, parcourt tout l'univers, et qui, sur le plan moral, réussit à embrasser l'homme entier dans une charité souriante.

D'où cette étonnante cohérence du *Tiers Livre*. La partie finale, en effet, cet éloge du pantagruélion, ne fait qu'expliciter les deux premières parties, l'éloge des dettes et la perplexité de Panurge devant le mariage. Louer les dettes, c'est stipuler un principe dynamique, des échanges et des mouvements continuels : une charité active qui aura toujours raison de la mesquinerie. Montrer la perplexité de Panurge, c'est dénoncer la *Philautie*, l'absence de charité.

La partie centrale du *Tiers Livre* est un des morceaux les plus savants de Rabelais. Sa culture encyclopédique sent cependant souvent l'emprunt mal digéré, compilé. Cela pourrait être un reproche si le dessein de l'auteur était d'étaler son savoir. Or tel n'est pas le cas, car Rabelais fait le procès du savoir humain, de la vaticination à la théologie, de la médecine à la philosophie et au droit. Dénonciation des langages ventriloques, tournant à vide dans toute leur technicité raffinée — et puissance du langage rabelaisien. Art suprême que ces torrents de mots, de sentences, d'allusions, de citations pour ne rien dire. Car ici, plus d'action, mais des paroles, des paroles sur des paroles, toutes incapables de résoudre le problème moral qui est celui de Panurge. Problème de la volonté aussi, insoluble parce qu'en Panurge s'incarne la volonté viciée. Peut-on vraiment croire que la quête de la lointaine Dive Bouteille sera en mesure d'apporter une solution ?

Le récit de la navigation, annoncé à la fin du *Tiers Livre*, Rabelais le met tout de suite en chantier. Pour la foire de Lyon de 1547 paraît, chez Pierre de Tours, avec la date de 1548, le *Quart Livre*, encore inachevé. Cette publication précipitée semble due, tout simplement, à un besoin d'argent. Or dans le prologue de cette édition de 1548, nous découvrons un nouveau Rabelais, aigri et violent. Malgré la haute protection que lui avait assurée le privilège de 1545, le *Tiers Livre* a été condamné par la Sorbonne et son auteur, pour quelques mois, contraint de se réfugier à Metz, terre d'Empire. Dans ce prologue,

Rabelais parle ouvertement de ses œuvres, de leur succès et de leurs persécuteurs. « Les calumniateurs de mes escripts, plus aptement les pourrez vous nommer diables... Ces nouveaux diables engipponnez, voyant tout ce monde en fervent appetit de voir et lire mes escriptz par les livres précédens, ont craché dedans le bassin, c'est-à-dire les ont tous par leur maniment conchiez, décriez et calumniez... » Jamais les attaques n'ont été aussi directes.

Quatre ans plus tard seulement, en 1552, paraît le texte complet du *Quart Livre* (chez Michel Fezandat, à Paris). Les plaintes de Rabelais passent dans l'épître dédicatoire à Odet, cardinal de Châtillon, ce nouveau et puissant protecteur qui avait obtenu pour Rabelais, en 1550, un privilège de dix ans pour imprimer ses œuvres. Rabelais, toutefois, n'a plus dix ans à vivre. Le prologue violent de 1548 est remplacé en 1552 par un nouveau prologue, plus serein, plus sage. Ainsi, les différents prologues dessinent une sorte de courbe dont le début, tel le cri de Gargantua à sa naissance, est ce *cri* par lequel, en 1532, Rabelais écrivain, au milieu de la foule, fait irruption dans le monde ; en 1534, le prologue, s'adressant plus spécialement aux lettrés, soulève des problèmes de critique littéraire ; cette tendance se renforce en 1546, lorsque Rabelais proclame l'autonomie de l'écriture ; en 1548, dans un sursaut vital, il se déchaîne pour déboucher, en 1552, sur une morale. Le deuxième prologue du *Quart Livre* est celui de l'écrivain-médecin qui peut offrir ses secours à tous les malades du monde entier, grâce à l'ubiquité que lui assure son œuvre. Et au milieu des persécutions, Rabelais nous conte cet apologue, à la fois bouffon et touchant, de Couillatris, où il exalte l'*aurea mediocritas*. Sagesse résignée ou sagesse confiante ? Nostalgie ou espoir ?

Est-ce un hasard si le *Quart Livre* reprend, après le *Tiers Livre* « humaniste », la tradition médiévale des voyages allégoriques à travers le siècle et les états du monde ? A la fois ancien et nouveau, tout recul et tout engagement, le *Quart Livre* demeure déconcertant, gênant, inoubliable. Nouvel espace, tout intérieur, car les îles, plutôt que d'être découvertes lors d'une véritable navigation, se présentent elles-mêmes, surgissant des ombres. Ce qui, dans *Pantagruel* et *Gargantua*, est grossissement gigantal, devient bizarrerie et vision grotesque. Pour la première fois, Rabelais est envahi par des monstres (« Voilà, dist Pantagruel, une estrange et monstrueuse membreure d'home, si home le doibs nommer ») — les éditions modernes qui illustrent le texte par des reproductions de tableaux de Jérôme Bosch l'ont bien senti. Le rire se fait moins franc, l'ironie devient corrosive et les images, angoissantes. On devine, entre le Rabelais du prologue (« certaine gayeté d'esprit conficte en mépris des choses fortuites ») et la férocité des épisodes, comme une cassure, une résignation devant les faits. Ces faits extérieurs sont sans aucun doute pour beaucoup dans ce changement. Rabelais semble avoir rêvé une réforme spontanée, de l'intérieur, pour ainsi dire biologique, et le voilà devant la persécution, le schisme, devant de nouvelles institutions qui accablent l'homme, devant les *papimanes* et les *démoniacles*. Le bon vieux temps de Grandgousier a définitivement disparu.

Dans la mer du monde, mer de la tempête et de l'épreuve, tombeau des « âmes moutonnières », surgissent les îles de « Nul-Lieu », des Alliances, des Chicanous, des Andouilles, des Papimanes et toutes les autres, où le réalisme se fait plus mordant, parce qu'il ne s'agit plus du paysage de Picrochole, mais de celui des aberrations humaines. Rabelais est au sommet de son art. Son langage embrasse aisément tous ces mondes possibles et impossibles ; du mot-chose au mot-vent, il domine toutes les écritures. Art conscient, élaboré. La *Briefve declaration d'aucunes dictions plus obscures*, ajoutée à la fin du *Quart Livre*, nous montre combien Rabelais est soucieux de ses créations verbales, destinées à enrichir la langue française. Il y a, peut-être, une certaine raideur au niveau des personnages : Panurge est couard, frère Jean, courageux, Pantagruel, *médiocre*. Mais nous l'avons déjà dit, ces personnages ne sont pas ceux d'un roman du XIXe siècle ; aussi leur relative fixité nous semble-t-elle inhérente au genre allégorique. Le courage de frère Jean devient une « figure » de la charité non sophistiquée, tandis que la couardise de Panurge se manifeste dès que se présentent des monstres, pour souligner que l'homme des treize langues est impuissant devant les institutions monstrueuses.

Le *Quart Livre* laisse la quête de la Dive Bouteille inachevée. Rabelais meurt en 1553. En 1562 paraît une continuation, l'*Isle Sonante*, et, en 1564, le *Cinquiesme et dernier livre*, qui reprend, avec des variantes, l'*Isle Sonante*, en achève le récit. Nous possédons en outre un manuscrit de la fin du XVIe siècle, où d'autres variantes ajoutent à la confusion. Quelle est, en effet, la part qui revient à Rabelais dans ce *Cinquième Livre* ? Il comporte, à côté de passages faibles et incolores, à côté de reprises textuelles inconcevables chez Rabelais, des pages que Rabelais, seul, a pu écrire. Mais quel critère choisir pour sortir du doute ? Les attaques inouïes, sous couleur d'allégories transparentes, contre l'Eglise romaine et contre la magistrature semblent plutôt des pamphlets protestants du début des guerres de religion. D'autres pages en revanche (et vive la critique impressionniste !) sont marquées de la griffe du lion : le royaume de la Quinte-Essence, avec son étonnant chapitre des proverbes, le pays de Satin avec le « petit vieillard bossu, contrefait et monstrueux » nommé Ouy-dire, le pays des Lanternois, enfin l'Oracle. Un peu traînant dans ses parties descriptives, trop proches de Francesco Colonna, l'épisode final, initiatique et énigmatique, livre le mot TRINCH, pour qu'on emplisse l'âme « de toute vérité ». Or le souverain bien, explique Bacbuc, ne consiste pas « en prendre et recevoir, ains en eslargir et donner » et ceux qui prétendent « rien ne leur estre laissé de nouveau à inventer, ont tort trop évident ». Charité et confiance — serait-ce le dernier mot de Rabelais ?

Rabelais vit. Plus de deux cents éditions et traductions attestent, pendant quatre siècles, une *présence* qui n'a cessé de fasciner les lecteurs. Les goûts changent, mais malgré les barrières qu'ils dressent parfois entre nous et les œuvres du passé, Rabelais a toujours su s'imposer. Un La Bruyère, un Voltaire reconnaissent sa grandeur. Les romantiques le portent aux nues : « Rabelais a créé les lettres françaises », affirme Chateaubriand, et Hugo s'écrie : « Son éclat de rire est un des gouffres de l'esprit. » Des noms ? Michelet, Balzac, Alain et ses réflexions sur les mots en liberté, Joyce, qui est fier d'être comparé (par Valery Larbaud et Edmond Jaloux) au *best satire in world literature*. Une citation, parmi bien d'autres, cette lettre que Francis Jammes écrit dans un moment d'accablement : « Aimez-vous comme moi cette œuvre que, jeune, je pensais ne devoir jamais aimer ? Combien on me l'avait faussée par des critiques. Et elle est si simple, aussi simple que le *Faust*. Elle est née de l'amour des humbles. Elle leur parle leur langue. Elle les égaye par de naïves folies comme celles que débite aux pauvres ouvriers endimanchés un pitre douloureux. Mais, comme du pitre de Mallarmé, le geste s'agrandit et je ne sais plus à certains moments si ce sont des boules de cuivre ou des mondes que cette jonglerie enchaîne. Du rire naissent les larmes... » Et tout récemment, Jean-Louis Barrault : « C'est un Arbre. Ses racines sucent la glaise et le fumier. Son tronc est roide comme un phallus. Son feuillage est encyclopédique (le mot vient de lui). Sa floraison rejoint Dieu. »

60, 61 et 64. SEBASTIANO SERLIO. « IL PRIMO LIBRO D'ARCHITETTURA... » *Le Premier livre d'architecture... Paris, J. Barbé, 1545. Scène tragique (60), scène comique (61). Page de titre (64).*

62, 63 et 71. LA TENTURE DE DAVID ET BETHSABÉE.
Ensemble de dix pièces probablement exécutées pour Marguerite d'Autriche vers 1510-1515, à la cour de Brabant.
A la première tenture, à gauche, un scribe a ouvert le livre où sont transcrites les scènes représentées (62).
A la dernière, à droite, le scribe referme le livre (63).
Septième tenture : Dieu apparaît au prophète Nathan qui va dire à David la colère divine. Le détail de cette pièce représenté ici figure la Luxure mise en fuite par la Pénitence. (71).
(Musée de Cluny.)

65 à 67. NOEL GARNIER. *Alphabet dessiné et gravé pour l'impression. Graveur à Paris, à la fin du XVe siècle, Garnier fut l'un des premiers graveurs français d'ornements.*

68. JEAN DUVET, DIT LE MAÎTRE A LA LICORNE *car il reproduisait cet animal dans la plupart de ses compositions. La beauté étrange de leur symbolisme parfois hermétique rappelle celui de certaines poésies de l'époque.*
C'est Le Triomphe de la Licorne *qui est représenté ici.*

69-70. BOIVIN. *Masque (69).*
Médée invoquant la lune (70).
Une des compositions inspirées par l'art du Rosso.

72. CLOUET. PORTRAIT DE Mme D'AUBINI.
(Musée Condé, Chantilly.)

Illustration page 261 : LE TRIOMPHE DE L'AMOUR.
« Les Triomphes ». Traduction en vers par Simon Bourgoyn. En marge, le texte italien.
Manuscrit français 12423.

60

61

2

Reigles generales de l'Architecture, sur les cincq manieres d'edifices, ascauoir, Thuscane, Doricq, Ionicq, Corinthe, & Cōposite, auec les exemples danticquitez, selon la doctrine de Vitruue.

ANNO

1545

CVM PRIVILEGII

64

63

65

66

67

68

69

70

71

Madame d'aubigni

Triumphe Damour ...

Sommaire .

Sens historicque ;

Petrarque dit quen dormant au printemps
Il apperceut en vne grand lumiere
Vng puissant duc . Le quel plein de contemps
Auoit captifs sans nombre et non contentz
Lur triumphant au monde En facon fiere
Tenant ses dardz . Tout en ceste maniere

Sens moral ,

Es cueurs humains lappetit sensitif
Domine et vainct . et en tient maint captif
Quant sendorment en ieunesse on traueille
Et que raison encor ne les esueille

Translation du texte Tuscan ,
Du premier Triumphe ;

Texte Tuscan .

Nel tempo che rinuoua
imei sospiri
Per la dolce memoria
di quel giorno
Che fu prmcipio a si
longhi martiri
Scaldaua il sol gia luno
e laltro corno
Del Tauro, et la fàcula
di Titone
Correa gelata al suo
antiquo soggiorno

AV temps que mes souspirs en moy
se renouuellent
Par les doulx souuenirs qui les
iours me reuellent
Lesquelz aux longz martirs furent commancement
Desia le cler soleil prist grand aduancement
Deschauffer a Thaurus et lune et lautre corne
Et la belle Aurora splandissante et non morne
Qui fut fille a Titon : se monstra en ce iour
Courant froide et gelee a son ancien seiour

CHAPITRE V

Jean Calvin

JEAN CALVIN, malgré une vie agitée et une santé précaire, laisse une œuvre dont l'étendue, la rigueur et la fidélité à elle-même ne finissent pas de nous étonner. Cinquante neuf volumes in-4º du *Corpus Reformatorum* renferment ce qu'une activité fébrile a produit en trente ans : traités, pamphlets, lettres, sermons — et encore nous ne connaissons que les deux tiers des quelque deux mille trois cents sermons qu'a prononcés Calvin. De cette immense production, un cinquième à peu près est en français. Pourquoi faut-il lui faire place dans une histoire de la littérature ? On verra, dans la deuxième moitié du xvie siècle, naître une abondante littérature, en vers et en prose, d'inspiration calviniste, mais le maître, lui, n'a jamais pensé faire de la « littérature », car seuls ont compté pour lui l'enseignement, la doctrine, la vocation quasi prophétique. Et pourtant, Calvin est un des grands auteurs français du xvie siècle. Si, dans tout ce qu'il fait, Calvin n'oublie jamais le but visé, il réfléchit en même temps aux moyens qui lui sont appropriés ; la manière de dire les choses, le style de l'écrivain et du sermonnaire sont ainsi complètement dominés par la volonté lucide de l'auteur. La pensée commande le style. Calvin l'affirme lui-même à plusieurs reprises. C'est la première fois qu'un auteur applique ce principe aussi rigoureusement. On voit immédiatement que tout sépare les deux plus grands prosateurs de l'époque, Rabelais et Calvin. Chez Rabelais, en effet, le langage tend vers l'autonomie ; la « parole » entraîne l'auteur vers un monde qui, n'étant pas, dès l'origine, structuré dans sa pensée, se constitue à mesure que l'écriture progresse. Radicalement différente, l'écriture de Calvin, en se pliant aux exigences de la pensée, est soumise à une économie. Calvin en est parfaitement conscient. L'historien de la littérature n'a pas à exposer la doctrine théologique de Calvin, mais à souligner que cette démarche originale aboutit à un langage absolument nouveau dans l'évolution des lettres françaises. Il suffirait au fond de prier le lecteur de bien vouloir approcher Calvin à partir du XVe et de la première moitié du XVIe siècle : la « modernité » de son écriture sauterait alors aux yeux. A ce titre, Calvin est un classique.

Jean Calvin (Cauvin) naît le 10 juillet 1509, à Noyon en Picardie. Il reçoit une formation solide, mais peu suivie. Les rudiments lui sont inculqués au Collège des Capettes, à Noyon. En 1523 déjà, âgé de quatorze ans, Calvin est envoyé à Paris, où, au Collège humaniste de la Marche, il a comme maître de latin Mathurin Cordier, un des grands pédagogues de l'époque. De 1524 à 1528, Calvin est interne au Collège de Montaigu, fameux pour sa sévérité, et où règne une atmosphère plus scolastique. Calvin, « artien », y étudie la logique, la métaphysique, la morale, la rhétorique ; il quitte cependant le Collège avant d'entrer dans les classes de théologie, puisque son père, notaire, décide subitement qu'il ne sera pas prêtre, mais juriste. Le jeune licencié en arts fait son droit d'abord à Orléans sous Perre de l'Estoile, puis à Bourges sous André Alciat (1528-1531) ; il y commence aussi ses études de grec avec Melchior Wolmar. Vers la fin de 1530, Calvin est « licencié ès loix », et se met, à Bourges encore, à préparer une édition commentée du *De clementia* de Sénèque qu'Erasme vient de publier. Pour se faire imprimer, Calvin revient à Paris, où son commentaire sort des presses en avril 1532. La même année, à Lyon, Rabelais fait son entrée fracassante dans le monde de l'humanisme et dans celui des lettres françaises. Calvin, lui, n'est encore qu'un humaniste latin — il est vrai qu'il n'a que vingt-deux ans et, déjà, il ose corriger le grand Erasme ! L'édition du *De clementia* nous montre un Calvin, non pas intéressé par les problèmes religieux, mais uniquement attentif à son commentaire philologique, littéraire et historique. L'enseignement le plus important pour l'historien de la littérature française, c'est que Calvin, dans cette œuvre d'humaniste, prouve sa parfaite connaissance de la Rhétorique par l'emploi de quelque cinquante termes techniques. Dans la préface, il loue l'éloquence ainsi que la pureté et l'élégance de la langue de Sénèque, mais il lui reproche la prolixité et l'absence d'ordre. Dès maintenant, nous saisissons un Calvin qui réfléchit aux problèmes de l'écriture, qui possède la technique de la Rhétorique classique, qui préconise l'ordre et la concision.

A Paris, Calvin suit aussi les cours des lecteurs royaux fabristes : Danès pour le grec et Vatable pour l'hébreu. Dans son ouvrage suivant, une dissertation sur l'immortalité de l'âme, rédigée au début de 1534, Calvin passera de l'humanisme philologique à l'humanisme chrétien ou biblien et s'engagera dans une controverse contemporaine, confirmant ainsi la nouvelle orientation de ses préoccupations. Les citations bibliques sont nombreuses dans ce traité, mais elles sont encore faites, en partie du moins, d'après la *Vulgate*.

Les événements de 1533 et 1534 vont décider du sort du réformateur. Le scandale d'une comédie jouée au Collège de Navarre contre Marguerite de Navarre et son aumônier Gérard Roussel, la mise à l'index du *Miroir de l'âme pécheresse* de la reine de Navarre, l'intervention du roi en faveur de sa sœur, l'exil du rigoriste Noël Bédier, le discours d'ouverture du recteur Nicolas Cop, discours orthodoxe, bien que biblique, mais qui, dans la confusion doctrinale d'alors, déclenche une très vive réaction de la Faculté de théologie ; la fuite de Cop et de ses amis, dont Calvin, qui commence à voyager (il séjourne à Angoulême, puis visite Lefèvre d'Etaples à Nérac ; il retourne à Nyon où il résigne ses bénéfices ecclésiastiques) ; enfin l'affaire des placards contre le sacrifice de la messe (nuit du 17 au 18 octobre 1534) et la répression violente décident Calvin à quitter la France pour Bâle, où il termine ce qui sera son œuvre maîtresse : en mars 1536 paraît, à Bâle, la *Christianae religionis institutio*, que Calvin ne cessera d'augmenter, de remanier, de traduire, pendant tout le reste de sa vie.

En 1536, Guillaume Farel, le réformateur de Genève, retient Calvin, de passage dans la ville. Le théologien laïque y donne des leçons de théologie et élabore avec Farel une confession de foi. A la suite d'un conflit avec le Conseil général de la ville, Calvin et Farel sont contraints de s'exiler (1538). Calvin se rend à Strasbourg, auprès de Bucer. Bientôt, cependant, le Conseil de Genève le rappelle, et Calvin, après bien des hésitations, retourne en 1541 à Genève. Il ne quittera plus cette ville jusqu'à sa mort, survenue le 27 mai 1564. A côté de sa prodigieuse activité doctrinale et pastorale, Calvin organise l'église de Genève, ce qui ne va pas sans heurts. L'événement le plus dramatique et le plus douloureux de cette période est le procès de Michel Servet, procès à la fois politique et doctrinal (1533). En 1559, s'ouvre à Genève une Académie, où, sous la direction de Théodore de Bèze, on enseigne le grec, l'hébreu et la philosophie. Ainsi l'humanisme est mis au service de ce qui, désormais, s'est constitué en nouvelle Eglise. Son fondateur meurt néanmoins dans l'humilité ; selon son vœu, aucune pierre ne désigne sa tombe.

L' Institution de la Religion Chrestienne

La première édition de l'*Institutio* (1536) est bientôt suivie d'une deuxième édition augmentée, qui paraît à Strasbourg en 1539. Deux ans plus tard (1541), Calvin en fait imprimer une traduction française : *Institution de la religion chrestienne : en laquelle est comprinse une somme de pieté, et quasi tout ce qui est necessaire à congnoistre en la doctrine de salut. Composee en latin par Iean Calvin, et translatee en françois, par luymesme*. De nouvelles éditions latines paraissent en 1543 et 1545, qui donneront l'édition française de 1545 ; l'édition latine de 1550 est la base de l'édition française de 1551 ; en 1553 sortent une édition latine et une édition française ; l'édition latine de 1554 est traduite en français cette même année, traduction réimprimée en 1557 ; enfin c'est l'édition défi-

nitive, latine en 1559, française en 1560. D'autres éditions, tant latines que
françaises vont suivre en 1561, 1562, 1563, 1564 — en tout quatorze éditions
françaises parues du vivant de l'auteur. D'une édition à l'autre, Calvin, sans
jamais dévier de son orientation première, ajoute et modifie, mais toujours
dans le but de préciser sa pensée. La seule énumération des différentes éditions
met en évidence le constant souci de Calvin de porter sa doctrine à la connaissance du peuple : dès qu'il modifie le texte latin, destiné à un public international, il a soin de traduire ce nouveau texte en français, fidèle en cela au
programme des réformistes et des réformateurs. La première édition latine
suit, pour les quatre premiers chapitres, le plan du catéchisme de Luther (la
loi, la foi, la prière, les sacrements) : « Mon propos estoit d'enseigner quelques
rudimens, par lesquels ceux qui seroyent touchez d'aucune bonne affection
de Dieu, fussent instruits à la vraye piété », écrit Calvin dans la magnifique
Epistre au Roy qu'il met en tête de son *Institution*. Or François Ier, pour justifier la répression devant ses alliés, les protestants allemands, avait assimilé les
réformés français aux anabaptistes et il les avait accusés de sédition contre
l'état. Calvin, indigné, repousse ces accusations : « C'est force et violence,
que cruelles sentences sont prononcees à l'encontre d'icelle [la doctrine incri-
minée] devant qu'elle ait esté defendue. C'est fraude et trahison, que sans
cause elle est notée de sedition et malefice. » Il ajoute donc au catéchisme deux
chapitres sur les faux sacrements et sur la liberté chrétienne. Une partie de
la première édition de l'*Institution* est donc visiblement inspirée par les événements de 1534. Les ajouts des éditions ultérieures concerneront toutefois
exclusivement des points de doctrine, de sorte qu'en son état définitif, l'*Institution*, d'un catéchisme en partie polémique, deviendra une véritable *somme*
dogmatique, fortement structurée en quatre livres, divisés en chapitres, eux-
mêmes subdivisés en paragraphes numérotés. L'*Institution* se présentera toujours
comme une introduction à la Bible, une « clef et ouverture, pour donner
accès à tous enfans de Dieu à bien et droictement entendre l'Escriture saincte »
(*Argument*, 1541-1557). Dans l'avis au lecteur de 1560, Calvin, à la fin d'une
longue activité exégétique, pourra présenter son *Institution* comme un complément dogmatique à ses Commentaires.

Le texte français de 1541 est un événement littéraire de premier ordre.
C'est la première fois que la prose française exprime des idées avec autant de
précision, de rigueur et de clarté. Pourtant, il serait abusif de prétendre que le
style de Calvin est un style typiquement français — ce serait affirmer
que, pendant cinq siècles, les auteurs français n'avaient pas trouvé « leur »
style. La vérité est que Calvin forge lui-même un style dans lequel, le classicisme aidant, les Français aiment à reconnaître les qualités de clarté, considérée
(mais *a posteriori*) comme étant un signe distinctif du génie français. On pourrait longuement épiloguer sur cette définition. Qu'il nous suffise, ici, de souli-

gner que « la clarté française » est un phénomène historique, qui se manifeste, pendant une période plus ou moins longue, dans des domaines plus ou moins étendus ; un phénomène historique qui a un début (et peut-être aussi une fin), dont l'*Institution de la Religion Chrestienne* est l'expression vigoureuse et éblouissante.

On a longtemps affirmé que le texte français de 1541 était supérieur, du point de vue littéraire, à la version de 1560. Ce jugement ne résiste pas à l'examen des faits. Le nombre considérable de variantes relevées d'une édition à l'autre prouve combien l'auteur et traducteur est soucieux de satisfaire aux deux règles qu'il s'est imposées, d'une part maintenir la précision de l'original latin, d'autre part être accessible au grand public laïc. Les variantes sont, en majorité, d'ordre stylistique et concernent des termes qui n'appartiennent pas au domaine théologique. On remarque une forte tendance à la délatinisation, soit que l'auteur remplace le mot savant par la forme populaire, soit qu'il s'écarte complètement de l'expression latine : *alacrité (alacritas)* devient *allegresse; desperation (desperatio)* — *desesperation; exercitation (exercitatio)* — *exercice; securité (securitas)* — *seureté; testification (testificatio)* — *tesmoignage; incredible (incredibile)* — *incroyable; mediocre (mediocrem)* — *moyen; simuler (simulare)* — *faire semblant;* ou bien : *appellation (appellatio)* — *nom et tiltre; correlation (correlatio)* — *correspondance; eslection (electio)* — *chois; loquacité (loquacitas)* — *babil; obtestation (obtestatio)* — *remonstrance; faire terreur (terreo)* — *donner frayeur; excogiter (excogito)* — *inventer...* et ainsi de suite. Calvin se rend parfaitement compte de la valeur affective de la langue maternelle : *Mais quand nous sommes d'un pays et d'une langue, alors nous nous voyons plus approchez,* et il semble plus enclin à pardonner les gallicismes et les germanismes dans un texte latin que les latinismes dans un texte en langue vulgaire : « Car si un François ou un Allemand n'est pas fort stylé en la langue Latine, tousjours il aura des traits de ce qu'il a apprins en son enfance, et Dieu a voulu qu'ainsi fust. » Il lui arrive même, dans certains commentaires latins, d'avoir recours au français :

Ita ut faceret latum operculum, Une plaque, ut dicimus lingua nostra.

Quum hypocritae existiment ipsum esse Deum e propinquo, hoc est, ut Gallice dicimus, De courte veue.

Ailleurs, et sans doute pour mieux frapper ses lecteurs, il tient compte des expressions régionales : « Et n'y aura nul inconvenient si nous exposons ce qui s'ensuit, des Satyres, Pans, ou Faunes, que les François selon la diversité des regions appellent en un lieu Luittons, Follets, et Loups garoux en l'autre. » La défaveur dont a été frappé le texte de 1560 est due aussi au fait que de

nombreuses fautes d'impression ou des inadvertances de copistes et correcteurs
déparent cette édition. Mais on a pu montrer que les coquilles de l'édition de
1541 ne sont pas moins nombreuses. Le texte de 1560 est donc aussi authentique que celui de 1541. Nous possédons heureusement deux témoignages
sur la façon dont travaillait Calvin ; ils expliquent pourquoi la toilette des textes
imprimés n'est pas aussi soignée qu'on le souhaiterait. D'abord celui de Jean
Crespin, l'imprimeur de l'édition de 1560 : « Pource que la copie de l'Institution
presente estoit difficile et fascheuse à suyvre à cause des additions escrites les
unes en marge du livre, les autres en papier à part... » Le deuxième témoignage
est une lettre latine de Colladon, dans l'édition de 1576, où nous apprenons
que Calvin, lorsqu'il préparait la traduction française de 1560, dicta « une
foule de choses » à son frère Antoine et à son secrétaire, qu'il inséra dans le
nouveau texte des pages entières arrachées à une édition française antérieure,
et que le tout était couvert de ratures et d'additions. Tout compte fait, le texte
qui sortit des presses demeure donc très acceptable (n'oublions pas qu'il compte
quelque mille six cents pages grand in-8º dans l'édition critique).

Lorsqu'on passe du vocabulaire à l'économie générale de l'œuvre, force
est de constater que l'accroissement considérable de la matière de la première
à la dernière édition n'entraîne en aucune façon un délayage, un relâchement
dans le style. Dans une lettre à Théodore de Bèze de 1561, Calvin dira que la
brièveté lui est innée *(ingenita)*. Or comme toujours chez Calvin (et à l'opposé
de Rabelais) toute constatation est sujet de réflexion, nombreux sont les
passages où sont discutés des problèmes de style. Nous avons vu que Calvin,
bien qu'il admire la langue de Sénèque, lui reproche sa prolixité ; il porte le
même jugement sur saint Augustin, qu'il vénère d'ailleurs profondément. L'éloquence, certes, est un don de Dieu *(est quidem eloquentia donum
Dei) ;* toutefois Calvin, qui connaît parfaitement la rhétorique latine, aurait
honte de « rhétoriquer » *(me sic rhetoricari puderet)*, car le seul vrai modèle de
rhétorique est fourni par les Ecritures et par leur style tempéré ou humble.
Il s'agit de retrouver la simplicité des Evangiles. Ce postulat repose sur des
critères non littéraires. La vérité évangélique, si « rude » et «agreste» que soit
parfois la façon dont elle s'exprime, demeure supérieure à tout ce que l'homme
saurait inventer ; devant cette vérité pâlissent les plus grandes réussites des
anciens rhéteurs et philosophes. Comme à l'accoutumée, Calvin s'explique
lui-même avec toute la clarté souhaitable :

> Noz cœurs sont encore plus fort confermez quand
> nous considerons que c'est la majesté de la matiere plus
> que la grace des parolles qui nous ravit en admiration
> d'icelle. Et de fait, cela n'est pas advenu sans une grande
> providence de Dieu, que les hauts secrets du Royaume

celeste nous ayent esté, pour la plus grand'part, baillez
sous parolles contemptibles, sans grande eloquence, de
peur que, s'ils eussent esté fondez et enrichiz d'eloquence,
les iniques eussent calomnié que la seule faconde eust
regné en cest endroit. Or maintenant, puis que telle
simplicité rude, et quasi agreste, nous esmeut en plus
grande reverence que tout le beau langage des Rhetoriciens du monde, que pouvons-nous estimer, sinon que
l'Escriture contient en soy telle vertu de verité qu'elle n'a
aucun besoing d'artifice de parolles ? [...] Car la verité
est exempte de toute doute, puis que sans autres aides
elle est de soymesme suffisante pour se soustenir. Or
combien ceste vertu est propre à l'Escriture, il apparoist
en ce que de tous humains escrits il n'y en a nul, de
quelque artifice qu'il soit poly et orné, qui ait telle
vigueur à nous esmouvoir. Que nous lisions Demosthène
ou Ciceron, Platon ou Aristote, ou quelques autres de
leur bande, je confesse bien qu'ils attireront merveil-
leusement, et delecteront et esmouveront jusques à ravir
mesme l'esprit ; mais si de là nous nous transportons à
la lecture des sainctes Escritures, vueillons ou non elles
nous poindront si vivement, elles perceront tellement
nostre cœur, elles se ficheront tellement au dedans des
moelles, que toute la force qu'ont les Rhetoriciens ou
Philosophes au prix de l'efficace d'un tel sentiment ne
sera que fumee. Dont il est aisé d'appercevoir que les
sainctes Escritures ont quelque proprieté divine à inspirer les hommes, veu que de si loing elles surmontent
toutes les graces de l'industrie humaine.

(Institution, I, 8, 1).

C'est donc la « matière » qui commande les « paroles » : l'écriture se plie
aux exigences de la pensée, le style sera fonctionnel. L'élégance, comme le
dit ailleurs Calvin, doit céder à la sincérité. Volontairement, Calvin recherche
la simplicité : « Et quand j'eusse bien peu amener des sens subtils, si je me
fusse estudié à subtilité, j'ay mis tout cela soubs le pied et me suis toujours
estudié à simplicité. » *(Discours d'adieu aux ministres.)*
Brièveté et simplicité, ces deux règles fondamentales visent à l'efficacité.
L'humanisme doit se soumettre à ce but. Calvin, qui est le premier à savoir
exposer ses idées dans un ordre rigoureux, ne manque pas de reprocher aux

humanistes le désordre dans lequel ils présentent les fruits de leurs lectures :
« Et quant aux lettres humaines, on verra beaucoup qui prennent assez de
peine, mais tout en vain pour ce qu'ils ne tiennent ni ordre ni mesure ils
font qu'amasser de côté et d'autre. Les voilà donc confus et jamais ne sauront
déduire rien qui soit, combien qu'ils auront reuni beaucoup de sentences de
côté et d'autre. » (Texte tiré d'un sermon.)

La clarté et l'ordre : les littéraires doivent s'arrêter là. Seul un théologien
saurait leur dire dans quelle mesure le style de l'*Institution* est aussi le style de
la théologie calviniste, et si cette clarté et cet ordre reflètent fidèlement les
structures profondes de la pensée de Calvin. Puisque toute forme descriptive
est une forme finie et limitée, le langage théologique ne saurait être descriptif.
D'autre part, l'abstraction, la simplicité et l'ordre sont donnés par l'objet du
discours : Dieu; mais la connaissance présuppose ce qui est donné, et pour
connaître Dieu il faut d'abord un mouvement vers nous, une activité de Dieu
lui-même : avant d'être objet, Dieu est sujet. Il est donc impossible de subordonner la *res* au *sermo* — au contraire, il faut subordonner le *sermo* à la *res*.
Le style est fonctionnel en ce qu'il n'a qu'à refléter l'Ordre et la Simplicité,
et l'actualisation de la relation entre le langage et Dieu, c'est-à-dire la clarté
(perspicuitas) des Ecritures, est due à l'action du Saint Esprit.

Les autres œuvres françaises

L'*Institution* est sans aucun doute l'œuvre qui a marqué le plus profondément l'évolution des lettres françaises. A côté de cette œuvre maîtresse, dont la
vigueur ne s'est pas démentie au cours des siècles, les opuscules ainsi que les
très nombreux sermons et les lettres, étant plus fortement liés aux circonstances
historiques qui les ont vu naître, ont exercé une influence beaucoup plus
limitée. Les *Commentaires* bibliques en revanche sont toujours demeurés le
complément théologique indispensable de l'*Institution*.

Dans son œuvre doctrinale, Calvin part du principe qu'un exposé clair
et simple de la vérité suffit à convaincre le lecteur. Ce principe, il l'abandonne
dans ses traités polémiques, car, « en taxant les folles superstitions qui sont
survenues entre les Chrestiens soubz umbre de la religion », il est permis de
parler de matières ridicules, de s'emporter ou de montrer toute sa tristesse
devant de déplorables aberrations. Ce style, selon le public visé, se plie aux
exigences de la dénonciation et de la persuasion, de l'exhortation, de la cari-
cature ou du persiflage. Le *Traité des reliques* (1543) ridiculise les reliques, dont
le grand nombre de faux prête aisément le flanc aux critiques les plus acerbes.
Ici, la seule utilisation du pluriel devient sarcastique ; Calvin parle par exemple
des *vrayes croix* ou des trois corps de Lazare et des deux corps de Madeleine :

« Il y a puis après le Lazare, et la Magdeleine sa sœur. Touchant de luy, il n'a que troys corps, que je sache [...] Pource que la Magdeleine estoit femme, il falloit qu'elle fust inferieure à son frere : pourtant elle n'a eu que deux corps. » Dans l'*Excuse aux Nicodémites* (1544), Calvin s'en prend aux nombreux « tièdes », un public bien plus cultivé que celui auquel s'adresse la critique des reliques. Ces « tièdes » sont les hommes d'Eglise, les gens de l'administration royale (parmi lesquels se trouvent « les mignons de court, et les Dames qui n'ont jamais apprins que d'estre mignardées »), *quasi tous les gens de lettres* et, moins touchés du « nicodémisme » que les autres, les marchands et le *commun peuple*. La rupture étant consommée, Calvin n'a que mépris pour un évangélisme qui ne passe pas à l'action. Il attaque non seulement les papistes, mais aussi les anabaptistes et les libertins spirituels (*Contre les anabaptistes*, 1544 ; *Contre la secte phantastique et furieuse des libertins*, 1545), traités qui répondent à des pamphlets de ses adversaires. Après l'*Advertissement contre l'Astrologie qu'on appelle judiciaire* (1549), Calvin passe à une critique plus directe, personnelle, des humanistes, lesquels, après avoir goûté l'Evangile, sont tombés dans les pires erreurs et les blasphèmes les plus atroces (*De scandalis*, 1550 ; on ignore si la traduction française est de Calvin) :

> Il est bien connu qu'Agrippa de Nettesheim, Servet, Dolet et leurs pareils ont toujours superbement méprisé l'Evangile, comme de vulgaires cyclopes qu'ils étaient. Ils sont tombés à un tel degré de démence et de fureur, que non seulement ils ont vomi des blasphèmes exécrables sur le Fils de Dieu, mais en ce qui concerne la vie de l'âme, ils ne diffèrent en rien des chiens et des porcs. D'autres comme Rabelais, Des Périers et Govéa, après avoir goûté à l'Evangile, ont été frappés du même aveuglement. Pourquoi cela ? sinon parce que le sacrilège du jeu et l'audace du rire avaient profané ce sacré gage de la vie éternelle ?

Ou cette autre attaque contre Rabelais (dans un sermon de 1555) : « Or voici un rustre qui aura des brocards villains contre l'Escriture saincte : comme ce diable qui s'est nommé Pantagruel et toutes ces ordures et villenies : tous ceux là ne pretendent point de mettre quelque religion nouvelle pour dire qu'ils soyent abusez en leurs folles phantaisies : mais ce sont des chiens enragez qui desgorgent leurs ordures à l'encontre de la majesté de Dieu. »

Dans ses écrits polémiques, Calvin fait plutôt preuve d'une moquerie sarcastique que d'humour. Souvent, mais c'est là un procédé de bonne guerre, Calvin commence par disqualifier et dénigrer l'adversaire avant d'entamer la discussion dont l'argument le plus péremptoire est en général réservé pour la fin du traité. Les images familières ou proverbiales, assez nombreuses, assument une fonction nettement stylistique, puisqu'elles se rencontrent généralement dans des passages qui ont trait aux adversaires. De la sorte, l'exposé doctrinal de Calvin lui-même se détache aussi sur le plan du style. La métaphore s'applique aux fausses doctrines bien terrestres des adversaires, tandis que la vraie doctrine, transcendante, peut tout au plus être illustrée par des comparaisons. Le style reflète, une fois de plus, la conception théologique de l'auteur, et une fois de plus, le style est fonctionnel. Calvin utilise ce qui est efficace ; l'effusion personnelle, l'expression spirituelle, la couleur, le *sfumato* manquent : le burin de Calvin est ferme, et ne rend que le noir et le blanc, l'opacité et la lumière. Si Calvin n'est pas un peintre, il est un graveur remarquable.

Par la nature des choses, Calvin se montre plus irénique dans sa vaste correspondance en latin et en français. Sa manière d'écrire demeure foncièrement la même, mais elle s'adapte à la situation particulière de son correspondant. Les lettres nous révèlent un homme qui, dans sa qualité de mari et père, d'ami et de pasteur, inflige un démenti à la légende qui présente le réformateur comme impassible et glacial. Certes, les effusions et les confidences ne sont pas le fait de Calvin ; on sent cependant, aussi bien aux moments de joie que dans l'affliction, vibrer un cœur qui, toujours soutenu par une foi inébranlable, s'associe aux heurs et malheurs du prochain : « Selon les hommes, je ne sçay que je dois dire, voiant les choses si confuses partout. Mais j'espere quoi qu'il en soit, que Dieu en la fin nous rejouira après vous avoir laissé comme languir. » Humble avec les humbles, Calvin se montre plein d'assurance lorsqu'il s'adresse aux grands, Renée de France, Antoine de Bourbon et Jeanne d'Albret, Edouard VI, l'amiral de Coligny et sa femme, tandis que les lettres latines qu'il échange avec ses amis attestent une fidélité exemplaire pour des hommes au caractère pourtant si différent du sien.

Sermonnaire infatigable, Calvin excelle dans l'art oratoire. Largement improvisés, ses sermons se distinguent par un langage direct, parfois familier, qui sait capter l'attention des fidèles et expliquer les difficultés des Ecritures en s'adaptant à l'auditoire. Ils nous sont connus grâce à des sténogrammes pris par un secrétaire. Quant aux *Commentaires*, extrêmement nombreux, nous n'en citerons qu'un passage tiré d'une explication des épîtres de saint Paul, passage qui résume avec toute la clarté souhaitable comment Calvin entend mettre son éloquence au service de sa mission : « L'éloquence qui convient à l'Esprit de Dieu, c'est celle qui n'est point enflée d'ostentation, et ne se perd point en l'air par vaines bouffées, mais est solide et pleine d'efficace, et a plus de sincérité que d'élégance. »

CHAPITRE VI

Maurice Scève

Une figure qui se dérobe

LA vie de Maurice Scève est mal connue dans le détail. Il semble avoir constamment fui la foule, les engagements temporels, l'ambition ou la soif de gloire, pour être pleinement à lui-même et mener « une vie recluse en poésie » ou, selon ses propres termes, une « vie contemplative » (*Délie*, diz. 412). A la différence des autres poètes de son temps, Scève est quasiment muet sur sa personne et sur son existence ; il n'a jamais signé ses ouvrages de son nom, y glissant tout au plus ses initiales *M. Sc. L.*[*yonnais*], se contentant de devises sybillines : *Souffrir se ouffrir, Souffrir non souffrir, Non si non la.*

Nous imaginons un homme épris de liberté et de méditation, d'obscurité et de cet isolement qu'il exaltera jusque dans le titre d'un de ses poèmes, *Saulsaye, Eglogue de la vie solitaire.* Petit et chétif, maladif et laid (peut-être même bossu), il était prédisposé à la tristesse, au sérieux de la pensée : quelques rares sourires çà et là, mais ce n'était certes ni un gabeur ni un plaisantin. Prédisposé aussi à la réserve et au mystère, peu soucieux de se livrer ou de se laisser deviner par ses lecteurs comme par ses proches, il rebutait assez vite ceux qui l'approchaient et ne savait être fidèle dans ses amitiés. Il était confiant dans sa destinée poétique, plein de l'orgueil ombrageux de certains aristocrates de l'esprit.

Sa famille était solidement implantée à Lyon, influente et estimée ; il eut pour parents de riches marchands et des fonctionnaires. Son cousin Guillaume fut l'un des personnages les plus en vue vers 1530, auteur de poésies latines et commanditaire de Gryphe. Trois jeunes filles encore auprès de lui, Claudine, Sibylle et Jeanne, sœurs ou cousines, éprises de culture et chantées par les poètes.

Scève, qui était né avec le siècle en 1500 ou 1501, reçut une bonne éducation mais, avide de savoir, il ne sut guère (pas plus que les autres érudits de l'époque, de Rabelais à Pelletier) faire preuve de discernement : les légendes et les superstitions de l'Antiquité, les contes de Pline l'Ancien voisinent dans son bagage avec les gnostiques ou les platoniciens. Ami des arts, Scève connut sans doute des graveurs tels que Bernard Salomon, des musiciens comme Dominique Phinot. Enfin, Scève, qui, dès 1515, était titulaire d'un prieuré et donc clerc, connaissait, outre le grec et le latin, l'italien et l'espagnol. On ignore quasiment tout du premier tiers de sa vie, jusqu'au moment où un fait divers porte au monde savant le nom de ce parfait inconnu :

> Nel mille cinquecento trentatre, fu trovato in Avignone, per la molta diligentia del molto dotto et virtuoso M. Maurizio Sceva, in una sepoltura antica, d'una capella della chiesa de' frati Minori, una scatola di piombo, chiuso con un filo di rame, dentro la quale era una membrana scrittovi il sottoscrito Sonetto, et una medaglia con una figura d'una Donna picciolissima da una banda e da l'altra nulla, con queste lettere attorno M.L.M.I., le quai furono dal medesimo M. Sceva interpretate MADONNA LAVRA MORTA IACE.

La découverte était d'ailleurs suspecte, l'identification bien aventureuse ; mais ce n'est qu'au bout de quelques années que les scrupules se firent jour. En attendant, si Scève ne fut pas célèbre du jour au lendemain, il acquit quelque renom de sa contribution à la gloire pétrarquienne.

A ce moment, Scève rêvait peut-être d'imiter Pétrarque, se sentant comme « prédestiné » par sa trouvaille avignonnaise. D'autant que, vers 1535, il avait connu (après un premier amour vers 1520) une vive passion pour celle qu'il nomme dans *Saulsaye* « Doris la camusette ». Est-ce la Françoise Péchaud dont le nom se lit en acrostiche dans le *Petit Œuvre ?* Encore faudrait-il que l'attribution de ce recueil fût certaine, ce qui est loin d'être le cas. Quoi qu'il en soit, pour ses premiers essais poétiques conservés et pouvant être datés, Scève marotise dans ses *Blasons*. En même temps, ou peu avant, il a composé une adaptation du roman de Juan de Flores, *La Deplourable Fin de Flamecte*. En 1536, il suit encore l'une des modes littéraires de l'heure et donne plusieurs pièces sur la mort du dauphin François, dont une grande églogue déplorative, l'*Arion*.

C'est sans doute vers cette époque qu'il fit la connaissance de Pernette Du Guillet et s'éprit pour elle d'une profonde passion. Elle sera sa Laure, ou plutôt sa Délie, ou encore, comme il l'appelle dans *Saulsaye*, « Belline la fiere ». Cet amour sera révélé par Pernette, toute fière d'un tel amant dont la renommée lyonnaise fait oublier l'apparence ingrate. Flattée, un rien coquette, elle joue avec cet homme déjà mûr : il a presque la quarantaine, elle vingt ans au plus. Scève se montre beaucoup plus réservé, discret comme il fallait s'y attendre : il ne la nommera jamais. Peut-être commence-t-il, dès ce moment, à composer des vers qui prendront place, huit ans plus tard, dans la *Délie*. Pernette a été mariée en 1537 (ou 1538 ou 1542, selon les biographes) : il ne reste plus à Scève qu'à se réfugier dans la poésie et à y faire vivre son amour.

Délie paraît en 1544 ; l'année suivante, Pernette meurt en pleine jeunesse. Mais, de 1543 à 1546, nulle trace de Scève : s'est-il, comme il est permis de le penser, retiré à l'Ile Barbe ? Il en aurait rapporté la belle églogue de *Saulsaye*, imprimée en 1547. Nous savons encore qu'en 1548 Scève fut l'organisateur de l'entrée solennelle du roi Henri II à Lyon, comme il avait participé en 1540 à l'entrée d'Hippolyte d'Este, nouvel archevêque du diocèse. On peut estimer qu'entre 1550 et 1560 environ il s'est adonné dans la retraite à la rédaction du *Microcosme*, qui sera publié en 1562. Mais on ne sait quand situer la mort du poète : vers 1560 sans doute, ou en 1564, voire même en 1575, sur la foi d'une phrase d'Amadis Jamyn. Les dernières années sont donc encore plus mystérieuses que tout le reste de sa vie : à partir de 1556, on perd toute trace attestée de son existence. Certains ont suspecté Scève de protestantisme et l'ont fait mourir pour la foi réformée, ou encore de la peste, ou, enfin, l'ont fait vivre, solitaire et ignoré, presque jusqu'à la fin du siècle : ce ne sont là que fantaisies.

Flamecte

Un roman sentimental inaugure la carrière de Scève. Un roman d'aventures aussi. Un livre qui est à la fois une suite, une « translation » et un exercice de plume. Il appartient aux séquelles de la célèbre *Fiammetta* de Boccace, dont une traduction avait paru à Lyon, chez Nourry et Juste en 1532. Le modèle italien était un roman élégiaque, à l'action lente et succincte, insistant sur l'analyse psychologique, fine et nuancée, des malheurs et des tourments auxquels entraîne l'amour. Pamphile, le séducteur inconscient et léger, est venu jeter le trouble dans l'âme d'une jeune épouse : c'est Flammette elle-même qui se raconte, qui confesse son amour insensé, qui crie son déchirement et qui se peint, délaissée et dolente, attendant sans raison et sans fin le retour de l'amant envolé vers d'autres conquêtes. C'était là un livre d'une vérité profonde et poignante, qui transparaissait même sous l'ampleur rhétorique et sous l'exagération du détail. Les « suites » descendront à un niveau bien inférieur. Le roman espagnol exagérera encore, compliquant l'argument, raffinant sur l'allégorie, accentuant le pessimisme. Le *Breve Tractado de Grimalte y Gradissa* (v. 1497) de Juan de Flores avait tous ces caractères ; Scève se borna à le traduire, sans rien modifier au déroulement du récit.

Il serait vain de vouloir résumer tout l'argument. Grimalte raconte comment sa dame Gradisse, mise en garde contre la fausseté des hommes par une lettre de Flammette, lui a ordonné, avant de répondre à son amour, de ramener l'inconstant et perfide Pamphile auprès de Flammette. Il entreprend cette rude mission, mais ni ses exhortations ni les suppliques de Flammette ne peuvent vaincre les arguties de Pamphile ; désespérée, Flammette meurt. Grimalte fait part de son échec à Gradisse, qui lui enjoint de punir Pamphile. Le pauvre amant trouve enfin celui-ci devenu ermite en une « aspre forest » et pleurant en silence : il ne peut se résoudre à le châtier ; bien plus, il se dépouille de ses habits et partage la même vie solitaire, après avoir écrit à Gradisse qu'il mourra ainsi, pensant toujours à elle.

Texte ou traduction, ce n'est pas là un livre bien passionnant. Sa marche est lente jusqu'à exaspérer, ses débats interminables, son style diffus et prolixe. Il n'ajoute à la belle élégie de Boccace que des développements, des gloses, des amplifications. On se perd dans ce labyrinthe amoureux, où seules les justifications donjuanesques de Pamphile présentent quelque nouveauté. Et quand on songe à l'admirable concision poétique de la *Délie*, comment ne pas être effrayé de semblables bouillies :

> Pour laquelle chouse, si aulcune foys je propose de me condescendre à voz requestes, les perilz eminentz que je voys en elle me deffendent de ce faire, principalement que j'ay, par certaine congnoissance, experimenté, que vous aultres estes fort doulx au commencement et à la fin trèsamers, dont j'ay bien veu et regardé, que quasi je me voys de vous trompée, pource quand je seroys la vostre tout entierement, je suys certaine que vous me seriez ung aultre Pamphile à Flammette, et en ceste contemplation me seront plus legieres les peines à supporter, [...].

Comment expliquer cette erreur ? V.-L. Saulnier a sans doute trouvé la réponse en indiquant que ce ne fut probablement qu'un travail de commande, exécuté à la demande d'un éditeur soucieux d'exploiter le succès de Boccace et d'un autre roman de Flores, le *Jugement d'Amour* (1530). Nous ne trouvons guère à y racheter que certaines formules à nouveau utilisées dans *Délie*.

Les premiers essais poétiques

A côté du prosateur alambiqué se révèle un poète blasonneur et bucolique. Scève avait signé de son nom cinq blasons (*Le Sourcil; La Larme; Le Front;*

La Gorge; Le Soupir) qui parvinrent jusqu'à Ferrare ; on les remarqua, sentant peut-être qu'ils différaient de la veine ordinaire. Ils ne s'arrêtaient guère aux descriptions anatomiques, ils évitaient les thèmes scabreux ou la plaisanterie facile, ils dépassaient la sphère du charnel, du terrestre, pour *aller* aux préoccupations morales. « Marot était dans le monde de *la vie* [nous dirions : de l'objet], Scève dans celui de l'idée » (Giudici). Scève y étalait une « préciosité sentimentale » (Baur) étonnante dans un tel contexte. Le vers était habile et naturel. C'étaient, somme toute, des œuvres de compromis, dont le caractère composite accentuait le charme un peu étrange : coulées dans un moule en tout point marotique, ornées d'images, d'associations d'idées ou de jeux de mots dérivés de l'ancienne esthétique des rhétoriqueurs, et révélant pourtant une attitude originale.

La mort du dauphin François, le 10 août 1536, fut pleurée par tous les poètes. A Lyon, Etienne Dolet recueillit et publia en novembre une cinquantaine de pièces tant latines que françaises inspirées par ce funeste événement. Huit d'entre elles étaient signées de Scève : c'était la contribution la plus importante au *Recueil*. A ce moment, Dolet « patronnait » Scève pour lequel il s'était pris d'amitié et dont il voulait faciliter les débuts poétiques. Poète latin, Scève était en bonne compagnie : Bourbon, Visagier, Ducher, Macrin avaient collaboré à la plaquette avec quelques comparses, parmi lesquels il faut bien ranger notre auteur. Mais, en français, Scève donnait, avec deux huitains sans relief, une longue églogue, *Arion :* églogue marine comme celles que Salel composa pour la même occasion et, comme elles, imitée, ou mieux : inspirée de Sannazar. Poésie de rhétoriqueur encore, tout entière construite sur l'allégorie, les lieux communs moraux, les exclamations sentencieuses. Avec quelque retenue toutefois, avec un louable souci de l'économie et de la fermeté du trait, avec même une animation du mythe qui la distingue du simple revêtement allégorique. Mais enfin rien encore qui prouve, qui annonce le grand poète.

Le Petit Œuvre

A cette série d'essais et d'échecs poétiques, ajoutons encore, sous toute réserve, un recueil fort controversé, le *Petit Œuvre d'amour et Gaige d'amytié*, paru en 1537 (a. s.). On s'est longuement battu pour savoir si Scève en était bien l'auteur, ou s'il fallait l'attribuer à François Roussin ou à Lancelot de Carle. Vu l'intérêt de ces vers, la querelle semble vaine : si Scève en est réellement l'auteur, que ne s'empresse-t-on de l'oublier ? Une chose du moins est quasiment certaine : cet ensemble de pièces diverses imitées du grec ou du latin porte la marque de plusieurs plumes. Dans cet amas hétéroclite, on peut, non sans quelque artifice, retrouver un récit d'amour, l'histoire d'une passion brisée par la volonté d'une femme (mariée ?) qui souhaite la transformer en amitié affectueuse. L'homme désespéré ne veut pas renoncer à son amour, mais de mauvais gré il est amené à transmuer un désir charnel en « alliance de pensée », idéalisée et ennoblie. Ce fil conducteur se perd plus d'une fois parmi les quatrains anacréontiques ou alexandrins, les traductions de Martial ou les généralités les plus banales sur l'amour.

Délie

C'est un tout autre écrivain qui se révèle en 1544 dans un recueil au dessein entièrement nouveau, *Delie, object de plus haulte vertu*, qui fait toute la gloire de Scève. Nouveauté du plan : pour la première fois, un ensemble de quatre cent quarante-neuf dizains, séparés en groupes de neuf par des emblèmes gravés, à l'exception d'un prologue (cinq dizains) et d'un épilogue (trois dizains). On a flairé la cabale : quatre cent quarante et un dizains en quarante-neuf groupes de neuf, c'est évidemment le carré de trois multiplié par le carré de sept. Brunetière avait voulu expliquer cette combinaison, sans succès : que prouverait-elle d'ailleurs ? Mais voici qui est mieux : pour A.-M. Schmidt : « Délie retrace les aventures initiatiques d'une âme incarnée, mais déjà épanouie dans la « rose trémière » des mystères du Quintefeuille (5), qui se dirige vers la réintégration finale (9) en gravissant tous les échelons de la « haute Science » (49) dans l'espoir de passer la porte de l'illumination suprême (50) pour participer substantiellement à l'œuvre d'une Déité éternellement active et créatrice (3) ». Nous préférerons toutefois la réserve de V.-L. Saulnier ou les conclusions de H. Staub : aucune explication ésotérique n'échappe à l'arbitraire ; trop d'arguments montrent qu'une telle interprétation n'est jamais possible jusqu'au bout.

En revanche, il est vrai que le livre se présente aussi comme un recueil d'emblèmes, à la manière du petit volume d'Alciat qui avait lancé une mode fort durable, et que les gravures ont pu offrir autant d'intérêt que le texte à plus d'un lecteur du temps. Et ce serait une grave erreur que de les négliger, avec leurs devises qui annoncent, en termes souvent très voisins, la chute du dizain qui les suit. La chose est d'autant plus intéressante que nous avons tout lieu de penser que Scève a trouvé ces emblèmes et leurs devises tout prêts et que toute son expérience s'est « cristallisée autour d'eux » (Saulnier).

Le titre a fait couler beaucoup d'encre, lui aussi : *Délie*, est-ce par anagramme *L'Idée* ? C'est à la rigueur possible, mais cela ne mène pas très loin. Est-ce le « senhal » de Pernette ? Oui, sans doute, mais non pas d'elle seule, puisque d'autres figures féminines traversent le recueil. C'est un souvenir de la maîtresse de Tibulle, élégiaque cher à nos néo-latins. C'est surtout l'un des surnoms de Diane, la déesse froide, la vierge farouche, l'astre qui éclaire la nuit du poète :

> Car je te cele en ce surnom louable
> Pour ce qu'en moy tu luys la nuict obscure

(diz. 59).

Ce qui pourrait expliquer le rôle de la Lune dans la symbolique de l'œuvre. Enfin, Délie est aussi la Laure de Maurice Scève, tout comme Anne, Cassandre, Méline, Olive et tant d'autres pour divers poètes. Il y a un peu de tout cela dans ce simple surnom qui rappelle un amour humain profond, qui symbolise une certaine forme de beauté, qui s'inscrit dans une lignée poétique.

Mais il est évident que le recueil repose sur une expérience sentimentale et spirituelle qui a pour objet principal Pernette Du Guillet. L'amour a représenté (au moins l'amour pour Pernette) une étape décisive et pathétique de la vie du poète. Ce fut sans nul doute un sentiment complexe que cet amour d'automne (cf. diz. 333, 388, 408) : le trouble, l'éblouissement d'abord, en face de la jeunesse, de la beauté, de la grâce, en face de la tendresse aussi. Délie est à la fois Soleil et Lune, c'est-à-dire qu'elle représente toujours de quelque manière la Lumière qui éclaire et qui réchauffe. Ce ne fut pas un amour chaste, car la continence fut acceptée et subie de mauvais gré par un homme dont les sens étaient irrités (diz. 161). Pourtant, en même temps, Délie devint un « objet de plus haute vertu », objet d'un amour à la fois idéal, idolâtre, paroxystique. Ainsi, *Délie* est le poème d'un amour tourmenté et complexe ; Scève passe par un désir de platonisme, puis éprouve l'ardeur des sens avant d'aborder la conquête difficile de l'apaisement, grâce à l'éloignement graduel de la dame, et la reconversion en désir d'absolu de la passion. Le dizain 217 révèle bien la double nature de cet amour fait de désir ardent et d'affection paisible ou rassérénée. Le poète insiste ici sur l'expérience immédiate de l'amour, l'union, l'étreinte souhaitée (qui est une réalité poétique, mais nullement vécue) ; là, attiré par cette créature qui est en fait une déesse en qui Nature a rassemblé tous ses dons (diz. 149) et qui demeure mystérieuse, il est contraint au dépassement, à la quête de l'idéal (cf. diz. 306, où l'on passe par les trois étapes, Beauté, Grâce, Vertu).

Enfin, l'amour permet à Scève de prendre conscience de son être, il fait naître l'inquiétude salutaire, et il tendra à la possession du monde en même temps qu'à l'appréhension de ses mystères. « Le poème est l'objet aimé. La poésie-objet est un érotisme » (J. Tortel).

> Le Naturant par ses haultes Idées
> Rendit de soy la Nature admirable ;
> Par les Vertus de sa Vertu guidées

S'esvertua en œuvre esmerveillable.
Car de tout bien, voyre ès Dieux desirable,
Parfeit un corps en sa parfection,
Mouvant aux Cieulx telle admiration,
Qu'au premier œil mon âme l'adora,
Comme de tous la delectation
Et de moy seul fatale Pandora.

                                        (diz. 2).

Ce dizain, composé sans doute à la fin de la liaison ou longtemps après le mariage de Pernette, donne la tonalité majeure du recueil. Il commence par une affirmation cosmique : Dieu créateur a donné à l'Univers une perfection intrinsèque, contraint à cela par sa propre essence ; et il poursuit en particularisant : Dieu a créé aussi, parmi toutes ses créatures, cette Femme merveilleuse, idéale, qu'est Délie. Ce corps, qui est tout l'être, peut être désiré comme on désire un Dieu ; le désir est donc platonicien : un mouvement d'adoration et un effort d'adhésion à la Souveraine Beauté. Or, parmi les créatures célestes, cet être suscite une si grande admiration que le Poète, l'homme mortel, doit éprouver une délectation plus irrésistible encore. Il est saisi au premier coup d'œil, selon une fatalité sur laquelle insiste le dernier vers. La présence de Délie se manifeste sur un double plan : elle a d'abord un effet universel, celui de la Beauté irradiante, communicative, qui exalte et ravit en tout lieu ; puis un effet particulier : pour le Poète, elle est Pandora, la Femme parfaite, mais cause de souffrances et d'un inextinguible Désir (on songe à l'*Eva prima Pandora* de Jean Cousin). Ainsi, d'emblée le Poète a placé sa Dame très haut, sur un plan résolument supra-terrestre, divin. Il transmet à Délie un pouvoir d'essence divine. Il ressent intimement cet amour fatal, déchirant et exaltant, qui est d'abord reconnaissance d'une étincelle divine, illumination rayonnante et douloureuse à la fois.

Tout n'est pas original dans *Délie*, qui ne manque ni de modèles ni de sources de détail. A Ovide, Platon, Ficin, se superposent Pétrarque et les Italiens, de Léon Hébreu à Serafino ; le pétrarquisme court à travers tout le recueil, et les notes de l'édition Parturier montrent que Scève démarque souvent de façon étroite. A cela s'ajoute encore une érudition un peu indigeste : les souvenirs livresques s'étalent très visiblement, parfois empruntés aux polygraphes les plus suspects, les plus naïfs, sans le moindre esprit critique. Enfin, il ne faudrait pas méconnaître la permanence de l'esprit allégorique des rhétoriqueurs, qui commande cette recherche de la difficulté, ce symbolisme obscur, cette fuite ou refus du « plain-style ». Ce qui, somme toute, est proche de l'esprit des Emblèmes, où la nécessaire concision réclame une densité un peu sibylline.

Il est difficile de reconnaître une structure précise et cohérente dans l'ensemble du canzoniere. L'ordre des dizains paraît en plus d'un endroit quasiment indifférent ; « les neuvaines ne présentent guère de caractère d'unité intérieure » (Staub). Il y a certes un ordre chronologique, non de composition, mais de recomposition esthétique de cette histoire d'amour ; encore *Délie* n'est-elle pas un journal intime. Nous y voyons bien davantage un thème central, repris en d'inlassables variations, un peu lassantes dans leur abondance, car il n'y a guère de progrès. « Le temps s'écoule sans que la douleur cesse, sans que le tourment s'apaise. La poésie de l'amour solitaire est nécessairement monotone » (Tortel). Mais ce déroulement lent et sans dissonances n'est pas sans faille ni sans interruption : à preuve, les dizains de circonstance, relatifs à des événements contemporains, qui s'intercalent au hasard. Le seul progrès du livre, plusieurs fois relancé, est le mouvement qui porte Scève de l'angoisse, de l'appréhension de la mort, du sentiment de sa néantisation à la contemplation d'une image divine.

Compte tenu de cette vue d'ensemble, certains motifs acquièrent dans le livre une importance notable : le regard, la lumière, la mort, le fleuve, la divinité. L'abondante répétition des mots « œil » ou « voir » est très frappante : *Délie* se présente comme une investigation sans cesse recommencée. Le mouvement de l'âme se greffe sur une impression des sens. C'est d'abord le thème de la surprise de l'amour (« l'amour naît de l'éclat du regard qui surprend à l'improviste ») :

> Le venin de tes yeux
> Par mesme lieu au fond du cœur entra
>> (diz. 42).

Les yeux, source de lumière, astres étincelants, sont aussi l'instrument d'une révélation brutale, immédiate. Ce thème se prolonge dans celui du miroir : la beauté du visage aimé se reflète et se réfléchit dans les yeux de l'amant, la cohérence entre Elle et Lui n'est parfaite que dans la superposition des deux images. Enfin, Scève insiste sur le rôle des yeux qui guettent la lumière, la lente montée du jour, l'approche lointaine de la bien-aimée. Regard scrutateur qui fouille avec une intensité tendue et incessante, regard qui est le seul lien sensoriel et déjà sensuel entre la femme et l'amant.

La lumière est, selon H. Weber, le symbole central du recueil. C'est grâce à elle que la beauté de la Dame se reflète jusque dans l'âme aimante, c'est elle que le nom même de Délie évoque constamment. Les jeux répétés d'ombre et de lumière, chers aux platoniciens, sont le symbole du combat de l'esprit et de la matière ; la lumière extérieure opposée aux ténèbres de l'âme souligne la nature contradictoire de l'amour. Ce qui explique l'importance très marquée accordée à l'aube, moment où Lune et Soleil sont sensibles, où la lutte entre l'obscurité et la clarté est encore indécise. L'aube correspond à un sursaut de la conscience, et la Lumière peut être la Connaissance même.

Mais la mort joue également un grand rôle dans la pensée poétique scévienne ; mort angoissante, *timor mortis* (« Ma face, angoisse à quiconque la voit », diz. 45), ou longue mort, mort incessante, celle qu'endure l'amant (« Les morts qu'en moy tu renouvelles », diz. limin.), ou encore douce mort, celle de l'abandon (« Comme corps mort vaguant en haulte mer », diz. 164). C'est surtout avec le thème de la mort vivifiante ou de la mort vivante (et on notera à ce propos, dans l'héritage pétrarquiste, l'importance des couples antithétiques vie-mort, présence-absence, lumière-ténèbres, correspondant à l'expérience alternée du bonheur et de la souffrance), le thème de la mort nécessaire, celle qui est re-création : l'amant doit mourir sans cesse pour continuer à vivre, ce que marque le symbole du Phénix (emblème avant le dizain 96 : « De Mort à Vie »).

Et, parmi les thèmes mineurs, celui des fleuves, Saône et Rhône, comme il se doit, dont Scève contemple longuement l'union symbolique et pleine de présages. Le flux ininterrompu : est-ce le Temps, ou les Larmes, ou la Conscience ? Le Rhône majestueux et superbe, qui pourra s'enorgueillir d'avoir abrité sur ses bords Délie. Enfin, tous les tableaux familiers : la pêche aux aloses, les joutes festives, les rives fleuries.

Au fil du canzoniere, l'image de Délie s'est enrichie jusqu'à la grande ambiguïté : femme et divinité, « de corps très belle et d'âme bellissime » (diz. 424) ; image d'une plénitude absolue, sans tache, au rayonnement cosmique qui provoque à la fois la contemplation d'une Beauté incarnée et l'adoration d'une Beauté spiritualisée. En quelque sorte, Scève est un mystique de l'amour : il rapporte au plan profane ce que Marguerite de Navarre disait de l'amour divin, en utilisant les idées centrales du platonisme ficinien. A la fin du livre, Délie s'identifie à Diotime (cf. diz. 449) : comme Socrate reconnaissait que tous les mystères d'amour qu'il pénétrait lui avaient été révélés par Diotime, ainsi Scève dira que sa « très saincte et sage Diotime / Toujours luy enseigne à aimer et haïr » (diz. 439). C'est dans cette montée vers la Beauté surnaturelle, aidée par l'attraction de l'Eternel Féminin, que se condense l'essentiel de la quête scévienne.

« Aussi se soucioit bien peu le Seigneur Maurice que sa *Delie* feust veue ny maniee des veaux » (Pontus de Tyard) : le dessein du livre était de nature si haute que la nécessaire difficulté de l'approche devait en écarter le vulgaire. Du même coup, on pouvait se croire autorisé à parler d'obscurité, d'ésotérisme, d'hermétisme. Obscurité dans le style, on l'a souvent noté, encombré de latinismes ; d'abstractions, de périphrases contorsionnées, témoignant d'un goût insolite pour les termes rares, peu familiers.

L'humidité, Hydraule de mes yeulx,
Vuyde tousjours par l'impie en l'oblique
(diz. 331)

presque tous les mots ici appellent une note explicative. Scève se livre donc
à une alchimie poétique, que Gide jugeait sévèrement : « alambic imparfait
qui ne livre quelques gouttes de pure essence qu'en laissant échapper
beaucoup de vapeur et de fumée ». Il est juste cependant de remarquer que,
dans les meilleurs dizains, la recherche formelle donne au vers scévien une
frappe longtemps inégalée.

Obscurité dans le dessein aussi : le livre tourne en rond, au moins dans
sa partie centrale, on ne peut « aboutir » dans sa lecture. La personnalité
de l'auteur ne se livre pas ; la réalité intérieure évoquée étant unique est
incommunicable. Tout reste au niveau de la suggestion. Brunetière, Schmidt
et d'autres ont fait de Scève le poète de l'hermétisme concerté. H. Staub
a montré que Scève n'était pas bon penseur hermétique et que nous ne pou-
vions avoir de clef cohérente et complète qui puisse expliquer ou justifier une
intention ésotérique dans l'œuvre. Certes, il y a une symbolique des nombres,
mais conventionnelle et externe (qu'on songe à la double articulation ter-
tiaire du *Microcosme!*) ; en tout cas, il n'y a pas de gnosticisme scévien, car le
poète cherche la connaissance non dans l'abstraction de l'idée, mais dans
le devenir de l'expérience terrestre ; il n'écrit pas pour démontrer une
vérité, mais pour tenter de comprendre une réalité. S'il y avait une intention hermétique dans *Délie*, nous pourrions trouver une vérité réservée aux
initiés sous une apparence trompeuse destinée à abuser le lecteur moyen : or
chez Scève, il n'y a pas de vérité à cacher (ou alors, elle est si bien dissi-
mulée que personne ne l'a pressentie), mais une expérience que chacun peut
reconnaître. Et Staub conclut justement que l'obscurité de l'expression est
en rapport inverse de l'originalité de la pensée.

Ainsi, nous ne pouvons retenir qu'une difficulté stylistique : un « langage
impénétrable » au profane, une « véritable extase du langage » (Tortel)
qui se complaît aux allusions érudites, à un maniérisme subtil, à la complexité
des vocables, à une extrême tension verbale qui fait de Scève le poète de la
densité. On pourra être gêné par ce recours nécessaire à la glose : ses vers

ne requièrent un lecteur,
Mais la commune authorité
Dit qu'ils requièrent un docteur.
(Ch. Fontaine, 1546).

Le poète risque parfois de disparaître sous le poids du commentaire, qu'il
faut dépasser pour retrouver le discours dans sa pleine pureté.

Car la forme, la technique poétique est belle, admirablement maîtrisée. Scève a eu le grand mérite de reprendre à Marot pour le faire sien le dizain épigrammatique de décasyllabes, qui possède la qualité insulaire du carré bien clos, bien fermé, déjà un « microcosme » : à la scansion normale du vers (4 + 6), horizontale, s'ajoute, verticalement, le découpage de la strophe (4 + 6, très rarement modifié) par le sens et la ponctuation, alors que le schéma des rimes la coupe en 5 + 5 (ababb/ccdcd). Cette structure, dont la répétition constante risquerait de lasser, est très habilement variée par Scève tout au long du recueil. Il se révèle l'un des grands maîtres du dizain, qu'il construit presque toujours en deux parties, sachant donner à ses clausules relief et concision. En revanche, Scève est moins bon quant au rythme (il a des vers bien prosaïques parfois) et terne dans sa rime par rapport à ses contemporains. Dans la démarche d'ensemble, il faut encore souligner que chez lui tout n'est pas excellent : ici l'idée se perd, s'embarrasse dans d'inutiles complications, qui n'ont même pas le mérite de la perfection formelle ; ailleurs, une pensée banale, conventionnelle, se dissimule sous les volutes peu cohérentes de l'image.

Œuvre inégale, *Délie* n'en possède pas moins le privilège d'être le premier recueil poétique articulé autour d'un thème central et soutenu si l'on veut à la fois par une pensée platonisante et par une riche expérience humaine, à travers une expression lyrique et dans un style serré. C'était bien un chant nouveau dans la France de 1544.

Saulsaye

Quelques années plus tard paraît chez Jean de Tournes cette *Saulsaye, églogue de la vie solitaire* (1547) dont on a déjà noté le titre révélateur. Beaucoup plus intéressante qu'*Arion*, c'est une poésie à la fois « facile », sans cette obscurité qui rebute parfois dans *Délie*, et équilibrée (sept cent trente vers en quatre parties, la première et la dernière lyrique, la deuxième narrative et la troisième spéculative) : certains y voient même le chef-d'œuvre de notre poète. La date de composition de *Saulsaye* est difficile à déterminer. Mais elle est bien l'une des premières grandes églogues françaises, après celles de Lemaire ou de Marot ; l'essentiel de son thème (l'opposition entre la vie rustique, solitaire et oisive, et la vie citadine trop agitée) s'inspire des Italiens, notamment de Sannazar, dont l'*Arcadie* fournit le cadre bucolique et les *Salices* l'épisode central, la fuite et la métamorphose des nymphes poursuivies par des satyres et changées en saules, d'où le titre. La dernière partie s'apparente évidemment aux traités italiens ou espagnols, en particulier à Guevara.

Antire est surpris de retrouver son ami Philerme errant, l'air hagard et malheureux, dans la forêt lyonnaise. Il l'avait connu naguère amoureux de Doris et berger insouciant. Philerme explique qu'il languit d'amour pour Belline la fière et qu'il cherche l'apaisement dans la solitude. Il goûte ce contact direct avec la nature, et il le dit dans une tirade passionnée. Antire, pour sa part, ne comprend pas que l'homme puisse trouver refuge dans l'oisiveté et la sauvagerie de la campagne : il éprouve même une certaine angoisse dans la saulaie et il rapporte à Philerme la déplorable histoire des Nymphes. Mais la morale qu'il tire de cette fable est peu convaincante : on voit que l'auteur a inséré dans son églogue un récit qu'il avait trouvé chez Marguerite de Navarre, qui elle-même l'avait emprunté à Sannazar. Le débat entre les deux bergers sur les mérites respectifs de la vie active et de la vie contemplative reprend un thème au goût du jour. Si les positions des interlocuteurs restent nettement opposées, Philerme se laisse peu à peu gagner par un enthousiasme lyrique et conclut en célébrant la solitude.

Scève a-t-il écrit cette églogue après la mort de Pernette (dans ce cas, Philerme refléterait son propre désespoir, non pas causé par la cruauté de la dame, mais par le deuil), ou pendant l'une de ses retraites, alors que Pernette s'est déjà détournée de lui? Le poème reste un « manifeste » scévien, à la fois hymne à la solitude bienfaisante, à la nature consolatrice, à la vie retirée et paisible. Il exalte l'isolement (« Pensif, selon mon naïf vice, m'esbatois seul ») qui lui permet de retrouver, de revivre son amour, et de s'adonner à la rêverie, parfois teintée de mélancolie, au sein d'une nature presque verlainienne :

> Le son de l'eau murmurant comme pluie,
> Qui lentement sur les arbres descend...
> Car la nuit vient qui déjà nous encombre...

Inspiré par des paysages familiers, les forêts des Monts d'Or, Scève donne à cette vision sylvestre une précision et une transparence exceptionnelles ; il lui confère un charme indéfinissable et mystérieux. Cette nature se trouve très étroitement liée à son âme : il vibre au spectacle qui s'offre à lui et s'éprouve au cœur d'un réseau de correspondances harmoniques :

> Il ha toujours au cœur [...]
> Ruisseaux bruyans, argentins et fluides,
> Les rocs moussus, les cavernes humides,
> Les boys flouris, les poignans esglantiers,
> Les haultbepins parfumans les sentiers,
> Les vents souefs et les fontaines froides...

Scève peintre familier de la nature, amant lyrique de la solitude, amoureux inquiet et tourmenté : on voit que *Saulsaye*, malgré certaines analogies avec *Délie*, offre un registre bien différent et, somme toute, complémentaire.

Microcosme

Enfin, après un long silence, après le temps perdu dont il semble se plaindre, Scève donne l'œuvre qui couronnera toute sa réflexion, *Microcosme;* il l'a écrit dans la retraite, lors de studieuses veilles, il l'a achevé en 1559 et ne se décide qu'en 1562 à le donner anonymement au public. Ce grand poème scientifique et théologique, plus encore que philosophique, veut résumer toute la science du temps et toute l'histoire épique des premiers âges de l'humanité en une double triade : trois livres de mille vers chacun, suivis d'une conclusion de trois vers.

Le premier chant retrace la Genèse du monde jusqu'à la mort d'Abel, en amplifiant de développements méditatifs les données bibliques. Scève insiste sur le thème adamique de la *felix culpa*, qui vaudra à l'homme châtiment et triomphe ; sur le microcosme humain, reflet de Dieu, ministre divin et animal tout ensemble, créature créatrice, androgyne où se fondent les natures, *homo faber* et *homo sapiens*. Si Adam est le parfait microcosme (Scève emprunte ce terme à la patrologie, mais surtout à l'astronomie et à l'alchimie), c'est qu'il annonce et porte en lui tous les progrès de l'humanité future : le livre II va montrer l'invention des sciences et des arts, le perfectionnement technique et moral de l'humanité, après un temps de confusion marqué par la ruine et la chute de Babel. Cet avenir, Adam en a la révélation dans un songe prophétique, qui lui découvre toute l'évolution de sa descendance, et qui concentre ainsi l'Histoire en une seule conscience. Scève insiste sur les thèmes de la génération, de l'investigation spirituelle et des principes scientifiques, accompagnés de l'invention technique. Si le livre III commence par une histoire de l'astronomie, il débouche vite sur le triomphe de l'effort humain, triomphe voulu par Dieu, et ce progrès spirituel et savant permettra à l'homme de rejoindre son Créateur dans un paradis qui s'ouvrira à nouveau devant lui.

Œuvre complexe, *Microcosme* pourrait passer pour l'une des dernières « sommes » médiévales; c'est surtout l'une des grandes œuvres humanistes : il rappelle souvent la *Margarita philosophica* de Gregor Reisch, mais aussi les *Hymnes* de Ronsard. La confiance en l'homme s'y affirme hautement : l'esprit l'emporte sur la matière et la vie est victorieuse de la mort ; si l'homme est une projection de l'action divine, la connaissance sera de nature créatrice, et il est licite, nécessaire même de s'y adonner : l'activité humaine y trouvera sa vraie fécondité. Or rien n'arrête l'esprit de l'homme, rien ne le satisfait absolument, lui qui est sans cesse épris d'un besoin de dépassement. Ainsi toute connaissance est bonne, dans son principe et dans ses résultats, à condition de mener plus loin : il y a une beauté de l'effort inlassable, de la conquête infiniment étendue. Et si Dieu s'est développé dans sa création, l'homme devra, pour parvenir à la connaissance de soi, passer par la connaissance de ce qu'il n'est pas.

Peut-on dire que *Microcosme* soit une réussite en tout point? Certes non, et d'abord parce que Scève a eu le tort de vouloir dresser un inventaire ; passant en revue toutes les acquisitions accumulées par l'homme en vue de rejoindre Dieu, il tombe dans une énumération de catalogue. Ensuite, à cause d'un langage volontairement ardu et hardi, où les néologismes voisinent avec les termes techniques, les mots obsolètes et les emprunts. Scève a voulu faire naître la poésie des plus sèches définitions :

> Triangle au demaurant
> Isoceler se peut de scalene ambligone,
> Se variant de forme, et de nom exigone.
> Puis parallelogramme au supplement se range,
> Le rhombe equilatere en commune losange,
> La rhomboide apres, mensule et trapesie,
> Jusqu'au duodegone a sa forme choisie.

Extraordinaire tentative de tout plier au souffle poétique, ambition démesurée de maîtrise totale du langage, qui conduit aussi bien à la broussaille hérissée de ces vers géométriques qu'à la marmoréenne perfection d'un incipit admirable, où se développe, à mi-chemin entre la science et la mystique, l'image de la sphère divine :

> Premier en son Rien clos se celoit en son Tout
> Commencement de soy sans principe et sans bout,
> Inconnu fors à soy, connoissant toute chose,
> Comme toute de soy, par soy, en soy enclose. [...]
> Essence pleine en soy d'infinité latente,
> Qui seule en soy se plaist et seule se contente,
> Non agente, impassible, immuable, invisible,
> Dans son Eternité comme incomprehensible,
> Et qui de soy en soy estant sa jouyssance,
> Consistoit en Bonté, Sapience et Puissance.

Ce langage aussi peut avoir sa beauté, comme plus d'une imagination poétique parsemant une œuvre toujours dense et originale.

Plus d'un vers exhale aussi la mélancolie du vieil homme, du poète qui se sent au bord de l'oubli, qui a renoncé au monde pour se livrer dans la solitude à la contemplation. Et cependant on y devine encore l'exaltation du visionnaire scrutant les horizons de l'esprit, abîmé dans l'appréhension des mystères révélés à l'homme : Scève peut chanter la naissance du premier fils d'Adam avec le même élan qu'il célèbre l'avenir de la race humaine et la réconciliation du divin et de la créature.

*
* *

Microcosme était réservé à un petit nombre de lecteurs choisis, de par l'ampleur de ses conceptions et la nouveauté de son langage, *Saulsaye* ne pouvait suffire, en un temps de riche production poétique, à assurer le renom de son auteur ; *Délie* rebutait les esprits faciles : « il ne vouloit estre entendu. Il affecte une obscurité sans raison, qui fut cause que son livre mourut avec luy » (Pasquier). Scève, ignorant le grand public, les goûts littéraires de ses contemporains, la renommée mondaine, recherchant le silence, avide de perfection poétique, ne pouvait recueillir le fruit de son œuvre. Ses disciples se comptèrent sur les doigts d'une main, et furent loin de le valoir. Poète sans public, sans écho, sans postérité, voilà ce que fut Scève jusqu'au début de notre siècle. Nous lui avons découvert une valeur que son époque n'avait guère soupçonnée. Tout d'abord celle de la recherche stylistique, qui fait de la poésie un langage différent, avec cette extrême attention à la nouveauté, à l'étrangeté, à la saveur du terme, avec cette concentration de la phrase, débarrassée de tout ce qui ralentirait sa marche. La valeur aussi d'un artiste conscient de la dignité et du sérieux de son métier poétique. Mais surtout, Scève reste pour nous le premier à avoir condensé dans ses écrits toute une expérience humaine et poétique : « Souffrir, se ouffrir » et sa variante « Souffrir, non souffrir » reflètent les états d'une âme à la sensibilité toute moderne, dolente du désir insatisfait et éprise d'idéal.

Scève avait choisi la retraite pour scruter les profondeurs de son être et donc de l'homme en général, facilitant sa réflexion par la contemplation d'une nature amie. Il fut tiré de ses méditations par une expérience passionnelle qui le tourmenta, le déchira, mais lui permit d'aller plus avant. Poète de l'amour, il est écartelé entre ce qu'il sent en lui de trop humain, auquel il ne veut ni céder ni renoncer, et ses élans vers l'idéal purificateur. Poète de la nature, il vibre et s'enchante au spectacle de scènes ou de paysages familiers : jamais lassé par son Fourvière ou son Ile Barbe, il renonce aisément au « vain travail de voir divers pays ». Poète de la connaissance enfin, Scève veut enfermer en un poème épique toute l'aventure humaine : s'il n'y parvient qu'imparfaitement, ce n'est pas faute d'idées ou de fermeté de pensée, mais parce que l'instrument poétique s'y refuse parfois et le trahit. Il lui reste tout l'honneur de ses entreprises et de leurs réussites partielles mais grandioses.

Dictionnaire
des auteurs et des œuvres

A

ABONDANCE (Jean d') [première moitié du XVIᵉ siècle]

Jean d'Abondance est qualifié de baschien et de notaire royal à Pont-Saint-Esprit, ce qui n'est pas impossible ; la culture juridique et théologique de cet auteur de mystères, farces, moralités et monologues dramatiques, est en tout cas manifeste. Son chef-d'œuvre est la farce de *La Cornette*.

BIBL. : D. H. Carnahan, *Jean d'Abondance. A Study of his Life and of Three of his Works*, Urbana, 1909 (Univ. of Illinois, Studies, vol. 3, nᵒ 5) ; P. Aebischer, « Le Gouvert d'Humanité par Jean d'Abondance », *BHR*, 24, 1962, p. 282-338. (P. 117, 177.)

ADONVILLE (Jacques d') [première moitié du XVIᵉ siècle]

Originaire d'Epernon, il mena à Paris une joyeuse vie d'étudiant et mérita le surnom de « Sans Soulcy » ; il fit sans doute plusieurs séjours en Italie avant d'entrer dans les ordres. Vers 1520-1530 il composa et fit imprimer plusieurs monologues ou poèmes moraux (*Regrets et peines des maladvisez*, d'abord publié sous le titre de *Moyens d'eviter merencolye* ; *Les Trompeurs trompez par trompeurs* ; *Les Aproches du Bon Temps* ; etc.) ; la forme rappelle les productions des Enfants sans souci, auxquels « noble homme » d'Adonville fut probablement lié, le fond est banal. D'Adonville, dont la devise était « Mieulx que pourra » sut pourtant traduire les souhaits du peuple aspirant à la paix et au bien-être (*Aproches du Bon Temps*), ainsi qu'un esprit de réalisme narquois (*Les Trompeurs*) dans un style tantôt détendu et spontané, et tantôt prolixe et litanique.

BIBL. : 6 poèmes dans Montaiglon, *Recueil de Poésies françoises*, Jannet, Plon, Daffis, 1855-1877, t. II, IV, XII et XIII. — H. Guy, *Rhétoriqueurs*, 636-645.

AGRIPPA (Henri Corneille de Nettesheim) [Cologne, 1486-Grenoble, 1535]

Médecin, théologien, occultiste et philosophe, il mena une vie errante et imprudente. Louise de Savoie en fit son médecin entre 1524 et 1528 ; il fut condamné par la Faculté de Louvain et souvent en butte aux persécutions pour ses opinions hétérodoxes qui le firent passer pour sorcier. C'est le Her Trippa de Rabelais. Il a donné un traité de science hermétique dans sa *Philosophia occulta*, écrite vers 1509 ; il a pris part à la querelle des femmes avec son *De precellentia fœminei sexus*, traduit par François Habert en 1541 (dans *Le Jardin de foelicité*), puis par Louis Vivant en 1578. Vers 1526 il rédigea un exposé tout pyrrhonien, traduit par Louis Turquet de Mayerne, *Declamation sur l'incertitude, vanité et abus des Sciences* (texte latin 1531 ; traduction 1582).

BIBL. : *Philosophia occulta*, Chacornac, 1910 ; *Opera*, Paris, 1510. A. Prost. *C. A. sa vie et ses œuvres*, Champion, 1881-1882 ; J. Orsier, *C. A. sa vie et son œuvre*, Chacornac, 1911. — L. Febvre, *Le Problème de l'Incroyance*, p. 244 sq.

(P. 144, 156.)

ALAMANNI (Luigi Fr.) [Florence, 1495-Paris, 1556]

Chassé de sa patrie pour avoir conspiré contre le cardinal Jules de Médicis, il connut un long exil à Venise, puis en Provence (à deux reprises), avant de passer en France vers 1530. Il vécut dès lors à la Cour, plein d'une sympathie admirative pour François Ier, ce qui ne l'empêchait pas d'adresser des appels réalistes à Charles-Quint en faveur de Florence. Ses *Opere toscane* étaient dédiées au roi et contenaient des poésies souvent antérieures à 1530 ; des sonnets d'amour et des élégies inspirées de Tibulle et Properce, des hymnes pindariques qui ont pu influencer la Pléiade, et quatorze églogues dans la manière de Théocrite, mais à valeur allégorique. L'une d'elles, *Admeto*, traduite par un anonyme, connut une certaine diffusion à l'époque de la captivité du roi, dont elle traitait allusivement. Dans sa *Coltivatione*, dérivée de Virgile, Alamanni décrit en six livres la vie rustique ; le poème était dédié à Catherine de Médicis. Ce n'est qu'à la fin de sa carrière qu'Alamanni eut quelque influence en France, montrant ce que pouvait être une grande poésie inspirée de l'antique.

BIBL. : *Opere toscane*, Lyon, Gryphe, 1532-1533 ; *La Coltivatione*, Paris, Estienne, 1546 ; *Versi e prose*, p. p. P. Raffaelli, Florence, 1859. — H. Hauvette, *Un exilé*

florentin à la cour de France, L. A. Sa vie et ses œuvres, Hachette, 1903.

(P. 51.)

ALÉANDRE (Jérôme) [La Motta, 1480-Rome, 1542]

Pendant la première partie de sa vie, Girolamo Aleandro poursuit une carrière de professeur humaniste. De 1508 à 1514, il réside à Paris, où ses cours de grec remportent un grand succès ; en 1513, il est recteur de l'Université. Aléandre se fait envoyer de Venise des éditions aldines (grammaires, dictionnaires, textes grecs), mais il publie aussi lui-même les textes nécessaires à son enseignement. A une époque où l'humanisme parisien demeure fidèle à sa vocation spirituelle et morale, l'Italien Aléandre représente l'aspect philologique de l'humanisme. — Après avoir quitté la France, Aléandre fait une carrière politique et religieuse. Fidèle serviteur de l'Eglise romaine, il tient sa part de responsabilité dans la rupture définitive avec les protestants. Il a été insensible à la dimension religieuse de la Réforme.

BIBL. : A. Renaudet, *Préréfome et humanisme à Paris pendant les premières guerres d'Italie (1414-1517)*, Champion, 1916, ²1953 ; G. Alberigo, in *Dizionario biografico degli Italiani*, t. 1, Istituto della Enciclopedia Italiana, 1960, p. 128-135.

(P. 105.)

ALFONSE (Jean Fonteneau, dit) [près Cognac, ?-La Rochelle, 1544]

Navigateur, capitaine-pilote du roi, il entreprit à partir de 1496 de nombreux voyages maritimes. En 1542-1543, avec Roberval, il fit une expédition au Canada. Rabelais l'a pris pour modèle de son Xenomanes, et Saint-Gelais a publié ses *Voyages avantureux*.

BIBL. : *Les Voyages avantureux*, Poitiers, Marnef, 1559 ; *La Cosmographie*, p. p. G. Musset, Imp. Nationale, 1904. — G. Musset, « J. Fonteneau, dit Alfonse », *Bull. de Géogr. histor.*, 1895, p. 275-295.

ALIONE D'ASTI (Jean-Georges) [Asti, v.1460-v.1529]

Ce Piémontais s'attacha au duc d'Orléans en 1494, lorsque celui-ci conduisait l'avant-garde de l'armée ; il chanta en octaves la conquête de Naples par Charles VIII, puis devint poète politique au service de Louis XII, célébrant les victoires françaises. Il écrivit encore un *Dit* pour exalter Marignan. On lui doit aussi des poésies religieuses ou morales, dont un beau *Chapitre* en tercets sur la liberté. Ses *Opera jocunda* (Asti, 1521) font alterner les farsas, frotulas ou cantiones en dialecte piémontais ou astésien, les pièces macaroniques et les poésies françaises. Une certaine liberté de langage envers le clergé le fit condamner en 1521 à la prison à vie par l'Inquisition, mais il obtint sa grâce. Disciple des rhétoriqueurs pour ses œuvres françaises, il parvint graduellement à une bonne maîtrise stylistique et prosodique, tout en conservant le charme naïf et désuet de son terroir *(Chant de la bergere)*.

Bibl. : *Opera jocunda metro macharonico materno et gallico composita*, Asti, Da Silva 1521 ; *Poésies françoises*, p. p. J. C. Brunet, Silvestre, 1836. — Alione, *L'Opera piacevole*, p.p. E. Bottasso, Bologne, Palmaverde, 1953. — Guy, *Rhétoriqueurs*, 626-635.

Amadis de Gaule : voir HERBERAY

AMBOISE (Michel d') [Naples, v. 1500-Paris, 1547]

Fils naturel de Charles d'Amboise, amiral de France, il reçut de son père la terre de Chevrillon. On ignore la plus grande partie de la vie de celui qui se désignait sous le pseudonyme de « l'Esclave fortuné » : il prit part à la bataille de Pavie et fut deux fois emprisonné au Châtelet. Dans une épître, il demande quelque secours à Marguerite de Navarre, pour laquelle il a traduit le *De libero arbitrio* de Valla. Il a mené, semble-t-il, une vie vagabonde et miséreuse, à peine toléré par la famille de son père, usant d'expédients peu honorables. Mais il a beaucoup écrit, et son œuvre mériterait d'être mieux étudiée et mieux connue. Bon traducteur, il adapte Ovide et Juvénal, et surtout les néo-latins, B. Mantouan ou Angeriano : il est le premier à utiliser en français le mot d'épigramme. Poète, il fait preuve d'un génie original, au moins dans la mise en œuvre de sujets empruntés, et ne subit qu'occasionnellement l'influence marotique (*Blason de la Dent ;* épîtres ; *Æglogue ou carme pastoral où est contenu le sortir de prison de l'Esclave fortuné*), alors que la marque des rhétoriqueurs est souvent perceptible (rondeaux, épîtres, ballades).

Bibl. : *Les Complaintes de l'E. f.*, Paris, 1529 ; *Le Penthaire*, Paris, 1530 ; *Cent épigrammes*, Paris, 1532 ; *Epistres veneriennes*, Paris, 1532 ; *Secret d'Amours*, Paris 1542 ; etc. — Aucune édition moderne ; aucune étude sérieuse. Voir P. Smith et C. A. Mayer, « La première épigramme française », *BHR*, 32, 1970, p. 579-602. (P. 120, 148.)

ANDRELINI (Publio Fausto) [Forte, vers 1462-Paris, 1519]

Cet Italien vaniteux et arriviste vient en France en 1488. Dès 1489, il reçoit l'autorisation de *lire* les humanités, à raison d'une heure par après-midi. A la suite d'une querelle avec Girolamo Balbi, un autre Italien déjà installé à Paris, Andrelini part pour Poitiers et Toulouse, mais protégé par Gaguin, il revient à Paris en 1493, où il reprend son enseignement. Il commente Tite-Live, Suétone, Virgile, mais aussi la *Sphaera* de John Hollywood, traité d'astronomie célèbre au moyen âge. Sa carrière est brillante : *poeta regius* dès 1496, il est naturalisé français en 1502. Poète fertile, il publie en 1490 la *Livia*, un recueil de poésies amoureuses, puis, en 1494, des *Elegiae*, dans lesquelles il chante le Christ et la Vierge. Il produit par la suite un très grand nombre de poèmes de circonstance : sur les expéditions italiennes, sur la malpropreté des rues de Paris, sur l'influence des astres, sur la mort de Charles VIII, sur la captivité de Ludovic Sforza. Sa gloire s'explique par le fait que, à l'époque, il est un latiniste bien plus habile que ses collègues parisiens : un Guillaume Cretin, alors maître des rhétoriqueurs, croit bien employer sa plume en le traduisant.

BIBL. : R. Weiss in *Dizionario biografico degli Italiani*, t. 3, 1961, p. 138-141.
(P. 105.)

ANEAU (Barthélemy) [Bourges, ?-Lyon, 1561]

Il succéda à Champier au Collège de la Trinité de Lyon, où il fut professeur et principal de 1529 à 1550, puis de 1558 à 1561. Cet humaniste, ami de Marot, fut épris de culture antique. On le soupçonna, à tort semble-t-il, de protestantisme, et il fut tué dans une échauffourée. Il traduisit Alciat, Ovide, Th. More et des textes de Cicéron, Erasme ou Hotman. Lié à Fontaine et à Des Autels, il répliqua à Du Bellay dans son *Quintil Horatian* (1551). Il fit jouer dans son collège en 1541 une « satire » allégorique, *Lyon marchant*, à la louange de sa ville d'adoption (« Mais devant tous est le Lyon marchant »); dès 1539 il avait publié un *Mystère de la Nativité* archaïsant, accompagné de quelques poésies religieuses.

BIBL. : *Chant natal*, Lyon, 1539; *Lyon marchant*, Lyon, 1541; *Picta poesis*, Lyon, 1552 (trad. *Imagination poétique*, Lyon, 1552); *Alector, histoire fabuleuse*, Lyon, 1560; etc. — J. L. Gerig, « B. A., a study in humanism », *Rom. Rev.*, 1910-1913; trad. fr. dans *R. Ren.*, 1910-1911; V.-L. Saulnier, « Le théâtre de B. A. », *Mél. Cohen*, Nizet, 1951, p. 147-158.
(P. 156, 160.)

ARENA (Antoine d') [Solliès 1508-Saint-Rémy 1544]

Fils d'un juriste napolitain attaché au roi René, il fit des études de droit en Avignon, suivit Lautrec en Italie puis fut appelé à Saint-Rémy en qualité de juge. Il est sans doute le meilleur représentant français de la poésie macaronique, où il étale une verve bouffonne et truculente, ainsi qu'un esprit facétieux. On lui doit des descriptions plaisantes et colorées de la joyeuse vie estudiantine (*De gentillessis instudiantium; Gaya epistola ad falotissimam garsam Janam Roseam*) et son poème *De arte dansandi* contient de précieuses indications sur les pas et les airs de danse en vogue vers 1530. Il raconta aussi, dans le même registre, les mésaventures de l'armée française en Italie après le sac de Rome (*De guerra romana, De guerra genuensi*) et surtout les mécomptes des Impériaux en Provence (1536) dans sa *Meygra entreprisa Catoliqui imperatoris, quando veniebat per Provensam bene corrossatus in postam prendere Franciam cum villis de Provensa, propter grossas et menutas gentes rejohire.*

BIBL. : *Ad suos compagnones*, Lyon, 1539 (rééd. Londres, 1758); *Meygra entreprisa*, Avignon, 1537 (rééd. Aix, Makaire, 1860). — A. Fabre. *A. A.*, Marseille, V. Boy, 1860; F. Dollieule, *A. A., sa vie, son œuvre historique*, Detaille, 1887; (Du Roure) *Analectabiblion*, Techener, 1836, t. I, p. 306-317; D. Ponchiroli, « La poesia macaronica in Francia. A. de Arena », *Belfagor*, 7, 1952, n° 4, p. 407-413.
(P. 96.)

AURIGNY (Gilles d') [Beauvais, v. 1510 ?-Paris, 1553]

Juriste, avocat au Parlement de Paris, il écrivit d'abondance et il avait eu « heureux commencement / Avec espoir de futur avantage, / Lorsque la mort le ravit avant âge » (Fr. Habert).

De ses deux surnoms, « l'Innocent esgaré » et « le Pamphile », le second lui convient mieux. On lui doit des travaux d'érudition historique ou juridique, des écrits mythographiques ou religieux et des traductions. Poète, il imite aussi bien les rhétoriqueurs que la manière marotique ; il a écrit un *Tuteur d'Amour*, poème allégorique en quatre chants à la louange des femmes et d'inspiration anacréontique, « tout classique par la décence de la composition » (Sainte-Beuve), et l'a fait suivre d'un livre d'épîtres, élégies, complaintes, épitaphes, chants royaux, ballades et rondeaux, ainsi que d'un livre d'épigrammes. Il passe avec aisance des vieux genres *(Chant royal du jour de la Passion; Arrest d'Amour)* aux badineries *(Blason de l'ongle)* et à la poésie religieuse *(Contemplation de la mort de Jésuschrist)*, où il imite Brodeau. Il paraphrasa également *Trente psalmes* (1549). Esprit assez indépendant, il représente une tendance semi-marotique entre 1540 et 1550. Point de grandes pensées, mais l'art d'enchâsser le détail dans une construction délicate et charmante, volontiers maniérée.

BIBL. : *La Genealogie des dieux poëtiques*, Poitiers, 1545 ; *La Paincture de Cupido*, Poitiers, 1545 ; *Le Tuteur d'Amour*, Paris, 1546 ; *Trente Psalmes*, 1549 ; *Les Fictions poëtiques*, Lyon, 1557. Aucune édition moderne ; aucune étude approfondie.
(P. 98, 135, 140, 145.)

AUTON (Jean d') [Authon (Charente-Maritime), 1466 ou 67-1528]

Bénédictin, chroniqueur de Louis XII, rhétoriqueur. Il débute, en 1499, par les *Alarmes de Mars*, poème politique qui regorge d'érudition classique et mythologique. Tout comme André de La Vigne avait suivi Charles VIII à Naples, Jean d'Auton accompagne en Italie Louis XII (1499, 1502, 1507). N'ayant pratiquement pas d'accès aux documents officiels, Jean d'Auton est plutôt un « reporter » qu'un historien : il note sur-le-champ ce qu'il voit lui-même. Toute la production littéraire de Jean d'Auton est restée manuscrite, aussi bien les *Chroniques* (qui vont de 1500 à 1507) que les nombreuses poésies de

circonstance. Pourtant, d'Auton a été célèbre à l'époque : un Guillaume Cretin lui reconnaît un « suave et doulx langage », et un Jean Bouchet le loue dans ses *Epistres* et compose une longue épitaphe en son honneur. Bon représentant de la « république des lettres » des rhétoriqueurs sous Louis XII, Jean d'Auton quitte la cour en 1518, lorsque s'annonce une nouvelle esthétique.

BIBL. : *Chroniques de Louis XII*, éditées par R. de Maulde La Clavière, Leroux, 1889-1895, 4 vol. (le t. IV contient une notice sur Jean d'Auton). H. Guy, *Rhétoriqueurs*, 261-277 ; J. J. Beard, « Letters from the Elysian fields : a group of poems for Louis XII », *BHR*, 31, 1969, p. 27-38. (P. 22, 120, 129, 197.)

B

BADE (Josse) [Gand, 1461 ou 1462-Paris, 1535]

Jodocus Badius Ascensius est l'imprimeur le plus fécond de son temps. Après un séjour en Italie, il s'installe d'abord, à Lyon, chez l'imprimeur Jean Trechsel, dont il épouse la fille. Mais dès 1507, il est « imprimeur de l'Université », à Paris. Josse Bade utilise les caractères romains, sans pour autant abandonner les caractères gothiques. Sa production est à l'image de ce double aspect gothique et renaissant : Bade débute par un poème en l'honneur de la Vierge ; plus tard, il publiera les œuvres de Baptiste de Mantoue, mais aussi un traité pour bien composer des lettres, l'*Histoire de France* de Gaguin, le *Philobiblion* de Richard de Bury, la *Stultifera Navis*, en latin et en français, de Sébastien Brant. Il accompagne la plupart de ses éditions de commentaires, reflet fidèle des préoccupations de l'humanisme en France au début du xvie siècle.

BIBL. : Ph. Renouard, *Bibliographie des impressions et des œuvres de Josse Bade Ascensius, imprimeur et humaniste*, E. Paul, 1909, 3 vol. ; B. Weinberg, « Badius Ascensius and the Transmission of Medieval

Literary Criticism », *Romance Philology*, 9, 1955-1956, p. 209-216.
(P. 36, 42, 65, 73, 90.)

BAIF (Lazare de) [manoir des Pins, près de La Flèche, vers 1496-Paris, 1547]

Humaniste et diplomate. Sa carrière le conduit à Venise (1529-1534), où il tient un cénacle réputé parmi les humanistes. En 1532, une Vénitienne lui donne un fils naturel, Jean-Antoine, le futur poète. En 1538, Lazare de Baïf sera maître des requêtes du roi ; en 1540, chargé d'une mission au couvent de Haguenau. L'humaniste s'intéresse avant tout aux *realia* : il publie, en latin, *De re vestiaria* (1526), *De vasculis* (1531), *De re navali* (1536) ; un *De architectura* est perdu. Dès 1535, Charles Estienne fournit, dans un but pédagogique, des abrégés de ces traités, et assure ainsi une bonne vulgarisation des résultats acquis par la nouvelle discipline philologique et archéologique. Helléniste, Lazare de Baïf, qui s'était adonné à l'étude du grec dès son premier séjour en Italie (1514-1519), traduit les quatre premières *Vies* de Plutarque (inédites) et met en vers français la *Tragedie de Sophocles intitulée Electra* (1537).

BIBL. : L. Pinvert, *Lazare de Baïf*, Fontemoing, 1900 ; V. L. Saulnier, in *Dictionnaire de biographie française*, 4, col. 1222-1225 ; D. Roaten, « Electra (1537). Summary of plot and plot scheme ». *Structural forms in the French Theater*, Philadelphia, 1960, p. 28-59.
(P. 55, 108, 180.)

BARTHELEMY (Nicolas) [Loches, 1478-Orléans, ?]

Il étudia à Orléans avant d'entrer dans les ordres. Bénédictin humaniste et poète, il enseigna à Paris, notamment au collège du cardinal Lemoine. Il eut de nombreuses relations, en particulier dans le cercle de Budé et dans les milieux de réformistes modérés ; il dédia quelques vers à Erasme. Ses poésies latines sont essen-tiellement d'inspiration religieuse, mais on y trouve de nombreuses pièces de circonstance, pleines d'intérêt historique ou biographique : il semble avoir souffert de se voir érudit et pauvre. Il a surtout marqué les débuts du théâtre de collège en latin, avec ses *Momiae*, comédie mythologique et allégorique (1514) et son *Christus Xylonicus* (1529), une des premières tragédies, encore inspirée des mystères, mais à l'action simplifiée et agrémentée d'un comique venu tout droit des Latins. Pendant tout le début du siècle, il connut un grand succès, ayant innové dans le domaine du lyrisme religieux, de l'épigramme et du théâtre.

BIBL. : *Momiae*, J. Bade, 1514 ; *De vita activa et contemplativa*, P. Vidoue, 1523 ; *Epigrammata, momiae, eydillia*, s.d. ; *Ennoeae*, Colines, 1531 ; *Ode dicolos de natali Jesu Christi*, Paris, Cyaneus, 1532 ; *Hortulus*, s.d. ; *Christus Xylonicus*, s.l., 1529. — R. Lebègue, *La Tragédie religieuse en France*, p. 169-193 ; D. Murarasu, *La Poésie néo-latine*, p. 78-83.
(P. 106, 107, 180.)

BEAULIEU (Eustorg de) [Beaulieu, v. 1495-Bâle, 1552]

Cet esprit instable mena une vie aventureuse de musicien, de ministre calviniste et d'exilé. Organiste à Lectoure en 1522, il passe à Bordeaux, où il fréquente B. de Lahet et ses amis, dont les compositeurs Layolle et Jannequin. Basochien à Tulle, il écrit des pièces de théâtre et des vers. Ordonné prêtre avant 1529, on le trouve à Lyon dès 1534 : il y est professeur de musique, mais ne semble pas avoir fréquenté les milieux lettrés ou savants, bien qu'il ait essayé de s'introduire auprès des Scève, voire de Marguerite de Navarre. Puis, attiré par les idées nouvelles, le poète léger et licencieux passe à la Réforme ; à Genève en 1537, il reprend des études de théologie à Lausanne, non sans connaître quelques mésaventures et démêlés avec la justice. Enfin, en 1540, il est ministre dans le canton de Berne (Thierrens et Moudon). A la suite de maintes difficultés matrimoniales, il est exilé à Bienne en 1547, avant de se réfugier à Bâle, où Amerbach le protège, et où il meurt.

BIBL. : *Les Gestes des solliciteurs*, Bordeaux, Guyart, 1529 ; Les *Divers Rapportz*, Lyon, Sainte-Lucie, 1537 (éd. crit. M. A. Pegg, Droz, 1964, TLF) ; *Chrestienne resjouissance*, s. l., 1546 (160 chansons spirituelles, contrafacta d'œuvres profanes à la mode) ; *L'Espinglier des filles*, Bâle, 1548. — G. Colletet, *Vie d'E. de B.*, p. p. T. de Larroque, Bordeaux, 1878 (réimpr. Genève, Slatkine, 1970) ; G. Becker, *E. de B. poète et musicien*, Fischbacher 1880 ; Ph. A. Becker, « *E. de B.* », *Aus Frankreichs Frührenaissance*, Leipzig, 1927 ; E. et R. Fage, *E. de B.*, Tulle, 1880 ; H. Harvitt, *E. de B., a disciple of Marot*, Lancaster (Pa.), 1918 ; Guy, *Marot et son école*, 306-316, 445-448. (P. 92, 97, 158.)

BEDA (ou Noël Bédier) [?-Mont-Saint-Michel, 1537]

On ignore tout de sa jeunesse. Syndic de la Faculté de théologie de Paris, il fut le chef de file du parti des orthodoxes intransigeants face à toutes les tentatives de réforme. Impulsif, passionné et maladroit dans sa sincérité, Béda eut à subir maintes épreuves. En 1521, il s'opposait à Lefèvre et en 1523 il obtenait la condamnation d'écrits de Berquin. Mais celui-ci en 1527 l'attaquait à son tour en le dénonçant comme hérétique ! Béda joua un rôle important dans la condamnation de Luther par la Sorbonne en 1521 ; il poussa à la répression en 1525 pendant la captivité du roi. En 1530, il étala son hostilité à la demande d'annulation du mariage présentée par Henri VIII et soutenue par Jean Du Bellay. En 1530, il voulut obtenir du Parlement un arrêt interdisant aux lecteurs royaux l'interprétation des textes hébraïques et grecs, mais le procès fut suspendu. La même année, il attaqua le *Miroir de l'âme pécheresse* de M. de Navarre et en obtint la condamnation, mais le roi l'exila à vingt lieues de Paris. De retour en janvier 1534, il ne craignit pas de reprocher à François Ier sa faiblesse envers les hérétiques et fut à nouveau exilé en mars 1535 au Mont-Saint-Michel, où il mourut. Celui qui fut peut-être le Curtalius de Rabelais marqua de sa forte personnalité de partisan, et même de fanatique, toute l'histoire des premières controverses religieuses en France ; mais il fut aussi un enseignant de mérite, et il compta parmi ses élèves Calvin et Loyola.

BIBL. : *Scholastica declaratio de unica Magdalena* (contre Lefèvre et Clichtove), Paris, 1519 ; *Annotationes* (contre Lefèvre et Erasme), Cologne, 1526 ; *Apologia adversus clandestinos Lutheranos*, Paris, 1529 ; *La Doctrine et Instruction necessaire aux chrestiens*, Paris, s.d. — A. Hyrvoix de Landosle, « N. B. », *R. Quest. histor.*, 1902 ; J. Barnaud, « Lefèvre d'Etaples et B. », *BSHP*, 1936, p. 251-279.

BERQUIN (Louis de) [Passy, 1489-Paris, 1529]

Ce lettré, docteur en droit et homme de cour, auquel les contemporains dédient les œuvres de Politien ou de Lucien, sera une des nombreuses victimes des dissensions religieuses. Dès 1523, on trouve chez Berquin des livres de Luther, Hutten et Melanchthon ainsi que des traductions manuscrites de certains opuscules de Luther. Un premier procès se termine par une abjuration solennelle de Berquin, mais d'autres procès vont suivre. Malgré plusieurs interventions du roi en sa faveur, Berquin est finalement condamné au bûcher, et brûlé en place de Grève, à Paris. Selon Théodore de Bèze, « la France eût pu recouvrer un second Luther en Louys de Berquin ». De son vivant a été publié l'*Enchiridion ou manuel du chevalier chrestien*, traduit du latin d'Erasme.

BIBL. : W. G. Moore, *La Réforme allemande et la littérature française. Recherches sur la notoriété de Luther en France*, Strasbourg, Publications de la Faculté des Lettres, 1930, p. 102-105 et 151-152 ; M. Mann,

Erasme et les débuts de la réforme française (1517-1536), Champion, 1933, p. 113-149. (P. 22, 23.)

BOCHETEL (Guillaume) [?-Paris, 1558]

Bochetel, seigneur de Sassi, était originaire du Berry. Il fut greffier royal et accomplit diverses missions diplomatiques pour François Ier et Henri II. Il a laissé un contreblason marotique qui brave la décence *(Blason du c...)* et deux plaquettes de circonstance dédiées à la reine Eléonore *(Le Sacre et couronnement de la Royne*, 1530 ; *L'Entrée de la Royne en sa ville et cité de Paris*, 1531). Mais on lui doit surtout une traduction en vers de l'*Hécube* d'Euripide, qui est l'un des premiers essais du genre et qui semble avoir été entreprise à l'instigation de Lazare de Baïf, dont Bochetel fut l'ami. Ses enfants furent élèves d'Amyot.

BIBL. : *La Tragedie d'Euripide nommée Hecuba*, Paris, 1544. — M. Delcourt, *Les Traductions des tragiques grecs et latins en France*, Bruxelles, Lamertin, 1925 ; R. Lebègue, *La Tragédie française de la Renaissance*, Bruxelles, Off. Publ., 1954.

BOUCHARD (Alain) [?-1531]

Auteur des *Grandes Chroniques de Bretaigne* (publiées en 1514). Bien que francophile, Bouchard exalte sa patrie, la Bretagne, dont il insère l'histoire dans l'histoire du monde. Bouchard émaille ses *Chroniques* de discours fictifs, dans lesquels il prouve sa parfaite connaissance de la grande rhétorique. Lecteur de Froissart, de Geoffroy de Monmouth et de Vincent de Beauvais, il rapporte un grand nombre d'anecdotes et de légendes, et manifeste un certain goût du merveilleux.

BIBL. : G. Jeanneau, *Alain Bouchard*, Thèse Paris, 1961, dactyl. ; voir *Annales de l'Université de Paris*, 31, 1961, p. 552-553.

BOUCHARD (Amaury) [mort après 1543]

Ce haut fonctionnaire, ami de Tiraqueau, de Pierre Lamy et de Rabelais, publie en 1522 un ouvrage en faveur des femmes. Vers 1531-1533, il rédige, d'après Marsile Ficin, un traité, resté manuscrit, sur *l'excellence et immortalité de l'âme*, qu'il offre au roi François Ier.

BIBL. : H. Busson, *Le Rationalisme dans la littérature française de la Renaissance (1533-1601)*, Vrin, 1957, p. 153-155 ; M. A. Screech, « A further study of Rabelais's position in the Querelle des femmes », dans *François Rabelais. Ouvrage publié pour le quatrième centenaire de sa mort, 1553-1953*, Genève, Droz, 1953, p. 133-146.

BOUCHET (Jean) [Poitiers, 1476-Poitiers, vers 1557]

Etudiant en droit, Jean Bouchet passe quelques années à Paris et participe à la vie basochienne, mais une fois revenu à Poitiers, sa ville natale, où il devient procureur en 1507, il ne quitte plus sa province. Jean Bouchet l'a dit à plusieurs reprises : la rhétorique, c'est son passe-temps, son studieux loisir. Avec Lemaire et Gringore, il est l'auteur le plus fécond de la génération des « rhétoriqueurs ». Pendant toute la première moitié du XVIe siècle se succèdent les éditions et rééditions de ses œuvres. Versificateur infatigable, prolixe, bavard, bien-pensant, il offre une mine de renseignements sur la vie littéraire de l'époque *(Epistres morales et familieres*, 1545). Passionné de théâtre, il se fait ordonnateur de mystères, mais, moraliste qu'il ne cesse d'être, il élève la voix contre les turpitudes des farces. Toujours digne et souvent ennuyeux, Bouchet nous a aussi laissé des œuvres du plus haut intérêt. Tel ce *Temple de bonne renommee* (1516), où il nous expose ses idées, qui sont celles de son époque, sur la poésie, son origine et sa fonction, et où, l'un des premiers, il cite, à côté de Dante et de Pétrarque, Serafino dell' Aquila. Telle encore une de ses premières œuvres, *Les Regnars traversans les perilleuses voyes des folles fiances du monde* (1503), que l'éditeur Antoine Vérard publie d'ailleurs sous le nom de Sébastien Brant (excellente réclame), ce qui nous vaut un des premiers procès d'un auteur contre son éditeur. Le « traverseur des voyes périlleuses » est dès lors le nom de plume de Jean Bouchet. On a, non sans raison, rapproché l'intarissable fantaisie des *Regnars traversans* de certains tableaux flamands de l'époque. C'est dire que l'œuvre de Bouchet vaut surtout par la liberté de son invention, qui ne recule ni devant le paradoxe ni devant l'absurde. En dernier lieu, Jean Bouchet a son importance comme historien. Les *Annales d'Aquitaine* (1524), où le patriotisme fait parfois accepter à l'auteur de trop belles légendes, rassemblent néanmoins une foule de renseignements tirés de vieilles chartes et des traditions locales. Jean Bouchet survit d'une génération à tous ses confrères en rhétorique.

BIBL. : *Epistres morales et familieres du Traverseur*, réimpression de l'édition de 1545, New York, Johnson, 1969. — A. Hamon, *Jean Bouchet*, Oudin, 1901 ; H. Guy, *Rhétoriqueurs*, Champion, 1910 ; Chr. M. Scollen, *The Birth of the Elegy in France. 1500-1550*, Genève, Droz, 1968 ; J. J. Beard, « Letters from the Elysian fields : a group of poems for Louis XII », *BHR*, 31, 1969, p. 27-38. (P. 36, 58, 92, 108, 114, 119, 120, 126-129, 131, 178-179.)

BOUGOING ou BOURGOYN (Simon)

Valet de chambre de Louis XII. Auteur d'une moralité de plus de trente mille vers, *L'Homme juste et l'homme mondain* (éditée en 1508) et d'un poème moral et didactique de plus de vingt mille vers, l'*Espinette du jeune prince* (éd. 1508 et 1514). Humaniste, il traduit Lucien (*Des vrayes narrations*, 1529) et plusieurs vies de Plutarque (restées manuscrites). On lui doit,

en outre, une traduction en vers, inédite, des *Trionfi* de Pétrarque.

BIBL. : H. J. Harvitt, « Les Triomphes de Pétrarque : traduction en vers français par Simon Bougouyn », *RLC*, 2, 1922, p. 85-89 ; F. Simone, *Il Rinascimento Francese*, Turin, Società Editrice Internazionale, 1965, p. 202-211.

BOURBON (Nicolas) [Vandœuvres, (Champagne), 1503-Candé v. 1550]

Fils d'un maître de forges, il termina ses études à Montaigu, avant d'enseigner à Amiens, Troyes et Langres. Il voua sa vie à la poésie : dès son jeune âge, il composait une *Ferraria ;* puis, ayant trouvé des protecteurs (Amboise, Tournon, Lautrec, M. de Navarre en 1529) et divers emplois de précepteur, il passa de Paris (v. 1530) à Lyon (1536), lié aux milieux humanistes (Toussain, Scève, Guadagne, Budé, Erasme, Rabelais, Scaliger, Vascosan, etc.) et souvent entraîné sur les routes, de Provence en Angleterre. Il fut emprisonné en 1533, pour quelques poèmes suspects d'hérésie, avant de connaître une vieillesse difficile. Enfin Marguerite de Navarre le donna pour précepteur à sa fille Jeanne d'Albret et lui attribua le bénéfice de Candé. Dans ses vers d'amour, il chante une Rubella non identifiée ; il a écrit quantité de pièces de circonstance adressées à ses amis (arbitrant, par exemple, la querelle Marot-Sagon, dans un esprit de concorde) ainsi que des vers religieux. Ses épigrammes surtout connurent un très grand succès. Il était ouvert aux idées nouvelles exaltant à mainte reprise la « renaissance des lettres » (il est le premier à employer l'expression).

BIBL. : *Nugae*, Paris, Vascosan, 1533 et 1538 ; *Tabellae elementariae*, Paris, 1539; *Bagatelles* (choix par V.-L. Saulnier), Haumont, 1945. — G. Carré, *De Vita et scriptis N.B.*, 1888 ; D. Murarasu, *La Poésie néo-latine*, p. 83-99. (P. 107.)

Bourgeois de Paris

On ignore tout de l'auteur (ou des auteurs) ainsi désigné par L. Lalanne, qui publia son *Journal*. Il s'agit plutôt d'une chronique, couvrant les années 1515-1536, librement composée et utilisant nombre de pièces diverses, plaquettes, recueils, feuilles volantes. Il est possible que ce « bourgeois » soit un ecclésiastique : en tout cas, il reproduit sur l'événement quotidien un point de vue conformiste, loyaliste et orthodoxe et on le devine proche du sentiment populaire. Son témoignage est souvent plein d'intérêt, comme le sont à des degrés divers les chroniques ou journaux de Pierre Driart, moine de Saint-Victor (pour les années 1522-1535), Sébastien Picotte, échevin de Sens (1515-1542) ou le livre de raison de Nicolas Versoris, avocat au Parlement de Paris (1519-1530).

BIBL. : *Journal d'un bourgeois de Paris*, p. p. L. Lalanne, Renouard, 1854 et par V. L. Bourrilly, Picard, 1910 ; P. Driart, *Chronique*, p. p. F. Bournon, Sté hist. de Paris, 1895 ; S. Picotte, *Chronique du roy Françoys Ier*, p. p. G. Guiffrey, Renouard, 1860 ; N. Versoris, *Livre de raison*, p. p. G. Fagniez, Sté hist. de Paris, 1885.

BOVELLES (Charles de ; en latin Bovillus) [Sancourt (Picardie), vers 1480-Noyon, vers 1533]

Ce mathématicien, théologien, philosophe, philologue et poète est un des penseurs originaux de l'époque. Il voyage en Suisse, en Allemagne, en Italie, en Espagne, mais sa vie demeure peu connue. Elève de Lefèvre d'Etaples, il s'inspire chez Aristote, Platon, Nicolas de Cues. Son anthropologie doit beaucoup aux humanistes italiens. Sa philosophie, qui unit un réalisme logique à une épistémologie sensualiste, ne semble pas avoir exercé une grande influence. A la demande de ses amis, Bovelles rédige, un des premiers, un traité de géométrie en français (1511), et, à la fin de sa vie, il publie deux ouvrages de philologie fran-

çaise : *Proverbiorum vulgarium libri tres* (1531), un recueil de proverbes français avec commentaire en latin ; *Liber de differentia vulgarium linguarum* (1533), qui contient un tableau étymologique français-latin et fournit d'intéressants renseignements sur la prononciation du français de l'époque.

BIBL. : J. Dippel, *Versuch einer systematischen Darstellung der Philosophie des Carolus Bovillus*, Würzburg, Ernst Thein, 1865 ; E. Cassirer, *Das Erkenntnisproblem in der Philosophie und Wissenschaft der neueren Zeit*, t. I, Berlin, Cassirer, 1906, p. 77-85 ; K. H. Brause, *Die Geschichtsphilosophie des Carolus Bovillus*, Leipzig, Robert Noske, 1916 (thèse) ; A. Renaudet, *Préréforme et humanisme à Paris pendant les premières guerres d'Italie (1494-1517)*, Champion, 1916, ²1953 ; E. Cassirer, *Individuum und Kosmos in der Philosophie der Renaissance*, Leipzig et Berlin, Teubner, 1927 (contient une édition du *De sapiente*, due à R. Klibansky) ; W. Mönch, *Die italienische Platonrenaissance und ihre Bedeutung für Frankreichs Literatur- und Geistesgeschichte, 1450-1550*, Berlin, 1936. (P. 36, 68-70.)

BOYSSONÉ (Jean de) [Castres ?, vers 1505-vers 1558]

Professeur de droit, acquis aux nouvelles méthodes des juristes humanistes, Boyssoné, bien que modéré, est plus d'une fois inquiété par les autorités « réactionnaires ». Il enseigne à Toulouse, à Grenoble, change plusieurs fois de poste, voyage en Italie : la vie (assez bien connue) de cet humaniste modeste reflète un peu l'aventure de l'humanisme de la deuxième génération. Boyssoné n'a rien publié. Il a laissé des lettres, ainsi que des poésies latines et françaises. Ses dizains, qu'il groupe en « centuries », témoignent de son admiration pour Clément Marot ; ils sont pleins de réminiscences de Plutarque, d'Ausone, des *Adages* d'Erasme, de Serafino dell'Aquila (pour la partie amoureuse) et fournissent des renseignements précieux sur la « république des lettres » en province.

BIBL. : *Les trois Centuries de Maistre Jean de Boyssoné*, éd. critique par H. Jacoubet, Toulouse, Privat, 1923 ; H. Jacoubet, *La Correspondance de Jean de Boyssoné*, Toulouse, 1931 (*Annales du Midi*, 1929-1931) ; *Les Poésies latines de Jean de Boyssoné*, résumées et annotées par H. Jacoubet, Toulouse, Privat, 1931 ; H. Jacoubet, *Jean de Boyssoné et son temps*, Toulouse, Privat 1930. (P. 147.)

BRIÇONNET (Guillaume) [1472-1534]

Evêque de Lodève en 1489 (à dix-sept ans), puis de Meaux (1516), Briçonnet intéresse les lettres françaises parce qu'il fut le directeur spirituel de Marguerite d'Alençon. A Meaux, il s'occupe activement de son diocèse et fait appel, en 1521, à Lefèvre d'Etaples, Gérard Roussel, Martial Mazurier, Pierre Caroli, Guillaume Farel, Michel d'Arande, François Vatable, pour une réorganisation de l'enseignement et de la prédication. Ce « groupe de Meaux » pratique l'évangélisme, c'est-à-dire une doctrine religieuse qui considère l'Evangile comme la seule source de la foi, et le Christ comme le seul objet du culte. Certains membres de ce cercle (Roussel, Farel), ayant manifesté trop de zèle réformateur, la Faculté de théologie condamne, en 1523, ces nouvelles doctrines. Le groupe se disperse. Briçonnet a par la suite encore plus de querelles avec les Franciscains. La réorganisation du diocèse de Meaux fut un des grands espoirs de l'évangélisme français. Briçonnet lui-même a peu publié : une harangue qu'il fit en 1507 devant le pape, à Rome (éditions en latin et en français) ; deux sermons devant le synode (1520 et 1522, en latin), ainsi qu'un ouvrage de piété, *Les Contemplations faictes à l'honneur et louenge de la tres sacree Vierge Marie* (1519).

BIBL. : Ph. A. Becker, *Marguerite, duchesse d'Alençon, et Guillaume Briçonnet, évêque de Meaux, d'après leur correspondance manuscrite (1521-1524)*, Paris, 1901 (= *BSHP*, 49, 1901, p. 393-477 et 661-...) ; Imbart de La Tour, *Les Origines de la Réforme*, t. III, Didot, 1914, p. 110-272 ; P. Jourda, *Marguerite d'Angoulême, duchesse d'Alençon, reine de Navarre*, Champion, 1930. (P. 21, 68.)

BRODEAU (Victor) [Tours, 1502 ?-Paris, 1540]

Issu de bonne bourgeoisie, il était sieur de la Chassetière. Vers 1523, on le trouve au service de Marguerite d'Alençon, en qualité de secrétaire, puis de contrôleur des finances ; en 1528, il est notaire et secrétaire de Louise de Savoie, avant de devenir en 1536 notaire, secrétaire et valet de chambre du roi. Ce personnage amène fut un habile courtisan, intelligent, efficace et discret, sachant plaire à tous. Ses fonctions et son amabilité lui valurent de nombreux amis, dont Salel, Saint-Gelais, Chappuys et Marot, qui le considère comme son disciple favori. Fonctionnaire zélé, il fut seulement un dilettante en poésie, n'imprimant pas ses vers, dont beaucoup ont dû se perdre. Nous n'avons de lui que peu de poésies profanes, gracieuses et bien tournées (*Blason de la Bouche* ; quelques épigrammes, des rondeaux), où l'on sent peu de travail et beaucoup de légèreté. Ses meilleures œuvres sont deux pièces religieuses, les *Louanges de Jesuschrist* (1540) et l'*Epistre d'un pecheur à Jesuschrist* (1543, posthume).

BIBL. : P. Jourda, « Un disciple de Marot : V. B. », *RHLF*, 1921, p. 30-59, 208-228 ; A. Trofimoff, *Poètes français avant Ronsard*, R. Marin, 1950, p. 267 sq. (P. 134, 138, 142.)

BUCHER (Germain Colin) [Angers, v. 1480-Angers, après 1545]

On le trouve à partir de 1529 secrétaire du grand-maître de Malte, Ph. de Villiers de l'Isle-Adam, qu'il accompagne à Nice, en Savoie, en Sicile, en Espagne. Esprit assez indépendant et original, il fut sans doute attiré par la Réforme et reçut une remontrance des Grands Jours d'Angers (1539). Ami de Bouchet et de Macé, il adopta à l'égard de Marot une attitude ambiguë. Il aima une Gylon, qui resta indifférente, si l'on en croit ses vers d'amour. Il avait pour devise « Vela que c'est ». Deux de ses épîtres furent insérées par Bouchet dans ses *Epistres morales et familieres* (Poitiers, Marnef, 1545, n° 64 et 66) : ce sont les seules œuvres publiées de son vivant. Le ms. 24319 de la B.N. contient la plus grande partie de sa production : rondeaux, chansons, épîtres, épigrammes, épitaphes, un lai à Vénus et diverses pièces religieuses.

BIBL. : *Les Poésies de G. C. B.*, p. p. J. Denais, Techener, 1890 (réimpr. Genève ; Slatkine, 1970). — Guy, *Marot et son école*, *passim*.

(P. 120, 137, 147.)

BUDÉ (Guillaume) [Paris, 1467-Paris, 1540]

Budé est l'humaniste français le plus important de l'époque. Sa formation juridique « officielle » ayant été plutôt médiocre, il se remet à l'étude à l'âge de vingt-trois ans. La pénurie de maîtres experts dans les nouvelles disciplines (le droit et le grec), l'oblige à se former lui-même. Dès 1503, il traduit du grec trois traités de Plutarque et une lettre de saint Basile. Son premier grand ouvrage, les *Annotationes* aux *Pandectes* (1508), font de lui un des instaurateurs des nouvelles méthodes juridiques. En 1515, il prouve dans le *De Asse* sa connaissance approfondie du monde antique ; à la demande du roi, Budé extrait de cette « somme » un *epitome* en français (1522), Puis de 1526 à 1530, il publie coup sur coup une deuxième édition de ses *Annotations aux Pandectes* (1526), un ouvrage sur l'étude des lettres (*De studio recte et commode instituendo*, 1527), de volumineux *Commentaria linguae graecae* (1529) et un *De philologia* (1530). Dans cette période de troubles religieux, Budé, profondément chrétien et attaché à la foi catholique, demeure fidèle à sa vocation d'humaniste, et, au lieu d'intervenir directement dans la lutte qui s'engage, il essaie d'harmoniser l'hellénisme et le christia-

nisme (*De Transitu Hellenismi ad Christianismum*, 1535). Ses *Opera omnia* seront publiés à Bâle, en 1557.

BIBL. : *Opera omnia*. Reprint of Basle edition, Farnborough, Gregg Press, 1966-1967, 4 vol. ; G. Budaeus, *De Philologia, De studio litterarum*, fac-similé de l'édition Paris, 1532, avec une importante introduction par A. Buck, Stuttgart-Bad Cannstatt, 1964 ; Cl. Bontems, « L'Institution du prince de Guillaume Budé », dans Cl. Bontemps *et alii*, *Le Prince dans la France des XVIe et XVIIe siècles*, P.U.F., 1965, p. 13-43 (avec édition du texte, p. 77-139) ; *De l'institution du prince*, Facsimile of the 1547 edition, Farnborough, Gregg Press, 1966 ; *La Correspondance d'Erasme et de Guillaume Budé*, traduction intégrale, annotations et index biographique par M.-M. de la Garanderie, Vrin, 1967. — L. Delaruelle, *Guillaume Budé. Les origines, les débuts, les idées maîtresses*, Champion, 1907 ; du même, *Répertoire analytique et chronologique de la correspondance de Guillaume Budé*, Toulouse et Paris, Champion, 1907 ; J. Plattard, *Guillaume Budé (1468-1540) et les origines de l'humanisme français* (1923), Les Belles Lettres, 1966 ; J. Bohatec, *Budé und Calvin*, Graz, Böhlau, 1950 ; A. Buck, « Guillaume Budés humanistische Programmschriften », *Universitäts-Bund*, Marburg, 1966, p. 181-194 ; M. Lebel, « Guillaume Budé (1468-1540) et son traité *Du passage de l'hellénisme au christianisme* », *Mémoires de la Société royale du Canada*, 1965, p. 67-76 ; M.-M. de la Garanderie, « Qui était Guillaume Budé ? », *Bulletin de l'Association G. Budé*, 1967, p. 192-211 ; de la même, « L'Harmonie secrète du *De Asse* de Guillaume Budé », *ibid.*, 1968, p. 473-486 ; les articles consacrés à Budé dans *Moreana*, n° 19-20, novembre 1968 ; D. R. Kelley, *Foundations of modern historical Scholarship. Language, Law and History in the French Renaissance*, New York, Columbia University Press, 1969 ; G. Gueudet, « Etat présent des recherches sur Guillaume Budé », *Ass. G. Budé. Actes du VIIIe Congrès*, Les Belles Lettres, 1970.

(P. 35-37, 57, 62, 70-73.)

C

CARLE (Lancelot de) [Bordeaux, v. 1500-Paris, 1568]

Fils d'un président au Parlement de Bordeaux, il fit peut-être des études en Italie. Entré dans les ordres, il s'établit à la Cour et s'attacha au dauphin, dont il devint aumônier. Il fut un des favoris de Henri II, qui le nomma évêque de Riez en 1550. Il avait accompli diverses missions diplomatiques en Angleterre (1536) et en Italie (1547). Du Bellay loua ses talents poétiques et Ronsard lui dédia l'*Hymne des daimons* : il s'était fait à la cour le protecteur des jeunes poètes, qui ne lui ménagèrent pas leurs hommages. En 1536, il donna cinq blasons marotiques, puis il composa surtout des poésies religieuses (hymnes et sonnets, paraphrases diverses). Récemment, E. Giudici a proposé, non sans précautions, de voir en lui l'auteur du *Petit Œuvre d'amour et gaige d'amytié* (1537). Ses traductions d'Homère et d'Héliodore ne manquent pas d'intérêt.

BIBL. : 5 pièces dans *Blasons du corps femenin*, Paris, L'Angelier, 1550; 17 sonnets chrétiens p. p. Chamard, *Mélanges Lanson*, Hachette, 1922 ; etc. — G. Colletet, *Vie de L. de C.*, Claudin, 1873 ; E. Picot, *Les Français italianisants*, t. I, p. 235-249 ; L. C. Harmer, « L. de C. », *HR*, 6, 1939, p. 443-474. (P. 134, 140, 150, 277.)

CARTIER (Jacques) (Saint-Malo, 1491-1557)

Le célèbre navigateur entreprit trois voyages d'exploration en Amérique du Nord : en 1534, il atteignit le Labrador et la Gaspésie ; en 1535-1536, il remonta le Saint-Laurent jusqu'à Montréal et en 1541 il prit possession des terres du Canada, Hochelaga et Saguenay, y laissant Roberval lieutenant-général du roi ; mais il dut revenir l'année suivante chercher celui-ci et ses hommes, l'établissement ayant piteusement échoué. Il a laissé une relation détaillée de ces expéditions. Rabelais l'a introduit dans son œuvre sous le nom de Jamet Brayer.

BIBL. : *Brief recit et succinte narration de la navigation faicte ès isles de Canada, Hochelaga, Saguenay et aultres*, Paris, Roffet, 1545 (adaptation du texte original) ; *Relation originale du voyage de J. C. au Canada*, p. p. H. Michelant et A. Ramé, Tross, 1865 (1º éd.) ; *Voyages de J. C.*, p. p. H. P. Biggar, Ottawa, Acland, 1924. — F. Jouon des Longrais, *J. C.*, Picard, 1888 ; N. E. Dionne, *J. C.*, Québec, Léger-Rousseau, 1889 ; J. Gaston-Martin, *J. C. et la découverte de l'Amérique du Nord*, Gallimard, 1939.

CHAMPIER (Symphorien) [Saint-Symphorien-le-Châtel, 1472- Lyon 1537 ou 1539]

Médecin, botaniste, philosophe, historien, le polygraphe Symphorien Champier représente une phase importante de l'humanisme lyonnais. Largement ouvert à l'influence italienne, Champier développe à sa façon les idées néo-platoniciennes de Marsile Ficin. Patriote, il réclame pour la « Gaule » la première place dans l'histoire de la civilisation et des bonnes lettres. Esprit quelque peu brouillon dans ses écrits philosophiques, il est aussi un homme de la « vie active », car il est échevin de la ville de Lyon (1520-1533), où il fonde le Collège de la Trinité (1527). A côté de ses nombreux écrits en latin, Champier a composé en français un *Myrouel des appothicaires et pharmacopoles* (1531), des ouvrages historiques (sur la Lorraine, la Savoie, la Bourgogne, la ville de Lyon), une *Vie du preulx chevalier Bayart* (1525), un traité sur les titres de noblesse. Il appartient à la littérature française par *La Nef des dames vertueuses* (1503), dont la quatrième partie, *Le Livre de vraye amour*, rapproche pour la première fois, en France et en français, le féminisme et le platonisme.

BIBL. : *Le Livre de vraye amour*, p. p. J. B. Wadsworth, La Haye, Mouton, 1962. — P. Allut, *Etude biographique et biblio-*

graphique sur *Symphorien Champier*, Lyon, Scheuring, 1859 ; W. Mönch, *Die italienische Platonrenaissance und ihre Bedeutung für Frankreichs Literatur- und Geistesgeschichte, 1450-1550*, Berlin, 1936 ; M. L. Holmes, « A brief survey of the use of Renaissance themes in some works of the Lyonese doctor, humanist and man of letters Symphorien Champier », dans *Cinq Etudes lyonnaises*, Genève, Droz, 1966, p. 27-54. (P. 36-38, 59, 69, 70, 144.)

CHAPPUYS (Claude) [Amboise ?, v. 1500-Rouen, 1575]

On ne sait rien de lui pendant le premier tiers de sa vie, sinon qu'il fut peut-être vers 1521 clerc et sommelier de la chapelle royale, puis protégé par Jean Du Bellay. Déjà lié d'amitié avec Saint-Gelais et Macrin, il resta valet de chambre et « libraire » (bibliothécaire) du roi de 1532 à 1565. A la Cour, il était l'agent des Du Bellay ; il accompagna le cardinal Jean à Rome en 1534, avec Rabelais. Poète courtisan, il rivalisa avec Saint-Gelais pour les pages d'album, épigrammes surtout (jusque vers 1538) ; ami de Marot, Brodeau et Héroët, il blasonna lui aussi à plusieurs reprises ; à partir de 1538, il écrivit plutôt des poésies de circonstance pour le roi. Prêtre avant 1550, il était chantre de la cathédrale de Rouen en 1537, puis titulaire de divers bénéfices dès 1541. Il s'établit à Rouen et joua un rôle assez important dans la vie municipale, avant de connaître une vieillesse paisible.

Chappuys fut lui aussi un parfait amateur : il ne publia aucun recueil de son vivant, mais seulement des poésies officielles et quelques petites pièces dans des collections ; on trouve aussi bon nombre de ses œuvres « mondaines » dans les recueils publiés sous le nom de Saint-Gelais. Ses épigrammes et chansons constituent la meilleure part de cette poésie fugitive ; le poète courtisan a laissé des épîtres et un *Discours de la Court*. Chappuys représente le type du marotique « moyen », au talent agréable, mais un peu tendu.

BIBL. : *Panegyrique au roy à son retour de Provence*, Paris, Roffet, 1538 ; *La Complaincte de Mars sur la venue de l'Empereur en France*, ibid., 1539 ; *L'Aigle qui a faict la poulle devant le coq à Landrecy*, ibid., 1543 ; *Le Discours de la court*, ibid., 1543 ; etc. *Poésies intimes*, p. p. A. M. Best, Genève, Droz, 1967, TLF. — L. P. Roche, *Cl. Ch.*, poète de la cour de *François Ier*, Belles-Lettres, 1929 (réimpr. Genève, Slatkine, 1968) ; A. M. Best, « Additional documents on the life of C. C. », *BHR*, 28, 1966, p. 134-140. (P. 91, 134, 138, 141.)

CLICHTOVE (Josse van) [Nieuport, v. 1470-Chartres, 1543]

Il étudia dans les collèges parisiens (Boncourt, Navarre) et fut l'élève de Lefèvre, dont la pensée le marqua profondément. Maître ès-arts en 1492, il est précepteur de Guillaume Briçonnet en 1499. Bibliothécaire de Sorbonne en 1505, docteur en 1506, il passe plusieurs années à Cluny avant de revenir enseigner à Navarre, où il s'attache à Louis Gaillard. Il accompagne celui-ci dans son évêché de Tournai (1519), puis de Chartres (1524). Il participe au synode de Sens (1528) et meurt à Chartres après une vie de labeur écrasant. Dès 1500, il édite les textes de Lefèvre, avec d'abondants commentaires, ainsi que saint Bernard, et les Epîtres des Apôtres. Développant la pensée de Lefèvre, il est l'un des théologiens les plus remarquables du « groupe de Meaux », mais se signale par son inébranlable fidélité envers Rome et la vigueur de ses attaques contre les luthériens. Erasme reconnaissait en lui « uberrimum rerum optimarum fontem ».

BIBL. : *De artium scientiarumque divisione introductio*, Paris, 1500 ; *De vera nobilitate opusculum*, Paris, Estienne, 1512 (trad. *Livre et traicté de toute vraye noblesse*, Lyon, Moderne, 1534) ; *De laude monasticae religionis*, Paris, Estienne, 1513 ; *Anti-Lutherus*, ibid., 1524 ; *Sermones*, ibid., 1534. — J. A. Clerval, *De J. C. vita et operibus*, Picard, 1894 ; A. Renaudet, *Préréforme et humanisme*, Champion, 1916.

COLET (Claude) [Romilly, ?-Paris, 1553 ou 1554]

Vie presque inconnue. Fut, selon Habert, maître d'hôtel de la marquise de Nesle entre 1553 et 1555. Poète marotique (« l'Amoureux de Vertu »), il attaqua Sagon dans sa *Remonstrance* (1537) ; il était lié à G. d'Aurigny et à Muret. On trouve quelques vers de Colet dans la *Suite de l'Adolescence clémentine* (1534) ; il donna en 1544 une *Oraison de Mars aux dames de la court*, suivie d'autres poésies (rééd. 1549). Il traduisit Achille Tatius (*Les Devis amoureux*, 1545). Bien qu'appartenant au dernier carré marotique, Colet fut l'ami des poètes de la nouvelle génération, Magny, Gruget, Ronsard (qui le cite dans les *Isles fortunées*) et surtout Jodelle, qui lui consacra plusieurs pièces (dont *Aux cendres de C. C.*). A partir de 1550, Colet se consacra à la traduction ou à l'adaptation de textes romanesques : il révisa les *Angoisses douloureuses* d'Hélisenne de Crenne (1551) et la version de G. Boileau d'*Amadis de Gaule* (9ᵉ Livre, 1553) ; il adapta l'*Histoire palladienne* (Paris, Dallier, 1554, préface de Jodelle) et l'*Histoire éthiopique* d'Héliodore (1559).

BIBL. : Guy, *Marot et son école*, 398-399. (P. 136, 150.)

COLIN (Jacques) [Auxerre, ?-Paris, 1547]

Fut d'abord au service de Lautrec en Italie (1521), puis, dès 1526, valet de chambre du roi. Ambassadeur (Savoie, 1526 ; Savone, 1527), il jouit de la faveur du roi, dont il devient lecteur en 1529. Il est abbé de Saint-Ambroise en 1530, « lecteur » et aumônier ordinaire du roi en 1534. C'est un personnage jovial et bon vivant, mais caustique et très cupide (l'auteur des *Nouvelles Récréations* a rapporté quelques-unes de ses saillies dans les nouvelles 47 et 48). Très écouté à la cour, ami des Du Bellay, il s'attire les louanges des poètes (Marot, Saint-Gelais, Sainte-Marthe, Chappuys, Brice, Visagier, Macrin et Theocrenus). Humaniste et protecteur des arts, il participe activement avec son ami Budé à la création du Collège royal, qu'il « dirige » jusque vers 1536. A cette date, il tombe en disgrâce et quitte la Cour. A la demande du roi, il publie les traductions de Seyssel, restées manuscrites (Thucydide, 1527 ; Plutarque, 1530 ; Eusèbe de Césarée, 1532) ; puis il traduit lui-même Ovide et Castiglione : cette dernière version sera revue par Dolet et Saint-Gelais. On lui doit enfin quelques poésies latines (dans les *Poemata* de Theocrenus, 1536) et trois poésies françaises, dont un *Dialogue de Venus et Cupido* et la *Conformité de l'Amour au Navigaige*. La partie originale de son œuvre est d'une insigne pauvreté, mais le rôle qu'il a joué dans les milieux littéraires et à la cour est loin d'être négligeable.

BIBL. : *Le Courtisan* (de Castiglione), Paris, 1537 ; *Le Procès d'Ajax et d'Ulysses* (d'Ovide), Lyon, 1547 ; *Conformité de l'Amour au navigaige* dans *Fable du Faulx Cuyder* (M. de Navarre), Lyon, 1547. — V.-L. Bourrilly, *J. C., abbé de Saint-Ambroise*, S.N.L.E., 1905 (réimpr. Genève, Slatkine, 1970) ; H. Guy, *Marot et son école*, 116-127. (P. 138, 144.)

COLLERYE (Roger de) [Paris, 1468-après 1538]

D'après l'éditeur de ses *Œuvres* (1536), Collerye est un *homme tressavant natif de Paris, secrétaire de feu monsieur d'Auxerre*. Sa vie est peu connue. Auteur de soties, de monologues et de dialogues dramatiques, Collerye a aussi laissé un grand nombre de pièces de circonstance, ballades, complaintes, épîtres, rondeaux. Habile dans tous les registres, il cultive tour à tour la muse courtoise ou grivoise, satirique ou politique. Tantôt fin et narquois, tantôt grossier, il lui arrive d'être vraiment amusant (*Sermon pour une nopce ; Monologue du résolu*) ou de trouver des accents vrais lorsqu'il évoque la lutte contre son ennemi le plus redoutable, *Faulte-d'Argent*.

BIBL. : *Œuvres*, p. p. Ch. d'Héricault, Jannet, 1855 ; *Un émule de Coquillart. Roger de Collerye et ses poésies dolentes, gri-

voises et satiriques, p. p. F. Lachèvre,
1942 ; une édition critique des complaintes,
ballades et rondeaux, a été présentée par
R. J. Gosselin comme thèse à Standford
University, en 1969 : voir *Dissertation Abstracts*, 30, 1969-1970, 1168 A.
(P. 115, 117, 129, 149).

CORROZET (Gilles) [Paris, 1510-Paris, 1568]

Libraire et polygraphe, cet esprit
moyen eut la passion de l'humanisme et
déploya une activité très intense d'éditeur,
de traducteur, d'écrivain et de poète. Sa
marque était un « cœur rosé » et sa devise
« Plus que moins » ; associé à D. Janot, il
disposait d'un important ensemble de bois
gravés, qu'il utilisa plusieurs fois. On lui
doit des ouvrages d'érudition archéologique
et les premiers « guides touristiques » de
Paris : *La Fleur des antiquitez de Paris* (1532),
Antiques Erections des Gaules (1535) et *Les
Antiquitez, histoires et singularitez de Paris*
(1550). Traducteur, il adapta Juan de
Flores (*Le Jugement d'amour*, v. 1535) et
L. B. Alberti (*La Deiphire*, 1574), ainsi
qu'Esope (*Fables*, 1542). Il réunit diverses
anthologies, le *Parnasse des poètes françois*
(1574) et l'*Hecatomgraphie* (1540). Poète
lui-même, il est l'auteur notamment d'un
Blason du moys de may (1530 ?), de *Blasons
domestiques* (1539, inspirés de l'*Ædiloquium*
de G. Tory), de poésies de circonstance et
surtout du beau *Compte du rossignol* (1542,
imité du *Pérégrin de Caviceo*), éloge de
l'amour noble, complété par *Volupté vaincue*
(1543) et par une *Satire contre le fol amour*
(1548). Moraliste enfin, au surnom modeste
de « l'Indigent de Sapience », on lui doit
La Fleur des sentences certaines (1548), *Le
Trésor de Vertu* (1555) et *Les Propos mémorables* (1558).

BIBL. : *La Fleur des Antiquitez*, p. p.
Jacob, Willem et Daffis, 1874 ; *Hecatomgraphie*, p. p. Ch. Oulmont, Champion,
1905 ; *Blasons domestiques* dans le *Recueil
de Montaiglon*, t. VI (autres œuvres de
Corrozet, t. I, VI et VIII) ; *Le Compte du
Rossignol* et les *Fables d'Esope*, p. p. F. Gohin,

Garnier, 1924. — A. Bonnardot, *Etude sur
G. C.*, Guiraudet, 1848 ; S.-M. Bouchereaux, « Recherches bibliographiques sur
G. C. », *Bull. Bibl.*, 1948-1949.
(P. 59, 91, 135, 145, 148.)

COUSIN (Gilbert) [Nozeroy, 1506-Besançon, 1572]

Il fut longtemps secrétaire d'Erasme,
avant d'être chanoine de Nozeroy, où il
ouvrit une école qu'il déplaça par la suite
à Besançon. Ecrivain abondant, il fut mis à
l'Index par le Concile de Trente. Ses
œuvres traitent de théologie, de rhétorique,
de morale et de géographie, mais abordent
aussi les sujets poétiques.

BIBL. : *Opera*, Bâle, 1562 ; *Oratio adversus rhetoricem atque eloquentiam*, 1547 (trad. :
Aucunes œuvres de G. C. tresutiles à chascun,
Lyon, 1561) ; *Aesopi et aliorum fabulae*
(50 fables de G. C.), Lyon, 1548 ; *Sylva
narrationum*, Lyon, 1548 ; *Burgundiae superioris descriptio*, Bâle, 1552. — L. Febvre,
« Un secrétaire d'Erasme, G. C. », *BSHP*,
1907, p. 97-148 ; P.-A. Pidoux, *Un humaniste comtois, G. C. Etude sur sa vie, ses ouvrages
et ses doctrines religieuses*, Lons-le-Saunier,
1910 (réimpr. Genève, Slatkine, 1970).

CRENNE (Hélisenne de) [Abbeville ?, ?- ?, après 1552]

Marguerite Briet, peut-être fille d'un
échevin d'Abbeville, fit de bonnes études
et épousa très tôt Philippe Fournel (ou
Fournet), seigneur de Cresne (Craonne).
Mais en 1539, après quelques vicissitudes,
les époux étaient séparés ; une décision
judiciaire interviendra en 1552. En 1538,
elle publia un roman sans doute autobiographique en partie, mais également
inspiré de la *Fiammetta* de Boccace, les
Angoysses douloureuses qui procedent d'amours.
Puis l'année suivante des *Epistres familieres
et invectives* et en 1540, *Le Songe de Madame
Helisenne*. Enfin, en 1541, elle donna une
traduction en prose, dédiée au roi, de
l'*Enéide* (I-IV). C'est son premier ouvrage

qui l'a rendue célèbre : il fut plusieurs fois réédité, et à partir de 1550 le texte en fut revu par Cl. Colet.

BIBL. : *Les Angoysses douloureuses*, p. p. J. Vercuysse, Minard, 1968 ; p. p. P. Demats, Belles Lettres, 1968. — G. Reynier, *Le Roman sentimental*, p. 99-122 ; J. Vercruysse, « Notes biographiques sur H. de C. », *Studi francesi*, 1967, p. 77-81. ; F. Neubert, « H. de C. », *Z. f. fr. Spr. u. Lit.*, 80/4, 1970, p. 291-322. F. Neubert, « Die Briefe der H. de C. », *Neueren Sprachen*, juill. 1966. I. M. Bergal, *H. de C., a 16th century french novelist*, Thèse, Minnesota, 1966. (P. 166, 168-170.)

CRETIN (Guillaume) [Paris, vers 1460-Vincennes, 1525]

Guillaume Cretin, parisien, est chantre et chanoine. Dans sa jeunesse, il semble avoir composé quelques pièces dramatiques pour les clercs du Châtelet, il traduit du latin une épître de Fausto Andrelini et s'attelle, sans pouvoir mener à bien cette tâche, à versifier Grégoire de Tours, dans des *Cronicques* qu'il assaisonne de harangues « rhétoricales » et de leçons de morale. Pour rendre justice à cette œuvre encore inédite et toujours décriée, il faut voir en elle non point le traité d'un historien, mais bien un poème historique. Guillaume Cretin a été célèbre. Lemaire de Belges, Jean Bouchet, Clément Marot, Geoffroy Tory, Jacques Pelletier du Mans l'ont loué pour son style et, surtout, pour ses rimes équivoquées. Deux ans après sa mort, soit dès 1527, un de ses disciples, François Charbonnier, publiera une édition collective de ses œuvres : fait exceptionnel et significatif. Cretin a remporté plusieurs prix aux concours des Palinods de Rouen : c'est dire que la poésie religieuse occupe une place importante dans son œuvre. Poète engagé dans ses *invectives*, Cretin est cependant beaucoup moins moralisateur que certains de ses confrères. Il s'illustre dans la poésie récréative comme dans les déplorations funèbres (*Déploration sur Ockeghem, Plainte sur le trespas [...] de Guillaume de Bys-*sipat, *L'Apparition du mareschal [...] Jacques de Chabannes*). Mais il se signale surtout par le rôle actif qu'il joue dans la république des lettres, adressant de nombreuses épîtres en vers soit à des confrères, les Molinet, Jean Lemaire, François Robertet, et autres, soit aux rois Charles VIII, Louis XII et François Ier. La critique moderne a eu tort de se moquer du métier, très visible, de l'écrivain. Que ce soient ou non des réussites, l'important est de voir comment un artiste explore une langue à l'intérieur de la « seconde rhétorique ». Les nombreux changements de mètre ne visent pas à traduire les nuances du sentiment de l'auteur ou du personnage en question. Elles attestent plutôt un effort, très artiste, sur le plan rythmique. Les rimes, toujours riches et souvent équivoquées, ainsi que les fréquentes variations métriques devraient rappeler au lecteur que Cretin, le musicien, est à la recherche du son et du *tempo*. Au lieu de déplorer ce qui n'est pas, il faut apprécier ce qui est : une recherche et un art conscients dans le domaine de la forme. Mais serions-nous vraiment incapables de goûter l'art d'un écrivain qui se passe souverainement du moi, de la conscience, de la peinture des caractères, du « message » ?

BIBL. : *Œuvres poétiques*, p. p. K. Chesney, Didot, 1932. — H. Guy, « La Chronique française de Maître Guillaume Cretin », *Revue des langues romanes*, 47, 1904, et 48, 1905 ; H. Guy, « Un souverain poète français, maître Guillaume Cretin », *RHLF*, 10, 1903, p. 553-589 ; J. J. Beard, « Letters from the Elysian fields : a group of poems for Louis XII », *BHR*, 31, 1969, p. 27-38. (P. 36, 114, 116, 117, 119, 125-131.)

D

DES PERIERS (Bonaventure) [Arnay-le-Duc, v. 1500- ?, 1543]

Il fit ses études à Autun, sous la direction de Robert Hurault, maître de philosophie de Marguerite de Navarre ; il en reçut une solide formation humaniste et le goût de l'audace intellectuelle, voilée sous un parti-pris de discrétion. Il fut sans doute maître d'école, avant de vagabonder pendant quelques années obscures pour nous. Il passe par Avignon, où il fait la connaissance de Du Moulin, puis par Montpellier. Olivetan l'appelle à collaborer à sa traduction française de la Bible vers 1534, au moins pour les sommaires et les tables. Puis Des Périers vient s'installer à Lyon (1535), où il aide Dolet dans les corrections des *Commentarii linguae latinae*, et où il lie connaissance avec les érudits (Champier, Meigret), les artistes (B. Salomon et Ph. Delorme) et les poètes, Marot, Fontaine et Saint-Gelais notamment. Il entre au service de Marguerite de Navarre en 1536, en qualité de valet de chambre ; estimé par la reine, qui s'attache à lui, il entreprend la traduction du *Lysis*, de l'*Andrienne* (?) et de poésies d'Horace. Dans la querelle sagontine, il prend parti avec enthousiasme en faveur de Marot (fin 1536-1537). Mais en 1537, Des Périers fait publier par le libraire Jean Morin son *Cymbalum Mundi*, aussitôt condamné par le Parlement et brûlé pour les « grands abuz et heresies » qu'il contient. Des Périers cependant demeure à la Cour ; c'est l'époque où il échange une correspondance amoureuse avec Claude de Bectoz. Puis on perd sa trace pendant plus de deux ans ; on sait seulement qu'il resta au service de Marguerite jusqu'en octobre 1541. Les dernières années de sa vie sont tout aussi obscures : H. Estienne a présenté sa mort comme un suicide dans un accès de démence. Peu de choses sont sûres dans cette brève existence ; l'œuvre elle-même pose de nombreux problèmes, tant d'attribution que d'interprétation.

Ses *Œuvres* furent publiées par son ami, A. Du Moulin en 1544 : il s'agissait surtout de poésies d'inspiration marotique (pièces de circonstance, épigrammes, épîtres, etc.) ou religieuse et de traductions en vers. En 1558 paraissait un recueil de contes, les *Nouvelles Recreations et Joyeulx Devis*, qui étaient attribués à Des Périers ; mais en 1568, une nouvelle édition comprenait 32 contes supplémentaires. On discute encore de la paternité de l'ouvrage, un des plus vivants et des plus pittoresques de la littérature narrative du temps.

BIBL. : *Œuvres*, p. p. L. Lacour, Daffis-Jannet, 1856, 2 vol. ; *Cymbalum Mundi*, p. p. P. H. Nurse, Manchester University Press, 1958 et 1967 ; *Nouvelles Récréations*, p. p. L. Lacour, Jouaust, 1874, 2 vol. — A. Chenevière, *BDP, sa vie, ses poésies*, Plon, 1886 (réimpr. Genève ; Slatkine, 1968) ; Ph. A. Becker, *BDP, als Dichter und Erzähler*, Vienne, Hölder, 1924 ; P. Marchand, *Lettre critique sur le Cymbalum Mundi*, Amsterdam, Marchand, 1711 ; L. Febvre, « Origène et Des Périers », *BHR*, 2, 1942, p. 7-131 ; D. Neidhart, *Das Cymbalum Mundi, Forschungslage und Deutung*, Genève, Droz, 1959 ; L. Saïnéan, *Problèmes littéraires du XVIe siècle* (Les Joyeux Devis), De Boccard, 1927 ; L. Sozzi, *Les Contes de BDP*, Turin, Giappichelli, 1965 ; J. W. Hassel, *Sources and analogues of the Nouvelles Récréations*, I, Chapel Hill, 1957 ; II, Athens, 1969.
(P. 77-78, 98, 121, 134-137, 142, 156-157, 164-165, 170, 239, 271.)

DOLET (Etienne) [Orléans, 1509-Paris, 1546]

Une des figures intéressantes, bien que controversée, de l'humanisme français. D'origine obscure, Dolet fait de solides études latines. A vingt-six ans, il publie un pamphlet contre le vieil Erasme, *Dialogus de imitatione ciceroniana* (1535), où il s'érige en défenseur intransigeant du latin cicéronien. Peu après, il publie son grand ouvrage philologique, les *Commentaria linguae latinae* (1536 et 1538), dictionnaire analogique cicéronien, d'une conception très moderne. Dolet a séjourné à Padoue (1526), capitale des libres penseurs ; à Toulouse, il a des démêlés avec les autorités (1532) ; à Lyon, où il s'installe dès 1533, il a une affaire d'homicide (1537) ; s'étant fait imprimeur, il abuse de son privilège, et s'attire l'hostilité de ses confrères, qui le dénoncent à l'Inquisition pour avoir édité des textes jugés hérétiques. Procès, prison, libération, autre procès, enfin le bûcher (1546) : autant d'étapes d'une vie mouvementée, où il est malaisé de faire la part à la calomnie, à l'imprudence, à l'insolence, à l'engagement. Editeur, Dolet publie aussi des livres français : les œuvres de Clément Marot ou des textes mondains de la « querelle des amies » (La Borderie, *L'Amie de Court;* Héroët, *La Parfaite Amie*) ; d'autres éditions, subreptices, sont plus hardies : l'*Enfer* et les *Psaumes* de Clément Marot, le *Gargantua* de Rabelais, la *Bible* française de Genève. Tout en continuant à éditer les classiques latins (Térence, Virgile, Cicéron, César, Suétone), Dolet se tourne de plus en plus vers des problèmes de langue et de littérature françaises. Il forme le projet de composer une sorte de « somme », qui, sous le titre : *L'Orateur François,* aurait dû contenir des exposés sur la langue, la grammaire, etc., ainsi que des traités de rhétorique et de poétique françaises. Dolet ne réalise qu'une partie de ce vaste programme (*La Maniere de bien traduire d'une Langue en aultre. D'avantage de la Punctuation de la Langue Françoise. Plus des Accents d'ycelle,* Lyon, 1540). Si Dolet n'avait été la victime des troubles religieux, nous pourrions saluer en lui un des premiers maîtres de la philologie française.

BIBL. : R. C. Christie, *Etienne Dolet, the Martyr of the Renaissance,* Londres, Macmillan, 1880 ; traduction française, Fischbacher, 1886 ; M. Chassaigne, *E.D.,* Albin Michel, 1930.
(P. 38-39, 73, 107-108, 145, 155-157.)

DU BELLAY (Guillaume) [1491-Saint-Symphorien-de-Lay (Morvan), 1543]

Fils aîné de Louis Du Bellay, il est très tôt dans l'entourage de François Ier qui en fait son conseiller et lui confie de très importantes missions diplomatiques. Il sera l'adversaire le plus redoutable de l'Empereur, contre lequel il écrit diverses pages de polémique ; Charles Quint dira de lui : « cet homme m'a fait plus de mal que tous les Français ensemble ». Guillaume Du Bellay fut gouverneur de Turin entre 1537 et 1543. Il prit à son service Rabelais, fut en relations avec divers humanistes, dont Dolet, sans manifester le même attrait que son frère Jean pour les choses de l'esprit. Il voulut écrire l'histoire de son époque, mais il ne put mener à bien ses *Ogdoades,* dont seuls subsistent deux fragments (1ère et 5ème ogdoade). On peut y voir une conception de l'histoire avant tout partisane et encomiastique. Deux autres ouvrages de Guillaume Du Bellay méritent une mention : sa *Peregrinatio humana* d'abord (1509), recueil de poésies néo-latines, et son *Epitomé de l'antiquité des Gaules et de France* (1556) où réapparaît la légende des origines troyennes du peuple franc.

BIBL. : *Fragments de la Ière Ogdoade,* p. p. V. L. Bourrilly, SNLE, 1905. — V. L. Bourrilly, *G.D.B.,* Champion, 1905.
(P. 59, 106, 115, 125, 152, 247.)

DU BELLAY (Jean) [1492-Rome, 1560]

Frère puîné de Guillaume, Jean fut de toute sa famille le plus favorisé par la fortune. Evêque de Bayonne, puis de Paris (1532), cardinal en 1535, doyen du Sacré Collège, il manqua de peu l'élection à la Papauté en 1555. Inspirateur, avec son frère, de la politique française à partir de 1530, il accomplit de nombreuses missions diplomatiques en Angleterre, à Rome, à la diète de Spire. Il a protégé plusieurs écrivains et artistes, dont Rabelais, qui fut son médecin, Sleidan, qu'il prit pour secrétaire, et son neveu Joachim qui l'accompagna à Rome. Quelques poèmes latins dont il était l'auteur furent imprimés à la suite des *Odarum libri* de Salmon Macrin en 1546.

BIBL. : V. L. Bourrilly et N. Weiss, « JDB, les protestants et la Sorbonne », *BSHP,* 1904 ; V. L. Bourrilly, « Le Cardinal JDB en Italie », *RER,* 1907.
(P. 247.)

DU BELLAY (Martin) [?, 1495 ?-Glatigny (Normandie), 1559]

Troisième fils de Louis Du Bellay, il réussit une belle carrière militaire, prenant part aux grandes expéditions du règne de François Ier. Il combattit à Marignan, à Pavie, en Provence, en Savoie et en Piémont, ainsi qu'en Lorraine. Lieutenant général de Normandie, il devient « roi » d'Yvetot par son mariage. Puis il se retire dans son château de Glatigny, où il entreprend vers 1555 la rédaction de ses copieux *Mémoires*.

Couvrant la période 1512-1545, ce document est d'un intérêt capital, non pour ses mérites littéraires, bien que l'auteur ait çà et là le don de la formule, mais pour le détail des opérations militaires et l'exposé des desseins politiques qu'il contient. M. Du Bellay, qui avait hérité des archives de son frère Guillaume, voulut poursuivre l'œuvre de celui-ci tout en imitant Commynes. En fait, il demeure essentiellement un chroniqueur.

BIBL. : *Mémoires*, p. p. René Du Bellay, L'Huillier, 1559 ; p. p. Bourrilly et Vindry, Paris, 1908 (Sté de l'Hist. de France).

DU FAIL (Noël) [manoir de Château-Letard près Rennes, vers 1520-Rennes, 1591]

Ce gentilhomme humaniste et juriste imagine, en 1547, des *Propos rustiques*, où l'érudition ne dessert pas une peinture, sinon véridique, du moins fort bien venue de la vie campagnarde. Stimulé par le succès de ses *rusticitez*, mais toujours sous le pseudonyme de Léon Ladulfi, il publie l'année suivante un deuxième recueil, les *Baliverneries, ou contes nouveaux d'Eutrapel*. Devenu avocat à Rennes, Du Fail ne produit plus rien pendant plus de trois décennies. Après un recueil de lois et de coutumes de Bretagne (1579), il revient, vers la fin de sa vie, aux contes joyeux, pour donner toute la mesure de son art dans *Les Contes et Discours d'Eutrapel* (1585).

BIBL. : *Œuvres facétieuses*, éd. J. Assézat, Daffis, 1874, 2 vol. ; *Propos rustiques suivis des Baliverneries*, éd. L.-R. Lefèvre, Garnier, 1928 ; *Les Baliverneries d'Eutrapel*, éd. crit. par G. Milin, Klincksieck, 1971. — E. Philipot, *La Vie et l'œuvre littéraire de N. Du Fail*, Champion, 1914 ; *Essai sur le style et la langue de N. Du Fail*, Champion, 1914.
(P. 98, 165-166.)

DU GUILLET (Pernette) [Lyon, v. 1510-Lyon, 1545]

Cultivée sans être érudite, elle se passionna pour la poésie et pour la musique. Mariée vers 1538, elle avait rencontré Scève l'année précédente, et leur liaison dura jusqu'à la mort de la jeune femme, emportée par la peste. Inspiratrice de la *Délie*, elle composa elle aussi des poésies qui sont comme le reflet de son amour, à la fois courtois, pétrarquisant et platonisant. On y devine l'influence formelle des marotiques et la marque scévienne, parfois alourdie par le caractère diffus de la pensée ou les maladresses de l'expression.

BIBL. : *Rymes*, p. p. A. Du Moulin, Lyon, Tournes, 1545 ; éd. critique par V. E. Graham, Genève, Droz, 1968 (TLF). — V. L. Saulnier, « Etude sur Pernette Du Guillet », *BHR* 4, 1944, p. 1-119 ; R. D. Cottrell, « Pernette Du Guillet *Rymes* : an adventure in ideal love », *BHR* 31, 1969, p. 553-571.
(P. 120, 157-159, 274-275, 279.)

DU MOULIN (Antoine) [Mâcon, v. 1510- ?]

Après des études à Toulouse vers 1530 et un séjour en Avignon (1531-1535), au cours duquel il connut Des Périers, qui s'attacha à lui d'une profonde amitié, il entra au service de Marguerite de Navarre, dont il devint le secrétaire et valet de chambre en 1536. Il semble avoir passé la majeure partie de sa vie à Lyon, où il se lia avec Jean de Tournes. Traducteur, Du Moulin donna en 1544 le *Manuel* d'Epictète, en 1545 les *Commentaires* de César (révision de la traduction de Gaguin), en 1546 *Des Augures* de Niphus et en 1551 le *Décaméron*. Mais il vaut surtout comme éditeur : on lui doit la publication des *Œuvres* de Des Périers (1544), Marot (1546), Lemaire (1549) et des *Rymes* de P. Du Guillet (1545). Il est en outre l'auteur de nombreuses préfaces et de quelques poésies.

BIBL. : *Deploration de Venus sur la mort du bel Adonis avec plusieurs chansons nouvelles*, Lyon, Tournes, 1545. — A. Cartier et A. Chenevière, « Un homme de lettres du xvie siècle, A. Du M. », *RHLF*, 1895, p. 469-490 ; 1896, p. 90-106.
(P. 82, 156, 160, 233.)

DU PONT (Gratien), sieur de Drusac [?-Toulouse, avant 1545]

Conseiller au Parlement de Toulouse et lieutenant général du sénéchal, ce curieux personnage est un rhétoriqueur attardé, « l'un des plus déments et des plus infirmes qui soient » (Guy). Ses *Controverses des sexes*, parues en 1534, lui valurent de vigoureuses attaques (Boyssoné, Dolet, La Borderie : *Anti-Drusac*, 1564). Imitant *La Forest de Mariage* de Névizan (1521), il y énumérait tous les reproches possibles à l'adresse des femmes en des vers contorsionnés et poussifs, surchargés des artifices de la rhétorique. « Chaste jusqu'à l'obscénité » (Mazade), il voulait prohiber l'emploi des mots grossiers, mais il répétait pendant quatre cent quarante-deux vers une syllabe malséante pour mieux en inspirer l'horreur.

On lui doit aussi un Art poétique, bien inférieur à celui de Fabri, mais comportant d'intéressantes remarques sur la technique du vers selon l'esprit des rhétoriqueurs.

BIBL. : *Les Controverses des sexes masculin et feminin*, Toulouse, Colomiès, 1534 (sept rééd. jusqu'en 1541) ; *Art et science de rhetoricque metrifiée*, ibid., 1539. — H. Zscha-

lig, *Die Verslehren von Fabri, Du Pont und Sibilet*, Leipzig, 1884 ; Ch. Oulmont, « G. Du Pont et les femmes », *RER*, 1906, p. 1-28 et 135-153 ; E. V. Telle, *L'Œuvre de M. d'Angoulême et la querelle des femmes*, Toulouse, Lion, 1937.
(P. 114, 144.)

DU SAIX (Antoine) [Bourg-en-Bresse, 1505-1579]

Religieux de Bourg-en-Bresse. Publie une oraison funèbre de Marguerite d'Autriche (1532) ainsi que *Le Blason de Brou*, description en vers de l'église et du tombeau de Philibert. Il rimera pendant toute sa vie, en français et en latin, et trouvera bon de publier cette production (*Petitz fatras d'ung apprentis*, 1537 ; *Marquetis de pieces diverses*, 1559). Il traduit aussi deux traités de Plutarque, d'après une version latine d'Erasme. Son œuvre majeure est un « doctrinal » de plus de dix mille vers, *L'Esperon de discipline pour inciter les humains aux bonnes lettres* (1532). Du Saix y expose ses idées sur le *proffit des livres*, les pronostications, la peste, l'hygiène, l'utilité de la théologie et l'éducation. Ennemi de la scolastique et soucieux d'une réforme du clergé, il estime que la « corrompue et infecte lepre lutherienne » n'a pu se propager que par la faute du haut clergé, ignorant et dépravé. Le remède à cette déplorable situation, Du Saix le voit dans la « doctrine » et dans la « science ». Or ce plaidoyer en faveur des études et des « bonnes lettres » s'appuie sur des considérations exclusivement morales ; aussi la littérature proprement dite est-elle condamnée. La liste des livres réprouvés fournit un intéressant témoignage sur ce qu'on lisait à l'époque ; elle prouve aussi que frère Antoine connaissait jusqu'aux plus récents succès de librairie : *Melusine*, *Matheolus*, *Les ventes d'amours*, *Les droiz nouveaulx* de Coquillart, les *Evangiles des connoilles*, le *Testament* de Villon, *Jehan de Paris*, *Godefroy de Bouillon*, *Artus de Bretagne*, *Fierabras*, *Pierre de Provence et la belle Maguelonne*, *Le Peregrin* de Caviceo, la *Celestine*, *Perceforest*, les *Quatre fils Aymon*, la *Prison d'amour* de San Pedro, le *Roman de la Rose*.

BIBL. : J. Texte, *De Antonio Saxano* (thèse), Hachette, 1895 ; J. Plattard, « Frère Antoine du Saix, « commandeur jambonnier de sainct Antoine » de Bourg-en-Bresse », *RER*, 9, 1911, p. 221-248.
(P. 156.)

DU VAL (Pierre) [Paris, ?-Vincennes, 1564]

Docteur en théologie, chanoine de Rouen, il fut précepteur des enfants de François Ier, puis obtint en 1545 l'évêché de Séez. Les pièces d'un concours poétique organisé aux Palinods de Rouen parurent en 1543 sous l'anagramme « Le Vray Perdu » et accompagnées de la devise « Rien sans l'esprit », sous le titre *Le Puy du Souvenir Amour*. Du Val publia deux autres volumes de poésie, *Le Cercle d'Amour* (1544) et *Le Printemps de Madame Poësie* (1547), bons témoignages sur la vie poétique en Normandie sous François Ier.

Il n'est pas possible de dire si c'est au même personnage que nous devons un *Dialogue* et une *Moralité*, aux intentions souvent obscures, mais qui se rangent parmi les plaidoyers évangéliques ou mystiques issus de ces milieux que l'on a nommés « libertins spirituels ».

En 1552, ce Du Val se trouve à Londres, en exil ; il y donne son *Triomphe de Verité*, violente satire de l'Eglise romaine. Puis il se réfugie aux Pays-Bas.

L'évêque de Séez assista au Concile de Trente ; il écrivit deux opuscules religieux (*De la grandeur de Dieu*, 1553 ; *De la puissance, sapience et bonté de Dieu*, 1558).

BIBL. : *Théâtre mystique de P. Du Val et des libertins spirituels*, p. p. E. Picot, Morgand, 1882.
(P. 239.)

E

ESTIENNE (Charles) [Paris, vers 1504-Paris, 1564]

Comme son frère Robert, Charles Estienne est un des grands imprimeurs-humanistes de l'époque. Après des études classiques, il se tourne vers la botanique et la médecine. Dès 1535, il procure, *in adolescentulorum favorem*, des éditions abrégées des travaux archéologiques de Lazare de Baïf, qui fait de lui, de 1538 à 1540, le précepteur de son fils Jean-Antoine. S'il publie, toujours comme son frère Robert, des lexiques, des dictionnaires et des grammaires, Charles Estienne s'intéresse aussi aux sciences. Il compose et édite des ouvrages de médecine, de botanique, d'agriculture, dont le *Praedium rusticum* (1554), traduit en français sous le titre : *L'Agriculture et maison rustique* (1564), ne cessera d'être réédité jusqu'au début du XVIIIe siècle. Charles Estienne publie aussi, un des premiers, des guides : *La Guide des chemins de France* (1552), *Les Voyages de plusieurs endroits de France* (1552). Sachant l'italien pour avoir séjourné lui-même en Italie, Charles Estienne traduit les *Paradossi* d'Ortensio Landi (1543), et participe au renouveau du théâtre par sa traduction de la comédie *Gl'Ingannati* d'Alessandro Piccolomini : *Comedie du sacrifice des professeurs de l'Academie vulgaire senoise* (1540), qui sera rééditée en 1548 sous le titre : *Les Abusez*.

BIBL. : E. Lau, *Charles Estienne*, Wertheim, Bechstein, 1930 (thèse Leipzig) ; G. Fordham, « The earliest French itineries », *Library*, 1, 1920-1931, p. 193-227 ; R. C. Melzi, « Gl' Ingannati and its French Renaissance translation », *Kentucky Foreign Language Quarterly*, 12, 1965, p. 180-190.
(P. 55, 180.)

ESTIENNE (Henri) [Paris, vers 1470-Paris, 1520]

Père de François, Robert et Charles, grand-père de Henri « le Grand », Henri Estienne est mentionné comme libraire dès 1502. Il publie surtout, à côté d'ouvrages médicaux, mathématiques ou liturgiques, les œuvres du cercle de Lefèvre d'Etaples : Clichtove, Briçonnet, Bovelles, Vatable.

BIBL. : pour l'ensemble de la « dynastie » des Estienne, voir A. Renouard, *Annales de l'imprimerie des Estienne, ou histoire de la famille des Estienne*, Renouard, 1843 ; A. E. Tyler, « Jacques Lefèvre d'Etaples and Henry Estienne the Elder, 1502-1520 », *The French Mind, Studies in Honour of Gustave Rudler*, Oxford, 1952, p. 17-33.

ESTIENNE (Robert) [Paris, 1499 ?-Genève, 1559]

Imprimeur et humaniste, fils de Henri Estienne. Pour près de la moitié de sa production considérable d'ouvrages en latin, en grec et en hébreu, il établit lui-même le texte. Imprimeur du roi pour l'hébreu et le latin, puis aussi pour le grec, il se fait graver par Claude Garamond des caractères grecs. Soucieux de procurer des textes de plus en plus corrects, il publie de nombreuses Bibles, ce qui, à l'époque, n'est pas sans danger. En octobre 1547, ses Bibles sont condamnées par la Faculté de Théologie. R. Estienne quitte Paris pour Genève (1550), où il passe au protestantisme. Il ne tarde pas à publier, en latin et en français, de violentes attaques contre *Les Censures des théologiens de Paris* (1552). Porte-parole de l'Humanisme et de la Réforme, R. Estienne est aussi un remarquable lexicographe. Dans son *Dictionarium seu latinae linguae thesaurus* de 1532, il donne déjà la traduction française de certains termes latins. D'où l'idée d'un *Dictionarium latinogallicum* (1538), lequel, retourné, devient, en 1540, le *Dictionnaire françois latin*, destiné au « soulagement de la jeunesse françoise, qui est sur son commencement et bachelage de littérature ». Or cette première édition, ayant comme point de départ le latin classique, ne peut guère refléter une langue vivante. Robert Estienne procure donc une deuxième édition de son *Dictionnaire* (1549), sensiblement augmentée par des entrées que lui fournit la lecture des « rommans et bons autheurs François » (parmi lesquels se trouve Rabelais), de telle sorte que certains mots français ne sont suivis d'aucun équivalent latin. L'édition de 1549 devient ainsi le premier dictionnaire français important (toujours lié au latin, il est vrai), où déjà se voit appliquée la norme des « bons auteurs ». En 1557, Robert Estienne publiera encore un *Traicté de la grammaire françoise*.

BIBL. : E. E. Brandon, *Robert Estienne et le dictionnaire français au XVIe siècle*, Baltimore, 1904 ; E. Armstrong, *Robert Estienne*, Cambridge, Cambridge University Press, 1954 ; E. T. Starnes, *Robert Estienne's Influence on Lexicography*, Austin, University of Texas Press, 1963.

F

FABRI (Pierre) [Rouen, v. 1450, ?-1535 ?]

Clerc normand, curé de Meray, chancelier de l'église de Bayeux, auteur de quelques vers religieux présentés au Puy (il fut en 1487 prince du puy des Palinods), et surtout d'un *Grant et vray art de pleine rhétorique*, somme copieuse et précise de la versification des rhétoriqueurs, qui connut une large diffusion attestée par six rééditions en vingt ans.

BIBL. : *Le Grant et vray art de pleine rhétorique*, p. p. A. Héron, Rouen, Sté des bibl. norm., 1889-1890, 3 vol. (réimpr. Genève, Slatkine, 1969, 1 vol.). — H. Zschalig, *Die Verslehren von Fabri, Du Pont und Sebilet*, Leipzig, 1884 (réimpr. Genève, Slatkine, 1969).
(P. 113, 116, 123.)

FAREL (Guillaume) [Les Farels près de Gap, 1489-Neuchâtel, 1565]

D'abord lié d'amitié avec Lefèvre d'Etaples, Farel participe au mouvement réformiste de Meaux. Il quitte ensuite la France pour la Suisse, l'Alsace, le Dauphiné ; à Genève, il retient Calvin ; en 1543, il se fixe à Neuchâtel. Ce réformateur fougueux a laissé un grand nombre d'ouvrages rédigés en français, la plupart traitant de questions liturgiques ou d'instruction religieuse.

BIBL. : *Guillaume Farel, 1489-1565. Biographie nouvelle* [...] *par un groupe d'historiens, professeurs et pasteurs de Suisse, de France et d'Italie*, Neuchâtel, 1930 ; J.-D. Burger, « Le Pasteur Guillaume Farel », *Theologische Zeitschrift*, 21, 1965, p. 410-426 ; du même, « La Conversion de Guillaume Farel », *BSHP*, 111, 1965, p. 199-212 ; H. Meylan, « Guillaume Farel, ce mal connu », *Musées de Genève*, janvier 1966, p. 4-7.

FLORE (Jeanne)

L'énigmatique Jeanne Flore (un pseudonyme ?) est l'auteur de *Comptes amoureux* (vers 1531) qui, par leur féminisme libertin, constituent une grande nouveauté à l'époque.

BIBL. : *Comptes amoureux*, réimpression de l'édition de Lyon, 1574, par le bibliophile Jacob, Turin, Gay, 1870. — G. Reynier, *Le Roman sentimental avant l'Astrée*, Colin, 1908, [2]1971, p. 123-130. (P. 157, 166, 168.)

FONTAINE (Charles) [Paris, 1514-?, entre 1564 et 1570]

Fils d'un riche marchand, il étudia chez Danès au Collège Royal, puis voyagea avant d'entrer au service de Renée de France, qu'il suivit à Ferrare. Il la quitta pour se livrer à sa vocation poétique à partir de 1535. Il s'établit à Lyon, où il connut Aneau, des Autels, Pelletier, Des Périers et Héroët. Il fut l'un des plus énergiques défenseurs de Marot dans l'affaire Sagon, et Marot estimait fort cet « ami d'Apollon », qui procura d'ailleurs une édition de ses œuvres en 1550. Il recueillit, dans sa *Fontaine d'amour*, une série d'épitaphes consacrées à Marot par divers poètes. Platonicien notoire, il se rangea aux côtés d'Héroët dans la querelle des Amyes. Plus tard, bien qu'il ait été en

relations avec les poètes de la Brigade, il demeura très réservé à leur égard : on lui a attribué, sans doute à tort, le *Quintil Horatian*. Il mena une vie calme, modeste et tout entière vouée à la poésie, aux sciences et aux arts. Un recueil manuscrit, conservé au Vatican, révèle une pensée religieuse séduite par l'évangélisme.

BIBL. : *La Contr'Amye de Court*, Paris, 1543 ; *La Fontaine d'Amour*, Lyon, 1545 ; *Les Ruisseaux de Fontaine*, Lyon, 1555. — R. L. Hawkins, *Maistre Ch. F., parisien*, Cambridge, U. P., 1916 ; Ph. A. Becker, « Ch. F. », *Aus Frankreichs Frührenaissance*, Leipzig, 1927 ; R. Scalamandré, *Ch. F. e la preriforma*, Rome, Storia e Letteratura, 1969. (P. 119, 136, 145, 150, 156, 158, 160.)

FORCADEL (Etienne) [Béziers, 1524-Toulouse, 1579]

Jurisconsulte et professeur de droit à Toulouse, il fut considéré de son temps à l'égal d'un Jean Bodin ou d'un Cujas. Poète, il s'inspira de Virgile, d'Ovide, de Lucien, de Pétrarque et de l'*Oarystys* de Théocrite, qui lui fournit le titre de son recueil, *Le Chant des Seraines*, signé de la devise « Espoir sans espoir ». Il eut pour ami un autre marotique toulousain, Alphonse de Beser. On lui doit en outre de nombreux ouvrages juridiques en latin.

BIBL. : *Le Chant des Seraines*, Corrozet, 1548. — Ch. Oulmont, *Un juriste, historien et poète vers 1550*, E. F., Toulouse, éd. de la *Revue des Pyrénées*, 1907. — I.-M. Cluzel, « Notes sur E. F. », *Annales de l'Institut d'Etudes occitanes*, 1960. (P. 98, 147.)

G

GRAVILLE (Anne Malet de) [v. 1490-après 1543]

Fille de l'amiral Malet de Graville, conseiller de Louis XII, elle fut enlevée par son cousin Pierre de Balsac, qui l'épousa (1509). Dame d'honneur de la reine Claude, elle écrivit sur son ordre *Palamon et Arcita*, imitation de Boccace. Eprouvant quelques sympathies pour la Réforme, elle accueillit à Malesherbes Pierre Toussain. Octovien de Saint-Gelais, Robertet, Hémont et Cretin proclamèrent une Graville « Dame sans sy » (sans égale) en 1497 : à moins que ce ne fût la mère de la poétesse, il conviendrait, si c'est bien Anne qui est ainsi désignée, de reculer la date de sa naissance aux environs de 1480. Elle fut l'arrière-grand-mère d'Honoré d'Urfé.

BIBL. : *La Belle dame sans mercy* (A. Chartier-A. de Gr.), p. p. C. Wahlund, Upsala, 1897 ; *Palamon et Arcita*, p. p. Y. Le Hir, P.U.F., 1965. — M. de Montmorand, *Une femme poète du XVIe siècle, A. de Gr.*, Picard, 1917.
(P. 82, 138, 166-167, 170.)

GRINGORE (Pierre) [Thury-Harcourt ? 1470-1539]

Normand, il connaît d'abord le succès à Paris, sous Louis XII, puis passe en 1518 au service du duc de Lorraine, qui apprécie plus que François Ier les hommes de théâtre. Parmi ses confrères, les nobles « rhétoriques », Gringore occupe une place à part. Ce n'est pas un docte, et si, comme eux, il se fait traducteur, son choix se porte sur des œuvres édifiantes, des *Heures de Nostre Dame*, des psaumes, des oraisons, des poèmes pieux et allégoriques *(La Quenouille spirituelle)*, des contes moraux tirés des *Gesta Romanorum (Les Fantasies de Mère Sotte*, en prose et en vers, 1516). Dans ses années parisiennes, Gringore est avant tout Mère Sotte, c'est-à-dire un des grands dignitaires de la Confrérie des Sots. Homme de théâtre, donc, et c'est son plus grand titre de gloire. Sa devise : « raison par tout, par tout raison, tout par raison », explique fort bien pourquoi sa pièce de théâtre sur la vie de saint Louis accuse une certaine unité et se passe de tout « sens mystique ». Tout en étant l'auteur de soties et d'une farce, Gringore est un homme sérieux, grave, mesuré. Satirique dans *Les Folles entreprises* (1505, une dizaine d'éditions), *Les Abus du monde* (1509) et *Le Testament de Lucifer*, moraliste dans l'allégorie du *Château de labour* (treize éditions de 1499 à 1532, une quatorzième en 1560) et dans son recueil d'adages en quatrains, les *Notables, enseignemens, adages et proverbes* (sept éditions de 1527 à 1540), engagé politiquement, voire pamphlétaire dans toute une série de poèmes, *L'Entreprise de Venise* (1509), *L'Espoir de paix* (1510), *L'Obstination des Suysses*. Les œuvres morales de Gringore peuvent nous paraître aujourd'hui un peu ternes. Toutefois, on ne saurait dénier à Mère Sotte de réels dons d'invention, et, pour peu que l'on connaisse les circonstances historiques, ses œuvres apparaissent vivantes et sincères.

BIBL. : éditions modernes : *Œuvres*, Jannet, t. I, 1858 (œuvres politiques) ; t. II, 1877 (mystère de saint Louis) ; *Sottie contre le pape Jules II* et *Sotye nouvelle des chroniqueurs* dans le *Recueil général des sotties*, p. p. E. Picot, S.A.T.F., Didot, 1904, t. II ; *La Sottie du Prince des Sotz*, p. p. P. A. Jannini, Milan, Cisalpins, 1957 ; *Les Fantasies de Mère Sote*, p. p. R. L. Frautschi, Chapel Hill, the University of North Carolina Press, 1962. Ch. Oulmont, *Pierre Gringore*, Champion, 1911 ; W. Dittmann, *Pierre Gringore als Dramatiker*, Berlin, 1923 ; Fl. McCulloch, « Pierre Gringore's *Menus propos des amoureux* and Richard de Fournival's *Bestiaire d'amour* », *Romance Notes*, 10, 1968, p. 150-159.
(P. 38, 117, 125, 129, 162, 176-178.)

H

HERBERAY DES ESSARTS (Nicolas) [?-1552]

Sa traduction de l'*Amadis de Gaule* (éditée à partir de 1540), est un des grands succès littéraires et mondains de l'époque. Herberay suit son modèle espagnol avec assez de liberté; il supprime les éléments didactiques, mais ajoute des descriptions ainsi que des développements sur l'amour courtois. Herberay traduit également l'histoire d'*Arnalte et Lucenda* de Diego de San Pedro (1539), l'*Orloge des princes* d'Antonio de Guevara (1550), le premier livre de Josèphe (1550) et des suites de l'*Amadis*, tel le *Don Flores de Grece* (1552).

BIBL. : *Le Premier livre d'Amadis de Gaule*, p. p. H. Vaganay, Hachette, 1918, 2 vol. » — J. Boulenger, article « Amadis de Gaule », dans le *Dict. des lettres françaises. Le seizième siècle*; A. Cl. Mottola, *The « Amadis de Gaula » in Spain and in France*, thèse de Fordham, 1962, voir *Dissertations Abstracts*, 23, 1962-1962, 1368-1369; A. Freer, « *L'Amadis de Gaule di Herberay des Essarts e l'Avancement et décoration de la langue francoyse* », *Saggi e ricerche di letteratura francese*, 8, 1967, p. 9-50; A. Freer, « *Amadis de Gaula e l'Orlando Furioso* in Francia (1540-1948) », *RLC*, 43, 1970, p. 505-508. (P. 52-53, 83-84.)

HÉROET (Antoine) [Paris, 1492 ?-1568]

Fils d'un trésorier royal, il fit de solides études; dès 1524, il était pensionné par M. de Navarre et par L. de Savoie. Il passa la plus grande partie de sa vie à Paris, avec quelques séjours à Lyon. En 1543, il obtint un bénéfice ecclésiastique et en 1552 l'évêché de Digne. Au nombre de ses amis figurent Saint-Gelais, Chappuys, Fontaine, Macrin, Marot, Dolet et Rabelais. Il fut le « doctrinaire » de l'amour platonicien dans son *Androgyne*, présenté au roi en 1536 et dans sa *Parfaicte Amye* (1542). Par l'élévation de la pensée et la densité de son écriture, Héroët força l'admiration des marotiques aussi bien que de la Brigade. Dès 1543, Héroët (surnommé aussi La Maisonneuve) avait renoncé à la poésie.

BIBL. : *Œuvres poétiques*, éd. crit. p. F. Gohin, Cornély, 1909 (2e, Droz, 1943). — A. Lefranc, *Ecrivains fr. de la Renaissance*, Champion, 1914; Valery Larbaud, *Notes sur A. H. et J. de Lingendes*, Lapina, 1927; F. Gohin, « La Parfaicte Amye du poète A. H. », *Revue de Fribourg*, VIII, 1909, p. 608-618; M. Deslex, *A. H. e la Parfaicte Amye*, Turin, Gheroni, 1952. (P. 91, 134, 142-146, 159.)

L

LA BORDERIE (Bertrand de) [?, v. 1507 ?- ?, après 1547]

On a très peu de renseignements sur celui que Marot appelait « son mignon Borderie, grand espoir des Muses hautaines ». Il était sans doute d'origine noble et acquit une solide culture. Vers 1530, il entra à la Cour, fut chargé d'une mission diplomatique dans le Levant (1537-1538), devint valet de chambre du roi en 1540. Il connut autour de 1543 une période de grande faveur, après avoir rempli une mission en Suisse (1541); il fut nommé pannetier royal en 1545. Puis sa trace se perd.

Il n'a pas écrit beaucoup; ou plutôt nous n'avons conservé que le « menu » de son œuvre. Mais il joua dans la querelle des Amyes un rôle important, avec son *Amye de Court* (1541), où il se montre excellent poète. Il donna en 1542 une fort intéressante relation de son *Voyage de Constantinople*, adroitement versifiée. En 1543 il offrit au roi la traduction manuscrite en vers d'un conte de Boccace, *Tite et Gisippe*. Si le goût de l'allégorie que l'on note dans ses œuvres vient des Rhétoriqueurs, il peut aussi s'inspirer du symbolisme cher aux strambottistes ; La Borderie, qui avait choisi une devise pétrarquisante, « Mort en vie », semble avoir été marqué par l'influence italienne.

BIBL. : *L'Amye de Court*, Paris, 1542; *Discours du voyage de Constantinople*, Lyon, 1542; ces deux œuvres dans *Opuscules d'Amour*, Lyon, Tournes, 1547 (réimpr. fac-similé, Wakefield, S.R.P., 1971). — Ch. H. Livingston, « Un disciple de C. Marot : L. B. », *RSS*, 16, 1929, p. 219-282. (P. 138, 144-145.)

LA VIGNE (André de) [vers 1470-après 1515]

André de La Vigne excelle aussi bien dans le style naturel que dans le style de l'école de rhétorique. Sa vie est mal connue, car il voyage beaucoup. On le trouve à la cour du roi Charles VIII, en Lorraine, en Savoie, à Paris, à la cour de François Ier. Il écrit, et organise, à Seurre, en 1496, des spectacles : un *Mystère de saint Martin*, une moralité, une farce ; il est couronné aux Palinods de Rouen ; il semble participer aux activités de la Basoche de Paris. Poète de circonstance, il adresse des ballades et des rondeaux aux personnages importants, écrit des cartels, des poèmes d'amour, des pièces mythologiques ou burlesques, de violentes invectives politiques. Parmi les poèmes d'une certaine envergure, on note quatre *Epistres d'Ovide* (inventées par notre auteur) qui sont le premier témoignage de l'influence de la traduction des *Héroïdes* par Octovien de Saint-Gelais. Dès son avènement, François Ier fait de lui son chroniqueur, mais André de La Vigne ne rédige que quelques pages. Nous perdons sa trace en 1515.

Fait exceptionnel pour l'époque, les œuvres de jeunesse d'André de La Vigne ont été éditées dès la fin du xve siècle sous le titre : *Le Vergier d'honneur*. Deux textes importants émergent de ce recueil. D'abord, *La Ressource de la Crestienté*, en vers et en prose, où des personnages allégoriques proclament la nécessité d'une croisade. L'auteur réussit, à l'intérieur du cadre allégorique, à rester simple, naturel, vrai, au point que Charles VIII fait de lui son *facteur royal* qui sera chargé du journal de l'expédition en Italie. Le *Voyage de Naples* est donc le récit d'un témoin oculaire. André de La Vigne devrait — on serait tenté de le croire — chanter l'éblouissement des Français devant la Renaissance italienne, nous prouver le choc que ressentirent les rudes guerriers gaulois devant une civilisation nouvelle, bref, confirmer l'importance culturelle des guerres d'Italie. Il n'en est rien. S'il y a éblouissement, c'est devant le luxe et la richesse ou devant le pittoresque du paysage. Charles VIII prête plus d'attention aux lieux saints qu'aux antiquités classiques. Et que faut-il penser du faste que déploient les Français à leur tour ? ne s'agirait-il pas de montrer aux Italiens qu'on ne leur cède en rien ?

Bibl. : Ed. L. de Kerdaniel, *Un rhétoriqueur. A. de La Vigne*, Champion, 1919 ; du même, *Un auteur dramatique du XVe siècle. A. de La Vigne*, Champion, 1923 ; Ph. A. Becker, *A. de La Vigne*, Leipzig, S. Hirzel, 1928.
(P. 176, 177.)

LE BLOND (Jean) [Evreux, ?-1553]

Jean Le Blond, seigneur de Branville, poète (*Le printemps de l'Humble esperant*, 1536, raillé par J. Du Bellay, dans la *Deffence et illustration de la langue françoise*) ; traducteur de Valère-Maxime (1548), de Thomas Morus (1550), de Jean Carion (1553). Dans l'édition de 1546 du *Livre de police humaine*, traduction d'une adaptation latine que fit Gilles d'Aurigny du *De regno et regis institutione* de Francesco Patrizzi, Le Blond, lecteur de Jean Lemaire et de Geoffroy Tory, ajoute une vigoureuse défense de la langue française : la « langue gauloise », en effet, est plus ancienne que le grec et le latin ; de plus, elle a été parlée par un peuple hautement civilisé, gouverné jadis par Hercule, roi des Gaulois, prince vertueux entre tous. Cette antique dignité du français, il s'agit maintenant « de la faire revivre, et renaistre plus florissante qu'elle ne fut jamais ».

Bibl. : E. Deville, *Un historien normand. Jean Le Blond, sieur de Branville*, 1907 ; G. Charlier, « Jean Le Blond et son apologie de la langue française (1546) », *Revue de l'Instruction publique en Belgique*, 1912, p. 331-344 ; R. E. Hallowell, « Jean Le Blond's defense of the French language (1546) », *Romanic Review*, 51, 1960, p. 86-92.
(P. 39, 136, 147.)

LEFÈVRE D'ETAPLES (Jacques)
[Etaples, 1450-Nérac, 1536]

Jacques Lefèvre est une des figures les plus marquantes du mouvement humaniste et religieux de l'époque. Son œuvre, très variée, se compose presque exclusivement d'éditions et de traductions commentées. Ainsi le « fabrisme », qui, à l'opposé du calvinisme, n'a jamais trouvé une expression doctrinale rigoureuse, s'inscrit parfaitement dans ce premier quart du xvie siècle, époque de découverte et de recherche beaucoup plus que de codification dogmatique. — De 1494 à 1515, Lefèvre édite Aristote dans des traductions latines des humanistes italiens. Mais dès 1494, il publie aussi les livres hermétiques, puis, de 1499 à 1514, des traités du Pseudo-Denis, de Raymond Lulle, des mystiques rhénans et de Nicolas de Cues. Il se tourne de plus en plus vers l'exégèse biblique, surtout à partir de 1507, date de son entrée au monastère de Saint-Germain-des-Prés. Son *Quincuplex psalterium* (1509) renonce délibérément à l'exégèse médiévale selon les quatre sens de l'Ecriture, pour adopter une vue « christologique » des textes de l'Ancien Testament. Suivent des commentaires sur les Epîtres de Saint Paul (1512) ainsi que sur les quatre Evangiles (1522). L'essai de réforme dans le diocèse de Meaux (1521-1523) le persuade qu'il faut offrir aux fidèles les textes sacrés dans leur langue ; en 1523 paraît la traduction française des Evangiles ; en 1525, Lefèvre publie les *Epistres et Evangiles pour les cinquante et deux sepmaines de l'An*. Dans ces deux publications, Lefèvre va plus loin que Briçonnet : en insistant sur le *sola fide*, et en minimisant l'importance des saints, il se rapproche du protestantisme, sans pour autant s'élever contre l'institution romaine. Inquiété par la Sorbonne, Lefèvre s'enfuit à Strasbourg, mais revient en France lors du retour du roi (1526). Le durcissement de la lutte religieuse en 1529 (condamnation à mort de Louis de Berquin), le décide à accepter l'invitation de Marguerite de Navarre. En 1530, il publie, à Anvers, *La Sainte Bible en françois, translatee selon la pure et entiere traduction de saint-Hierosme*. Il meurt à Nérac, en 1536, l'année où, à Bâle, s'éteint Erasme, où Calvin publie son *Institutio*.

BIBL. : *Epistres et Evangiles pour les cinquante et deux sepmaines de l'An*. Facsimilé de la première édition Simon Du Bois, p. p. M. A. Screech, Genève, Droz, 1964. — K. H. Graf, « J. Faber Stapulensis. Ein Beitrag zur Geschichte der Reformation in Frankreich », *Zeitschrift für die historische Theologie*, 1852, p. 3-86 et 165-237 ; A. Renaudet, *Préréforme et humanisme*, Champion, 1916 ; d'Argences, 1953 ; « Un problème historique : la pensée religieuse de J. Lefèvre d'Etaples» (1955), *Humanisme et Renaissance*, Genève, Droz, 1958, p. 201-216 ; M. Mann, les chapitres « Erasme et Lefèvre d'Etaples », dans son volume *Erasme et les débuts de la Réforme française*, Champion, 1933, p. 23-74 ; J. Dagens, « Humanisme et évangélisme chez Lefèvre d'Etaples », dans *Courants religieux et humanisme à la fin du XVe et au début du XVIe siècle* (Colloque de Strasbourg, 1957), P.U.F., 1959, p. 121-134 ; C. Vasoli, « Lefèvre d'Etaples e le origini del « fabrismo » », *Rinascimento*, 10, 1959, p. 221-254 ; E. F. Rice, Jr., « The Humanist Idea of Christian Antiquity. Lefèvre and His Circle », *Studies in the Renaissance*, 9, 1962, p. 126-160 ; H. de Lubac, « Les Humanistes chrétiens du xve-xvie siècle et l'herméneutique traditionnelle », *Archivio di filosofia*, 1963, p. 173-177 ; R. Stauffer, « Lefèvre d'Etaples artisan ou spectateur de la Réforme », *BSHP*, 113, 1967, p. 405-423 ; R. Cameron, « The Attack on the Biblical Work of Lefèvre d'Etaples, 1514-1521 », *Church History*, March 1969, p. 9-24 ; E. F. Rice, Jr., « Humanist Aristotelianism in France. Jacques Lefèvre d'Etaples and his circle », dans *Humanism in France at the end of the Middle Ages and in the early Renaissance*, Manchester Un. Pr. 1970, p. 132-149.
(P. 20, 21-22, 36, 38, 66, 68, 70.)

L'ESPINE (Jean de-du Pont-Alais) [vers 1506-Saumur, 1594 ?]

Nous savons peu de la vie mouvementée de Jean de l'Espine du Pont-Alais, dit Songecreux, l'acteur le plus célèbre de l'époque, loué par Clément Marot, Rabelais, Bonaventure Des Périers (*Nouvelles récréations*, 30). Sa carrière, qu'on peut suivre de 1512 jusque vers 1538, le conduit à travers toute la France, parfois en compagnie de la cour de François Ier. Sa liberté d'expression lui vaut quelques ennuis avec la justice, presque obligatoires, dirait-on, pour un acteur comique de l'époque. Songecreux met ses talents aussi au service d'une muse plus sérieuse, puisque nous le voyons, en 1530, lors de l'entrée de la reine Eléonor à Paris, responsable de la représentation des mystères. Malheureusement, rien de la production dramatique de Jean de l'Espine n'est venu jusqu'à nous.

Son bagage littéraire connu est fait presque exclusivement des *Contreditz de Songecreux*, édités en 1530 et en 1532, mais écrits à la fin du règne de Louis XII. Ce long traité moral sur les « états du monde », en vers et en prose, se présente sous forme d'un dialogue, où la louange que prononce un personnage de chaque « état », est « contredite », sur le mode satirique, par un deuxième interlocuteur. Pratiquement toute la matière des *Contreditz* est tirée du *Speculum vitae humanae* (1468) de Rodrigo Sanchez d'Arevalo ; Jean de l'Espine, qui ne semble pas utiliser la traduction française de Julien Macho, possède donc un certain bagage latin. Son adaptation de ce traité fameux fait de lui un écrivain « au moins égal à Gringore » (Frappier), écrivain qui trouve des accents vigoureux, par exemple lorsque, parlant *de l'estat de labour*, il s'élève contre ceux qui vivent du travail des autres : « labour d'autruy n'est pas à vous ».

BIBL. : L. Petit de Julleville, *Les Comédiens en France au Moyen Age*, Cerf, 1885, p. 167-179 ; E. Picot, *Recueil général des Sotties*, t. II, S.A.T.F., Didot, 1904, p. 115-120 ; J. Frappier, « Sur Jean du Pont-Alais », *Mélanges Gustave Cohen*, Nizet, 1950, p. 133-146 ; A.-M. Schmidt, « Jean de l'Espine du Pont-Alais et Rodrigo Sanchez de Arevalo », *Fin du Moyen Age et Renaissance (Mélanges Robert Guiette)*, Anvers, 1961, p. 225-232.
(P. 144, 177.)

LONGUEIL (Christophe de) [Malines, 1488-Padoue, 1522]

Ce brillant latiniste et défenseur du cicéronianisme, ami de Bembo et de Léon X, vient à l'humanisme par l'étude du droit, comme nombre de ses confrères. Professeur de droit dès 1510, Longueil abandonne sa carrière universitaire pour voyager à travers l'Europe ; en 1518, il se fixe à Padoue. Toute son œuvre est en latin et se compose surtout d'*orationes* et d'*epistolae*. Dans le contexte de l'humanisme français du début du XVIe siècle, le *Panégyrique de saint Louis* (prononcé en 1508 ou 1509) prend une valeur programmatique. Le latiniste Longueil y attaque à la fois la vaine éloquence des humanistes italiens et la barbarie du langage scolastique, pour prendre la défense des lettrés « gaulois », fameux sous l'empire romain et non moins fameux à son époque. Longueil cite, entre autres, les Guillaume Du Bellay, Germain de Brie, Pierre Bury, Budé, Briçonnet, Bade, Gaguin, Lefèvre d'Etaples, Bovelles ; il exalte l'érudition de Georges Chastellain et salue en Octovien de Saint-Gelais le Cicéron du Nord, pour terminer par une véritable « défense » du français.

BIBL. : Th. Simar, *Chr. de Longueil, humaniste*, Louvain, 1911 (déjà dans *Le Musée Belge*, 1909, p. 157-206 ; 1910, p. 65-110 ; 1911, p. 87-205) ; Ph. A. Becker, *Christophe de Longueil, sein Leben und sein Briefwechsel*, Leipzig, 1924 ; G. Valese, « L'Umanesimo al primo cinquecento : da Cristoforo Longolio al *Ciceronianus* di Erasmo », *Le Parole e le idee*, 1, 1959, p. 107-123 ; R. Aulotte, « Une rivalité d'humanistes : Erasme et Longueil, traducteurs de Plutarque », *BHR*, 30, 1968, p. 549-573.
(P. 36, 62.)

M

MACRIN (Jean Salmon dit —, ou Maigret) [Loudun, 1490-Loudun, 1557]

Après des études à Paris, il fut secrétaire puis précepteur de divers nobles. Valet de chambre du roi, il eut pour protecteurs les Du Bellay et Du Chastel. Poète fécond, il fut l'ami de nombreux lettrés, humanistes et poètes, qui virent en lui l' « Horace français ».

Marié en 1528 à Guillone Boursault, il la chanta sous le nom de Gélonis (la souriante), puis déplora sa mort prématurée, en des vers empreints d'une émotion vraie. Humaniste, catholique et de plus excellent homme, il donna beaucoup de poésies religieuses, des pièces amoureuses en vers sapphiques et adressa à ses amis de nombreuses œuvres de circonstance. On lui doit une douzaine de recueils, parus entre 1528 et 1550. Il fut admiré par les poètes de Coqueret.

BIBL. : J. Boulmier, « S.M., l'Horace français », *Bull. du biblioph.*, 1870-1871, p. 498-508 ; Murarasu, *La Poésie néo-latine.* (P. 105, 108, 109.)

MAILLARD (Olivier) [v. 1430 ?- 1502]

Franciscain, prédicateur célèbre. Son franc-parler lui vaudra la malveillance de Louis XI, mais il aura une grande influence sur Charles VIII, dont il sera le confesseur. Il réforme les cordeliers et prêche inlassablement. Défenseur acharné de Jeanne de France contre les visées politiques du pape et de Louis XII, il sera banni de France.

Originaire du pays de Nantes, il avait fait de solides études à Paris. Docteur en théologie, il commença à prêcher vers 1560 et fut cinq fois provincial de son ordre, trois fois vicaire général. Porté par une foi assurée, intraitable et naïve, il est célèbre par la violence de ses invectives, la fermeté de ses reproches. Nous avons conservé des sermons latins (édités dès 1494) et français, quelques vers *(Chants royaux en l'honneur de la Vierge)*, ainsi que des ouvrages d'édification *(Histoire de la Passion de Jésus-Christ*, 1493 ; *L'Instruction de vie contemplative*, s.d.).

BIBL. : *Histoire de la Passion de Jésus-Christ*, p. p. G. Peignot, Crapelet, 1835 ; *Œuvres françaises d'O. M.*, p. p. A. de la Borderie, Nantes, Sté des Bibl. bretons, 1877 (sermons et poésies). (P. 19.)

MAROT (Jean) [Caen, v. 1450 ?- Paris, 1526]

« Jehan Des Marestz, alias Marot », après quelques tentatives de négoce en Normandie, vint s'établir à Cahors, où il se maria en 1471. Mauvais commerçant, révoqué par sa corporation, il quitte le Quercy, vient en France (fin 1505). Malgré son ignorance (il ne sait « aucunes lettres ne grecques ne latines »), il réussit à se faire admettre à la Cour, où la Reine Anne le prend pour secrétaire. Il rime d'abondance, et sera le poète officiel de Louis XII pour les deux campagnes d'Italie *(Voyage de Gênes*, 1507 ; *Voyage de Venise*, 1509) : c'est sa *Vray disant advocate des Dames* (1506) qui avait assis sa renommée. A la mort de la reine, il porte le titre de « facteur » ; il passe alors au service du duc d'Angoulême qui, devenu roi, le garde comme valet de chambre. Il ira en Italie et écrira quelques épîtres sur la campagne de 1515. Il achèvera son existence à la Cour, où son fils lui succéda. Rhétoriqueur habile, malgré une imagination assez pauvre, il aborde des genres divers : poèmes historiques, moraux *(Doctrinal des Princesses)*, poésies officielles *(Prières pour la restauration de la santé de Madame Anne de Bretagne*, 1512 ; *Déploration et Epitaphe de Claude de France*, 1524) et piécettes galantes *(Rondeaux)*. Ses devises étaient : Ne trop ne peu ; Esperant mieulx ; Tout par honneur.

BIBL. : *Œuvres*, Paris, Coustelier, 1723 ; éd. Lenglet-Dufresnoy, (réimpr. Genève, Slatkine, 1970) ; *La Vray disant advocate des dames*, dans *APF*, t. X, p. 225-268. — L. Theureau, *Etudes sur la vie et les œuvres de J. M.*, Caen, Le Blanc-Hardel, 1873 (réimpr. Genève, Slatkine, 1969) ; Guy, *Rhétoriqueurs*, 457-505 ; A. Ehrlich, *J. M. Leben und Werk*, Leipzig, 1902 ; G. Antonini-Trisolini, « Pour une bibliographie des œuvres de J. M. », *BHR* 33, 1971, p. 107-150. E. Joukowsky, « Clément et Jean Marot », *BHR*, 29, 1967, p. 555-567. S. Cigada, « L'attivià letteraria e i volari poetici di J. M. », *Contributi Ist. Fil. Mod.*, Milan, V, 1968.

(P. 94, 117, 129, 136, 144.)

MARTIN (Jean) [?-Paris, 1553]

Juriste, procureur au Parlement de Paris, il fut secrétaire du cardinal de Lioncourt, ambassadeur à Rome. Esprit curieux, il se lia aux poètes de la Pléiade qui l'estimèrent (Du Bellay, préface de l'*Olive ;* Ronsard, *Epitaphe de J. M.*). Traducteur et « vulgarisateur » de la littérature italienne en France, J. M. fut un intermédiaire de grande importance. Il traduisit Caviceo (*Le Peregrin*, 1528), Sannazar (*L'Arcadie*, 1544), Serlio (*L'Architecture*, 1545), Bembo (*Les Azolains*, 1545), Fr. Colonna (*Songe de Polyphile*, 1546), Vitruve (*Architecture*, 1547), L. B. Alberti (*Architecture*, 1553) mais aussi l'*Orus Apollo* (1543) et la *Théologie naturelle* de Raymond Sebond (1551).

BIBL. : *Le Songe de Polyphile*, rééd. fac-similé, Club des Libraires, 1962. — P. Marcel, *Un vulgarisateur, J. M.*, Garnier, s. d.

(P. 148.)

MENOT (Michel) [1440 ?-Chartres, 1518]

Peut-être beauceron, il étudia à Orléans, puis à Paris. Franciscain, il voyagea beaucoup pour prêcher ; il a peut-être fait un séjour en Italie. Il fut à la fin de sa vie gardien du monastère de Chartres. Célèbre prédicateur, il utilise un langage naïf, souvent comique, voire bouffon ; il fut pourtant surnommé « Lingua aurea », par la verve et l'élan de son art oratoire ; il avait commencé à prêcher à Tours en 1508. A côté de quelques poésies chrétiennes, nous n'avons conservé qu'un texte latin (abrégé) de ses sermons français, dont certains sont savoureux (*La Madeleine ; L'Enfant prodigue*). Il représente bien l'art de la prédication populaire (bien que reposant sur une solide culture) à côté de Maillard ou Barlette.

BIBL. : *Sermons choisis*, p. p. J. Nève, Champion, 1924. — E. Gilson, « M. Menot et la technique du sermon médiéval », *Rev. hist. francisc.*, II, 1925, p. 301-350 ; *Les Idées et les lettres*, Vrin, 1955.

MICHEL (Guillaume) [Châtillon-sur-Indre, ?- ?, apr. 1542]

Sa vie n'est pas connue. Il fut surtout apprécié comme traducteur : Virgile (*Bucoliques*, 1516 ; *Géorgiques*, 1519), Apulée (1518), Suétone (1520), Polydore Virgile (1520), puis Salluste (1532), Flavius Josèphe (1534), Cicéron (*Epistres familieres*, 1537), Justin (1538), Valère-Maxime (1525) et Jean Olivier (*Pandora*, 1542). Mais jusqu'en 1522, il composa aussi plusieurs œuvres originales, marquées par un esprit conservateur et religieux , ainsi que par une conception utopique de la société. Dans sa *Forest de conscience* (1516), il dépeint sous une allégorie de chasse les vicissitudes de la vie chrétienne ; à cet ouvrage pieux succède *Le Penser de royal mémoire* (1518), exhortation au roi pour la défense de la foi contre les Turcs et pour la protection du peuple contre d'autres ennemis. Le *Siècle doré* (1521) brosse le programme d'une société réformée selon les principes du véritable christianisme. Michel écrivit, à l'imitation de Cretin, des *Elégies, thrènes et complaintes* sur la mort de la reine Claude (1526) ; enfin, G. Aubert publia en 1556 un traité en prose, *De la Justice et de ses espèces*.

BIBL. : H. Guy, *Rhétoriqueurs*, 724 ;

B. Weinberg, « G. M. dit de Tours »,
BHR, 11,1 949, p. 72-85 ; E. Armstrong,
« Notes on the work of G. M. », *BHR*,
31, 1969, p. 257-281.

MOLINET (Jean) [Desvres, 1435-Valenciennes 1507]

Voir aussi le tome précédent.

Molinet remplace en 1475 Georges
Chastellain comme historiographe, d'abord
attaché à la maison de Bourgogne, puis à
celle d'Autriche. Molinet est un auteur
fertile, en prose et en vers. Le prosateur
nous laisse, outre ses *Chroniques* (1474-1506),
un *Art de rhétorique* (avant 1492), et une
mise en prose moralisée du *Roman de la
Rose* (1500), qui, attestant une continuité,
nous montre aussi que le « rhétorique »
n'hésite pas à traiter un grand texte de la
littérature française comme on avait traité
un texte de l'antiquité classique, à savoir les
Métamorphoses d'Ovide. Molinet fut de plus
homme de théâtre. On lui attribue un
Mystère de saint Quentin et, avec moins de
vraisemblance, une *Passion*. Dans sa jeunesse, il dut participer aux activités dramatiques des collèges et des confréries de sots.
De là lui est resté un esprit polisson et une
verdeur de langage qui, de nos jours, n'est
plus imprimée que sur le beau papier de
la docte Société des Anciens Textes Français. La même veine des *joca clericorum* nour-
rit ses poèmes facétieux, soit d'allègres
mélanges du sacré et du profane, telle
cette poésie « qui se poeult adreschier
soit à la Vierge Marie ou pour un amant à
sa dame », soit des parodies de thèmes
héroïques et courtois, comme les *Neuf
Preux de gourmandise*, soit enfin des fatras, des
poèmes à figure, des « prenostications »,
genre encore cultivé par Rabelais. Cet
esprit gaulois distingue Molinet de la plupart de ses confrères. Comme eux cependant, il compose de nombreuses poésies
religieuses « sérieuses » et sacrifie à la muse
allégorique courtoise. Ce qu'il faut lire,
enfin, ce sont les pièces dites de circonstance, où l'on découvre un Molinet engagé
dans la politique, vivant les événements de
son époque, tressaillant aux horreurs de la
guerre, élevant sa voix à la vue des souffrances du peuple. Un art parfois laborieux,
mais qui est le fruit d'un effort réel d'invention, des réussites, pour tout dire, dans
des genres (les « louanges » incluses) qu'on
aurait cru définitivement sclérosés. Une
rhétorique vibrante (*Complainte de Grèce*,
1464 ; *Temple de Mars*, 1475 ; *Chapelet
des dames*, 1478 ; *Journée de Therouenne*,
1479 ; *Ressource du petit peuple*, 1481). Indiciaire sérieux et consciencieux des derniers
fastes bourguignons, poète religieux, moralisateur, mondain, grivois, engagé : Jean
Molinet est une figure complexe et riche.

BIBL. : *Chroniques*, p. G. Doutrepont
et O. Jodogne, Bruxelles, Palais des Académies, 1935-1937, 3 vol. ; *Faictz et dictz*,
p. N. Dupire, S.A.T.F., Didot, 1936-
1939, 3 vol. ; *Plusieurs Ditz de la manière
d'aucunes femmes*, texte inédit, établi par
M. de Grève, Bruxelles, 1961. — N.
Dupire, *Jean Molinet*, Droz, 1932, 2 vol. ;
Ph. A. Becker, *Zur romanischen Literaturgeschichte*, Münich, Francke, 1967, p.
541-557 ; O. Jodogne, « Le caractère de
Jean Molinet », dans *La Renaissance dans
les Provinces du Nord*, C.N.R.S., 1956,
p. 97-111 ; R. Tuve, *Allegorical Imagery*,
Princeton, U. P., 1966, p. 219-333 (sur le
Roman de la Rose moralisé) ; F. Joukovsky-
Micha, « La Mythologie dans les poèmes
de Jean Molinet », *Romance Philology*, 21,
1967-1968, p. 286-302.
(P. 43-45, 48, 56, 93-94, 112-114, 116-119,
126, 134, 150, 176.)

P

PALSGRAVE (John) [Londres, vers 1480-Londres, 1554]

Cet *Angloys natif de Londres*, après avoir
étudié à Paris, enseigne le français à Marie
d'Angleterre, femme de Louis XII. Il est
l'auteur de la première grammaire française importante, *L'Esclaircissement de la
langue françoise* (1530).

BIBL. : S.-G. Neumann, *Recherches sur*

le français des XVᵉ et XVIᵉ siècles et sur la codification par les théoriciens de l'époque, Lund, Gleerup, 1959.

PAPILLON (Almanque) [Dijon, 1487 ?- ?, 1559]

Peut-être valet de chambre du roi, avec lequel il partagea la captivité espagnole après Pavie. Ami fidèle de Marot, qui le cite plusieurs fois, il est qualifié d' « eruditissimus » par Corneille Agrippa. En 1537, il alluma la querelle des Amyes avec sa *Victoire et triumphe d'Argent contre Cupido*, qui est une longue apologie de l'amour vénal, et qui lui attira une réplique de Charles Fontaine. Puis, en 1543, il composa son *Nouvel Amour*, d'esprit diamétralement opposé et qui, en huit cents décasyllabes, prend la défense de l'amour chaste. On doit peut-être aussi à Papillon un *Trône d'Honneur*, perdu, et, selon C. A. Mayer, le *Sermon du bon pasteur*, autrefois attribué à Marot.

BIBL. : *Opuscules d'amour*, Lyon, Tournes, 1547 (réimpr. S. R. P., 1971) ; Héroët, *Œuvres*, éd. Gohin, Paris, Droz, 1943. — C. A. Mayer, « Le Sermon du bon pasteur ; un problème d'attribution », *BHR*, 37, 1967, p. 286-303.
(P. 136, 138, 144-145.)

PARMENTIER (Jean) [Dieppe, 1494-Sumatra, 1530]

Navigateur, il entreprit deux grands voyages au Brésil et aux Indes, dont il donna une relation agréablement écrite et abondante en détails savoureux. On ne sait si c'est le même personnage qui fit jouer une *Moralité en l'honneur de la glorieuse assomption de la Vierge* en 1527 à Dieppe, et qui traduisit l'*Histoire catilinaire* de Salluste en 1528. Il avait pour devise, comme Sagon, « Vela de quoy ».

BIBL. : *Description nouvelle des merveilles de ce monde*, Paris, 1531 ; *Journal de voyage*, p. p. Estancelin, Pinard, 1832 ; *Le Discours de la Navigation*, p. p. C. Scheler, Leroux, 1883. — K. von Posadowski, *J. P. Leben und Werk*, Munich, Hueber, 1937 ; Guy, *Rhétoriqueurs*, p. 733-754.

S

SAINT-GELAIS (Mellin de) [Angoulême, 1491-Paris, 1558]

Gentilhomme, mais de naissance illégitime, Mellin de Saint-Gelais est destiné à la carrière ecclésiastique. Il fait de solides études, en partie en Italie. Dès 1525, il est aumônier du roi, au service du dauphin ; en 1536, il prend la succession de Lefèvre d'Etaples comme bibliothécaire à Blois, charge qu'il garde jusqu'à l'intégration de la bibliothèque de Blois dans celle de Fontainebleau (1544). Il continue de vivre à la cour et devient, sous Henri II, une sorte de maître des plaisirs. M. de S.-G. semble d'abord avoir été poète latin ; ce n'est que sur le tard, approchant de la quarantaine, qu'il se mettra à composer des poésies en français, ce qui explique son indépendance vis-à-vis de la tradition des rhétoriqueurs. Salué comme son pair par Cl. Marot, en 1539, M. de S.-G. est un bon représentant de la nouvelle poésie des années trente. Aussi fournira-t-il, avec Marot, à Th. Sébillet de nombreux exemples pour son *Art poétique* de 1548. A la différence aussi bien des rhétoriqueurs que des poètes de la Pléiade, M. de S.-G. n'a pas de programme littéraire. Poète courtisan, il rime au gré des circonstances. Il est un maître de la forme concise (quatrains, cinquains, sixains, huitains, etc.) et cultive avec grâce et esprit cet art mineur, aux fonctions sociales bien définies ; des rondeaux, des chansons, des madrigaux, des épigrammes ; des huitains qui rappellent le *strambotto*, quelques sonnets, la rime tierce : la tradition italienne lui est familière, mais il l'adapte sans dogmatisme. Sexagénaire, il devient spécialiste de cartels pour tournois et de poèmes pour mascarades et traduit, toujours pour les besoins de la cour, la *Sopho-*

nisbe de Trissino (représentée à Blois, en 1556 ; éditée en 1559), la seconde tragédie représentée en France. Ses œuvres n'ont été éditées qu'en partie ; en revanche, le poète a eu la satisfaction de voir le roi Henri II offrir à Diane de Poitiers un manuscrit luxueux de ses poésies.

BIBL. : *Œuvres complètes*, p. p. P. Blanchemain, Daffis, 1873, 3 vol. — H.-J. Molinier, *Mellin de Saint-Gelais*, Rodez, Carrère, 1910 (réimpr. Genève, Slatkine, 1969) ; Ph. A. Becker, *Mellin de Saint-Gelais*, Vienne et Leipzig, Hölder-Pichler-Tempsky, 1924 ; A. Trofimoff, *Poètes français avant Ronsard*, R. Marin, 1950, p. 254-266.
(P. 25, 91, 132-134, 138, 141, 144, 151.)

SAINT-GELAIS (Octovien de) [Cognac, 1468-Vars, 1502]

Octovien de Saint-Gelais, le melliflue, comme l'appellent ses confrères, mériterait une ample réhabilitation, qui devrait commencer par la publication de ses œuvres. Né à Cognac, en 1468, d'une ancienne famille, il monte à Paris, étudie le droit, est introduit à la Cour et devient, en 1494, évêque d'Angoulême ; il meurt en 1502, âgé de 34 ans. Son œuvre est vaste et variée. Poète courtisan, il excelle à tourner des rondeaux et n'hésite pas à intervenir dans le débat de la *dame sans si*, Anne de Graville. Sous Charles VIII, la veine courtisane lui dicte des épîtres, des louanges et, à la mort du roi, une *complainte*. Mais il connaît aussi les revers de la vie à la cour et, tout en continuant une vieille tradition médiévale, ses vers, qui évoquent les misères et les dangers de cette vie, dans le *Séjour d'Honneur* ou dans le *Débat de l'homme de court et de l'homme des champs*, sont fermes, drus, d'une rhétorique de bon aloi. L'œuvre majeure d'Octovien, c'est le *Séjour d'Honneur* (1490-1494), long traité en vers et en prose, véritable *satura*, autobiographie d'un jeune homme, dans le sillage du *Traité de l'Espérance* d'Alain Chartier et de l'*Abuzé en Court* attribué au roi René ou à Charles de Rochefort. Ce *Séjour d'Honneur* est un magnifique creuset, où toutes les

traditions viennent s'amalgamer, la prose rhétoricale et l'infinie variété des mètres de la seconde rhétorique, la poésie douceureuse des bergeries et des amours, la satire énergique des états du monde, l'évocation poignante de la précaire bonne fortune dans ce bal vertigineux de Vaine Espérance, tourbillon qui entraîne aussi bien les figures mythologiques que celles de l'histoire ancienne et contemporaine. D'Ovide à Valère-Maxime, de Jean de Meung à Boccace, d'Alain Chartier au roi René, de Charles d'Orléans à Villon : tous ces grands et leurs œuvres se donnent rendez-vous avec l'histoire contemporaine dans cet itinéraire autobiographique, qui conduit du verger de Vaine Espérance à la mer mondaine, à la forêt aventureuse et au désert mélancolique, pour aboutir au recueillement religieux. Toutes ces forces vives de l'époque, l'attrait mondain et la littérature profane antique et récente, longuement évoqués, mais enfin opposés à la pieuse pénitence, font du *Séjour d'Honneur* une œuvre vraiment représentative. Deux manuscrits, dont un magnifiquement illustré, ainsi que quatre éditions jusqu'en 1526, témoignent de son succès parmi les contemporains.

Le succès accueille aussi ses nombreuses traductions. Une œuvre de jeunesse, la traduction en vers de l'*Ystoire de Eurialus et Lucresse* d'Aeneas Sylvius Piccolomini, est imprimée dès 1493. Le *Livre des persecutions des crestiens*, traduit du latin de Boniface Simonetta, est édité en 1496 ; la traduction de Térence l'est vers 1500, celle de l'*Enéide*, en 1509. Enfin, la traduction que fait Octovien de Saint-Gelais des *Héroïdes* remplace celles du moyen âge et devient un des grands succès du XVIe siècle : quatre manuscrits et près de vingt éditions en font foi. Ainsi, la culture classique, la tradition rhétorique, la vie de courtisan et les préoccupations morales et pieuses font d'Octovien de Saint-Gelais une des grandes figures dans ce tournant du XVe au XVIe siècle.

BIBL. : E. S. Piccolomini, *Eurialus und Lukrezia*, *übersetzt von Octovien de Saint-Gelais*, p. p. E. Richter, Halle, 1914.

— J.-J. Marquet de Vasselot, *Les Manuscrits à miniatures des Héroïdes traduites par Saint-Gelais*, Paris, 1894 (extrait de l'*Artiste* de 1894) ; H. Guy, « Octovien de Saint-Gelays. Le Séjour d'Honneur », *RHLF*, 15, 1908, p. 193-231 ; H.-J. Molinier, *Essai biographique et littéraire sur Octovien de Saint-Gelays, évêque d'Angoulême*, Rodez, Carrère, 1910 ; S. Cigada, « Introduzione alla poesia di Octovien de Saint-Gelais », *Aevum*, 39, 1965, p. 244-265.
(P. 36, 47, 51, 97-98, 114, 118-121, 124, 126, 129, 136, 142, 145, 160, 166-167.)

SAINTE-MARTHE (Charles de) [Fontevrault, 1512-Alençon, 1555]

Fils de Gaucher de S. M., modèle probable du Picrochole de Rabelais, il mena une vie agitée, connaissant « plusieurs adverses fortunes ès pays lointains » ; professeur de théologie à Poitiers, suspecté de luthéranisme, il passa trente mois en prison à Grenoble. En 1543, il enseigne dans un collège de Lyon, puis, protégé par M. de Navarre, il devient maître de requêtes de son hôtel et précepteur de Jeanne d'Albret. Grâce à Françoise d'Alençon, il finit ses jours lieutenant criminel à Alençon. Ayant voué un culte admiratif à la reine de Navarre, il prononça son *Oraison funèbre*, qui est le « manifeste du platonisme en France » ; il tenait Marot pour son « père d'alliance », et édita de ses œuvres. Il saluait en Dolet le père de l'éloquence française, et était lié à de nombreux poètes.

BIBL. : *La Poésie françoise de C. de S. M.*, Lyon, Dolet, 1540. — C. Ruutz-Rees, *Ch. de S. M.*, Champion, 1919 ; J. J. Hemmardinquer, « Les Prisons d'un poète », *BHR*, 20, 1958, p. 177-183.
(P. 108, 119-120, 133, 138, 142, 143, 145.)

SALA (Pierre) [avant 1457-après 1529]

Au service de Charles VIII et de Louis XII, Pierre Sala, lyonnais, prend sa retraite à l'avènement de François Ier.

Son œuvre est restée manuscrite. Il récrit (en vers !) le *Chevalier au lion* de Chrétien de Troyes (en omettant les épisodes du Sire de la Noire Espine et celui du château de Pesme Aventure), et compose un *Tristan* en prose. Il demeure à Lyon, rime des *énigmes* et des *fables*, et traduit un traité contre la peste. Dans *Les Hardiesses de plusieurs roys et empereurs*, Sala imagine, un peu à la manière de Boccace, une conversation entre trois dames et lui-même ; chacun raconte des prouesses « historiques », du roi David jusqu'à François Ier.

BIBL. : *Tristan*, p. p. Lynette Muir, Genève, Droz, 1958 (TLF). — Ph. Fabia, *Pierre Sala, sa vie et son œuvre, avec la légende et l'histoire de l'Antiquaille*, Lyon, 1934 ; L. Muir, « An Arthurian enthusiast in the XVIth century : Pierre Sala », *Bulletin bibliographique de la société internationale arthurienne*, 13, 1961, p. 111-116.
(P. 54.)

SALEL (Hugues) [Cazals en Quercy, 1503-Saint-Chéron, 1553]

Après des études à l'Université de Cahors, puis à Toulouse, où il connut Rabelais et Boyssoné, il vint à Paris et fréquenta les milieux des lettres. Valet de chambre du roi vers 1538, maître d'hôtel (après 1546), il accompagna Charles-Quint pendant sa traversée du royaume (1539). Entré dans les ordres vers 1541, il fut abbé de Saint-Chéron près Chartres et aumônier de la reine. Il quitta la cour en 1547 et termina sa vie dans la retraite. Il eut pour secrétaire Olivier de Magny et fut l'ami de Marot, Saint-Gelais, Brodeau et Du Bellay. Il joua un rôle assez important auprès de François Ier, qui l'estimait fort ; il fut aussi protégé par Du Thier et d'Avanson. Cet humaniste, poète de cour et traducteur, eut droit, à sa mort, aux louanges de Ronsard et de Jodelle.

BIBL. : *Œuvres poétiques*, p. p. L. A. Bergounioux, Toulouse, Guitard, 1930 (réimpr. Genève, Slatkine, 1968). — Ph. A. Becker, « H. S. », *Z. f. fr. Spr. u. Lit.*, LIV, 1932,

p. 475-512 ; A. Hulubei, « Etudes sur quelques œuvres poétiques de H. S. », *HR* 2, 1935, p. 122-146 ; A. Trofimoff, *Poètes français avant Ronsard*, p. 243-273. (P. 73, 119, 120, 138, 139, 142, 150.)

SÉBILLET (Thomas) [Paris, 1512-Paris, 1589]

Avocat au Parlement de Paris, il fut surtout attiré par la poésie. Il fit un voyage en Italie vers 1547. Sa vie semble avoir été constamment retirée et effacée. Il connut L'Hospital, Du Bellay et E. Pasquier.

BIBL. : *Art Poëtique françoys* (1548), éd. crit. p. p. F. Gaiffe, Cornély, 1910 (2ᵉ Droz, 1932). L'éd. de 1555, avec le *Recueil de poésie françoyse*, est rééd. en facsimilé, Genève, Slatkine, 1971. — H. de Noo, *Th. S. et son Art Poetique fr.*, Utrecht, 1927 ; H. Chamard, *Histoire de la Pléiade*, Didier, 1939, t. I.
(P. 46, 50, 51, 93, 117-118, 120-123, 132, 135, 150-154, 180.)

SECOND (Jean Everaerts, dit-) [La Haye, 1511-Tournai, 1536]

D'une famille de juristes, il fit des études de droit à Bourges avec Alciat, et passa son doctorat en 1533. En mai 1534, il entreprit un voyage en Espagne ; secrétaire de l'archevêque de Tolède, il fut protégé par Charles-Quint, qui le prit à son service en 1535. Malade, il rentra en Belgique et fut secrétaire de l'évêque d'Utrecht. Il mourut à vingt-cinq ans, d'une maladie de poitrine disent les uns, des suites de sa vie dissipée selon d'autres. Peintre, sculpteur, orateur, juriste et poète. Second était brillamment doué. Diverses liaisons, dont Julie et Néère lui inspirèrent ses fameux *Basia*, imités par une foule de poètes après Ronsard. Il est aussi l'auteur d'un Epithalame, d'Odes et d'Elégies.

BIBL. : *Basia*, Lyon, Gryphe, 1539 ; *Opera*, Utrecht, Borculons, 1541 ; *Les Baisers et autres œuvres*, p. p. M. Rat (avec traduction), Garnier, 1938. — A. Blanchard,

Itinéraire de J. S., Saumur, Girouard-Richon, 1940.
(P. 108-109.)

SEYSSEL (Claude de) [Aix, vers 1450-Turin, 1520]

Après des études juridiques, Claude de Seyssel, fils naturel du maréchal de Savoie, est d'abord professeur de droit à Turin (1487). De son enseignement, il nous reste des *Commentaria* sur le Digeste et des gloses aux œuvres de Bartole. Au service du Duc de Savoie, puis du roi de France Louis XII, Seyssel sera chargé de hautes missions diplomatiques, dont l'une l'entraîne à rédiger *Les louenges du Roy Louis XIIᵉ de ce nom* (1508). Evêque de Marseille dès 1509 (mais n'entrant en fonctions qu'en 1515), Seyssel termine sa vie comme archevêque de Turin (1517-1520). De cette dernière période datent ses œuvres religieuses, toutes écrites en latin, dont un traité contre les Vaudois, remarquable par sa modération. Ce n'est que sur le tard, ayant dépassé la cinquantaine, que Seyssel se remet à l'étude pour s'atteler, à l'usage du roi Louis XII, à toute une série de traductions (Xénophon, Justin, Appien, Eusèbe et Thucydide), traductions qui ne seront publiées, sur ordre de François Iᵉʳ, qu'après la mort de l'auteur. Ignorant le grec, Seyssel travaille sur des versions latines, mais chaque fois que cela lui est possible, il a recours à l'aide d'un helléniste aussi avisé que Jean Lascaris. L'*Exorde en la translation de l'Histoire de Justin* (1510) revêt, pour les lettres françaises, un intérêt particulier, puisque Seyssel y développe des idées originales sur le rôle culturel et politique de la langue française. Enfin, *La Monarchie de France* (publiée en 1519) nous oblige à saluer en Seyssel un esprit hors de pair. L'humaniste, malgré son goût pour l'histoire antique, n'y oublie jamais son expérience politique personnelle : d'où ses réflexions si neuves, dictées par un sens aigu du possible et teintées d'un conservatisme de bon aloi.

BIBL. : *La Monarchie de France et deux*

autres fragments politiques, p. p. J. Poujol, d'Argences, 1961 (contient l'Exorde de Justin et le Prohème d'Appien).
— F. Brunot, « Claude de Seyssel, apologiste du français. Un projet d'enrichir, magnifier et publier la langue française en 1509 », *RHLF*, 1, 1894, p. 27-37; A. Caviglia, *Claudio di Seyssel*, Turin, 1928 (*Miscellanea di Storia Italiana, Terza Serie*, t. 23); R. Cegna, « Il *Tractatus de divina Providentia* di Claudio di Seyssel », *Rivista di storia e letteratura religiosa*, 1965, p. 109-116.
(P. 23, 36, 37, 56.)

SYLVIUS (Simon) [(Du Bois, La Haye) ?- ?]

Après des études de droit à Bourges et à Paris, il fut valet de chambre de M. de Navarre. Platonicien, il traduisit le commentaire de Ficin sur le *Banquet* (1546) et publia les *Marguerites de la Marguerite des Princesses* (1547).

BIBL. : *Le Commentaire de Marsille Ficin sur le Banquet d'Amour de Platon*, Poitiers, Marnef, 1546.
(P. 142, 227, 228, 239.)

T

TAGLIACARNE (Benedetto, dit Theocrenus) [Sarzana, v. 1480-Avignon, 1536]

Entra dans les ordres après son veuvage; protégé par les Frégose, il vit d'abord à Gênes, où il est précepteur. A Padoue, il connaît Longueil, puis il passe à Venise, avant de gagner la France. Précepteur des fils de Robertet, il enseigne le grec et voit sa renommée croître rapidement. Ami de Budé et de J. Colin, il devient précepteur du dauphin et du duc Henri dès 1524, qu'il accompagnera dans leur captivité espagnole. En 1532, le roi lui accorde deux abbayes, puis l'évêché de Grasse en 1534. Il mourut à Avignon, où il avait fui devant les troupes de l'Empereur.

Excellent pédagogue, humaniste renommé, lié avec Alamanni et avec les néolatins français, à Marot et à l'Arioste. Une traduction de Sénèque s'est perdue. Son œuvre se ramène à un recueil de vers latins, les *Poemata* de 1536, où l'imitation des anciens s'étale abondamment.

BIBL. : P. Jourda, « Un humaniste italien en France : B. T. » *RSS*, 16, 1929, p. 40-57; J. Plattard, « L'Humaniste Theocrenus en Espagne », *RSS*, 16, 1929, p. 68-76.
(P. 105.)

TARDIF (Guillaume) [Le Puy-en-Velay, vers 1440-vers 1500]

Humaniste du cercle parisien de Robert Gaguin (voir tome précédent). Chargé dès 1476 de l'éducation du futur Charles VIII, pour lequel il traduit un *Art de bien mourir* fameux à l'époque (édité dès 1492), Tardif deviendra *liseur* du roi. Pour le monde courtois, il compose un *Livre de l'art de fauconnerie et des chiens de chasse* (édité en 1492, et réédité jusqu'au xviie siècle), mais son activité la plus importante réside dans son enseignement. Auteur de traités latins de grammaire et de rhétorique, Tardif participe activement au renouveau de l'éloquence latine. Sa polémique avec Girolamo Balbi manifeste une prise de conscience de l'humanisme parisien de la fin du xve siècle, tandis que ses traductions de certains *Apologues* de Valla, des *Ditz des saiges hommes* de Pétrarque et des *Facecies* du Pogge, montrent en lui un humaniste qui, au-delà des préoccupations morales, est sensible aux problèmes de style.

BIBL. : *Les Faceties de Poge Florentin traduites par Guillaume Tardif*, éd. A. de Montaiglon, Willem, 1878; *Les Facéties de Pogge florentin*, traduction nouvelle et intégrale, accompagnée des « Moralitez » de G. Tardif, éd. P. des Brandes, Garnier, s. d. — F. Simone, « Robert Gaguin ed il suo cenacolo umanistico », *Aevum*, 13, 1939, p. 440-454; L. Sozzi, « Le *Facezie* di

Poggio nel Quattrocento francese », *Miscellanea di studi e ricerche sul Quattrocento francese*, Turin, Giappichelli, 1967, p. 451-458 et 464-506.

(P. 58, 64, 80, 123, 125.)

TORY (Geoffroy) [Bourges, vers 1480-Paris, 1533]

Humaniste, libraire, imprimeur, traducteur. Voyage deux fois en Italie. « Imprimeur du roi » dès 1530 ; « libraire juré » peu avant sa mort. En 1529, il publie une des œuvres les plus attachantes de l'époque : *Champ fleury, auquel est contenu l'art et science de la deue et vraye proportion des lettres Attiques, qu'on dit autrement lettres Antiques, et vulgairement lettres Romaines, proportionnées selon le corps et visage humain.* Comme l'indique le titre, Tory s'efforce de ramener les proportions des caractères romains (une nouveauté à l'époque) aux proportions du corps humain, un peu comme l'avaient fait Alberti en Italie et Dürer en Allemagne. Entreprise grandiose, qui confère à l'aspect matériel de l'écriture des dimensions cosmiques. Chaque lettre est expliquée selon les quatre sens de l'exégèse scolastique. Tout helléniste et latiniste qu'il est, Tory s'érige aussi en défenseur de la langue française, « une des plus gracieuses de toutes les langues humaines », et il sait reconnaître, un des premiers, la dignité de la tradition littéraire nationale et la « majesté de langage ancien » d'un Chrétien de Troyes ou des auteurs du *Roman d'Alexandre*.

BIBL. : *Champfleury*, éd. fac-similé, S.R.P., Johnson et Mouton, 1970. — A.-J. Bernard, *Geofroy Tory*, Tross, 1857, 2ᵉ éd. augmentée, 1865 ; les articles de J. Mégret, dans *Philobiblion*, 4, 1931 ; rééd. du *Champ-Fleury* par G. Cohen, avec introduction, notes, index et glossaire, Ch. Bosse, 1931 ; G. Cohen, « Geoffroy Tory de Bourges et son *Champ-Fleury* », *Annales de l'Université de Paris*, 7, 1932, p. 209-222 ; Ch. Dubin, « Un précurseur : Tory », *Défense de la langue française*, 33, 1966, p. 5-11.

(P. 37, 38, 91, 107.)

V

VIGNEULLES (Philippe de) [Vigneulles, 1471-vers 1527]

Marchand de drap et chaussetier, Vigneulles déploie, dans ses heures de loisir, une grande activité littéraire. Il se fait auteur dramatique, compose des poésies, traduit l'histoire de France de Robert Gaguin, met en prose de vieux poèmes légendaires qui glorifient les héros messins, rédige, enfin, lui-même une volumineuse *Chronique de Lorraine*, intéressante pour les légendes qu'elle rapporte. Le meilleur titre littéraire de Vigneulles est constitué par les *Cent nouvelles nouvelles*, recueil de contes d'une grande valeur documentaire. De toute cette vaste production, rien n'a été publié à l'époque. Vigneulles est un témoin important de la culture non officielle et non érudite de son temps.

BIBL. : *Les Chroniques de Philippe de Vigneulles*, publ. par Ch. Bruneau, Metz, S.H.A.L., 1927-1933, 4 vol.; des extraits des *Cent nouvelles nouvelles* ont été publiées par Ch. H. Livingston, dans *RSS*, 10, 1923, p. 159-203, dans *Mélanges Jeanroy*, Droz, 1928, p. 469-476, dans *PMLA*, 40, 1925, p. 217-224, dans *Mélanges Abel Lefranc*, Droz, 1936, p. 17-25.

(P. 163, 170.)

Bibliographie

LES INSTRUMENTS DE TRAVAIL

Bibliographies rétrospectives :

R. Bossuat, *Manuel bibliographique de la littérature française du Moyen Age*, Melun, d'Argences, 1951 ; Supplément (1949-1953), Paris [1], d'Argences, 1955 ; Supplément (1954-1960), d'Argences, 1961 ; G. Lanson, *Manuel bibliographique de la littérature française moderne 1500-1900*, Hachette, t. I, 1909 ; D. C. Cabeen, *A critical Bibliography of French Literature*, Vol. II : *The XVIth century*, Syracuse University Press, 1956 ; A. Cioranesco, *Bibliographie de la littérature française du seizième siècle*, Klincksieck, 1959 ; W. F. J. Dejongh, *A Bibliography of the Novel and Short Story in France from the Beginning of Printing till 1600*, University of Mexico Press, 1944 ; J. Dagens, *Bibliographie chronologique de la littérature de spiritualité et de ses sources, (1501-1610)*, Desclée De Brouwer, 1952 ; B. Woledge, *Bibliographie des romans et nouvelles en prose française antérieurs à 1500*, Genève et Lille, Droz et Giard, 1954.

Bibliographies courantes :

Bibliographie der Zeitschrift für romanische Philologie, éd. G. Gröber, A. Hilka, W. v. Wartburg, Halle (à partir de 1957) Tubingue, Niemeyer, 1878 sq. (pour les années 1875 sq.) ; *The Year's Work in Modern Language Studies*, Cambridge University Press (till 1962), The Whitefriars Press, Tonbridge (from 1963), à partir de 1929 ; O. Klapp, *Bibliographie der französischen Literaturwissenschaft*, Francfort-sur-le-Main, Klostermann, depuis 1960, sept tomes parus ; *Bibliographie internationale de l'Humanisme et de la Renaissance*, Genève, Droz, 1965-1968 (4 tomes parus) ; J. Giraud, *Manuel de bibliographie littéraire pour les XVIe, XVIIe et XVIIIe siècles français*, Nizet, 1970 ; la bibliographie de la *Revue d'histoire littéraire de la France* assurée trimestriellement par M. R. Rancœur depuis 1948 a été rassemblée en volumes annuels en 1953-1954 et refondue annuellement depuis 1962 (A. Colin).

Revues :

La revue spécialisée française a plusieurs fois changé de titre : *Revue d'études rabelaisiennes (RER)* Paris, 1903-1912 ; *Revue du seizième siècle (RSS)*, Paris, 1913-1933 ; *Humanisme et Renaissance (HR)*, Paris, 1934-1940 ; *Bibliothèque d'Humanisme et Renaissance (BHR)*, Genève, Droz, 1941 sq. ; autres revues : *Rinascimento*, Florence, 1950 sq. ; *Studies in the Renaissance*, New York, 1954 sq. ; *Renaissance Quarterly*, New York, 1967 sq.

---

1. Paris, lieu d'édition, ne sera plus mentionné, sauf exception.

Le livre :

[Pierre-] Gustave BRUNET, *La France littéraire au XVe siècle, ou catalogue raisonné des ouvrages [...] imprimés en langue française jusqu'à l'an 1500*, A. Franck, 1865 (réimpr. Genève, Slatkine) ; R. BRUN, *Le Livre français illustré de la Renaissance*, Picard, 1959 ; J. MULLER, *Dictionnaire abrégé des imprimeurs-éditeurs français du XVIe siècle*, Baden-Baden, Heitz, 1970 ; voir aussi la bibliographie dans L. FEBVRE et H.-J. MARTIN, *L'Apparition du livre*, Albin Michel, 1958.

Manuels

A. DARMESTETER et A. HATZFELD, *Le Seizième Siècle en France. Tableau de la littérature et de la langue*, Delagrave, 1883 (plusieurs rééditions) ; A. TILLEY, *The Literature of the French Renaissance*, tome I, Cambridge University Press, 1904 ; G. GRÖBER, *Geschichte der mittelfranzösischen Literatur, II. Vers- und Prosadichtung des 15. Jahr-* *hunderts*. Zweite Auflage, bearbeitet von St. Hofer, Berlin, De Gruyter, 1937 ; W. MÖNCH, *Frankreichs Literatur im XVI. Jahrhundert*, Berlin, De Gruyter, 1938 ; V.-L. SAULNIER, *La Littérature française de la Renaissance*, P.U.F., 1942 (« Que sais-je ? », plusieurs rééditions) ; *Dictionnaire des lettres françaises, Le Moyen Age*, Fayard, 1964, *Le Seizième Siècle*, Fayard, 1951 ; A. BAILLY, *La Vie littéraire sous la Renaissance*, Tallandier, 1952 ; J. PLATTARD, *La Renaissance des Lettres en France*, A. Colin, 1952, ²1967 ; R. MORÇAY, *La Renaissance*, De Gigord, 1933, tome I, refondu par A. Müller, Del Duca, 1960 ; E. DECAHORS, *Histoire de la littérature française*, t. II, *Le XVIe siècle*, Editions de l'Ecole, 1962 ; D. MÉNAGER, *Introduction à la vie littéraire au XVIe siècle*, Bordas-Mouton, 1968 ; E. BALMAS et D. VALERI, *La letteratura nell'età del Rinascimento in Francia*, Milan, Sansoni, 1969.

ANTHOLOGIES

Il sera nécessaire d'y avoir recours pour bon nombre de textes inaccessibles autrement, qu'il s'agisse de *minores*, dont seules quelques pages sont ainsi rééditées, ou même de grands noms. La plus complète est celle de Maurice ALLEM, *Anthologie poétique française*, XVIe siècle, 2 vol., Garnier-Flammarion, 1965 : choix très étendu, le premier volume allant jusqu'à Ronsard et Du Bellay. Puis l'excellent ensemble recueilli par Fernand MAZADE, *Anthologie des poètes français, des origines à nos jours*, Librairie de France, s.d., t. I, accompagné de bonnes notices. Les *Poètes français du XVIe siècle*, d'A.-M. SCHMIDT, Gallimard, 1953 (Bibl. de la Pléiade) ne vont guère au delà des grands noms (Marot, Scève, Du Guillet, les blasons du corps féminin) et les notices sont d'une originalité parfois contestable.

Marc ALYN a donné une anthologie fort intéressante dans ses *Poètes du XVIe siècle*, J'ai Lu, 1962.

Plus particulièrement consacrés à la période des rhétoriqueurs, les *Fleurs de Rhétorique*, p. p. K. CHESNEY, Oxford, Blackwell, 1950, constituent un petit volume très agréable et commode ; de même, *La Fleur de la poésie française depuis les origines jusqu'à la fin du XVe siècle*, d'André MARY, Garnier, 1951, contient des textes intéressants pour le début de notre période. On verra encore les *Poètes chrétiens du XVIe siècle*, p. p. H. LA MAYNARDIÈRE, Bloud, 1908. Et, pour la poésie courtoise de la fin du XVe siècle, les *Albums poétiques de Marguerite d'Autriche*, p. p. M. FRANÇON, Paris, Droz, 1934, et les *Poèmes de transition*, p. p. M. FRANÇON, Paris, Droz, 1938, 2 vol.

L'ÉPOQUE

H. HAUSER-A. RENAUDET, *Les Débuts de l'âge moderne*, P.U.F., 1929 (⁴1956) (« Peuples et civilisations ») ; H. HAUSER, *Les Sources de l'histoire de France, Le XVIe siècle*, Picard, 1906-1915, 4 vol. ; J. DELUMEAU, *La Civilisation de la Renaissance*, Arthaud,

1967; M. Morineau, *Le XVIᵉ siècle*, Larousse, 1968; R. Mandrou, *Introduction à la France moderne*, Albin Michel, 1961 (« Evolution de l'humanité »); R. Mousnier, *Les XVIᵉ et XVIIᵉ siècles*, Albin Michel, 1954 (« Histoire des Civilisations »); J. Heers. *L'Occident aux XIVᵉ et XVᵉ siècles : aspects économiques et sociaux*, P.U.F., 1963 (« Nouvelle Clio »); F. Mauro, *Le XVIᵉ siècle européen, aspects économiques*, P.U.F., 1970 (« Nouvelle Clio »); F. Braudel, *Civilisation matérielle et capitalisme*, t. I, A. Colin, 1967 (« Destins du monde »); H. Hauser, *La Modernité du XVIᵉ siècle*, A. Colin, 1963 (nᵗˡᵉ éd.); J. Michelet, *La Renaissance*, Chamerot, 1855; A. Lefranc, *La Vie quotidienne au temps de la Renaissance*, Hachette, 1938; J. Babelon, *La Civilisation française de la Renaissance*, Tournai, Casterman, 1961; A. Denieul-Cormier, *La France de la Renaissance*, Arthaud, 1962; R. Doucet, *Les Institutions de la France au XVIᵉ siècle*, Picard, 1948, 2 vol.; E. Garin, *La Renaissance, Histoire d'une révolution culturelle*, Verviers, Marabout, 1970; P. Jeannin, *Les Marchands au XVIᵉ siècle*, Le Seuil, 1967; E. Giudici, *Spiritualismo e Carnascialismo nella Francia del Cinquecento*, Naples, Ed. scientifiche italiane, 1968.

LA MYTHOLOGIE

J. Seznec, *La Survivance des dieux antiques*, Londres, Warburg Institute, 1939; ou *The Survival of the Pagan Gods*, New York, Pantheon, 1953; Fr. Joukovsky, *Poésie et mythologie au XVIᵉ siècle*, Nizet, 1969.

Sur quelques mythes particulièrement significatifs :

M.-R. Jung, *Hercule dans la littérature française du XVIᵉ siècle*, Genève, Droz, 1966; Y. Giraud, *La Fable de Daphné*, Genève, Droz, 1969; Fr. Bardon, *Diane de Poitiers et le mythe de Diane*, P.U.F., 1963; Fr. Joukovsky, *Orphée et ses disciples dans la poésie française et néo-latine du XVIᵉ siècle*, Genève, Droz, 1970.

LES TRADUCTIONS

Voir aussi la bibliographie des instruments de travail (Dictionnaire des Lettres françaises, Klapp).

Justin Bellanger, *Histoire de la traduction en France*, Paris, 1892; P. H. Larwill, *La théorie de la traduction au début de la Renaissance* (d'après les traductions imprimées en France entre 1477 et 1527), Munich, Wolf, 1934; Robert Ralph Bolgar, *The Classical Heritage and Its Beneficiaries*, Cambridge, Cambridge University Press, 1958, Appendix II, p. 506-541 : The Translations of Greek and Roman Classica before 1600; C. Dionisotti, Tradizione classica e volgarizzamenti, dans *Italia medievale e umanistica I*, 1958, 427-431; *Catalogus Translationum on Middle Ages and Renaissance. Latin Translations*, vol. I, éd. Kristeller, Washington, 1960; R. H. Lucas, « Mediaeval French Translations of the Latin Classics to 1500 », *Speculum*, 45, 1970, 225; M. Horn Monval, *Répertoire bibliographique des traductions et adaptations du théâtre étranger du XVᵉ siècle à nos jours*, t. II, Théâtre latin antique et moderne, Paris, C.N.R.S.

LA RELIGION

P. Imbart de La Tour, *Les Origines de la Réforme*, 4 tomes, Didot, 1905-1935; Fliche et Martin, *Histoire de l'Eglise*, Bloud et Gay, 1938-1949; t. XV : R. Aubenas et R. Ricard, *L'Eglise et la Renaissance (1449-1517)*, 1951; t. XVI : E. de Mo-

REAU, P. JOURDA et P. JANELLE, *La Crise religieuse du XVIe siècle*, 1950 ; tome XVII : L. CRISTIANI, *L'Eglise à l'époque du concile de Trente*, 1948 ; E.-G. LÉONARD, *Histoire générale du protestantisme*, t. I, P.U.F., 1961 ; J. DELUMEAU, *Naissance et affirmation de la Réforme*, P.U.F., 1965 (« Nouvelle Clio », 30) ; A. RENAUDET, *Préréforme et Humanisme à Paris pendant les premières guerres d'Italie (1494-1517)*, Champion, 1916, 2e éd., d'Argences, 1953 ; du même, *Humanisme et Renaissance*, Genève, Droz, 1958 ; W. G. MOORE, *La Réforme allemande et la littérature française. Recherches sur la notoriété de Luther en France*, Strasbourg,

Publications de la Faculté des Lettres 52, 1930 ; *Courants religieux et humanisme à la fin du XVe et au début du XVIe siècle*. Colloque de Strasbourg, 9-11 mai 1957, P.U.F., 1959 ; M. MANN, *Erasme et les débuts de la réforme française (1517-1536)*, Champion, 1933 ; L. FEBVRE, *Le Problème de l'incroyance au XVIe siècle. La Religion de Rabelais*, A. Michel, 1942 (1947) ; Bonaventure DES PÉRIERS, *Cymbalum mundi*, éd. P. H. Nurse, Manchester U. P., 1957 ; D. NEIDHART, *Das « Cymbalum Mundi » des Bonaventure des Périers. Forschungslage und Deutung*, Genève-Paris, Droz, 1959.

LE MOUVEMENT HUMANISTE

Les ouvrages généraux sur l'humanisme de la Renaissance sont très nombreux ; citons W. K. FERGUSON, *La Renaissance dans la pensée historique*, trad. fr., Payot, 1950 ; M. P. GILMORE, *Le Monde de l'humanisme (1453-1515)*, trad. fr., Payot, 1955 ; sur des problèmes particuliers : E. CASSIRER, *Individuum und Kosmos in der Philosophie der Renaissance*, Leipzig, Teubner, 1927 ; W. MÖNCH, *Die italienische Platonrenaissance und ihre Bedeutung für Frankreichs Literatur und Geistesgeschichte, 1450-1550*, Berlin, 1936 ; H. BUSSON, *Le Rationalisme dans la littérature française de la Renaissance (1533-1601)*, Vrin, nouv. éd., 1957. Voir aussi les ouvrages cités dans la bibliographie consacrée au mouvement religieux et ceux que mentionne notre *Dictionnaire des auteurs* (p. ex. sous Gaguin, Champier, Lefèvre, Bovelles, Budé, Dolet, Rabelais, R. Estienne). Les textes de la fin du xve et du début du

xvie siècle n'étant pas à la portée de tout le monde, nous signalons tout spécialement trois ouvrages anciens, qui contiennent nombre de renseignements, difficilement repérables ailleurs : R. GAGUIN, *Epistolæ et orationes*, éd. L. Thuasne (Paris, Bouillon, 2 vol., 1904) ; L. DELARUELLE, *Guillaume Budé* (Champion, 1907) ; A. RENAUDET, *Préréforme et Humanisme à Paris* (Champion, 1916, 2 1953). Voir en outre : F. SIMONE, *Il Rinascimento Francese*, Turin, Società Editrice Internazionale, 1961, 2 1965 ; *Umanesimo, Rinascimento, Barocco in Francia*, Milan, Mursia, 1968 ; A. BUCK, *Die humanistische Tradition in der Romania*, Bad Homburg Gehlen, 1968 ; *Zu Begriff und Problem der Renaissance*, p. a. A. BUCK, Darmstadt, Wissenschaftliche Buchgesellschaft, 1969 ; *Humanism in France at the end of the Middle Ages and in the early Renaissance*, edited by A. H. T. LEVI, Manchester U. P., 1970.

LA POÉSIE NÉO-LATINE

D. MURARASU, *La Poésie néo-latine et la Renaissance des lettres antiques*, Gamber, 1928 ; P. VAN TIEGHEM, *La Littérature néo-latine de la Renaissance*, Paris, Droz, 1944 (réimpr., Slaktine, 1967) ; P. BARRIÈRE,

« La Littérature française de langue latine », *Lettres d'humanité*, VI, 1947, p. 167-189 ; F. L. SCHOELL, « Une discipline négligée : la littérature latine de la Renaissance », *Lettres d'humanité*, VII, 1948, p. 140-164 ;

F. JOUKOVSKY, *La Gloire dans la poésie française et néo-latine du XVIᵉ siècle*, Genève, Droz, 1969.

Voir aussi les notices consacrées aux différents auteurs.

LA LANGUE

Ferdinand BRUNOT, *Histoire de la langue française des origines à nos jours*, A. Colin, 1967 (nlle éd.), t. II ; Alexis FRANÇOIS, *Histoire de la langue française cultivée des origines à nos jours*, Genève, Droz, 1959, t. I ; P. RICKARD, *La Langue française au XVIᵉ siècle* (Etude suivie de textes), Cambridge, University Press, 1968 ; G. GOUGENHEIM, *Grammaire de la langue française du XVIᵉ siècle*, Lyon-Paris, I.A.C., 1951 ; P. GUIRAUD, *Le Moyen Français*, P.U.F.,

1963 (« Que sais-je ») ; Edmond HUGUET, *Dictionnaire de la langue française du XVIᵉ siècle*, Champion-Didier, 1925-1967, 7 vol. ; E. HUGUET, *Mots disparus ou vieillis depuis le XVIᵉ siècle*, Genève, Droz, 1967 (2ᵉ éd.) ; N. CATACH, *L'Orthographe française à l'époque de la Renaissance*, Genève, Droz, 1968 ; Ch.-L. LIVET, *La Grammaire française et les grammairiens du XVIᵉ siècle*, réimpr. Genève, Slatkine, 1968 (Iʳᵉ éd. 1859).

LES ARTS

Voir les ouvrages de J. Babelon et A. Denieul-Cormier déjà cités.

E. PANOFSKY, *Renaissance and Renascences in Western Art*, Copenhague, Russak, 1960 ; L. VENTURI, *Le XVIᵉ siècle*, Genève, Skira, 1956 (Hist. de l'art). ; A. CHASTEL, *Le Mythe de la Renaissance*, Genève, Skira, 1969 (Arts, idées, histoire) ; *La Crise de la Renaissance, ibid.*, 1968 ; A. CHASTEL-R. KLEIN, *L'Europe de la Renaissance, L'Age de l'humanisme*, Ed. des deux mondes, 1963 ; A. TENENTI, *Il senso della morte e l'amore della vita nel Rinascimento*, Turin, Einaudi, 1957 ; E. PANOFSKI, *Essais d'iconologie*, Gallimard, 1969 ; P. DU COLOMBIER, *L'Art Renaissance en France*, Le Prat, 1950 ; F. GEBELIN, *Le Style Renaissance en France*, Larousse, 1942, « Arts, styles et techniques » ; A. BLUNT, *Art and architecture in France* (1500-1700), Londres 1953 ; L. HAUTECŒUR, *Histoire de l'architecture classique en France*, t. 1, Picard, 1943 ; F. GEBELIN, *Les Châteaux de la Loire*, Alpina, 1948 ; A. BILLY, B. LOSSKY, G. GENDREAU, *Fontainebleau*, Paris, Le Temps, 1967. S. BÉGUIN, *L'Ecole de Fontainebleau*, Gonthier-Seghers, 1960. J. ADHÉMAR, *Le Dessin français du XVIᵉ siècle*, Lausanne, Mermod, 1954 ; J. ADHÉMAR, *Les Graveurs français de la Renaissance*, Alpina, 1946 ; coll. *Les*

Fêtes de la Renaissance, Paris, C.N.R.S., 1956-1960 ; J.-M. CHARTROU, *Les Entrées solennelles et triomphantes à la Renaissance*, P.U.F., 1928 ; R. E. GIESEY, *The Royal Funeral Ceremony in Renaissance France*, Genève, Droz, 1960.

La musique :

A. PIRRO, *Histoire de la Musique de la fin du XIVᵉ siècle à la fin du XVIᵉ*, Laurens, 1940 ; G. REESE, *Music in the Renaissance*, New York, Norton, 1954 ; J. MARIX, *Les Musiciens de la Cour de Bourgogne au XVᵉ siècle*, Ed. de l'Oiseau-lyre, 1937 ; F. LESURE, *Musicians and poets of the French Renaissance*, New York, Merlin, 1955 ; ROLAND-MANUEL (sous la dir. de), *Histoire de la Musique*, Gallimard, 1960, t. I. Encyclopédie de la Pléiade ; coll., *Musique et Poésie au XVIᵉ siècle*, Paris, C.N.R.S., 1954 ; LE ROUX DE LINCY, *Recueil de chants historiques français*, Gosselin, 1842, 2 vol. ; J.-B. WECKERLIN, *L'Ancienne Chanson populaire en France*, Garnier, 1887 ; H. POULAILLE, *La Fleur des Chansons d'amour du XVIᵉ siècle*, Grasset, 1943 ; D. HEARTZ, *Pierre Attaingnant royal printer of Music*, Berkeley, California Press, 1969 ; S. POGUE, *Jacques Moderne, Lyons Music Printer of the 16th Century*, Genève, Droz, 1969.

L'HÉRITAGE MÉDIÉVAL

E. Ph. GOLDSCHMIDT, *Medieval Texts and their first appearance in print*, London, Oxford University Press, 1943 (Supplement to the Bibliographical Society's Transactions, 16); Guillaume de LORRIS et Jean de MEUNG, *Le Roman de la Rose — dans la version attribuée à Clément Marot — publié par S. F. Baridon*, Milan et Varese, Cisalpino, 1954-1957, 2 vol.; G. DOUTREPONT, *Les Mises en prose des Epopées et des Romans chevaleresques du XIVe au XVIe siècle*, Bruxelles, Palais des Académies, 1939; B. WOLEDGE, *Bibliographie des romans et nouvelles en prose française antérieurs à 1500*, Genève et Lille,

Droz et Giard, 1954; E. BESCH, « Les Adaptations en prose des chansons de geste au XVe et au XVIe siècle », *RSS*, 3, 1915, p. 155-181; A. Tilley, « Les Romans de chevalerie en prose », *RSS*, 6, 1919, p. 45-63; C. E. PICKFORD, « Les Editions imprimées de romans arthuriens en prose antérieurs à 1600 », *Bulletin bibliographique de la Société internationale arthurienne*, 13, 1961, p. 99-109; J. FRAPPIER, « Les Romans de la Table Ronde, et les lettres en France au XVIe siècle », *Romance Philology*, 19, 1965-1966, p. 178-193.

LA THÉORIE DES GENRES POÉTIQUES

W. F. PATTERSON, *Three Centuries of French Poetic Theory. A critical History of the Chief Arts of Poetry in France (1328-1630)*, 2 vol., Univ. of Michigan Publications, XIV-XV, Ann Arbor, 1935.

On consultera les premiers textes dans : E. LANGLOIS, *Recueil d'arts de seconde rhétorique*, Champion, 1902. (Pour les autres traités, voir les notices propres à chaque auteur). Quelques vues générales dans l'ouvrage de Ch. S. BALDWIN, *Renaissance literary theory and practice*. New York, 1939, comme dans H. GUY, *L'Ecole des Rhétoriqueurs*, Champion, 1910 (²1969)

Sur certains genres :
A. HULUBEI, *L'Eglogue en France au*

XVIe siècle, Paris, Droz, 1939; E. FORSTER, *Die französische Elegie im 16. Jahrhundert*, Cologne, 1959 (dissertation); C. M. SCOLLEN *The Birth of the Elegy in France*, Genève, Droz, 1967; Ph. A. BECKER, « Die Versepistel vor C. Marot », *Aus Frankreichs Frührenaissance*, Leipzig, 1927; Max JASINSKI, *Histoire du Sonnet en France*, Douai, 1903 (réimpr. Slatkine, 1970); H. VAGANAY, *Le Sonnet en Italie et en France au XVIe siècle*, 1875, (réimpr. Genève, Slatkine, 1967); ainsi que les notices du *Dictionnaire des lettres françaises*, XVIe siècle (dues à H. CHAMARD, avec bibliographie succincte).

LES RHÉTORIQUEURS

H. GUY, *Histoire de la poésie française au XVIe siècle*, t. I, *L'Ecole des Rhétoriqueurs*, Champion, 1910 (cette étude historique très solide est malheureusement déparée par une incompréhension totale du phénomène esthétique); R. H. WOLF, *Der Stil der Rhétoriqueurs. Grundlagen und Grundformen*, Giessen, Romanisches Seminar, 1939 (thèse); F. SIMONE, « La scuola dei ' Rhétoriqueurs ' », *Belfagor*, 4, 1949, p. 529-

552, et dans son volume *Umanesimo, Rinascimento, Barocco in Francia*, Milan, Mursia, 1968, p. 169-201; A.-M. SCHMIDT, « L'Age des rhétoriqueurs (1450-1530) », dans *Encyclopédie de la Pléiade. Histoire des Littératures*, t. III, Gallimard, 1958, p. 175-190; P. JODOGNE, « Les ' rhétoriqueurs ' et l'humanisme : problème d'histoire littéraire », dans *Humanism in France at the end of the Middle Ages and the early Renais-*

sance, Manchester University Press, 1970, p. 150-175 ; M.-R. JUNG, « Poetria. Zur Dichtungstheorie des ausgehenden Mittelalters in Frankreich », *Vox Romanica*, 30, 1971, p. 44-64 ; une brève anthologie a été publiée par K. CHESNEY, *Fleurs de Rhéto-rique. From Villon to Marot*, Oxford, Blackwell, 1950.

Voir aussi les notices sur J. Molinet, J. Marot, G. Cretin, J. d'Auton, A. de La Vigne, O. de Saint-Gelais, R. de Collerye, J. Lemaire, P. Gringore, J. Bouchet.

LA POÉSIE AU TEMPS DE FRANÇOIS Ier

H. GUY, *Clément Marot et son école*, Champion, 1926 (²1970) ; J. VIANEY, *Le Pétrarquisme en France au XVIe siècle*, Montpellier, Coulet, 1900 ; A. TROFIMOFF, *Poètes français avant Ronsard*, R. Marin, 1950 ; F. JOUKOWSKY-MICHA, *Poésie et mythologie au XVIe siècle*, Nizet, 1969 ; E. V. TELLE, *L'Œuvre de M. de Navarre et la querelle des femmes*, Toulouse, Lion, 1937 ; H. HAUSER *La Poésie populaire en France au XVIe siècle*, Clermont, Mont-Louis, 1894 ; F. LACHÈVRE, *Bibliographie des recueils collectifs de poésie du XVIe siècle*, Champion, 1922 ; *La Fleur de Poésie françoyse*, p. p. A. van Bever, Sansot, 1909 ; *Les Opuscules d'Amour*, p. p. M. Screech, La Haye, Mouton, 1970 (fac-similé). *Les Blasons du corps féminin*, p. p. M. Méon, Guillemot, 1807 ; ou p. p. J.-C. Lambert, Club des Libraires de France, 1963 ; Anthologie de Pauphilet (voir bibliographie Marot).

Voir les notices consacrées aux différents auteurs.

LETTRES LYONNAISES

(Voir la bibliographie sur M. Scève, surtout les ouvrages de Baur et de Saulnier.)

DULON, *Histoire littéraire de Lyon pendant la première moitié du XVIe siècle*, Mém. de la Sté d'histoire Lyon, 1866, p. 123-201 ; L. ROMIER, « Lyon et le cosmopolitisme au début de la Renaissance française », *BHR*, XI, 1949, p. 28-42 ; J. AYNARD, *Les Poètes lyonnais précurseurs de la Pléiade*, Bossard, 1924 (réimpr. Genève, Slatkine, 1969) ; D. O'CONNOR, *Louise Labé, sa vie et son œuvre*, Presses Françaises, 1926 (chap. I) ; A.-M. SCHMIDT, *Etudes sur le XVIe siècle*, Albin Michel, 1967.

CONTES ET ROMANS

Editions modernes :

Les Cent Nouvelles Nouvelles, éd. crit. F. P. Sweetser, Genève, Droz, 1966. Voir les notices consacrées à P. Gringore, Ph. de Vigneulles, Des Périers, N. Du Faïl, O. de Saint-Gelais, Anne de Graville et Jeanne Flore et H. de Crenne dans le *Dictionnaire des auteurs*. Pour les autres textes, on peut consulter : *Violier des histoires romaines (Gesta Romanorum)*, éd. G. Brunet, Jannet, 1858 ; *Le Parangon des nouvelles honnestes et délectables*, éd. E. Mabille, 1867 ; [Fernando de Rojas], *Celestine*. A critical edition of the first French translation (1527), by G. J. Brault, Detroit, Wayne State University Press, 1963 ; *Conteurs français du XVIe siècle*, éd. P. Jourda, Gallimard, 1965 (Bibliothèque de la Pléiade) [contient : *Les Cent Nouvelles Nouvelles*; DES PÉRIERS, *Les Nouvelles Recreations et joyeux devis*; DU FAIL, *Propos rustiques* et *Les Baliverneries*, ainsi que Marguerite de NAVARRE, *L'Heptaméron*; extraits de J. YVER, *Le Printemps* et de B. POSSENOT, *L'Esté*] ; NICOLAS DE TROYE, *Le grand paragon des Nouvelles nouvelles*, éd. Mabille, Bruxelles, 1866 et P. Daffis, 1869 ; éd. crit. K. Kasprzyk, Didier, 1970.

Travaux critiques :

P. Toldo, *Contributo allo studio della novella francese del XV e XVI secolo*, Rome, Loescher, 1895 ; G. Paris, « La Nouvelle française aux xve et xvie siècles », *Journal des Savants*, 1895, réimpr. dans G. Paris, *Mélanges de littérature française du moyen âge*, Champion, 1912, p. 627-656 ; G. Reynier, *Le Roman sentimental avant L'Astrée*, Colin, 1908, ²1970 ; G. Reynier, *Les Origines du roman réaliste*, Colin, 1912 ; K. Kasprzyk,

« Les Thèmes folkloriques dans la nouvelle française de la Renaissance », *CAIEF*, 18, 1966, p. 21-30 ; W. Pabst, *Novellentheorie und Novellendichtung. Zur Geschichte ihrer Antinomie in den romanischen Literaturen*, Heidelberg, Winter, ²1967 ; H. Weber, « La Facétie et le bon mot du Pogge à Des Périers », dans *Humanism in France at the end of the Middle Ages and in the early Renaissance*, Manchester U. P., 1970, p. 82-105.

THÉÂTRE

Pour la littérature dramatique qui se rattache encore à la tradition médiévale, on se reportera au t. II de cette *Littérature française*, p. 311, et au *Dictionnaire des Lettres françaises*, Paris, Fayard : *Le Moyen Age* (1964), articles *mystères* et *théâtre profane*, et *Le Seizième Siècle* (1951), articles *théâtre*, *sotie* et *mystère*. Dans la bibliographie de ces articles, on trouvera les références aux principales éditions des textes. Voir en outre : R. Lebègue, *La Tragédie religieuse en France. Les débuts*, Champion, 1929 ; *Le Mystère des Actes des Apôtres*, Champion, 1929 ; *La Tragédie française de la Renaissance*, Bruxelles, Office de Publicité, 1944 ; « Tableau de la comédie française de la Renaissance », *BHR* 8, 1946, p. 278-344 ; H. Lewicka, « Les plus récentes datations d'an-

ciennes farces françaises», *BHR*, 25, 1963, p. 325-336 ; R. Hess, *Das romanische geistliche Schauspiel als profane und religiöse Komödie, 15. und 16. Jahrhundert*, Munich, Fink, 1965 ; B. Goth, *Untersuchungen zur Gattungsgeschichte der Sottie*, Munich, 1967. Sur la langue : H. Lewicka, *La Langue et le style du théâtre comique français des XVe et XVIe siècles*, 2 vol., Klincksieck, 1960 et 1968. On trouvera quelques textes théoriques de l'époque dans l'anthologie de H. W. Lawton, *Handbook of French Renaissance Dramatic Theory*, Manchester, 1949. Sur le *Julius Caesar* de Muret : J. Hüther, *Die monarchische Ideologie in den französischen Römerdramen des 16. und 17. Jahrhunderts*, Munich, Hueber, 1966.

LES GRANDS CRÉATEURS

JEAN LEMAIRE

Editions :

Œuvres, p. p. J. Stecher, Louvain, Levever, 1882-1891, 4 tomes (réimpr. Genève, Slatkine, 1969) ; *Dichtungen*, p. E. Lommatzsch (extraits), Berlin, Weidmannsche Buchhandlung, 1924 ; *La Plainte du Désiré*, p. p. D. Yabsley, Paris, Droz, 1932 ; *La Concorde des deux langages*, éd. crit. p. p. J. Frappier, Paris, Droz, 1947 ; *Les Epîtres de l'Amant Vert*, éd. crit. p. p. J.

Frappier, Genève, Droz, 1948 ; *Le Temple d'Honneur et de Vertus*, éd. crit. p. p. H. Hornik, Genève, Droz, 1957 ; *La Concorde du genre humain*, p. p. P. Jodogne, Bruxelles, Palais des Académies, 1964 ; *La Concorde des deux Langages et les Epîtres de l'Amant Vert*, reproduction photographique avec notes par M. Françon, Cambridge, Mass., 1964 ; P. Jodogne, « Un recueil poétique de Jean Lemaire de Belges en

1498 », dans *Miscellanea di studi e ricerche sul Quattrocento francese*, Turin, Giappichelli, 1967, p. 179-210.

Ouvrages :

Ph. Aug. BECKER, *Jean Lemaire, der erste humanistische Dichter Frankreichs*, Strasbourg, Trübner, 1893 ; P. SPAAK, *Jean Lemaire de Belges, sa vie, son œuvre et ses meilleures pages*, Champion, 1926 ; G. DOUTREPONT, *Jean Lemaire de Belges et la Renaissance*, Bruxelles, 1934 ; K. M. MUNN, *A Contribution to the Study of Jean Lemaire de Belges*. A Critical Study of Bio-bibliographical Data, Including a Transcript of Various Unpublished Works, New York, Mennonite Publishing House, 1936.

Articles :

G. RAYNAUD DE LAGE, « Natura et Genius chez Jean de Meung et chez Jean Lemaire de Belges », *Le Moyen Age*, 58, 1952, p. 125-143 ; M. BAMBECK, « Aus alter Form zu neuem Leben. Versuch einer Deutung der Dichtung des Jean Lemaire de Belges », *Zeitschrift für franz. Sprache und Literatur*, 68, 1958, p. 1-42 ; P. P. MORPHOS, « The Composition of Le Temple d'honneur et de vertus of Jean Lemaire de Belges », *Studies in Philology*, 59, 1962, p. 501-513 ; P. P. MORPHOS, « The Pictorialism of Jean Lemaire de Belges in *Le Temple d'honneur et de vertus* », *Annali dell' Istituto Universitario Orientale di Napoli*, Sezione romanza, 5, 1963, p. 5-34 ; J. FRAPPIER, « L'Humanisme de Jean Lemaire de Belges », *BHR*, 25, 1963, p. 289-306 ; F. NEUBERT, « Die Briefe Jean Lemaires (1507-1512) », *Die Neueren Sprachen*, 12, 1963, p. 451-472 ; P. JODOGNE, « Structure et technique descriptive dans *Le Temple d'Honneur et de Vertus* de Jean Lemaire de Belges », *Studi francesi*, 10, 1966, p. 269-278.

CLÉMENT MAROT

Editions :

Œuvres, p. p. G. Guiffrey, Yve-Plessis, J. Plattard, Paris, Schemit, Morgand, Fatout, Claye, 1875-1935, 5 vol. (réimpr. Genève, Slatkine, 1968). Annotation copieuse et pleine d'intérêt, bon appareil critique, texte établi avec soin. Mais on y trouve des pièces qui ne sont pas de Marot, ou d'authenticité douteuse. Le Iᵉʳ tome est consacré à la vie du poète.
Œuvres complètes, p. p. A. Grenier, Garnier, s. d. (1ᵉʳᵉ éd., 1919, nouveaux tirages jusqu'en 1951), 2 vol. Edition commode, encore utilisable, malgré l'absence de variantes, d'annotations, les fausses leçons du texte et une biographie fantaisiste.
Poésies, p. p. I. Giraud, Garnier-Flammarion, 1972 (sous presse).
Les Epîtres ; Œuvres satiriques ; Œuvres lyriques ; Œuvres diverses ; Epigrammes ; p. p. C. A. Mayer, Londres, Athlone Press, 1962-1970, 5 vol. La seule édition critique actuellement disponible en librairie. Un précieux instrument de travail, bien que le classement des poésies soit parfois arbitraire.
Adolescence Clémentine, p. p. V.-L. Saulnier, A. Colin, 1958 (Bibl. de Cluny).
Excellente édition séparée du premier recueil de Marot.
L'Enfer (texte de 1549), p. p. M. Françon, Cambridge, Mass., Schoenhof, 1960.
Reproduction fac-similé du texte, avec introduction et notes.
Les Psaumes, p. p. S. J. Lenselink, Assen, Van Gorcum et Cassel, Bärenreiter (Le Psautier Huguenot, III), 1969.
Edition critique, accompagnée d'une étude technique plus que littéraire.
Le Roman de la Rose, dans la version attribuée à C. Marot, p. p. S. Baridon, Milan, Cisalpino, 1954, 2 vol.
Avec une introduction très bien documentée.
Marot et son temps (anthologie), p. p. A. Pauphilet, Angers, J. Petit, 1941.
Choix très judicieux (avec des poésies

de Saint-Gelais et une comédie de M. de Navarre), bien introduit.

On trouve, dans *Poètes du XVIe siècle*, p. p. A.-M. Schmidt *(op. cit.)*, un petit choix de Rondeaux, Chansons et Oraisons.

Bibliographie :

P. VILLEY, *Tableau chronologique des publications de Marot*, RSS, 1921 ; C. A. MAYER, *Bibliographie des Œuvres de C. Marot*, Genève, Droz, 1954.
I. Manuscrits ; II. Editions.
Catalogue descriptif fondamental.
V.-L. SAULNIER, « Etat présent des études marotiques », *L'Information littéraire*, mai-juin 1963, p. 93-108.
Etudes biographiques et générales :
P. VILLEY, *Marot et Rabelais*, Champion, 1923 (2/1970). Ph. A. BECKER, *C. Marot, sein Leben und seine Dichtung*, Munich, M. Kellerer, 1926. H. GUY, *C. Marot et son école*, Champion, 1926 (2/1970). Trois ouvrages de fond, anciens, mais encore utilisables. J. PLATTARD, *Marot, sa carrière poétique, son œuvre*, Boivin, 1938. P. JOURDA, *Marot*, nlle éd., Hatier, 1967 (Connaissance des Lettres). Les deux études d'ensemble les plus commodes. C. A. MAYER, *C. Marot*, Paris, Seghers, 1964 (Ecrivains d'hier et d'aujourd'hui). Etude brève, mais dense, accompagnant un petit choix de textes. P. M. SMITH, *C. Marot, poet of the French Renaissance*, Londres, Athlone, 1970. La

monographie la plus récente, ayant profité des apports de la critique d'après-guerre (nombreux articles dans *BHR, FR, SF, RHLF*, notamment).

Etudes de détail :

J. VIANEY, *Les Epîtres de Marot*, Nizet, 1962 (Gds Evénements littéraires) ; V. L. SAULNIER, *Les Elegies de C. Marot*, S.E.D. E.S., 1952 ; Ph. A. BECKER, *C. Marots Liebeslyrik*, Vienne, Hölder, 1917 (essai de reconstitution d'un « canzoniere » des vers d'amour marotiques) ; Ch. E. KINCH, *La Poésie satirique de C. Marot*, Boivin, 1940 ; P. LEBLANC, *La Poésie religieuse de C. Marot*, Nizet, 1955 ; J. ROLLIN, *Les Chansons de C. Marot*, Fischbacher, 1951 ; Ph. A. BECKER, « Zu C. Marots Epigrammen », *Zur romanischen Literaturgeschichte*, Munich, Francke, 1967 ; O. DOUEN, *C. Marot et le psautier huguenot*, Imprimerie Nationale, 1878-1879, 2 vol. ; C. A. MAYER, *La Religion de Marot*, Genève, Droz, 1960 ; M. SCREECH, *Marot évangélique*, Genève, Droz, 1967 ; A. LEFRANC, « Le roman d'amour de C. Marot », *Grands Ecrivains de la Renaissance*, Champion, 1914 (²1971) ; C. A. MAYER, « Coq-à-l'âne », *French Studies*, XVI, 1962, p. 1-13 ; C. A. MAYER et D. BENTLEY-CRANCH, « Marot poète pétrarquiste », *BHR*, 28, 1966, p. 32-51 ; W. DE LERBER, *L'Influence de C. Marot aux XVIIe et XVIIIe s.*, Champion, 1920 ; M. JEANNERET, *Tradition et poésie biblique au XVIe siècle*, Corti, 1969.

MARGUERITE DE NAVARRE

Editions :
L'Heptaméron p. p. Le Roux de Lincy et Montaiglon, Eudes, 1880, 4 vol. (ancienne édition, précieuse pour son annotation et ses annexes) (réimpr. Genève, Slatkine, 1968), p. p. M. François, Garnier, s. d. (d'un accès commode ; notes sommaires, mais judicieuses), p. p. P. Jourda, dans *Conteurs français du XVIe siècle*, Gallimard, 1965 (Bibl. de la Pléiade) (la meilleure réédition moderne). *Nouvelles*, p. p. Y.

Le Hir, P.U.F., 1967 (d'après le ms. d'A. de Thou). *Théâtre profane*, p. p. V.-L. Saulnier, Paris, Droz, 1946 (T.L.F.) (remarquable travail, enrichi d'uneannotation fort documentée et pénétrante). *Comédies*, p. p. E. Schneegans, Strasbourg, [1924] (Bibliotheca romanica, 295-299). *Comédie de la Nativité de Jesus Christ*, p. p. P. Jourda, Boivin, s. d. (1939) *Les Marguerites de la Marguerite des Princesses*, p. p. F. Franck, Jouaust, 1873,

4 vol. (seule édition moderne de ce recueil capital) (réimpr. Genève, Slatkine, 1970). *Dernières poésies de M. de Navarre*, p. p. A. Lefranc, Paris, Colin, 1896 (les œuvres de la vieillesse, restées inédites jusque-là, et comprenant notamment *Les Prisons* et *La Navire*). *Dialogue en forme de vision nocturne*, p. p. P. Jourda, *RSS*, XIII, 1926 et Champion, 1926. *Petit Œuvre dévot et contemplatif*, p. p. H. Sckommodau, Francfort, Klostermann, 1960 (Analecta Romanica, 9). *La Navire*, p. p. R. Marichal, Champion, 1956 (édition critique). *La Coche*, p. p. R. Marichal, Genève, Droz, 1970 (T.L.F.) (édition critique). *Chansons spirituelles*, p. p. G. Dottin, Genève, Droz, 1971 (T.L.F.) (édition critique).

Etudes :

P. Jourda, *Marguerite d'Angoulême*, Champion, 1930, 2 vol. (Thèse monumentale du meilleur spécialiste contemporain).

P. Jourda, *Une princesse de la Renaissance, M. d'Angoulême*, Desclée, 1932 (présentation plus cursive, mais suffisante pour une approche d'ensemble). A. Lefranc, *Les Idées religieuses de M. de Navarre d'après son œuvre poétique* (*BSHP*, 1897-1898) (réimpr. Genève, Slatkine, 1969) (étude partiale, mais avec quelques aperçus magistraux). Ph. A. Becker, *Marguerite, duchesse d'Angoulême et Guillaume Briçonnet* (*BSHP*), Paris, 1901 (bonne analyse de cette correspondance importante pour l'évolution de la pensée religieuse). L. Febvre, *Amour sacré et amour profane. Autour de l'Heptaméron*. Paris, Gallimard, 1944 (une magistrale mise au point, pour une compréhension plus exacte de l'œuvre et des conditions de sa création). V.-L. Saulnier, « Etudes critiques sur les comédies profanes de M. de Navarre », *BHR*, 9, 1947. E. V. Telle, *L'Œuvre de M. de Navarre et la querelle des femmes*, Toulouse, Lion, 1937 (réimpr. Genève, Slatkine, 1968).

RABELAIS

Les éditions du XVIᵉ siècle, très nombreuses, ont fait l'objet de deux répertoires : P. P. Plan, *Bibliographie rabelaisienne. Les éditions de Rabelais de 1532 à 1711*, Imprimerie Nationale, 1904, réimpression Nieuwkoop, 1965 ; A. Tchémerzine, *Les Editions anciennes de Rabelais, 1532-1742*, 1933. De nos jours, les éditions de Rabelais se multiplient, aussi bien les éditions luxueuses des « clubs » que celles des collections des livres de poche. Toute étude sérieuse doit cependant partir de la monumentale édition savante, publiée sous la direction d'Abel Lefranc : *Œuvres de François Rabelais*, Paris, Champion, puis Genève, Droz, 1912-1955 (six volumes parus, jusqu'au chapitre XVII du *Quart Livre*). Plus maniables, et plus accessibles, les éditions critiques publiées dans la série des *Textes littéraires français*, chez Droz, à Genève : *Pantagruel* (éd. Saulnier, 1946 ; nouvelle éd. augmentée, 1965) ; *Le Quart Livre*

(éd. Marichal, 1947) ; *Le Tiers Livre* (éd. Screech, 1964) ; *Gargantua* (éd. Calder et Screech, 1970).

Pour une première orientation dans la vaste bibliographie des études consacrées à Rabelais, il faut lire les « états présents » : J. Plattard, *Etat présent des études rabelaisiennes*, Paris, 1927 ; P. Rackow, « Der gegenwärtige Stand der Rabelaisforschung », *Germanisch-Romanische Monatsschrift*, 18, 1930, p. 198-211 et 277-290 ; R. R. Bezzola, « Rabelais im Lichte der neueren Forschung », *Zeitschrift für französische Sprache und Literatur*, 54, 1931, p. 257-280 ; A. Lefranc, « L'Œuvre de Rabelais d'après les recherches les plus récentes », *Neophilologus*, 18, 1933, p. 81-92 ; A. Lefranc, « Pantagruel et Gargantua d'après les plus récentes recherches », *Hippocrate*, 1, 1933, p. 8-28 ; R. Lebègue, « Où en sont nos connaissances sur Rabelais ? », *L'Information litté-*

raire, 1, 1949, p. 85-89 ; V. L. SAULNIER, « Dix années d'études sur Rabelais (1939-1948) », *BHR*, 11, 1949, p. 105-128 ; V. L. SAULNIER, « Position actuelle des problèmes rabelaisiens », *Association Guillaume Budé, Congrès de Tours et de Poitiers, Actes*, Les Belles Lettres, 1954, p. 83-104 ; L. SCHRADER, « Die Rabelais-Forschung der Jahre 1950-1960. Tendenzen und Ergebnisse », *Romanistisches Jahrbuch*, 11, 1960, p. 161-201 ; M. TETEL, « Trends in Italian criticism of Rabelais », *RLC*, 40, 1966, p. 541-551.

Rabelais est actuellement au centre d'un débat méthodologique (voir p. ex. les études de M. Bakhtine, M. Beaujour, H. Lefebvre, J. Paris, citées ci-dessous) ; pour le problème du « réalisme », voir L. SPITZER, « Rabelais et les *rabelaisants* », *Studi Francesi*, 12, 1960, p. 401-423, réimprimé dans ses *Etudes de style*, Gallimard, 1970 (les « rabelaisants » sont, en l'occurrence, certains critiques dont les travaux ont été publiés dans l'important volume de commémoration : *François Rabelais, 1553-1953*, Genève et Lille, Droz-Giard, 1953) ; R. MARICHAL, *préface* aux *Etudes rabelaisiennes*, 6, 1965.

Quelques études classiques : A. LE-FRANC, *Etudes sur Gargantua, Pantagruel et le Tiers Livre*, A. Michel, 1953 (réimpression des *préfaces* du maître des études rabelaisiennes) ; L. SAINÉAN, *La Langue de Rabelais*, de Boccard, 1922-1923, 2 vol. ; J. PLATTARD, *L'Invention et la Composition dans l'Œuvre de Rabelais*, Champion, 1909 ; J. PLATTARD, *La Vie de François Rabelais*, Paris-Bruxelles, Van Oest, 1928 ; J. PLATTARD, *François Rabelais*, Boivin, 1932 ; P. VILLEY, *Marot et Rabelais*, Champion, 1923 ; G. LOTE, *La Vie et l'Œuvre de François Rabelais*, Droz, 1938 ; L. FEBVRE, *Le Problème de l'incroyance au XVIᵉ siècle. La Religion de Rabelais*, A. Michel, 1942, nouv. éd. en 1947 et 1962 (contre un Rabelais libre penseur et athée) ; J. BOULENGER, *Rabelais*, Les flambeaux d'or, éd. Colbert, 1942.

Depuis 1956 paraissent les *Etudes rabelaisiennes* (Genève, Droz ; neuf volumes publiés jusqu'en 1971), qui, outre des travaux parfois importants, publient aussi des articles sur des études récentes (t. 6, 1965) ou des discussions (t. 7, 1967).

Livres récents (choix) : N. C. CARPEN-TER, *Rabelais and Music*, Chapel Hill, The University of North Carolina Press, 1954 ; H. LEFEBVRE, *Rabelais*, Editeurs fr. réunis, 1955 (thèse marxiste) ; V. L. SAULNIER, *Le Dessein de Rabelais*, S.E.D.E.S., 1957 ; L. SCHRADER, *Panurge und Hermes*, Bonn, Romanisches Seminar, 1958 ; M. A. SCREECH, *The Rabelaisian Marriage. Aspects of Rabelais' Religion, Ethics and Comic Philosophy*, Londres, E. Arnold, 1958 ; M. A. SCREECH, *L'Evangélisme de Rabelais. Aspects de la satire religieuse au XVIᵉ siècle*, Genève, Droz, 1959 ; M. DE DIÉGUEZ, *Rabelais par lui-même*, Le Seuil, 1960 (un excellent petit livre) ; A.J. KRAILSHEIMER, *Rabelais and the Franciscans*, Oxford, Clarendon Press, 1963 ; M. TETEL, *Etude sur le comique de Rabelais*, Florence, Olschki, 1964 ; A. GLAUSER, *Rabelais créateur*, Nizet, 1966 ; A. J. KRAILSHEIMER, *Rabelais*, Desclée de Brouwer, 1967 (Les Ecrivains devant Dieu, 12) ; M. BAKHTINE, *L'Œuvre de Rabelais et la culture populaire au Moyen âge et sous la Renaissance*, Gallimard, 1970 (l'édition originale, en russe, a paru à Moscou en 1965) ; M. BEAUJOUR, *Le Jeu de Rabelais*, L'Herne, 1969 ; J. PARIS, *Rabelais au futur*, Le Seuil, 1970 ; J. PARIS, *Hamlet et Panurge*, Le Seuil, 1971.

Articles récents (choix) : R. LEBÈGUE, « Rabelais et la parodie », *BHR*, 14, 1952, p. 193-204 ; R. LEBÈGUE, « Rabelais et les Grands Rhétoriqueurs », *Lettres romanes*, 12, 1958, p. 5-18 ; E. KÖHLER, « Die Abtei Thélème und die Einheit des Rabelais'schen Werks », *Germanisch-romanische Monatsschrift*, 9, 1959, p. 105-118 (réimprimé dans son volume *Esprit und arkadische Freiheit*, Francfort et Bonn, Athenaeum, 1966) ; Herman MEYER, « Gargantua und Pantagruel », dans son volume *Das Zitat in der Erzählkunst*, Stuttgart, Metzler, 1961, p. 28-53 ; F. NEUBERT, « François Rabelais' Briefe », *Zeitschrift für französische Sprache und Literatur*, 71, 1961, p. 154-185 ; R. L. FRAUTSCHI, « The ' enigme en prophetie' (Gargantua LVIII) and the question of authorship », *French Studies*, 17, 1963, p. 331-340 ; F. GRAY, « Structure and meaning in the prologue to the Tiers Livre », *L'Esprit créateur*, 3, 1963, p. 57-62 ; V. L. SAULNIER, « Aspects et motifs de la pensée rabelaisienne », *Studi in onore di Carlo Pellegrini*, Turin, Società Editrice Internazionale, 1963, p. 119-131 ; E. B. WILLIAMS, « The Observations of Epistemon and Condign Punishment », *L'Esprit créateur*, 3, 1963, p. 63-67 ; M. BUTOR, « Le Livre comme objet » et « Le Rire de Rabelais », dans son volume *Répertoire II*, éd. de Minuit, 1964, p. 104-123 et 135-145 ; Fl. GRAY, « Ambiguity and point of view in the prologue to 'Gargantua ' », *Romanic Review*, 56, 1965, p. 12-21 ; P. NYKROG, « Thélème, Panurge et la dive bouteille », *RHLF*, 65, 1965, p. 385-397 ; G. J. BRAULT, « 'Ung abysme de science ' : On the interpretation of Gargantua's Letter to Pantagruel », *BHR*, 28, 1966, p. 615-632 ; W. RAIBLE, « Der Prolog zu ' Gargantua ' und der Pantagruelismus », *Roma-nische Forschungen*, 78, 1966, p. 253-279 ; D. COLEMAN, « The prologues of Rabelais », *Modern Language Review*, 62, 1967, p. 407-419 ; U. MÖLK, « Das Rätsel auf der Bronzetafel (Zu Rabelais, « Gargantua », Kap. 58) », *Zeitschrift für romanische Philologie*, 83, 1967, p. 1-13 ; M. BUTOR, « La faim et la soif », *Critique*, 24, 1968, p. 827-854 ; Fr. CHARPENTIER, « Variations sur des litanies : à propos du ' Tiers Livre ' de Pantagruel », *RSH*, 1968, p. 335-353 ; P. R. Lonigan, « Rabelais' Pantagruelion », *Studi Francesi*, 12, 1968, p. 73-79 ; M. BUTOR, « 6 /7 ou les dés de Rabelais », *Littérature*, 2, 1971, p. 3-18.

Pour la survie : J. BOULENGER, *Rabelais à travers les âges*, Le Divan, 1925 ; L. SAINÉAN, *L'Influence et la Réputation de Rabelais*, Paris, 1930 ; M. DE GRÈVE, *L'Interprétation de Rabelais au XVIᵉ siècle*, Genève, Droz, 1961 ; M. TETEL, *Rabelais et l'Italie*, Florence, Olschki, 1969. Pour les nombreux articles consacrés à l'influence de Rabelais sur un auteur déterminé, voir les bibliographies. Signalons toutefois un Rabelais qui s'est fait spectacle : J.-L. BARRAULT, *Rabelais*, Gallimard, 1968.

CALVIN

Œuvres :

Opera omnia (Corpus reformatorum), éd. Baum, Cunitz, Reuss, 59 vol., Brunswick, Berlin, Schwetschke et fils, 1863-1900 ; *Supplementa Calviniana. Sermons inédits*, Neukirchen, Neukirchener Verlag, 1961 et suiv. ; *Calvin's Commentary on Seneca's De Clementia*, éd. F. L. Battles et A. M. Hugo, Leyde, Brill, 1969 ; *Institution de la religion chrestienne*, éd. A. Lefranc, H. Chatelain et J. Pannier, Champion, 1911 (texte de 1541) ; *Institution de la religion chrestienne*, éd. crit. par J.-D. Benoît, Vrin, 1957-1963 (texte de 1560 avec les variantes des autres éditions).

Bibliographies :

A. ERICHSON, *Bibliographia Calviniana*.

Catalogus chronologicus operum Calvini. Catalogus systematicus operum quae sunt de Calvino cum indice auctorum alphabetico, Berlin, Schwetschke, 1900 ; W. NIESEL, *Calvin-Bibliographie 1901-1959*, Munich, Chr. Kaiser, 1961 ; M. RICHTER, « Recenti studi calviniani (1960-1966) », *Rivista di storia e letteratura religiosa*, 3, 1967, 99-103 ; P. FRAENKEL *et alii*, « Petit Supplément aux bibliographies calviniennes 1901-1963 », *BHR* 33, 1971, 385-413.

Etudes littéraires :

E. HUGUET, « La langue familière chez Calvin », *RHLF* 23, 1916, 27-52 ; J.-W. MARMELSTEIN, *Etudes comparatives des textes latins et français de l'Institution de la religion chrestienne par Jean Calvin*, Groningue-

La Haye, J. B. Wolters, 1921 ; J. Pannier, *Calvin écrivain. Sa place et son rôle dans l'histoire de la langue et de la littérature française*, Fischbacher, 1930 ; A. Lefranc, *Calvin et l'éloquence française*, Fischbacher (extr. *BSHP*, 83), 1934 ; H. Ruff, *Die französischen Briefe Calvins. Versuch einer stilistischen Analyse*, Glarus, Tschudi, 1937 ; L. Wencélius, *L'Esthétique de Calvin*, Les Belles Lettres, 1937 ; L. Wencélius, « Le Classicisme de Calvin », *HR* 5, 1938, 231-246 ; J. Q. Breen, « John Calvin and the Rhetorical Tradition », *Church History*, 26, 1957, 3-21 ; R. Walch, *Untersuchungen über die lexikalischen und morphologischen Varianten in den vier französischen Ausgaben der « Institution de la Religion Chrestienne » von Jean Calvin* (thèse Bâle), Dornbirn, Hugo Mayer, 1960 ; M.T.F. Torrance, « Knowledge of God and speech about Him according to John Calvin », in *Regards contemporains sur Jean Calvin*. Actes du Colloque Calvin (Strasbourg, 1964). P.U.F., 1965, p. 140-160 ; F. M. Higman, *The Style of John Calvin in His French Polemical Treatises*, Oxford University Press, 1967.

Autres études :

E. Doumergue, *Jean Calvin, les hommes et les choses de son temps*, Lausanne, 1899-1927, 7 vol. ; A. Autin, *L'Institution chrétienne de Calvin*, Malfère, 1929 ; F. Wendel, *Calvin, sources et évolution de sa pensée religieuse*, P.U.F., 1950.

MAURICE SCÈVE

Editions :

Œuvres poétiques complètes, p. p. B. Guégan, Garnier, 1927 (ancienne édition, toujours utilisable). *Œuvres poétiques complètes*, p. p. H. Staub, U.G.E., 1971, 2 vol. (Bibl. 10-18) (introduction par G. Poulet ; texte bien établi, mais sans annotations). *Opere poetiche minori*, p. p. E. Giudici, Naples, Liguori, 1965 (excellente édition critique partielle, avec une copieuse introduction ; on trouvera, à côté de l'*Arion* et de la *Saulsaye*, le *Petit Œuvre d'Amour*, d'authenticité discutée). *Saulsaye*, p. p. M. Françon, Cambridge (Mass.), Schoenhof, 1959 (reproduction fac-similé, avec introduction et notes). *Délie*, p. p. E. Parturier, Didier, ³1961 (STFM) (reste l'édition critique de référence pour cette œuvre). *Délie*, p. p. J. D. MacFarlane, Cambridge, University Press, 1966 (très utile mise à jour, pour une partie de l'annotation, de l'édition Parturier). Il nous manque encore une édition critique du grand poème philosophique de Scève, *Microcosme*.

Etudes :

A. Baur, *M. Scève et la Renaissance lyonnaise*, Paris, Champion, 1906 (réimpr., Genève, Slatkine, 1969) (thèse de Zurich, l'un des premiers travaux sur Scève, encore utilisable). V. L. Saulnier, *M. Scève*, Klincksieck, 1948, 2 vol. (thèse magistrale, l'ouvrage de base). A. M. Schmidt, *La Poésie scientifique en France au XVIᵉ siècle*, Albin Michel, 1938 (à consulter pour *Microcosme*). P. Boutang. *Commentaire sur quarante neuf dizains de la Délie*, Gallimard, 1953 (intéressante tentative d'exégèse scévienne). E. Giudici, *Maurice Scève, poeta della Délie*, Rome, Ateneo, 1965 ; t. II, Naples, Liguori, 1969 (étude très fouillée sur la structure, la genèse et l'esprit de l'œuvre ; l'auteur annonce un 3ᵉ volume consacré au commentaire des dizains). E. Giudici, *Le Opere minori di M. Scève*, Parme, Guanda, 1958 (travail repris et complété, pour une première partie, dans *M. Scève, bucolico e « blasonneur »*, Naples, Liguori, 1965). H. Staub, *Le Curieux désir. Scève et Pelletier, poètes de la connaissance*, Genève, Droz, 1967 (essai suggestif, portant sur *Microcosme*). J. P. Attal, *Maurice Scève*, Paris, Seghers, (Ecrivains d'hier et d'aujourd'hui) (rapide présentation et choix de textes). A. Glauser, *Le Poème-symbole, de Scève à Valéry*, Paris, Nizet, 1967 (étude sur la forme du dizain « huis-clos »). H. Weber, *La Création poétique en France de M. Scève à D'Aubigné*, Paris, Nizet, 1955, 2 vol.

TABLEAU SYNOPTIQUE

ANNÉES	REPÈRES BIOGRAPHIQUES	ÉVÉNEMENTS HISTORIQUES	IDÉES ET MENTALITÉS HUMANISME
1480	† Guillaume Fichet (?).	† René d'Anjou. Institution des postes.	
1481	Guillaume Cretin a 20 ans.	Louis XI acquiert le Maine et la Provence.	Sermons latins de saint Bernard (édition).
1482	Louis d'Orléans a 20 ans.	Louis XI occupe la Picardie et l'Artois. Paix d'Arras. Louis XI obtient la Bourgogne.	
1483		† Louis XI. Charles VIII. Régence des Beaujeu. Venise appelle les Français en Italie. Disette en France.	Paul Emile professeur à Paris.
1484		Etats généraux de Tours. Condamnation des sciences occultes par la Sorbonne.	G. Balbi s'installe à la Cour.
1485	Jean d'Auton a 20 ans (?).	La guerre folle.	109 imprimeries en Europe. Pic de la Mirandole à Paris.
1486		Maximilien empereur. Bartolomeo Diaz passe le cap de Bonne-Espérance. Invasion de la Picardie par Maximilien.	Prédications de Savonarole (— 1489).
1487		Disette en France.	Gautier de Châtillon : *Alexandreis* (édition).
1488	Octovien de Saint-Gelais a 20 ans. Guillaume Budé a 20 ans.	Anne duchesse de Bretagne. Fin de la guerre folle.	Andrelini arrive en France. Querelle Balbi-Tardif.
1489	Erasme a 20 ans (?).		Andrelini commence à *lire* les humanités. J. Buridan : *Quaestiones super X Libros Ethicorum Aristotelis* (éd.).
1490	Roger de Collerye a 20 ans. Charles VIII a 20 ans.		L. Bruni : traduction latine de la *Politica* d'Aristote.
1491	† Jean Meschinot.	Mariage de Charles VIII et d'Anne de Bretagne.	Lefèvre d'Etaples en Italie (— 1492).
1492	Symphorien Champier a 20 ans.	Traité d'Etaples avec Henri VII. Alexandre VI Borgia pape.	*Physica* d'Aristote et *De Triplici Vita*, de Ficin, éd. Lefèvre.

LITTÉRATURE FRANÇAISE	LITTÉRATURES ÉTRANGÈRES ET TRADUCTIONS	ARTS	ANNÉES
an Molinet : *le Temple de Mars* (?).	Esope, traduction J. Macho.	† Jean Fouquet. J. Obrecht : *Messes et Motets.*	1480
an Molinet : *la Ressource du petit peuple.* *man de la Rose* (première édition).	Sannazar : *l'Arcadia.* L. Pulci : *Morgante maggiore* (— 1482).		1481
an Molinet : *Complainte sur la mort de Madame d'Ostrisse.* . Flameng : *Mystère de saint Didier.*	Marsile Ficin : dédicace à L. de Médicis de la traduction du *Banquet* de Platon.	† Hugo v. d. Goes. Ramis de Pareja : *Tractatus de Música.*	1482
	Virgile : *l'Enéide*, traduction J. Le Roy (?). Platon : *Opera*, traduction M. Ficin.		1483
cques Milet : *Istoire de la destruction de Troye* (édition). ain Chartier, *Fais et ditz* (édition).	P. Bersuire : *Ovide moralisé* (édition C. Mansion). Anonyme : *Griselidis* (Boccace-Pétrarque). Th. Malory : *Morte d'Arthur.*		1484
rgerie de *l'Agneau de France.* olinet : *le Bergier sans soulas.* . Marchant : *la Grand Danse Macabré.* erre de Provence (édition). artin Le Franc (édition). . Alexis : *Blason des Faulses Amours.* nt *Nouvelles Nouvelles* (édition). Michel : *Mystère de la Passion* (représenté à Angers). bert le Diable (édition).	Gaguin : traduction *Commentaires de César* (dédiée au roi). Boccace : *Des Cent nouvelles Nouvelles* (Décaméron), traduction de Premierfait (édition). S. Jérôme, *Vie des Pères*, trad. anon. *L'Internelle Consolacion* (édition) (= *L'Imitation de Jésus-Christ*). S. Augustin, *Cité de Dieu*, trad. R. de Presles (éd.)	Josquin des Prés à Rome (cour papale) — 1494.	1485 1486
ncelot en prose (édition).	*La Bible*, traduction G. des Moulins-J. de Rély (Vérard).		1487 1488
ommynes : *Mémoires* (— 1498). llon : *Grand Testament* (édition). lentin et Orson (roman de chevalerie, éd.). aguin : *le Passetemps d'Oysiveté.* ain Chartier : *la Belle Dame sans mercy* (édition). ctovien de Saint-Gelais : *le Sejour d'honneur* (— 1494).	Nicole Oresme, *Politiques-Yconomiques* d'Aristote (Vérard). Saint Bonaventure : *l'Aiguillon d'amour divin* (traduction anonyme). Anonyme : *Art d'aimer*, d'Ovide. Anonyme : Lucain, Suétone et Salluste.		1489 1490
	Paul Orose (traduction anonyme).	Boèce : *De Institutione Musica* (édition).	1491
uillaume Tardif : *l'Art de Fauconnerie* (1483-1492) dédié au roi.	Guillaume Tardif : *les Facéties du Pogge* (avant 1492) ; *Apologues et*	† G. Busnois. J. Obrecht à Anvers.	1492

ANNÉES	REPÈRES BIOGRAPHIQUES	ÉVÉNEMENTS HISTORIQUES	IDÉES ET MENTALITÉS HUMANISME
1492		Colomb découvre l'Amérique. Erasme ordonné prêtre.	Josse Bade s'installe à Paris.
1493	Jean Lemaire de Belges a 20 ans.	Traité de Senlis avec Maximilien. Traité de Barcelone avec Fernand. Réforme du clergé français. Disette en France.	Jacques Lefèvre : *Introductiones diversos Metaphysicorum Aristolis libros.*
1494	† Pic de la Mirandole. † Ange Politien.	Première campagne d'Italie. Philippe le Beau, gouverneur des Pays-Bas. Organisation des foires de Lyon.	Luca Pacioli : *Summa de Arithmtica.* J. Lefèvre : *Ars moralis in Mag Moralia Aristotelis.*
1495	Pierre Gringore a 20 ans (?).	Prise et perte de Naples par Charles VIII. Traité de Verceil avec Sforza.	Janus Lascaris vient enseigner Paris. Robert Gaguin : *Compendium origine et gestis Francorum.*
1496	† Guillaume Alexis. † Henri Baude. Jean Bouchet a 20 ans.		J. Lefèvre : *Introductio in lib Ethicorum Aristotelis.*
1497		Trêve de Lyon. Départ de l'expédition Vasco de Gama. Cabot découvre Terre-Neuve.	Robert Gaguin : *Epistolae et O tiones.*
1498	Thomas More a 20 ans.	† Charles VIII. Louis XII.	Robert Gaguin : *De Arte metr candi.*
1499	† Marsile Ficin.	Deuxième campagne d'Italie. Louis XII entre à Milan.	J. Lefèvre publie le *Pseudo-Deny.* les *Opera* de R. Lulle. T. Calco : *Genealogia Vicecomitu*
1500	† Guillaume Tardif (?). † M. Marulle.	Bataille de Novare. Accord de Bade contre les Turcs. Traité de Grenade.	
1501	† Robert Gaguin. † J. Michel.	Troisième campagne d'Italie : prise de Capoue et de Naples. Traité de Trente. Philippe le Beau traverse la France.	Ch. de Bovelles : *In artem opposi rum introductio.*

LITTÉRATURE FRANÇAISE	LITTÉRATURES ÉTRANGÈRES ET TRADUCTIONS	ARTS	ANNÉES
icole Gilles : *Annales et cronicques de France.*	*Fables*, de L. Valla ; *Ditz des saiges femmes*, de Pétrarque.		1492
ean Meschinot : *les Lunettes des Princes* (édition). e *Petit Artus de Bretagne* (édition). Iolinet : *Art de retorique* (édition).	Octovien de Saint-Gelais : *Eurialus et Lucresse*, d'A. S. Piccolomini. Anonyme : *Des cleres et nobles femmes* de Boccace.		1493
ndré de La Vigne : *la Ressource de la Chrestienté.* Ioralité de *l'homme pécheur.* oman de *Jehan de Paris* (réédition).	M. Ficin : *Mercurii Trismegisti Liber* (p.p. J. Lefèvre). S. Brant : *Narrenschiff.*		1494
roissart : *Croniques.*	Première édition d'Aristote en grec (Venise).	Construction d'Amboise. (Fra Giocondo ; Dom. Bernabei).	1495
uillaume Cretin : *Deploration d'Ockeghem.* ndré de la Vigne : *le Vergier d'honneur.* ean Molinet : *le Voiage de Napples.* ébat de la « *dame sans si* » (Anne de Graville). . de Villeneuve : *Mémoires sur la campagne d'Italie* (1494-1497).	J. Reuchlin : *De Verbo mirifico.* V. de Beauvais : *Myroir Historial*, trad. J. de Vignay (édition). Octovien de Saint-Gelais : *Héroïdes*, d'Ovide.	† Ockeghem. Gaffurius : *Practica Musica.* *Mise au Tombeau* de Solesmes. L. de Vinci : *la Cène* (Milan).	1496 1497
, Le Baud : *Histoire de Bretagne.* ean d'Auton : *Alarmes de Mars, Conqueste de Milan.* ierre Gringore : *le Chasteau de Labour.* livier de La Marche : *Mémoires.* ean d'Auton : *Cronique du roy Louis XII.* ouchet : *l'Amoureux transy sans espoir.* Iolinet : *le Roman de la Rose moralisé.* ean d'Auton : *Chronique de France* (— 1507). e *Jardin de Plaisance et Fleur de Rhetorique.*	Anonyme : *la Généalogie des Dieux* de Boccace. P. Rivière : *la Nef des Folz.* Nicole Oresme : *Ethiques*, d'Aristote. Francesco Colonna : *Hypnerotomachia Polyphili.* Erasme : *De Copia.* Octovien de Saint-Gelais : *l'Enéide*, Térence. Jean Drouyn : *la Nef des Folles*, de J. Bade. Erasme : *Adagia* (première édition).	A. Brumel, à Notre-Dame de Paris. A. Willaert a 20 ans. Début de l'imprimerie musicale : O. Petrucci, *Odhecaton.* Maître de Moulins : Triptyque de P. de Beaujeu (— 1502).	1498 1499 1500 1501

ANNÉES	REPÈRES BIOGRAPHIQUES	ÉVÉNEMENTS HISTORIQUES	IDÉES ET MENTALITÉS HUMANISME
1502	† Olivier Maillard. † Octovien de Saint-Gelais.	Réforme de la justice, des impôts, des ordres monastiques. Louis XII à Milan et à Gênes. Voyages de Vasco de Gama (— 1503), de Christophe Colomb (— 1504).	Premières éditions des Estienne. Reconstruction du Collège d Navarre. Pétrarque : *Bucolicum Carmen*, éd tion Josse Bade.
1503	† Pontanus. Luther a 20 ans.	Perte du royaume de Naples. † Alexandre VI ; Pie III, puis Jules II papes.	
1504	J.-C. Scaliger a 20 ans.	Traités de Blois.	
1505	† P. Le Baud.	Etats généraux de Tours.	J. Lefèvre publie les *Livres herm tiques* (*Pimandre, Hermès Trism giste, Asclepius*) et les *Contemple tiones* et *Blanquerna* de R. Lull
1506	C. Agrippa a 20 ans.	† Philippe le Beau. Révolte de Gênes.	J. Lefèvre édite la *Politiq* d'Aristote. J. Clichtove : édite les *Opera d* H. de Saint-Victor.
1507	† Jean Molinet. Almanque Papillon a 20 ans (?).	Campagne de Gênes. Louis XII à Milan. Marg. d'Autriche gouv. des Pays-Bas.	Symphorien Champier : *Liber d quadruplici Vita* (Lyon).
1508	Christophe de Longueil a 20 ans.	Ligue de Cambrai, contre Venise.	Josse Bade édite G. de Mon mouth. J. Aléandre arrive à Paris. Aristote : *Poétique* (en grec, che Alde Manuce). Guillaume Budé : *Annotationes Pandectas*.
1509	G. Farel a 20 ans. L. de Berquin a 20 ans.	Campagne contre Venise. Bataille d'Agnadel. Henri VIII roi d'Angleterre.	J.-F. Stoa *poeta laureatus*. J. Lefèvre : *Quincuplex Psalterium*
1510	† G. d'Amboise. † Jean de Saint-Gelais.	Nemours en Italie (Monselice).	Ch. de Bovelles : recueil de diver opuscules (*De Intellectu*, etc.)

ITTÉRATURE FRANÇAISE	LITTÉRATURES ÉTRANGÈRES ET TRADUCTIONS	ARTS	ANNÉES
	D. Missant : *Des Offices*, de Cicéron.	Josquin : *Missae* (Petrucci, 4 livres, — 1514). Château de Gaillon (M. Colombe, P. Fain, — 1509). Palais Ducal de Nancy.	1502
			1503
ampier : *la Nef des dames vereuses*.		A. Brumel : *Missae* (Petrucci). Château de Blois (aile Louis XII). *La Joconde*.	
a Lemaire : *Temple d'Honneur de Vertus; Couronne Margarique*. a Bouchet : *les Regnars traverns*.	Erasme : *Enchiridion militis christiani*.	J. Obrecht à Ferrare. Michel-Ange : *David*.	1504
a Lemaire : *Epistre de l'Amant rt*. re Gringore : *les Folles entreises*. ippe de Vigneulles : *Cent nouelles nouvelles* (— 1515). Marot : *la Vray disant Advocate s Dames*.	Bembo : *Gli Asolani*.	† J. Obrecht. Josquin à la cour de Louis XII (— 1515). J. Clouet a 20 ans.	1505
	G. Michel : *Georgicques* de Virgile (avec moralisation). Reuchlin : *Rudimenta linguae hebraicae*.	Vinci : *Trattato della Pittura*.	1506
a Lemaire : *Chansons de Naur*.	J. Drouyn : *Régime d'honneur*. N. Remacle : *Palamedes*.	Eglise de Brou. M. Colombe : Tombeau des ducs de Bretagne.	1507
rot : *Voyage de Gênes*. a Lemaire : *la Concorde du genre umain*. de Seyssel : *les Louenges du Roy ouis XII*. ossetier : *Chronique margarique* (— 1517).	Ordonnez de Montalto, *Amadis de Gaule*.	Vinci au service de Louis XII. J. Bourdichon : *Heures d'Anne de Bretagne*. M. Colombe : Saint-Georges de Gaillon. Hôtel d'Alluye (Blois).	1508
phorien Champier : *Panégyque de Louis XII*. re Gringore : *les Abus du Monde*. a Lemaire : *Legende des Veniens; Plainte du Desiré* (comp. 504).	Arioste : *I Suppositi*. Erasme : *Encomium Moriae*.	Façade du château de Gaillon (A. Juste).	1509
Marot : *Voyage de Venise*. re Gringore : *la Chasse du cerf s cerfs*.		† A. de Févin. Travaux à l'église de Brou.	1510

ANNÉES	REPÈRES BIOGRAPHIQUES	ÉVÉNEMENTS HISTORIQUES	IDÉES ET MENTALITÉS HUMANISME
1510	S. Macrin a 20 ans.		N. Valla : *Ilias Homeri* (trad tion latine).
1511	† Ph. de Commynes. M. de Saint-Gelais a 20 ans. R. de La Marck a 20 ans. I. de Loyola a 20 ans.	Sainte Ligue contre Louis XII. Trivulce prend Bologne. Invasion du Milanais par les Suisses.	L. Despautère : *Ars versificat* Erasme : *Moriae Encom* imprimé à Paris. Grégoire de Tours édité G. Petit.
1512	Marg. d'Angoulême a 20 ans. J.-L. Vivès a 20 ans. A. Héroët a 20 ans (?).	Perte de l'Italie. Bataille de Ravenne 11 avril. Nouvelles fortifications de Paris. Ouverture du Concile de Latran (— 1516).	Lefèvre : *Epistolae XV* de sa Paul. Ruysbroeck : *De Ornatu s tualium Nuptiarum libri* (p. Lefèvre).
1513		Traité de Blois (28 mars). Reconquête du Milanais. † Jules II ; Léon X pape.	Platon : *Opera* (en grec, nuce). A. Tiraqueau : *De legibus co bialibus*.
1514	Rabelais a 20 ans (?). François d'Angoulême a 20 ans.	† Anne de Bretagne; † Louis XII. Publication du *Grant Coustumier de France*.	La Sorbonne condamne œuvres de Reuchlin. Nicolas de Cues, *Opera*, p. J. Lefèvre.
1515	† A. de La Vigne (?).	François Ier. Reconquête du Milanais. Marignan.	Budé : *De Asse*.
1516	† Jean Lemaire (après 1515). Marot a 20 ans. Lazare de Baïf a 20 ans.	Charles-Quint roi de Castille. Paix perpétuelle de Fribourg avec les Suisses (29 nov.). Concordat avec Léon X. François Ier en Provence.	Paul Emile : *De rebus gestis Fra rum* (ou 1517). Erasme : édition princeps *Nouveau Testament* en grec.
1517		Traité de Cambrai. La grande paix (— 1521). Luther : les 95 thèses.	J. de Hauville : *Architrenius* (tion).
1518	† M. Menot.	Naissance du dauphin François.	Marsile Ficin : traduction de ton imprimée à Paris (J. Pe

LITTÉRATURE FRANÇAISE	LITTÉRATURES ÉTRANGÈRES ET TRADUCTIONS	ARTS	ANNÉES
Thénaud : *Poetrie*. de Seyssel : *Histoire de Justin*.			1510
..n Lemaire : *Illustrations de Gaule I; Epistre du roi à Hector de Troye*. ..n d'Auton : *Epistre du preux Hector au roi Louis XII*. Desmoulins : *Catholicon des Ma-advisez*.			1511
..n Lemaire : *Traité de la diffe-ence des schismes et des conciles*. ..rre Gringore : *Jeu du Prince des Sots*.	J. Clichtove : *De vera nobilitate*.	† M. Colombe (?)	1512
..n Lemaire : *Illustrations de Gaule II et III*. ..illaume Cretin : *Plainte sur G. Byssipat*. ..n Lemaire : *Concorde des deux angages*. ..on de Bordeaux* (édition).	Bibbiena : *la Calandria*. Machiavel : *Il Principe (?)*. G. Brice : *Chordigera*.	J. Mouton maître de chapelle du roi. Château de Bonnivet (— 1525).	1513
Marot : *le Temple de Cupido*. Bouchard : *Grandes Chroniques de Bretagne*.	G. de La Forge : *Triumphes*, de Pétrarque. J. F. Q. Stoa : *Cleopolis*.		1514
..n Marot : *Poèmes sur la bataille de Marignan*.	U. v. Hutten : *Epistolae obscurorum virorum*. Trissino, *Sophonisba*. Machiavel : *Discorsi* (— 1519).	L. de Vinci en France. Mise au tombeau de Chaource (v. 1515).	1515
..Michel : *la Forest de Conscience*. ..rre Gringore : *Fantasies de Mère Sote*. ..n Bouchet : *le Temple de Bonne Renommée*.	G. Michel : *Bucoliques*, de Virgile. Champier : *Symphonia Platonis cum Aristotele*. Thomas More : *Utopia*. Erasme : *Institutio principis chris-tiani*. Pomponazzi : *De immortalitate ani-mae*. Arioste : *Orlando furioso*.	† Jérôme Bosch. Blois (aile François Ier — 1524). Glarean : *Isagoge in musicen*.	1516
..n Bouchet : *le Chappelet des Princes*. ..des Courtils : *la Mer des his-toires de Gaule*.	T. Folengo : *Baldus*.	H. Isaac.	1517
	G. Michel : *l'Ane d'or*, d'Apulée. Machiavel : *Mandragola*.	† L. Compère.	1518

ANNÉES	REPÈRES BIOGRAPHIQUES	ÉVÉNEMENTS HISTORIQUES	IDÉES ET MENTALITÉS HUMANISME
1518			Geoffroy Tory ouvre son imp[rimerie.
1519	† F. Andrelini. Robert Estienne a 20 ans.	† Maximilien. Charles-Quint empereur. Premier tour du monde par Magellan.	
1520	† H. Estienne. † Cl. de Seyssel.	Camp du Drap d'Or. Bulle *Exsurge Domine* contre Luther.	Noël Béda syndic de la Sorbon[ne
1521	Scève a 20 ans.	Perte du Milanais. † Léon X. Adrien VI, pape. Diète de Worms. Condamnation de Luther par la Sorbonne.	Lefèvre d'Etaples est appelé Meaux par G. Briçonnet.
1522	† Chr. de Longueil. † J. Reuchlin. Monluc a 20 ans (?). V. Brodeau a 20 ans (?).	Les Français chassés d'Italie. Procès du connétable de Bourbon. Premier emprunt d'état.	Alamanni arrive en France. G. Roussel : *Corpus moralium A[ristotelis.*
1523	H. Salel a 20 ans. H. Amyot a 20 ans. N. Bourbon a 20 ans. M. de Nostredame a 20 ans.	Trahison du connétable de Bourbon. J. Valière brûlé pour hérésie. † Adrien VI. Clément VII, pape.	Vivès : *De ratione studii.* Le Parlement de Paris fait sa[isir et brûler tous les livres [de Luther.
1524	Charles Estienne a 20 ans.	Invasion de la Provence par Charles-Quint. Grand Jubilé de Clément VII.	Erasme : *De libero arbitrio;* Cli[chtove, *Anti-Lutherus.*
1525	† Guillaume Cretin. Michel de l'Hospital a 20 ans. A. Du Saix a 20 ans.	Reconquête du Milanais. Désastre de Pavie. François Ier prisonnier. Louise de Savoie régente.	Luther : *De servo arbitrio.* M. Menot : *Sermones quadrag[esi]males* (édition). La Sorbonne condamne plusie[urs écrits d'Erasme et les *Epi[stres] et Evangiles* de Lefèvre.
1526	† Jean Marot. † A. de La Vigne. G. Buchanan a 20 ans.	Traité de Madrid. Ligue de Cognac.	
1527	† Ph. de Vigneulles. † Florimont Robertet. † Machiavel.	Condamnation de Bourbon. Sac de Rome, mort de Bourbon. Marguerite reine de Navarre. Semblançay pendu.	Budé : *De Studio litterarum.*

LITTÉRATURE FRANÇAISE	LITTÉRATURES ÉTRANGÈRES ET TRADUCTIONS	ARTS	ANNÉES
			1518
Claude de Seyssel : *la Monarchie de France*.	Anonyme : *Morgant le Géant* (imitation de Pulci).	† Léonard de Vinci. Construction de Chambord (Trinqueau-Sourdeau).	1519
L. Briçonnet : *Contemplations à l'honneur de la Vierge*.		Glarean : *Dodecachordon* (— 1539, édition 1547).	
Commynes : *Chroniques* (édition).			
Latin : *Giglan, filz de messire Gauvain*.	Vidoue : *Eloge de la Folie*, d'Erasme.	Giunta : édition des *Chanson à troys* (Venise).	1520
	Pomponazzi : *De Fato*.	A. Willaert : *Chansons* (Antico, Rome).	
	Luther : *An den christlichen Adel deutscher Nation*.	Fenêtre du couvent de Tomar.	
P. Fabri : *Art de rhetoricque*.	*Le Violier des Histoires romaines. (Gesta Romanorum)*.	† Josquin des Prés.	1521
A. de Graville : *Palamon et Arcita*.	G. Michel : traduction de Polydore Virgile.		
G. Michel : *le Siecle doré*.	Bembo : *Prose della volgar lingua* (— 1525).		
C. Marot lauréat du Puy de Rouen.			
G. Alione d'Asti : *Opera jocunda*.	Erasme : *Colloquia*.	† Jean Mouton.	1522
	Luther : traduction allemande de la *Bible*.		
	Lefèvre : *Psautier et Nouveau Testament* (en français).	Holbein : portrait d'Erasme.	1523
	Luther : *Formula Missae*.		
J. Bouchet : *Annales d'Aquitaine*.	Pétrarque : *Des remèdes*, trad. J. Daudin (1378).	Travaux à Chambord.	1524
M. de Navarre : *Le Pater Noster*.			
Mabrian (roman de chevalerie).	H. Des Essarts : *l'Orloge des Princes* de Guevara.	G. Tory : *Heures de la Vierge*. Saint-Etienne-du-Mont.	1525
S. Champier : *le Preulx chevalier Bayard*.	S. Bougouing : *Triomphes*, de Pétrarque.		
	L. de Berquin : *Enchiridion*, Erasme.		
	Loyola : *Exercices spirituels*.	P. Trinqueau : grand escalier de Blois.	1526
P. Sala : *Tristan* (?).	Sannazar : *De Partu Virginis*.		
Clément Marot (?) : édition du *Roman de la Rose*.	Erasme : *Colloquia; Institutio christiani matrimonium*.		
	D. de San Pedro : *Prison d'amours*.		
Clément Marot : *Epistre au roi pour le delivrer de prison*.	Anonyme : *la Célestine* (F. de Rojas).	A. Willaert maître de Chapelle à Saint-Marc de Venise.	1527
Guillaume Cretin : *Œuvres* (éd.).	Fr. Dassy : *le Pérégrin*, de Caviceo.		
J. Bouchet : *Panegyric du chevalier sans reproche; Genealogies des roys de France*.			

ANNÉES	REPÈRES BIOGRAPHIQUES	ÉVÉNEMENTS HISTORIQUES	IDÉES ET MENTALITÉS HUMANISME
1528	† Jean d'Auton. J. Dorat a 20 ans. Fr. Habert a 20 ans (?).	Synode de Sens. Disette en France.	Copernic définit l'héliocentrisme
1529	† Paul Emile. † L. de Berquin (brûlé vif). Calvin a 20 ans.	La Paix des Dames (Cambrai). Grande rebeine de Lyon. Supplice de Berquin.	G. Tory : *Champfleury*. Budé : *Commentarii linguae grecae.*
1530	† J. Parmentier. G. Postel a 20 ans. Ambroise Paré a 20 ans.	Diète d'Augsbourg. † Marguerite d'Autriche. François Ier institue les lecteurs royaux.	J. Palsgrave : *Esclaircissement de l' langue françoise*. R. Textor : *Dialogi*. Guillaume Budé : *De Philologia*.
1531	† A. Bouchard. J. Second a 20 ans.	Grand Voyage de France (— 1533). Mariage Henri-Catherine de Médicis. Schisme d'Angleterre.	Robert Estienne : *Dictionariu seu latinae linguae thesaurus*. Bovelles : *Proverbium vulgariur libri*. Vivès : *De Disciplinis*.
1532	Ch. de Sainte-Marthe a 20 ans. O. de Turnèbe a 20 ans. Th. Sébillet a 20 ans. H. Sussanneau a 20 ans.		J. Dubois : *In linguam gallicam isa goge*. Sénèque : *De Clementia* comment par Calvin. G. Corrozet : *Fleur des Antiquite de Paris*.
1533	† G. Tory. † Ch. de Bovelles. † Arioste.	Condamnation du *Miroir de l'âme pécheresse* par la Sorbonne.	Ch. de Bovelles : *De Differenti vulgarium linguarum*. G. Roussel prêche le carême au Louvre.
1534	† G. Briçonnet.	Affaire des Placards. † Clément VII. Paul III pape. Fondation de la Compagnie de Jésus. Cartier au Canada.	
1535	† Thomas More (décapité). † Josse Bade. † C. Agrippa. Ch. Fontaine a 20 ans. P. Ramus a 20 ans.	Guerre contre l'Empire. Réformation de Genève. Ligue de Smalkade. J. Cartier sur le Saint-Laurent. Édit de suppression de l'imprimerie.	Concours des blasons. Dolet : *Dialogues de imitation ciceroniana*. Guillaume Budé : *De Transit hellenismi ad christianismum*.
1536	† Lefèvre d'Etaples. † Erasme.	François Ier occupe la Savoie et le Piémont.	Turquet et Vauzelles implanten l'industrie de la soie à Lyon.

LITTÉRATURE FRANÇAISE	LITTÉRATURES ÉTRANGÈRES ET TRADUCTIONS	ARTS	ANNÉES
'erceforest (édition). *Mystère de saint Jean-Baptiste* (représentation).	Erasme : *Ciceronianus.* Lefèvre : *Ancien Testament.* J. Martin : *le Pérégrin*, traduction revue. J. Parmentier : *Hystoire catilinaire*, de Salluste. B. Castiglione : *Il Cortegiano.*	P. Attaingant : recueils collectifs de chansons. C. Jannequin : Chansons. Agrandissement du Louvre (P. Lescot). Château de Madrid (P. Godin). Château de Fontainebleau (G. Le Breton). Clouet peintre du roi.	1528
1. d'Amboise : *Complaintes de l'Esclave fortuné.* .. Chartier : *Œuvres* (édition).	Valdes : *Doctrina christiana.* N. Barthélemy : *Christus Xylonicus.*	Attaingnant : *Gaillardes et Pavanes.* N. Gombert : *Œuvres musicales.*	1529
de L'Espine : *Contredits de Songecreux* (écrits 1512-1515). erceval le Gallois (édition). a Fleur de toutes joyeusetés (anthologie courtoise, édition).	Lefèvre : *Sainte Bible* (d'après la Vulgate). Anonyme : *le Jugement d'Amour*, de J. de Flores. Tory : *Aediloquium.*	Ph. de l'Orme a 20 ans. Château de Saint-Germain-en-Laye (— 1540).	1530
1. de Navarre : *Miroir de l'ame pecheresse.* arangon des nouvelles honnestes et delectables. Flore : *Comptes amoureux.* Bouchet : *Genealogies des rois de France.*	Alciat : *Emblemata.* P. Grognet : *Motz dorés de Caton.* R. Bertaut : *Livre doré de Marc-Aurèle*, de Guevara. M. d'Amboise : *Bucoliques* de B. Mantouan.	Le Rosso travaille à Fontainebleau.	1531
abelais : *Pantagruel.* . Marot : *Adolescence Clementine.* . Marot : éd. de Villon. oman de Jehan de Paris (édition). . du Saix : *l'Esperon de Discipline.*	G. Chappuys : *Complaincte de Flammette* (Boccace). Traduction anonyme : *Ulenspiegel.* Vivès : *De institutio foeminae christianae.*	Eglise Saint-Eustache. Château de Villers-Cotterets. B. Guyot peintre du roi.	1532
ecueil Jehan Marot.	N. Bourbon : *Nugae.* C. Marot traduit les *Psaumes* (— 1539).		1533
abelais : *Gargantua* (?). . Telin : *Brief sommaire.* . Du Pont : *Controverses des sexes masculin et feminin.*	Marot : *Premier Livre de la « Métamorphose » d'Ovide.* P. Rosset : *Christus* (édition). L. B. Alberti : *Hecatomphile.*		1534
, Corrozet : *Antiques Erections des Gaules.* . de La Perrière : *Theatre des bons engins* (?).	M. Scève : *Deplourable fin de Flamecte* (J. de Flores). *Bible* d'Olivetan. Aretin : *Ragionamenti.*		1535
, de Collerye : *Œuvres.* , de Troyes : *Grand parangon* (ms).	J. Le Fèvre : *Emblèmes* (Alciat). J. Calvin : *Christianae religionis institutio.*	Michel-Ange *le Jugement dernier (Sixtine).*	1536

ANNÉES	REPÈRES BIOGRAPHIQUES	ÉVÉNEMENTS HISTORIQUES	IDÉES ET MENTALITÉS HUMANISME
1536	† J. Second. † Tagliacarne.	Invasion de la Provence par Charles-Quint. Capitulations avec Soliman. Paul III convoque le Concile.	Querelle Marot-Sagon. Dolet : *Commentarii linguae latin* (— 1538).
1537	† Béda. † Champier (?). J. Pelletier du Mans a 20 ans.		Rabelais pratique la dissection
1538	† R. de Collerye. † P. Gringore. † G. Brice.	Trêve de Nice. Entrevue d'Aigues-Mortes. † Dauphin François. Calvin et Farel exilés de Genève.	R. Estienne : *Dictionarium latin* *gallicum*. G. Postel : *De Originibus*. Condamnation de Des Périers pa la Sorbonne.
1539	Th. de Bèze a 20 ans. L. Labé a 20 ans (?).	Grand tric de Lyon (— 1541). Edit contre les hérétiques. Charles-Quint traverse la France.	Ordonnance de Villers-Cotteret F. Vatable : *Biblia sacra hebraic* Mercator : *Carte du globe*.
1540	† G. Budé. † V. Brodeau. O. de Magny a 20 ans. N. Du Fail a 20 ans. P. Du Guillet a 20 ans.	Calvin rappelé à Genève. Approbation de la Compagnie de Jésus.	Dolet : *la Manière de bien tradui* R. Estienne : *Dictionnaire fra* *çois-latin*.
1541	Pontus de Tyard a 20 ans.	Diète de Ratisbonne.	Querelle des Amyes.
1542	† J. Visagier. J. Du Bellay a 20 ans.	Campagne du Milanais. Convocation du Concile de Trente. Fondation de l'Inquisition. Le Parlement interdit l'*Institution* de Calvin.	Vicomercato lecteur royal d philosophie. G. Paradin : *De antiquo statu Bu gundiae*. J. Fernel : *De Naturali parte me cinae*.
1543	† G. Du Bellay. † J. Clichtove. L. Des Masures a 20 ans.		P. Ramus : *Aristotelicae animadve siones*. G. Postel : *Alcorani et evangelist rum concordia*. Copernic : *De revolutionibus o bium celestium*.

LITTÉRATURE FRANÇAISE	LITTÉRATURES ÉTRANGÈRES ET TRADUCTIONS	ARTS	ANNÉES
J. Le Blond : *Printemps de l'humble esperant.* Scève : *Arion.* Sagon : *Coup d'Essay.*	Héroët : *l'Androgyne de Platon* (d'après *le Banquet* de Ficin). Visagier : *Epigrammata* (— 1537).		1536
Bonaventure Des Périers : *Cymbalum Mundi.* A. Du Saix : *Petitz Fatras.* Marot : *Epistre de Frippelippes.*	Lazare de Baïf : *Electre* (Sophocle). J. Colin : *le Courtisan* (Castiglione). G. Michel : *Epistres familieres* (Cicéron).	Clément Jannequin : *Chant du Rossignol.*	1537
Hélisenne de Crenne : *les Angoisses doloreuses.* Marot : *Œuvres* (édition Dolet).	J. Colin : *le Songe de Scipio; De la vieillesse* (Sénèque). J. Meynier : *Triumphes* de Pétrarque. Dolet : *Carmina.*	Attaingnant : *Trente-cinq livres de chansons* (— 1550).	1538
H. Salel : *Œuvres.* G. Du Pont : *Art et science de rhetorique metrifiée.*	H. des Essarts : *l'Amant mal traicté de s'amye* (Arnaldo y Lucenda). Calvin : *Institutio* (2e édition). J. Second : *Basia.*	J. Arcadelt : *Madrigaux* (— 1554). *Aulcuns Psaumes et Cantiques* (Strasbourg). Cellini arrive en France.	1539
Sainte-Marthe : *Poesie françoise.* B. de Chasseneuz : *Epitaphes des roys de France.* *Mystère de saint Christophe* (représentation).	H. Des Essarts : *Amadis de Gaule* (— 1548, 8e Livre). R. Bertaut : *l'Orloge des Princes* (Guevara). Ch. Estienne : *les Abusez* (Piccolomini). A. de Macault : *Apophtegmes* (Erasme).	† Jean Clouet.	1540
La Borderie : *l'Amye de Court.* Calvin : *Institution de la religion chrestienne* (en français). Corrozet : *Hecatomgraphie.* M. d'Amboise : *Contrepistres d'Ovide.*	J. Pelletier : *Art poétique* (Horace). J. Beaufils : *le Premier livre de la vie saine* (Ficin). Marot : *Trente Psaumes.* J. Second : *Opera* (édition).	Fr. Clouet, peintre du roi. P. Lescot : Palais du Louvre. Serlio à Fontainebleau.	1541
Rabelais : *Pantagruel* et *Gargantua* (édition définitive). F. Habert : *le Songe de Pantagruel.* A. Héroët : *la Parfaicte Amye.* *La Fleur de poesie françoise.*	Vallambert : *Criton* (Platon). A. Allègre : *Du Mespris de Court* (Guevara). Corrozet : *Esope* (en vers). S. Speroni : *Dialoghi.* G. Michel : *Pandora* (J. Olivier). A. Senin : *Philocope* (Boccace).	C. de Rore : *Madrigali cromatici* (— 1566). Le Primatice dirige les travaux à Fontainebleau.	1542
A. Papillon : *Nouvel Amour.* Rencontre Pelletier-Ronsard-Du Bellay ?	Des Guettes : *Roland furieux* (Arioste, en prose). Dolet : *Tusculanes* (Cicéron). J. Martin : *Orus Apollo.* Ch. Estienne : *Paradoxes* (C. Landi).	Jubé de Saint-Germain-l'Auxerrois (P. Goujon-P. Lescot).	1543

ANNÉES	REPÈRES BIOGRAPHIQUES	ÉVÉNEMENTS HISTORIQUES	IDÉES ET MENTALITÉS HUMANISME
1543			A. Vésale : *De corporis humani fabrica*.
1544	† C. Marot. † Bonaventure Des Périers. † Sagon. † A. d'Arena. Ronsard a 20 ans. Hotman a 20 ans.	Bataille de Cérisoles. Traité de Crépy.	S. Münster : *Cosmographia universalis*.
1545	† Pernette Du Guillet.	Ouverture du Concile de Trente.	Serlio : *Architectura*. Ambroise Paré médecin.
1546	† Etienne Dolet (brûlé vif). † Luther. Louise Labé a 20 ans. M.-A. Muret a 20 ans.	Massacre des Vaudois en Provence. Guerre de Smalkade.	Ramus : *Commentaire sur le Somnium Scipionis*. Le Blond : *Défense de la langue française*.
1547	† L. de Baïf. † La Borderie. † B. Rhenanus. † M. d'Amboise. † J. Colin. J. Tahureau a 20 ans.	† Henri VIII. † François Ier. Henri II. Insurrection contre la gabelle en Guyenne. La Sorbonne condamne les Bibles de Robert Estienne.	Ronsard, Baïf, Du Bellay au collège de Coqueret avec J. Dorat.
1548	R. Belleau a 20 ans.	Guerre franco-anglaise. Mariage du dauphin et de Marie Stuart.	Interdiction des Mystères par le Parlement.

LITTÉRATURE FRANÇAISE	LITTÉRATURES ÉTRANGÈRES ET TRADUCTIONS	ARTS	ANNÉES
			1543
Marot : *Œuvres* (édition Constantin). M. Scève : *Delie*. Bonaventure Des Périers : *Œuvres*. Av. 1544, Des Périers, rédaction des *Nouvelles Récréations*.	J. Vincent : *Roland amoureux* (Boiardo). J. Martin : *Arcadie* (Sannazar). Des Périers : *Lysis* (Platon). Dolet : *Axiochus, Hipparchus* (Platon). A. Du Moulin : *Manuel d'Epictète*. G. Bochetel : *Hécube* (Euripide). J. Gohory : *le Premier livre des Discours* (Machiavel).		1544
Pernette Du Guillet : *Rymes*. J. Bouchet : *Epistres morales et familieres*. G. Roville : *Antique preexcellence de Gaule*.	J. Martin : *Azolains* (Bembo). J. Pelletier : *Art poétique* (Horace, 2e version). Le Maçon : *Décaméron* (Boccace). Salel : *Iliade (I-X)*. Anonyme : *les Supposés* (Arioste). J. Martin : *le Premier Livre d'architecture* (Serlio). Giolito : *Rime diverse di molti* (— 1547).	L. Richier : monument funéraire de R. de Châtillon.	1545
Rabelais : *Tiers Livre*. Dolet : *Cantique*. Ch. Fontaine : *la Fontaine d'amour*. Corrozet : *le Compte du Rossignol*.	Anonyme : *l'Art de la Guerre* (Machiavel). J. Maugin : *Palmerin d'Olive*. J. Martin-J. Gohory : *le Songe de Polyphile*. J. Maugin : *Amour de Cupido et de Psyché* (Apulée). R. Le Blanc : *Ion* (Platon). J. de La Haye : *Commentaire sur le Banquet de Platon*, de Ficin. Alamanni : *la Coltivatione*.		1546
Rabelais : *Quart Livre* (I-XI). Scève : *Saulsaye*. Budé : *Institution du Prince*. Noël Du Fail : *Propos rustiques*. M. de Navarre : *Marguerites*. Mellin de Saint-Gelais : *Œuvres*. Pelletier du Mans : *Œuvres poetiques*. Du Fail : *Baliverneries*. Th. Sébillet : *Art poëtique*. Forcadel : *le Chant des Seraines*. M. de Navarre : *Comedie jouée au Mont-de-Marsan*.	Amyot : *Théagène et Chariclée* (Héliodore). P. Du Val : *Criton* (Platon). Pelletier : *Odyssée I-II* (Homère). Le Blanc : *les Œuvres et les Jours* (Hésiode). J. Martin : *Architecture* (Vitruve). G. Haudent : *Apologues d'Esope*. Hotman : *Apologie* (Platon). Alamanni : *Girone Il Cortese*. Th. de Bèze : *Poemata*. V. Philieul : *Laure d'Avignon* (Pétrarque).	Glaréan : *Dodecachordon* (édition). L. Bourgeois : *Psaumes*. Anet (Ph. Delorme). Michel-Ange dirige les travaux à Saint Pierre. Fontaine des Innocents (P. Lescot-J. Goujon).	1547 1548

Table des illustrations

Illustrations in-texte :

Page 6 :

Inscription autographe du doctorat de Rabelais (22 mai 1537). Registre des Actes de l'Université de Montpellier.

Table des matières

LITTÉRATURE FRANÇAISE

Collection dirigée par Claude Pichois
Professeur à l'Université Vanderbilt

LE MOYEN AGE

1. 1 (Des origines à 1300)
par Jean Charles Payen
professeur à l'Université de Caen
(paru)

2. 11 (1300-1480)
par Daniel Poirion
professeur à l'Université de Grenoble
(paru)

LA RENAISSANCE

3. 1 (1480-1548)
par Yves Giraud
professeur à l'Université de Fribourg
et Marc-René Jung
professeur à l'Université de Zurich
(paru)

4. 11 (1548-1570)
par Enea Balmas
professeur à l'Université de Padoue

5. 111 (1570-1624)
par Jacques Morel
professeur à la Sorbonne

L'AGE CLASSIQUE

6. 1 (1624-1660)
par Antoine Adam
professeur honoraire à la Sorbonne
(paru)

7. 11 (1660-1680)
par Pierre Clarac
membre de l'Institut
(paru)

DATE DUE
